С. К. СТИВЕНС

Легкомысленные

Санкт-Петербург

УДК 821.111(73)
ББК 84(7Сое)-44
С 80

S. C. Stephens
THOUGHTLESS

Перевод с английского Алексея Смирнова

Оформление Сергея Шикина

ISBN 978-5-389-05888-0

СТО ОТТЕНКОВ ЛЮБВИ

*Спасибо всем, кто помог мне
при написании и издании этой книги.
Ваша поддержка многое значит для меня!*

ГЛАВА 1

ВСТРЕЧИ

Я не припомню поездки дальше чем на шестьдесят миль от родного города, а это путешествие непозволительно затянулось по всем канонам. Судя по данным «Мэпквеста», дорога занимает тридцать семь часов и одиннадцать минут — конечно, если ты сверхчеловек и тебе ни разу не потребуется остановка.

Мы с моим парнем держали путь из Афин, что в штате Огайо. Я родилась и выросла там, как и все мои близкие. В нашей небольшой семье никогда не обсуждалось, что мы с сестрой поступим в Университет штата Огайо и окончим его. Это само собой предполагалось с момента нашего рождения. Поэтому, когда осенью на втором курсе я надумала перевестись, разразилась настоящая семейная трагедия. Еще сильнее, если такое вообще возможно, их потрясло то обстоятельство, что новое место располагалось в двух с половиной тысячах миль от Вашингтона: я выбрала Вашингтонский университет в Сиэтле. Однако я выиграла довольно неплохую стипендию, и это явно поколебало родителей. Но только слегка. Семейные сборы отныне станут красочным зрелищем.

Причина моего переезда сидела рядом и увозила нас вдаль на развалюхе-«хонде». Денни Харрис. Я взглянула на него и улыбнулась. Он был красив. Я знаю, что это не лучшее определение для мужчины, но в данном случае это прилагательное идеально подходило. Денни был австралийцем из маленького курортного города в Квинсленде. Без преувеличения можно сказать, что всю жизнь он провел в воде, окруженный экзотикой, отчего стал загорелым и мускулистым, но не качком. Нет, атлетическим сложением его наградила природа. Он был не очень высок для парня, но выше меня, даже когда я стояла на каблуках, и этого хватало. У него были очень темные каштановые волосы, которые он носил, разделяя на густые, но аккуратные пряди. Я любила делать это сама, и он восторженно соглашался, при этом вздыхая, жалуясь и грозясь когданибудь сбрить их начисто. Но они ему нравились.

У него были теплые темно-карие глаза, которые заискрились, как только он взглянул на меня.

— Держись, малышка. Теперь уже близко — осталась пара часов.

Я обмирала от его акцента. При всей его необычности он неизменно доставлял мне удовольствие.

Мне повезло: у Денни была тетушка, которой тремя годами ранее предложили место в Университете штата Огайо, куда она и переехала. Денни, доброе сердце, решил отправиться с ней и помочь обустроиться. Штаты полюбились ему еще в старших классах школы, когда он провел здесь год в качестве студента по обмену, поэтому он, недолго думая, перевелся в Университет штата Огайо. И пока он не умыкнул меня, родители считали его идеальным кандидатом на роль моего кавалера. Я вздохнула в надежде, что они быстро оправились от этой студенческой истории.

Решив, что я вздыхаю от его слов, Денни добавил:

— Кира, я знаю, что ты устала. Мы только на минутку заглянем к «Питу», а потом поедем домой и рухнем на кровать.

Я кивнула и закрыла глаза.

Под «Питом», очевидно, подразумевался популярный бар, где в роли местной рок-звезды блистал наш новый сосед по комнате Келлан Кайл. Хотя мы и собирались прочно у него обосноваться, я мало что знала о нем. Мне было известно, что в свой первый год учебы в школе за границей Денни остановился у Келлана и его родителей, а также что Келлан играл в группе. Ага, я знала целых две вещи о нашем новом загадочном соседе.

Я открыла глаза и стала смотреть в окно на пролетавшие мимо толстые зеленые деревья. Над многочисленными фонарями вдоль автострады висело странное оранжевое марево. Мы наконец одолели последний перевал, где я на миг устрашилась, что древний автомобиль Денни его не возьмет. Мы петляли среди буйных лесов, горных водопадов и бескрайних озер, сверкавших в лунном свете. Даже во мраке ночи здесь было красиво. Я видела, как передо мной в живописном пейзаже этого штата открывалась новая жизнь.

Наше прощание с уютными Афинами началось несколько месяцев назад, ведь учеба Денни в Университете штата Огайо приближалась к своему завершению. Он был великолепен, и не одна я так считала. Одаренный — так обычно отзывались о нем профессора. Денни получил от них массу рекомендаций и разослал резюме куда только мог.

Мысль о разлуке с ним, даже всего на два года, оставшихся до моего выпускного, была невыносима, а потому я подала заявления в университеты и колледжи всех городов, куда Денни обратился в поисках работы или стажировки. Моей сестре Анне это казалось странным. Она была не из тех, кто готов таскаться за парнем по всей стране, даже таким симпатичным, как Денни. Но я была не в силах остановиться. Я жить не могла без его дурацкой ухмылки.

Конечно, с его-то умом он получил стажировку своей мечты в Сиэтле. Денни собирался работать в одном из ведущих мировых рекламных агентств, которое занималось раскруткой знаменитой сети ресторанов быстрого питания с желтой эмблемой в виде буквы «М». Он твердил об этом на каждом углу с непонятным почтением, как будто бы там воздух изобрели, ни больше ни меньше. Очевидно, стажировка там — действительно редкость. И дело не только в зарплате, но и в возможностях, которые предоставлялись стажерам: Денни не будет мальчиком на побегушках, а сразу войдет в команду. Мысль об отъезде в Сиэтл совершенно вскружила ему голову.

Я же была в панике и выпивала по полбутылки «Пепто»[1] изо дня в день, пока не получила уведомление о зачислении в Вашингтонский университет. Классно! Затем я ухитрилась выбить стипендию, покрывавшую едва ли не все расходы на обучение. Я не блистала, как Денни, но не была и тупицей. Классно вдвойне! В Сиэтле у Денни жил знакомый, который запросил за комнату меньшую сумму, чем мы рассчитывали платить, — благодаря этому все дело виделось предначертанным свыше.

Я улыбалась, глядя на мелькавшие названия дорог, парков и населенных пунктов. Теперь мы удалялись от величественных гор, и деревеньки встречались чаще. Когда мы приблизились к городу, где был указатель на Сиэтл, в окна забарабанил дождь. Скоро начнется новая жизнь. Практически ничего не зная о месте, где мы поселимся, я была уверена, что с Денни не пропаду. Я сжала его руку, и он ласково улыбнулся.

Денни закончил учебу неделю назад, получив сразу две степени (настоящий работяга!): по деловой экономике и маркетингу, — и мы приготовились к отъезду. Стажировка начиналась в ближайший понедельник. Мои родители не особенно убивались из-за скорой разлуки: поворчав насчет моего решения уехать, они утешились надеждой провести со мной следующее лето. Я буду отчаянно скучать по ним, но мы с Денни прожили врозь почти два мучительно долгих года — я с родителями, а он с тетей, — и мне не терпелось развить наши отношения. Целуя родителей на прощание, я старалась сохранить серьезную, торжественную мину, однако в душе ликовала при мысли о том, что скоро мы с Денни окажемся предоставлены сами себе.

Единственным, против чего я отчаянно возражала, было путешествие на машине. Пара часов в самолете против нескольких дней в раздолбанной колымаге... Второй вариант мне ничуть не улыбался, но Денни испытывал стран-

---

[1] «Пепто Бисмол» — лекарственный препарат от диареи. — *Здесь и далее прим. перев.*

ную привязанность к своему драндулету и не захотел его бросить. Я полагала, что иметь машину в Сиэтле неплохо, но дулась добрых полдня. В итоге Денни превратил путешествие в такую забаву, что повода для жалоб не осталось, и, конечно, предпринял всяческие меры, чтобы сделать свой автомобиль удобным. Приятные воспоминания о паре остановок на нашем пути сохранятся у меня на всю жизнь.

При этой мысли я расплылась в улыбке и закусила губу, вновь взволнованная перспективой свить собственное гнездо. Поездка вышла веселой и полной радостных моментов, и все-таки мы без устали катили вперед. Я была счастлива, но смертельно устала. И, хотя Денни ухитрился сделать свою машину на удивление уютной, она все же оставалась машиной, а я мечтала о постели. Моя улыбка сменилась вздохом облегчения, когда перед нами наконец воссияли огни Сиэтла.

Денни спросил дорогу, и мы без труда нашли бар «У Пита». Ему удалось отыскать свободное место на забитой по случаю пятницы парковке, и он ловко вписался в проем. Едва затих мотор, я буквально вылетела из машины и потянулась что было сил. Денни усмехнулся, но сделал то же самое. Взявшись за руки, мы зашагали к входу. Мы прибыли позже, чем рассчитывали: группа уже играла, и мы двигались в волнах музыки. Оказавшись внутри, Денни быстро оглядел помещение. Он указал на здоровяка, прислонившегося к стене и наблюдавшего за публикой, которая большей частью взирала на группу, и мы начали пробираться к нему сквозь толпу.

По пути я взглянула на сцену, где выступали четверо ребят. Все выглядели моими ровесниками, чуть старше двадцати. Они играли быстрый, заводной рок, и голос певца идеально соответствовал стилю — грубый, но очень сексуальный. «Да они крутые», — подумала я, пока Денни сноровисто лавировал в море ног и локтей.

Первым я волей-неволей рассмотрела солиста. Такого не проглядишь: он был убийственно прекрасен. Жгучий взгляд сканировал толпу восторженных женщин, сгрудившихся перед сценой. Густая грива песочного цвета волос была всклокочена. На макушке они были длиннее, космы покороче топорщились вокруг, и он взъерошивал их волшебным движением. «Взрыв на макаронной фабрике», как сказала бы Анна. Ладно, она выразилась бы грубее — моя сестрица бывала полной бестолочью, — но стиль и впрямь был таков, будто обладателя этой шевелюры только что поимели в подсобке. Я покраснела, когда подумала, что он мог быть... Так или иначе, он был на редкость привлекателен. Не каждая могла перед ним устоять.

Одет он был на удивление просто, как будто знал, что не нуждается в дополнительных аксессуарах. Серая футболка с длинными рукавами, закатанными по локоть, достаточно тесная, чтобы обозначить безупречный торс. Потертые черные джинсы, тяжелые черные ботинки — обманчивая простота. Он выглядел рок-божеством.

При всем при этом самой восхитительной его чертой, помимо чарующего голоса, была донельзя сексуальная улыбка. Она едва мелькала меж слов, которые он пел, но этого хватало. Чуть улыбаясь время от времени, он флиртовал с толпой и всецело околдовывал ее.

Он был откровенно сексуален. К несчастью, он это знал. Он перехватывал все до единого взгляды восторженных фанаток. Те сходили с ума, когда он задерживал на них взор. Теперь я была ближе и видела, что его полуулыбки были обескураживающе соблазнительными. Он раздевал глазами всех женщин подряд — для таких взглядов у моей сестрицы тоже имелось подходящее название.

Мне стало неуютно при виде того, как он искушает всех поклонниц разом, и я присмотрелась к троим оставшимся участникам группы.

Двое по бокам от солиста были настолько похожи, что наверняка состояли в родстве — вероятно, были братьями. Примерно одного роста, чуть ниже певца, более худощавые и не столь хорошо сложенные. Один играл на соло-гитаре, другой — на бас-гитаре, и оба были довольно милы.

Возможно, они показались бы мне более привлекательными, рассмотри я их первыми.

Соло-гитарист был одет в шорты цвета хаки и черную футболку с незнакомым мне логотипом группы. Волосы у него были светлыми, короткими и непослушными. Он сосредоточенно выводил сложный мотив, лишь ненадолго бросая взгляд на толпу и вновь переводя его на собственные руки.

У его такого же светлоглазого белокурого родственника волосы были длиннее и доходили до подбородка, так что он заправлял их за уши. Он тоже был в шортах, а футболка вызвала у меня усмешку. Простенькая надпись гласила: «Я играю в группе». Он пощипывал бас-гитару чуть ли не с выражением скуки на лице и постоянно посматривал на соло-гитариста, свою вылитую копию. Мне показалось, что он охотнее сыграл бы на его инструменте.

Последний музыкант скрывался за барабанами, и его было сложно разглядеть. Спасибо, что он вообще был одет, ведь многие ударники испытывают потребность выступать едва ли не обнаженными. Но лицо у него было премилое: большие темные глаза и короткие каштановые волосы, стриженные под машинку. В ушах виднелись «тоннели» примерно в полдюйма диаметром. Я не большая любительница таких вещей, но ему они чрезвычайно шли. Его руки были покрыты яркими цветными татуировками, напоминавшими настенные росписи, и он непринужденно выдавал сложные барабанные партии, взирая на толпу с широкой ухмылкой.

О нашем новом соседе по квартире Денни сказал лишь, что тот играет в этой группе, ни разу не уточнив, о ком идет речь. Я надеялась, что им окажется большой, похожий на плюшевого медведя парень, сидевший за ударными. Казалось, с ним будет легко поладить.

Денни наконец добрался до здоровяка. Тот заметил нас и широко улыбнулся Денни.

— Здорово, приятель! Скока лет, скока зим, — заорал он, перекрикивая музыку и отчаянно искажая акцент Денни, который пытался скопировать.

Я усмехнулась про себя. Стоило кому-нибудь услышать Денни — и человек сразу начинал обезьянничать. Обычно им плохо удавалось. Любой, кто не живал в Австралии, мгновенно фальшивил. Денни это забавляло, и он постоянно пытался приучить меня к своему говору. Я же знала, что у меня ничего не получится, и не велась на его провокации. Незачем выставлять себя на посмешище.

— Салют, Сэм, давно не виделись.

С Келланом Денни познакомился, когда еще учился в школе в Сиэтле по программе обмена. Поскольку Сэм выглядел его ровесником, я решила, что и с ним он сошелся тогда же. Я заулыбалась еще шире, когда они кратко, на мужской манер, облапили друг друга.

Сэм был человек-гора — явный качок, — одет в красную рубашку, лопавшуюся от мускулов, череп налысо выбрит. И если бы он не улыбался, я ни за что не рискнула бы к нему подойти. Он излучал угрозу, что показалось мне вполне оправданным, когда я прочла на его рубашке название бара. Очевидно, он работал здесь вышибалой.

Сэм придвинулся к нам, чтобы мы не орали во всю глотку.

— Келлан сказал, что ты будешь к вечеру. Зависнешь у него? — Сэм перевел взгляд на меня и, прежде чем Денни успел ответить на первый вопрос, спросил: — Твоя подруга?

— Ага, это Кира, Кира Аллен. — Денни улыбнулся мне. Я любила звучание своего имени в его исполнении, тронутое акцентом. — Кира, это Сэм. Мы были приятелями в школе.

— Привет, — улыбнулась я, не зная, что еще сделать.

Я терпеть не могла знакомиться. Мне всегда становилось немного не по себе, и я страшно смущалась. Я не считала, будто во мне есть что-то особенное. Нет, ничего отталкивающего — просто обычная. Длинные каштановые волосы, слава богу густые и слегка вьющиеся, карие глаза, которые называли выразительными, что в моем представлении означало «слишком большие». Я была среднего

роста для девушки — около ста шестидесяти пяти санти-
метров и при этом довольно стройной — спасибо школь-
ным занятиям бегом, но в целом считала себя весьма заурядной.

Сэм кивнул мне и вновь обратился к Денни:

— Видишь, Келлану пришлось начать выступление,
но он передал мне ключ, на случай если вы не захотите
остаться... Долгая дорога и все такое.

Он полез в карман джинсов, вынул ключ и протянул
его Денни.

Это было очень мило со стороны Келлана. Я смертельно устала и желала только одного: устроиться на месте и
проспать пару дней. Мне не хотелось ради ключа ждать за-
вершения представления, которое могло продлиться бог
знает сколько.

Я оглянулась на группу. Солист продолжал раздевать
женщин взглядом. Иногда он всасывал воздух сквозь зубы,
придавая звуку едва ли не интимный оттенок. Он припал
к микрофону и простер руку, чтобы стать ближе к фанаткам, которые восторженно взвыли. Что до мужчин, то они
стояли дальше, хотя некоторые ребята и прилипли к своим подругам. Эти парни взирали на певца с откровенной
неприязнью. Я невольно подумала, что рано или поздно
ему всерьез набьют морду.

Мне все больше казалось, что приятелем Денни был
симпатяга за барабанами. Ударник выглядел добродуш-
ным и беззаботным типом, с которым тот легко мог сой-
тись. Денни трепался с Сэмом и спрашивал, как обстоят
его дела. Когда они закончили, мы попрощались.

— Готова идти? — осведомился Денни, понимавший,
насколько я вымоталась.

— Еще бы, — ответила я, мечтая о постели.

К счастью, от последнего жильца в квартире осталась
кое-какая мебель.

Денни усмехнулся и взглянул на группу. Я ждала, что
он перекинется взглядом со своим приятелем, и смотрела
на него. Денни нравилось, когда на его лице был намек

на усы и бороду по краю челюсти. Никакой буйной растительности, — казалось, что он просто вернулся из долгого похода. Его лицо, в противном случае детское, благодаря этому становилось грубее и старше, но щетина была мягкая и приятно щекотала мне шею. К тому же она была исключительно сексуальна. Я поняла, что у меня есть еще одна причина поскорее уйти.

Не сводя с Денни глаз, я увидела, как он помахал ключами и вздернул подбородок. Он явно поймал взгляд Келлана и показывал, что мы идем домой. Я же настолько погрузилась в грезы, что забыла проследить, кому он сигналил. Мне все еще не было ясно, кто из них Келлан. Я окинула взглядом сцену, но никто из четверки не смотрел на нас.

По пути к выходу я спросила:

— Кто из них Келлан?

— Мм? А, я же не сказал! — Он кивнул на группу. — Певец.

В груди у меня екнуло. Иначе и быть не могло. Я остановилась, оглянулась, и Денни тоже притормозил, смотря на музыкантов. Пока мы шли к двери, песня сменилась. Звучал медляк, и голос Келлана стал тише, нежнее и сексуальнее, хотя казалось, что дальше уже некуда. Но я замерла и прислушалась не поэтому.

Дело было в словах. Они были красивы, даже потрясающи — поэтическое выражение любви и утраты, беззащитности и самой смерти. Они рассказывали о ком-то покинутом, кого хотелось помянуть добрым словом, — о том, по кому стоит тосковать. Пустые девчонки, число которых удвоилось, продолжали взывать к певцу в поисках его внимания. Они как будто даже не уловили изменения музыкального настроя. Но Келлан стал совсем другим. Теперь он сжимал микрофон обеими руками и смотрел поверх толпы расфокусированным взглядом, весь захваченный музыкой. Он потерялся в словах, и те, казалось, рвались из сокровенных глубин его души. Если предыдущая песня была забавной безделицей, то эта представала личной. Она явно что-то значила для него. Мое дыхание пресеклось.

— Ух ты, — наконец вздохнула я. — Он удивительный.

Денни кивнул в сторону сцены:

— Да, в этом он всегда был мастер. У него даже в школе была приличная группа.

Внезапно мне захотелось задержаться там на всю ночь, но Денни устал не меньше моего, а то и больше, ведь вел машину в основном он.

— Пойдем домой. — Я улыбнулась ему, упиваясь звучанием этих слов.

Он взял меня за руку и потянул за собой сквозь оставшуюся часть толпы. На выходе я в последний раз оглянулась на Келлана. Удивительно, но его безупречное лицо было обращено прямо ко мне, и я чуть вздрогнула. Песня все лилась из его уст, и я вновь пожалела, что не останусь до конца.

Он разительно переменился по сравнению с моментом, когда я его заметила. На поверхностный взгляд он показался лишь исключительно чувственным. Все в нем кричало: «Я возьму тебя прямо здесь и сейчас и заставлю забыть собственное имя». Но теперь в нем открылась глубина, даже душевность. Может быть, первое впечатление было ошибочным и Келлан заслуживал более близкого знакомства?

Жизнь в его обществе обещала быть любопытной.

Денни легко нашел наш новый дом: тот стоял в плотно застроенном переулке не так далеко от бара. Улочка была заставлена машинами, и движение стало практически односторонним. Подъездная дорожка могла вместить пару автомобилей, и Денни занял более дальнее от входа место.

Он подхватил с заднего сиденья три наши сумки, я взяла две оставшиеся, и мы вошли внутрь. Дом был небольшой, но милый. В прихожей торчали крючки для одежды, все пустые, чуть дальше виднелся стол в форме полумесяца, на который Денни бросил ключи. Слева был короткий коридор с дверью в конце. Ванная? Там же я различила столешницу — наверное, кухня. Прямо перед нами открывалась гостиная. В глаза бросался непомерно большой телевизор. «Мальчишки есть мальчишки», — подумала я. Справа виднелись ступеньки, витком уводившие на верхний этаж.

Мы поднялись и остановились перед тремя дверями. Денни отворил правую: разоренная постель и старая гитара в углу выдавали обитель Келлана. Денни захлопнул дверь и сунулся в среднюю, посмеиваясь над нашей игрой в угадайку. Там оказалась ванная. Итак, оставалась дверь номер три. Улыбаясь, Денни распахнул ее настежь. Я стала осматриваться, но моего любопытства хватило лишь на впечатляющую, королевского размера кровать у стены. Не теряя времени зря, я потянула к ней Денни, схватив его за рубашку.

Нам редко удавалось побыть наедине. Вокруг нас постоянно терлись какие-то люди: его тетя, моя сестра или — ох! — мои родители. Мы лелеяли мечту об уединении, но после беглого осмотра нашего нового крохотного дома мне стало ясно, что оно будет не таким полным, как я надеялась, особенно наверху: стены были слишком тонки, чтобы обеспечить приватность. Поэтому мы свалили багаж в углу и воспользовались отлучкой нашего соседа. Прочее барахло могло и подождать, ведь были вещи и поважнее.

❖ ❖ ❖

Я проснулась ранним утром, еще хмельная от путешествия, но освеженная. Денни распростерся на своей стороне постели и выглядел слишком безмятежно, чтобы пробудиться. Я испытала легкий трепет, очнувшись от сна рядом с ним. Нам редко удавалось провести вместе целую ночь, но отныне так будет всегда. Стараясь не потревожить его, я встала и направилась в коридор.

Мы поселились прямо напротив Келлана, дверь в комнату которого была чуть приоткрыта. Дверь же в ванную, находившуюся между нашими спальнями, оказалась закрытой. В моей семье ее не закрывали никогда, если внутри никого не было. Света под дверью не было видно, но в нем и надобности не было, так как уже достаточно рассвело. Постучать? Я не хотела выглядеть идиоткой, стучащейся в свою же дверь, но меня еще не представили Келлану, и мне не улыбалось начать знакомство с ним со встречи в ванной. Как, впрочем, и вообще встреча в ванной. Я оглянулась на его дверь и стала прислушиваться, пока моя голова не пригрозила лопнуть. Мне померещилось, будто я различаю легкое дыхание, доносящееся из его комнаты, но оно могло быть и моим собственным. Я не слышала, как он вернулся ночью, но Келлан, похоже, был из породы тех, кто гуляет до четырех и спит до двух пополудни, так что я рискнула и повернула ручку.

Нахлынуло облегчение: никого. Тотчас у меня появилось желание скорее смыть с себя дорожную грязь. Убедившись, что дверь надежно заперта, — я в равной степени не хотела, чтобы Келлан наткнулся на меня, — я включила душ. Накануне, прежде чем рухнуть и отключиться от изнеможения, я спешно перерыла наши пожитки в поисках пижамы. Сейчас я скинула трусы и майку и шагнула под воду — почти кипяток. Блаженство. Мне вдруг захотелось, чтобы Денни проснулся и присоединился ко мне. У него было прекраснейшее тело, казавшееся еще лучше мокрым, в потоке воды. Но затем я вспомнила, каким измученным он выглядел прошлым вечером. Что ж, может быть, в другой раз.

Я расслабилась под горячей водой и вздохнула. Спеша в ванную, я забыла шампунь, но там, на мое счастье, нашлось мыло. Не лучший способ мыть волосы, но мне было неудобно воспользоваться дорогими средствами Келлана. Я блаженствовала в пару намного дольше, чем следовало, задумайся я о других, кому бы вдруг понадобилась теплая вода. Но я ничего не могла поделать — так здорово снова быть чистой.

Наконец я выключила воду и вытерлась единственным имевшимся полотенцем. Оно было ужасно тонким и маленьким, в следующий раз мне надо будет постараться не забыть свое — большое и удобное. Торопливо обернувшись этим клочком материи и думая о прохладном коридоре, я распахнула дверь. Желая лишь одного — отмыться, я позабыла обо всех туалетных принадлежностях, не говоря уже о смене одежды. Я принялась вспоминать, в какой из наших раскиданных сумок лежат мои вещи, и тут заметила открытую дверь в комнату Келлана. Там кто-то был.

Он стоял на пороге, лениво зевая и почесывая голую грудь. Спать он, судя по всему, предпочитал в трусах. Я моментально смутилась от его вида. Сон вовсе не отразился на его всклокоченной шевелюре — та выглядела прекрасно, и волосы торчали во все стороны. Но главным было тело. Если Денни представал великолепным, то Келлан просто поражал воображение. Он был высоким — на добрых полфута выше Денни, с удлиненными и сухими мускулами, как у бегуна. И они были очень четко очерчены. Можно было взять маркер и наметить каждую линию.

Он был сексуален.

Его немыслимо яркие синие глаза сверкнули, когда он взглянул на меня и очаровательно склонил голову набок:

— Ты, должно быть, Кира.

Голос у него был низкий и чуть хриплый спросонья.

Я смешалась, когда поняла, что наше знакомство недалеко ушло от того, чего я опасалась. Что ж, по крайней мере, мы были кое-как одеты. Мысленно выругав себя последними словами за то, что не надела трусы и майку, сброшенные перед душем, я неуклюже протянула ему руку в жалкой попытке официоза.

— Да... Салют, — промямлила я.

Он пожал мне руку с волшебной полуулыбкой. Моя реакция, похоже, его донельзя рассмешила, а наш вид ничуть не смущал. Я почувствовала, что краснею, и отчаянно пожелала укрыться у себя, но не имела понятия, как вежливо разрешить эту странную встречу.

— Ты Келлан? — спросила я.

Глупый вопрос. Кем он мог быть? Здесь жили только трое.

— Угу, — пристально изучая меня, кивнул он.

Чуть пристальнее, чем следовало, чтобы мне было уютно в присутствии странного мужчины, перед которым я стояла полуголой.

— Прости за горячую воду. По-моему, я всю извела.

Я повернулась, нашаривая дверную ручку в надежде, что он поймет намек.

— Ерунда. Помоюсь вечером перед уходом.

Не успев задаться вопросом, куда он собрался, я пробормотала:

— Ну, тогда до скорого, — и метнулась в свою комнату.

Кажется, перед тем, как захлопнулась дверь, я расслышала усмешку за своей спиной.

Что ж, это было унизительно. Наверное, могло быть и хуже. Тьфу ты, вот потому я и не любила знакомиться. Я выставляла себя полной дурой, и нынешний эпизод не стал исключением. Денни твердил, что наша первая встреча была романтичной, — у меня же для нее было припасено другое словечко. Я пришла в ужас при мысли о количестве знакомств, предстоявших в ближайшие месяцы. Но я хоть буду одета. Надеюсь.

Я навалилась на запертую дверь и постояла, приходя в чувство.

— Что с тобой?

Ясный, оттененный акцентом голос Денни прервал мои мысли. Я распахнула глаза и увидела, что он лежит, опершись на локоть, и с любопытством разглядывает меня. Он все еще казался усталым, и я надеялась, что не разбудила его.

— С соседом познакомилась, — отозвалась я мрачно.

Денни знал меня слишком хорошо и не был удивлен моей реакцией на такую мелочь. Он знал, в какой я приду раздрай, если наткнусь на незнакомца, будучи одетой лишь в тонкое полотенце.

— Ну-ка, иди сюда.

Он распахнул объятия, и я с готовностью взгромоздилась на кровать.

Окунувшись в тепло, я повернулась к нему спиной, и он крепко обнял меня, поцеловал в мокрые волосы и глубоко вздохнул:

— Не передумала, Кира?

Я изогнулась и чмокнула его в плечо.

— Мы уже здесь. Не поздновато? — Я повернулась к нему лицом и поддразнила: — Назад *не поеду*.

Он слегка улыбнулся, но глаза его остались серьезными.

— Я знаю, чем ты пожертвовала ради меня — домом, семьей, — и понимаю, что ты скучаешь, ведь я не слепой. Мне просто хочется убедиться, что дело того стоит.

Я положила ладонь ему на щеку:

— Не надо. Даже не смей сомневаться. Конечно, я ужасно скучаю по своим, просто жуть. Но ты того стоишь, ты стоишь всего на свете. — Ласково гладя его пальцами, я сказала: — Я люблю тебя и хочу быть там же, где и ты.

Он искренне улыбнулся:

— Прости за некоторую сентиментальность, но... Ты мое сердце. Я тоже тебя люблю.

Затем он поцеловал меня и начал разматывать полотенце, вдруг скомкавшееся на моей талии.

А мне пришлось снова и снова напоминать себе, что стены очень тонкие...

ГЛАВА 2

«ЧУДИЛЫ»

Спустя какое-то время мы с Денни рука об руку спустились вниз, напоминая подростков в пору щенячьей любви. Нам было радостно думать, что мы наконец-то зажили вместе. Я сказала Денни, на кого мы похожи, и, расхохотавшись, мы обогнули угол и вступили в кухню.

Вторым, что я подметила в этом доме после его малых размеров, стало скудное убранство. Было совершенно очевидно, что это просто ночлежка, пацанский приют. Мне явно придется кое-что прикупить. Это место было слишком голым для любой девушки, и даже мне хотелось приложить к нему свою руку.

При этом кухня была приличных размеров. Вдоль дальней стены тянулась стойка, упиравшаяся в холодильник. Другая стена была вдвое короче, около нее стояла плита, а на ней — микроволновка. Слева от плиты была еще одна короткая стойка с кофеваркой, полной свежего кофе. От запаха у меня потекли слюнки. В глубине кухни расположился скромных размеров стол с четырьмя стульями, а за ним виднелось большое окно, выходившее на крохотный задний двор.

Между короткой стеной и окном находился выход в гостиную, по которой ходил Келлан. Он держал утреннюю газету и просматривал первую страницу, уже одетый в шорты и футболку. Волнистые волосы оставались в беспорядке, но более продуманном, чем раньше, — идеальном. Хотя Келлан был одет просто, я вдруг ощутила себя серой и заурядной в повседневных джинсах и футболке. Впрочем, я справилась с этим, напрягши руку, за которую меня держал Денни.

— Эй, на борту, — улыбнулся Денни и направился к Келлану, который вскинул глаза, услышав его голос.

— Привет, ребята! Молодцы, что сумели! — Келлан улыбнулся в ответ, и они с Денни коротко обнялись.

Я тоже улыбнулась. Парни бывают такими симпатягами.

Денни любовно взглянул на меня:

— С Кирой, я слышал, ты уже познакомился.

При воспоминании об этом улыбка слетела с моего лица.

— Да. — Келлан сверкнул глазами чуть порочнее, чем следовало. — Но рад видеть вновь.

Спасибо хоть проявил деликатность. Продолжая улыбаться, Келлан подошел к кофеварке и вынул из буфета кружки.

— Кофе?

— Только не мне, нет уж. Не пойму, как вы пьете эту дрянь. — Денни с отвращением скривился. — Но Кире нравится.

Я согласно кивнула и улыбнулась Денни. Он не терпел даже запаха кофе, но любил чай, что казалось мне забавным и очаровательным.

Денни взглянул на меня сверху вниз:

— Есть хочешь? В машине, по-моему, что-то осталось.

— Умираю с голоду.

Я закусила губу и секунду любовалась его красивым лицом, затем легонько поцеловала его и шутливо хлопнула по животу. Да, мы точно вернулись в детство и стали влюбленными подростками.

Он чмокнул меня и повернулся, чтобы уйти. Едва он отошел, я увидела позади него Келлана, который с любопытством наблюдал за нами.

— Ладно, я мигом.

Денни вышел из кухни, и я услышала, как он забрал ключи со стола, куда бросил их накануне вечером. Секундой позже хлопнула дверь, и я удивилась — он запросто вышел на улицу в трусах и футболке, в которых спал.

Я с улыбкой пошла к столу, намереваясь сесть и подождать его. Почти сразу появился Келлан с двумя кружками кофе. Я привстала за сахаром и сливками, но, присмотревшись, обнаружила, что он уже добавил их. Откуда он знал мои вкусы?

Он произнес, заметив мою озадаченность:

— У меня черный. Можем махнуться, если не любишь сливки.

— Нет, мне и правда так нравится. — Я улыбнулась, когда он сел. — Подумала просто, что ты телепат.

— Хорошо бы, — хмыкнул он, отхлебывая свой черный кофе.

— В общем, спасибо.

Я приподняла кружку и сделала глоток. Божественно.

Келлан, склонив голову, разглядывал меня через стол.

— Значит, Огайо? Конские каштаны и светлячки?[1]

Я просияла и мысленно закатила глаза: как мало он знал о моем родном штате. Но я не стала ему на это указывать.

— Точно, все так.

Он недоуменно взглянул на меня:

— Скучаешь?

Я чуть помедлила с ответом.

— Ну, само собой, я скучаю по родителям и сестре. — Я снова сделала паузу и вздохнула. — Но не знаю... Место — это всего лишь место. К тому же я уехала не навсегда, — закончила я с улыбкой.

— Не пойми неправильно, но что тебя понесло в такую даль? — нахмурился он.

Я пришла в легкое негодование, но постаралась не обращать внимания, ведь слишком плохо знала Келлана, чтобы судить его.

— Денни, — ответила я таким тоном, словно не было в мире причины очевиднее.

---

[1] Штат Огайо славится и тем и другим. Однако словом «buckeyes» — «конские каштаны» — именуют и самих жителей Огайо.

— Ха. — Он не стал углубляться и просто глотнул кофе.

В намерении сменить тему я выпалила первое, что пришло в голову:

— Почему ты так поешь?

До меня мгновенно дошло, насколько обидно это могло прозвучать, и я пожалела о сказанном. Мне просто хотелось знать, зачем он так кокетничал на сцене.

Синие глаза сузились.

— Что ты имеешь в виду? — осведомился Келлан.

Мне показалось, что его пение не относилось к вещам, о которых люди имели обыкновение спрашивать. Не то чтобы он рассердился, но я не хотела продолжать начатое. Не лучший способ произвести хорошее впечатление на того, с кем выпало стать соседями.

Выждав немного, я неспешно отпила кофе.

— Ты был классным, — заговорила я в надежде его умаслить. — Но иногда ты был просто таким...

Все во мне протестовало, но я знала, что должна быть взрослой и сказать, что хотела.

— ...сексуальным, — прошептала я.

Его лицо смягчилось, а затем он расхохотался и не мог успокоиться минут пять.

Раздражение захлестнуло меня целиком. Я не хотела стать посмешищем и всерьез смутилась, почувствовав себя крайне неловко. И кто меня за язык тянул? Я уставилась в кружку, мечтая вползти в нее и исчезнуть.

Келлан заметил наконец, как изменилось выражение моего лица, и постарался взять себя в руки.

— Извини... Я просто ожидал услышать другое.

Мне стало интересно, чего же он ожидал, и я снова взглянула на него. Келлан, продолжая посмеиваться, чуть задумался.

— Понятия не имею, — пожал он плечами. — Люди реагируют, вот и все.

Я заключила, что под «людьми» он подразумевал женщин.

— Я тебя задел? — спросил он.

В его глазах сверкнули искорки.

Приехали — теперь он считал меня ханжой, которая терпеть его не могла.

— Да нет же, — твердо ответила я и посмотрела на него. — Мне просто показалось, что ты немного перегнул палку. Да и ни к чему тебе все это, у тебя классные песни.

Казалось, он был застигнут врасплох: откинулся на спинку стула и изучал меня взглядом, от которого мое сердце забилось чаще. И правда симпатичный. Я уставилась в стол, чувствуя себя не в своей тарелке.

— Спасибо. Я постараюсь учесть.

Я вновь подняла на него глаза. Он мягко и, кажется, искренне улыбался мне.

— Как вы с Денни познакомились? — спросил он, меняя тему.

Воспоминание вызвало у меня улыбку.

— В колледже. Он был помощником преподавателя на одном из моих занятий. Я была на первом курсе, он — на третьем. Тогда я решила, что в жизни не видела никого красивее.

Я чуть покраснела, назвав его красивым вслух, да еще и при парне. В обыденных разговорах я старалась не пользоваться этим словом, ведь люди смотрели странно. Однако Келлан лишь мирно улыбался, и я подумала, что он привык к изобилию восторженных эпитетов.

— В общем, мы просто сошлись и с тех пор вместе. — Я не могла сдержать улыбку, захваченная потоком воспоминаний о наших счастливых днях. — Ну а ты? Как ты познакомился с Денни?

Я знала эту историю лишь в общих чертах.

Он задумался на мгновение, и на его лице появилась точь-в-точь такая же, как у меня, улыбка.

— Родители решили, что будет неплохо приютить студента по обмену. Думаю, чтобы произвести впечатление на своих друзей. — Его улыбка на миг увяла и тут же вернулась. — Но мы с Денни тоже сразу сошлись. Он клевый парень.

Келлан отвернулся, и на его лице промелькнуло нечто мне непонятное, едва ли не скорбь.

— Я многим ему обязан, — негромко сказал он и повернулся ко мне, снова очаровательно улыбнувшись и пожав плечами. — В общем, я для него в лепешку разобьюсь, так что, когда он позвонил и сказал, что ему нужно куда-то вписаться, это было меньшее, чем я мог помочь.

Мне было любопытно, с чего он вдруг опечалился, но он уже стал прежним, а я не хотела давить. К тому же в эту секунду вернулся Денни.

У него был виноватый вид.

— Прости, я нашел только это.

Он протянул мне чипсы «Читос» и пакетик претцелей[1]. Келлан по-дружески рассмеялся, а я одарила Денни улыбкой и протянула руку:

— «Читос», пожалуйста.

Денни насупился, но подчинился, и смех Келлана перешел в хохот.

Мы окончили наш «питательный» завтрак, после чего я позвонила родителям (за их счет, разумеется), чтобы сказать, что мы доехали и с нами все в порядке. Пока я болтала, Денни и Келлан рассказывали друг другу, как они жили, пока были в разлуке. Единственный телефон в доме, установленный в кухне, представлял собой оливково-зеленое устройство родом из семидесятых, со шнуром. Денни и Келлан за столом галдели все громче, предаваясь воспоминаниям. Мне пришлось пару раз зыркнуть на них, чтобы угомонились, иначе я не слышала родителей. Они, естественно, сочли это забавным и лишь сильнее разошлись. В итоге я повернулась к ним спиной, игнорируя их радостную беседу. Мама с папой все равно твердили лишь одно: «Ну что, уже готова ехать домой?»

Когда я закончила чересчур затянувшийся разговор, мы с Денни отправились наверх. Он быстро принял душ, пока я рылась в его сумке в поисках какой-нибудь одежды.

---

[1] *Претцель* — сухой кренделек, посыпанный солью.

Вытащив его любимые выцветшие синие джинсы и светло-бежевую футболку «Хенли»[1], я стала выкладывать на кровать остальные вещи.

Прежний жилец любезно оставил после себя кровать (и все постельное белье), комод, небольшой телевизор и прикроватный столик с будильником. Не знаю уж, почему он так поступил, но я была крайне признательна, ведь у нас с Денни не было решительно никакой мебели. В Афинах мы экономили и жили у родных. Я много раз предлагала Денни завести собственное жилье, но он, сама практичность, отвечал, что не видит логики в расходовании средств, коль скоро наши семьи жили всего в нескольких минутах езды от колледжа. Я держала в уме тысячу причин поступить иначе: большинство из них сводилось к постели, одеялам и всему такому.

А мои родители при всем их восхищении Денни, конечно же, не спешили допускать его в мою спальню. Им даже не улыбался мой переезд к его тетушке, а поскольку они оплачивали мое обучение, что влетало в копеечку, я не особенно настаивала. Но вот мы в итоге худо-бедно зажили вместе, желая сэкономить деньги, и я полагала, что выиграла спор. Я улыбнулась при этой мысли, начав перекладывать одежду в маленький двустворчатый комод: вещи Денни с одной стороны, мои — с другой. Наш гардероб был небогат, и я уже управилась, когда Денни вернулся из душа.

Донельзя довольная его видом в одном полотенце, которым он обернулся, я села на постель, обхватила колени и уперлась в них подбородком, наблюдая, как он одевался. Он прыснул, заметив мое восторженное внимание, но ничуть не смутился, сбросив с себя полотенце, чтобы одеться. Будь я на его месте, я бы попросила его отвернуться или закрыть глаза.

Одевшись, он сел рядом. Я не удержалась и запустила пальцы в его мокрые волосы, слегка взъерошивая и разво-

---

[1] Универсальная футболка на все случаи жизни с застежкой на три-четыре пуговицы без воротника.

дя слипшиеся пряди. Он терпеливо ждал, излучая благоду-
шие и ласково улыбаясь.

Когда я закончила, он поцеловал меня в лоб и мы вернулись вниз, чтобы забрать из машины оставшиеся коробки. Уложились в две ходки: вещей и правда было немного.
Однако еды не оказалось вовсе. Мы сложили коробки на
кровать и решили прокатиться по городу в поисках пропи-
тания. Денни прожил здесь целый год, но с тех пор прошло
несколько лет, а он в ту пору не сидел за рулем, поэтому
мы навели справки у Келлана и отправились в путь.

Мы без труда добрались до причала и рынка Пайк-
Плейс[1], чтобы оглядеться и купить чего-нибудь свежего.
Город был поистине прекрасен. Мы шли по пристани рука об руку, любуясь лучами солнца, искрившимися на гла-
ди Саунда[2]. Было тепло и ясно. Мы остановились посмотреть на паромы и чаек, паривших над самой водой. Они,
как и мы, искали еду. Прохладный ветерок доносил до нас
запах моря, и я, совершенно довольная, склонила голову
на грудь Денни, а он обвил меня руками.

— Счастлива? — спросил он, водя подбородком по моей шее и щекоча меня своей щетиной.

— Безумно, — отозвалась я и поцеловала его.

Мы сделали все, что полагалось туристам: заглянули во
все антикварные лавки, послушали уличных музыкантов,
прокатились на чудной маленькой карусели и посмотрели, как продавцы рыбы перебрасывались огромным лосо-
сем под аплодисменты толпы. Наконец мы купили свежих
фруктов, овощей и прочей снеди, после чего направились
к машине.

Досадной особенностью Сиэтла, которая быстро стала очевидной на обратном пути, явились крутые холмы,
подобные американским горкам. Пользоваться ручной
коробкой передач было практически невозможно. Когда

---

[1] *Пайк-Плейс* — общественный рынок в Сиэтле. Один из старей-
ших континентальных рынков.

[2] Имеется в виду залив Пьюджет-Саунд.

мы в третий раз чуть не врезались в кативший перед нами автомобиль, нас разобрал такой смех, что у меня потекли слезы. В итоге мы дважды заблудились, но добрались до дома целыми и невредимыми.

Мы все еще потешались над нашими приключениями, когда вошли в кухню, нагруженные несколькими пакетами с едой. Келлан взглянул на нас из-за стола, за которым писал что-то в блокноте. Может, песни? Он приветственно улыбнулся и вернулся к своему занятию.

Денни принялся вынимать и раскладывать продукты, а я пошла наверх разбираться с коробками. Дело спорилось. Мы знали, что наше новое жилье не будет большим, а потому захватили лишь самое необходимое. Масса вещей, которые накапливаются за жизнь, осталась у мамы на чердаке. Я намного быстрее, чем осмеливалась мечтать, расставила наши книги, убрала рабочие костюмы Денни, пристроила свои учебники, бумаги, несколько фотографий и прочие памятные сувениры. Закончила я тем, что отнесла в ванную туалетные принадлежности и улыбнулась при виде нашего грошового шампуня в соседстве с дорогими флаконами Келлана. Порядок. Я управилась.

Спустившись в гостиную, я увидела, что Келлан и Денни смотрят ESPN[1]. Убранство в этой комнате было столь же скудное, как и во всем доме: мне и в самом деле придется что-то предпринимать. У дальней стены, близ выхода во двор, красовался большой телевизор. Вдоль другой тянулся длинный убогий диван, кресло, на вид удобное, стояло наискосок. Между ними втиснулся круглый стол со старой лампой. Келлан жил так же просто, как и одевался.

Денни растянулся на диване, готовый уснуть в любой миг, — он, верно, еще не оправился от усталости. Я почувствовала, что и меня подкосило долгое путешествие в сочетании с прогулкой по пристани длиною в день, а потому взгромоздилась поверх него. Он подвинулся, чтобы я устроилась между ним и спинкой дивана, я забросила на

---

[1] *ESPN* — круглосуточный спортивный канал.

него ногу, положила руку ему на грудь и прикорнула под мышкой. Он блаженно вздохнул, прижал меня крепче и поцеловал в висок. Его сердце билось неспешно и ровно, наводя на меня дрему. Прежде чем сомкнуть веки, я глянула на Келлана, сидевшего в кресле. Он с любопытством изучал нас. Я успела лишь удивиться этому, как мои глаза закрылись и я погрузилась в сон.

❖ ❖ ❖

Я проснулась, когда Денни пошевелился.

— Прости, не хотел тебя будить, — извинился он со своим чудесным акцентом.

Блаженно потянувшись, я зевнула и чуть приподнялась, чтобы видеть его лицо.

— Ничего, — пробормотала я, поцеловав его в щеку. — Мне все равно пора вставать, иначе ночью я не смогу заснуть.

Я огляделась, но мы были одни в комнате.

Одни.

При этой мысли я моментально осознала, как тесно мы прижались друг к другу. С коварной улыбкой я вновь поцеловала Денни, но крепче. Он хохотнул, но ответил пылким поцелуем. Мое дыхание тут же участилось, и сердце последовало за ним. Желание переполняло меня, притягивая к этому теплому, красивому мужчине, распростертому подо мной. Я провела пальцами по его груди и скользнула под футболку, ощутив гладкую кожу.

У Денни были сильные руки. Он взял меня за бедра и уложил на себя. Я вздохнула, полная счастья, и вжалась в него. Краем сознания я ухватила звук закрывшейся двери, но руки Денни, притиснувшие меня еще сильнее, изгнали из моей головы все прочие мысли.

Я самозабвенно целовала его шею, когда слабый смешок отвлек меня от любовного пиршества. Я выпрямилась, сев верхом на Денни, и он удивленно хрюкнул. Я не заметила, что Келлан все еще был здесь, и теперь была уверена, что мой румянец с головой это выдал.

— Прошу прощения, — теперь Келлан смеялся чуть громче.

Он стоял в дверях, снимая с крючка пиджак.

— Я смоюсь через минуту, если вы предпочтете подождать, — казалось, он взвешивал сказанное. — Да ладно, продолжайте. Мне это совершенно не мешает.

Он пожал плечами, продолжая посмеиваться.

Это мешало мне. Слишком смущенная, чтобы говорить, я мигом перекатилась на диван и посмотрела на Денни, словно он мог повернуть время вспять. Он же лежал и весело лыбился, копируя Келлана. Меня охватило недовольство. *Мужики!*

Желая хоть как-то сместить акценты, я выпалила:

— А ты куда?

Вышло резче, чем я хотела, но было уже поздно.

Келлан моргнул, слегка опешив от моей гневной вспышки. Я подозревала, что мы и впрямь могли заняться сексом на диване, а ему было бы наплевать. Наверное, он просто хотел меня поддразнить, но никак не обидеть. Мое раздражение чуть улеглось.

— К «Питу». У нас снова концерт.

— А, круто.

Теперь, когда я смогла обратить внимание на что-то еще, помимо своей досады, мне стало видно, что он оделся иначе, чем утром: в ярко-красную рубашку с длинными рукавами и безупречно выбеленные синие джинсы. Вдобавок он только что вымылся: волосы оставались в сказочном беспорядке, но блестели от влаги. Он выглядел тем самым рок-божеством, которое мне запомнилось со вчерашнего вечера.

— Так что, ребята, вы со мной? — Он выдержал паузу и дьявольски улыбнулся. — Или останетесь?

— Нет, мы пойдем. Обязательно, — поспешила ответить я скорее из-за недавних смущения и досады, чем из желания вновь увидеть его выступление.

Денни моргнул потерянно и отчасти разочарованно:

— Серьезно?

Пытаясь сгладить впечатление от моего бездумного заявления, я нашлась:

— Да, вчера мне очень понравилось. Я хотела послушать еще.

Денни медленно сел:

— Ладно. Пойду возьму ключи.

Келлан слегка кивнул мне и весело улыбнулся:

— Прекрасно, там и увидимся.

По дороге в бар я постаралась нивелировать недавнее смятение и спросила Денни о странном разговоре с Келланом на кухне.

— Келлан ведь хороший?

Я не хотела превращать это в вопрос, но так прозвучало.

— Хороший, хороший. К нему просто нужно привыкнуть. С виду он порой кажется фигджемом[1], но на самом деле он клевый парень.

Я подивилась его диковинному австралийскому сленгу и с улыбкой ждала объяснения. Он постоянно выдавал какие-то словечки, о значении которых я и не догадывалась.

Он усмехнулся, зная, чего я ждала, и расшифровал:

— «Фиг дорастете, жлобы, ё-моё».

Я немного покраснела, подумав, что предпочла бы сокращенную версию, но затем рассмеялась:

— Ты почти ничего о нем не рассказывал. Я и не знала, что вы такие хорошие друзья.

Я попыталась припомнить те немногие случаи, когда он заговаривал о своем приятеле из Вашингтона, но в голову мне так ничего и не пришло.

Денни вновь смотрел на дорогу. Он пожал плечами:

— Мы потеряли друг друга из виду, едва я вернулся домой. А когда я снова очутился в Штатах, мы говорили с ним раз или два, но плотно не общались. Дела, сама понимаешь.

---

[1] *Фигджем* — на сленге австралийской молодежи спесивый человек, что-то вроде нашего «чмо во фраке».

Озадаченная, я ответила:

— Он оставил впечатление, что вы были ближе. Кажется, он любит тебя?

Эти слова дались мне с некоторым трудом, ведь парни обычно не щеголяют своими чувствами. Я не имела в виду, что Келлан слагал для него сонеты или что-то такое. Мне просто передалось его состояние. Для ребят слова «обязан Денни» и «разобьюсь в лепешку ради него» равнозначны признанию в любви.

Похоже, Денни понял, что я имела в виду, и некоторое время смущенно молчал, потупив глаза.

— Ерунда. Не знаю, почему он придает этому такое значение.

Закусив губу, он оглянулся на дорогу.

Я не унималась, гонимая нездоровым любопытством.

— Чему?

Он помедлил, словно не хотел раскрывать мне этот секрет, но в итоге сказал:

— Ты знаешь, что я год прожил с ним и его родителями?

— И?..

— У них с отцом были натянутые отношения. В общем, однажды его отец перегнул палку и поколотил его. Я не собирался вмешиваться, я просто хотел, чтобы это прекратилось. Ну, я прикрыл его и принял удар на себя.

Какое-то время он ждал моей реакции, а потом снова сосредоточился на дороге.

Я потрясенно таращилась на него. Эту историю я слышала впервые, и она была вполне в духе Денни. У меня сжалось сердце от сочувствия Келлану.

Денни покачал головой, нахмурив брови:

— Это немного отрезвило его папашу. Он больше не лез — во всяком случае, пока я был там. Впрочем, я не знаю, как пошло дальше... — Денни послал мне свою дурацкую улыбку. — Так или иначе, Келлан вообразил, что я ему больше родня, чем его семья.

Он рассмеялся.

— По-моему, он взбудоражен моим возвращением больше, чем я сам.

Когда мы подъехали к бару, Келлан уже был там и сидел вместе со своими музыкантами за столиком возле сцены. Он устроился подальше, закинув одну ногу на другую, и расслабленно и спокойно потягивал пиво. По левую руку от него сидел длинноволосый блондин, басист. Напротив был похожий на плюшевого медведя ударник, в котором я накануне с надеждой угадывала будущего соседа, а слева от него расположился, замыкая круг, последний участник группы, светловолосый соло-гитарист. Меня немного удивило, что они не скрываются где-нибудь за кулисами, готовясь к своему выступлению. Напротив, они выглядели абсолютно уверенными в успехе и просто угощались пивком перед выходом на сцену.

Две женщины за соседним столиком открыто следили за каждым их жестом. Одна явно глазела на Келлана. Она, похоже, изрядно напилась и вполне созрела, чтобы вот-вот устремиться в проход и плюхнуться к нему на колени. Мне показалось, что Келлан не стал бы сильно возражать, хотя он и не обращал на нее никакого внимания, слушая сидевшего рядом басиста. От двери мне не было слышно, о чем он говорит, но все с улыбкой внимали его рассказу.

Денни тоже заметил их. Улыбнувшись мне, он повел меня к их столику. Когда мы приблизились достаточно, чтобы разобрать речь басиста, я решила, что это было плохой идеей. Мне захотелось вернуться на диван, в тепло и уют, и не раскрывать рта. Но Денни настойчиво подталкивал меня, и я угрюмо плелась вперед.

— ...у этой девки, зараза, такие дойки, что я в жизни не видал. — Басист умолк, чтобы сделать грубый очерчивающий жест, как будто слушателям что-то было непонятно. — И юбки такой не видел, вообще до пупа. Все вокруг уже вырубались; ну, я и полез под стол, задрал эту юбку, сколько мог. Взял пивную бутылку и присунул...

Келлан толкнул его в грудь, заметив нас с Денни. Мы остановились невдалеке от него, и Денни прыснул. Я была красная как рак и всячески старалась сохранить невозмутимость.

— Чувак, сейчас будет самое интересное, послушай! — Басист немного смешался.

— Грифф... — Келлан указал на меня. — Пришли мои новые соседи.

Тот перевел взгляд на нас с Денни.

— Ах да, соседи. — Басист снова посмотрел на Келлана. — Я скучаю по Джоуи, старина... Она была хороша! Серьезно — зачем тебе это понадобилось? Я тебя не виню, но...

Он осекся, когда Келлан толкнул его снова, теперь сильнее. Не обращая внимания на досаду басиста, он кивнул в нашу сторону:

— Ребята, это мой друг Денни и его подруга Кира.

Я вымученно улыбнулась. Не зная, почему съехала его прежняя соседка, я была несколько смущена и шокирована грубой беседой, которой мы помешали.

— Привет, — учтиво поздоровался Денни.

— Салют, — промямлила я.

— Наше вам. — Басист приветственно вздернул подбородок. — Гриффин.

Он смерил меня взглядом, и мне стало крайне неуютно. Я крепче стиснула руку Денни и чуть отступила, прячась за него.

Предполагаемый брат-близнец басиста, сидевший напротив Келлана, был более вежлив и протянул руку:

— Мэтт. Салют.

— Гитара, да? — осведомился Денни, отвечая на рукопожатие. — Здорово играешь!

— Спасибо, старик. — Мэтт искренне обрадовался тому, что Денни запомнил его игру, но Гриффин фыркнул, и гитарист зыркнул в его сторону. — Да заткнись ты, Гриффин, переживешь.

Тот стрельнул глазами в ответ:

— Я только хочу сказать, что ты запорол последний рифф. Эту песню я должен играть, я бы отжег!

Не вникая в спор, который, видимо, длился уже очень давно, огромный ударник встал и тоже подал нам руку:

— Эван. Ударник. Рад познакомиться.

Мы поздоровались, и Келлан встал. Он направился к подвыпившим женщинам. Я подумала, что та, которая пялилась на него, прямо сейчас и рехнется от его близости. Он склонился над ней, отвел ее волосы и что-то шепнул на ухо. Она кивнула, слегка покраснев, а Келлан выпрямился и прихватил два свободных стула. Пока он шел обратно, женщины хихикали, как школьницы.

Сдержанно улыбаясь, Келлан приставил стулья к столу.

— Вот, присаживайтесь.

Я села, чуть хмурясь и чувствуя себя не в своей тарелке, немного растерянная от происходившего. Келлан заулыбался шире. Похоже, мое смущение доставляло ему неподдельное удовольствие.

Когда мы сели, внимание Гриффина переключилось на Денни.

— Что у тебя за акцент — британский?

— Австралийский, — вежливо улыбнулся Денни.

Гриффин кивнул, как будто и не думал иначе.

— Карамба, свистать всех наверх!

Келлан и Эван расхохотались. Мэтт взглянул на него как на конченого идиота:

— Чувак, он австралиец, а не пират.

Гриффин спесиво фыркнул:

— Да какая разница.

Он хлебнул пива.

Денни с усмешкой спросил:

— Как хоть ваша группа называется?

— «Чудилы», — ответил Келлан, и Гриффин прыснул.

— Что, серьезно? — не поверила я.

Гриффин, к моему удивлению, потемнел лицом.

— Они заставили причесать — я хотел иначе... — Он объяснил как, заменив одну букву. — Тоже мне целки! Я хотел по-взрослому. Объявить гордо, с поднятой головой!

Он треснул кулаком по столу.

Мэтт закатил глаза:

— Если мы хотим играть где-то еще, помимо «Пита», нам понадобится название для афиши.

По крайней мере, хоть один из них мечтал о лучшем будущем.

Гриффин недовольно глянул на Мэтта, а Келлан и Эван всё веселились.

— Чувак, я заготовил футболки...

— Тебе никто не запрещает их носить, — пробормотал Мэтт, вновь возведя очи горе.

Смех усилился, и даже Денни хохотнул. Я не смогла сдержать улыбку:

— Вы братья?

— Да ни разу! — ужаснулся Гриффин.

Я удивленно оглянулась на Мэтта и снова уставилась на Гриффина. Вылитые близнецы.

— Извините, просто вы так похожи...

— Мы братья, но двоюродные, — объяснил Мэтт. — Наши отцы — близнецы, вот мы и похожи, к несчастью.

Он погрустнел.

— К несчастью для тебя. — Гриффин снова фыркнул. — Ведь я круче.

И Мэтт в очередной раз возвел глаза к потолку, а вся компания залилась смехом.

Неожиданно Келлан вскинул два пальца, дернул подбородком и указал на меня и Денни. Я проследила за его взглядом. С другого конца длинного зала ему рассеянно улыбнулась женщина старше нас — владелица бара. Она безошибочно угадала его желание и вручила официантке две бутылки пива для нас.

Я вновь посмотрела на Келлана, но он уже беседовал с Денни о его новой работе. Келлан интересовался, в чем заключается стажировка в рекламной конторе. Я же слышала это миллион раз, а потому отключилась и стала осматриваться.

В «Пите» было тепло и уютно. Дубовые полы были вытерты тысячей ног, а стены — выкрашены в приятные кремовые и красные тона, и каждый их сантиметр был занят рекламой всевозможных сортов пива. Десятки столов всех размеров и стилей стояли где только можно, за исключением пятиметрового участка перед сценой, располагавшейся у короткой стены.

Сцена тоже была дубовой. Черную стену позади нее украшали гитары всех мыслимых разновидностей. По бокам стояли огромные динамики, обращенные к толпе. Огни покамест были погашены. Микрофоны, гитары и барабаны в полумраке ожидали своих хозяев.

Ребята болтали, а я тем временем осмотрела другой конец большого прямоугольного помещения. Вдоль второй короткой стены тянулась барная стойка. Зеркало позади бара было заставлено бутылками с выпивкой всех стран и народов мира. Барменша приступила к обслуживанию публики, начавшей заполнять зал через двойные двери в длинной стене, где были также и большие окна, впускавшие внутрь неоновый свет реклам.

Пиво нам принесла хорошенькая блондинка-официантка. Мы поблагодарили, а Келлан удостоил ее дружеского кивка, возбудив во мне любопытство. Однако та лишь вежливо улыбнулась, и я заключила, что они просто друзья.

Я глотнула пива и проследила, как официантка скрылась за дверью возле бара Должно быть, это кухня: там сверкала сталь, все было в движении, и оттуда доносился шум готовки. Большая арка рядом с кухонной дверью вела в просторное помещение с двумя бильярдными столами. Неподалеку от сцены я заметила коридор, заворачивавший за угол. Судя по указателям, там находились туалеты.

Когда я рассматривала коридор, мой взгляд упал на тех самых женщин, которые недавно глазели на парней. Теперь мы с Денни частично перекрывали им обзор, так как сидели у края стола. Той, что так явно пялилась на Келлана, очевидно, не нравилось, что я сижу рядом с ним. Да куда там — она была вне себя. Я быстро отвернулась.

Секундой позже я почувствовала, как кто-то приближается к нам за моей спиной. Невольно напрягшись, я глянула через плечо. Неужто этой бабе взбрела в голову какая-то блажь? Я облегченно вздохнула, увидев, что к нам направляется уже немолодой человек.

Он щеголял в красной рубашке с воротником, на уголке которого было написано название бара, и брюках цвета хаки. Мужчине было за пятьдесят: седина в волосах, обветренное лицо. Он был чем-то расстроен.

— Готовы, ребята? Через пять минут начинаем. — Он тяжело вздохнул.

— Ты в норме, Пит? — Келлан слегка нахмурился.

Я захлопала глазами. Передо мной, похоже, стоял владелец бара «У Пита». Вот здорово.

— Нет... Трейси бросила трубку, она не вернется. Я нагрузил Кейт, иначе нам нынче не управиться.

Он посмотрел на Келлана довольно злобно. Я удивилась, вспомнив, что его прежняя соседка, Джоуи, внезапно съехала из-за него же. Может, это типично для него?

Келлан, в свою очередь, уставился на Гриффина. Тот с глуповатым видом присосался к пиву и лишь потом пробормотал:

— Извини, Пит.

Тот вздохнул и покачал головой. Я догадалась, что Пит привык к некоторым издержкам, связанным с этой группой, и пожалела его.

Сама себе удивляясь, я подала голос:

— Я была официанткой. Мне нужно куда-то устроиться. Было бы здорово работать по вечерам, когда начнется учеба.

Пит с любопытством взглянул сперва на меня, потом на Келлана. Тот улыбнулся и указал на нас бутылкой:

— Пит, это мои новые соседи, Денни и Кира.

Пит кивнул и смерил меня взглядом:

— Двадцать один есть?

Я нервно улыбнулась:

— Да, в мае исполнилось.

Интересно, что бы он сделал, будь мне меньше, а я сидела бы с пивом.

Очередной кивок.

— Хорошо. Помощь мне понадобится, и скоро. Сможешь выйти в понедельник, в шесть вечера?

Я посмотрела на Денни, гадая, не следовало ли сперва посоветоваться с ним. Учитывая, что днем он будет занят на своей стажировке, нам останутся только ночи. Но он улыбался, а когда я вопросительно вскинула брови, украдкой кивнул.

— Да, это подходит. Спасибо, — сказала я тихо.

Вот так, не проведя в новом городе и суток, я нашла работу.

ГЛАВА 3

НОВАЯ РАБОТА

Я с удовольствием прослушала концерт целиком. Ребята знали свое дело, а Келлан был неподражаем. Я немного дивилась тому, что его до сих пор никто не раскрутил. Он обладал харизмой, способной сделать его прибыльной рок-звездой, — талантливый, соблазнительный и чертовски сексуальный. У группы уже даже были фанаты: не успели ребята начать выступление, как все пространство перед сценой заполнилось людьми.

Денни потащил меня ближе, к границе площадки, где было свободнее и нам удалось бы потанцевать. Группа исполняла незатейливую и очень заводную композицию, и Денни крутнул меня, а затем привлек к себе, и мы образовали пару. Я рассмеялась и обняла его за шею. Он наклонил меня, и мне стало еще веселее. «Чудилы» играли в основном быстрые песни, но нас с Денни это вполне устраивало, и нам было легко.

Время от времени я поглядывала на группу. Келлан двигался в такт и кокетливо улыбался, выпевая слова. Он завораживал, и чем дальше, тем чаще я смотрела на него. Наблюдая, как извивается его тело, я заметила, что Гриффин сердито косится на Мэтта. Тот, даже не взглянув на него и не пропустив ни ноты, исхитрился показать ему средний палец, и мы с Денни покатились со смеху, а Гриффин закатил глаза. Эван тоже посмеялся, следя за группой и медленно покачивая головой. Келлан то ли не заметил случившегося, то ли проигнорировал это. Он полностью сосредоточился на восторженной толпе.

Иногда Келлан сам брал гитару и играл с Мэттом. Она была не такой мощной, и разница в звучании создавала приятную гармонию. Первые аккорды медляка Келлан взял в одиночку, и я невольно подметила, что он отличный гитарист — наверное, не хуже Мэтта. Большая часть публики перед сценой продолжала прыгать и веселиться, невзирая на смену ритма, но некоторые пары неподалеку от нас с Денни слились в медленном танце.

Денни привлек меня ближе и приобнял за талию. Он глуповато ухмылялся — так, как мне всегда нравилось. Я вздохнула, полная счастья, и снова обвила руки вокруг его шеи. Погрузив пальцы в его темную шевелюру, я поцеловала Денни. Когда музыка стала пронзительнее, я крепко прижалась к нему, положила голову ему на плечо и вдохнула его родной, волшебный запах. Поверх плеча Денни мне был виден Келлан. Тот улыбнулся мне в паузе, и я ответила тем же. Затем он подмигнул. Я удивленно захлопала глазами, и он рассмеялся.

Они сыграли очередную быструю композицию. Большинство пар вернулись к веселой пляске, но мы с Денни остались стоять, целуясь и улыбаясь друг другу. Когда песня закончилась, гомон толпы перекрыл голос Келлана — на сей раз тот не пел, а говорил.

— Спасибо всем, что вы пришли сегодня.

Он выдержал паузу в ожидании, когда улягутся вопли восторга. Затем чарующе улыбнулся и поднял палец:

— Я хочу воспользоваться случаем и представить вам моих новых соседей.

Палец указывал прямо на нас. Я сильно покраснела, но Денни рассмеялся и притянул меня к себе, продолжая держать за талию. Я глянула на Денни, закусила губу и пожалела, что мы не ушли после медленного танца. Он усмехнулся и поцеловал меня в щеку, в то время как Келлан огласил наши имена всему бару.

Готовая провалиться сквозь землю, я уткнулась Денни в плечо, а Келлан бодро продолжил:

— Хочу вас обрадовать: Кира вливается в счастливую семью Пита и приступает к работе в понедельник.

Толпа взвыла вновь — не знаю почему. Я зарделась и зыркнула на Келлана, отчаянно желая, чтобы он замолчал. Но он только рассмеялся:

— Прошу вас быть с нею любезными. — Он посмотрел на своих товарищей, которые по-хамски лыбились мне. — Особенно тебя, Гриффин.

Келлан пожелал публике доброй ночи, что породило новые крики. Затем он сел на край сцены. Теперь, когда он оставил меня в покое, мне полегчало, и я захотела подойти и сказать ему, насколько он хорош. Но в этом явно не было нужды. К нему сразу слетелось не меньше пяти девиц. Одна принесла пиво, другая запустила пятерню в его волосы, а третья вообще уселась к нему на колени. Я точно видела, что она лизнула его в шею. Отметив это, я заключила, что моя поддержка ему ни к чему. Достаточно будет похвалить его утром.

Мы с Денни ушли вскоре после окончания концерта и дома буквально рухнули на постель в изнеможении. Не знаю точно, когда вернулся Келлан, но точно намного позже нас, а потому мне было естественно удивиться утром, когда я заспанная спустилась и обнаружила его сидевшим за столом и полностью одетым — до того безупречного, что зло разбирало. Он пил кофе и читал газету.

— Доброе утречко, — сказал он, пожалуй, чересчур бодро.

— Угу, — проворчала я.

Итак, он был не только талантлив и привлекателен, но и умел обходиться недолгим сном. Это меня немного рассердило.

Я подцепила кружку и налила себе кофе, пока он дочитывал газету. Наверху зашумела вода: Денни отправился в душ. Я села напротив Келлана.

Он улыбнулся, едва я устроилась. На миг мне стало неловко в ночной одежде: на мне были только майка и трусы. Я испытала раздражение при виде его чересчур ухоженного лица. Почему столько достоинств — и одному? Вопиющая несправедливость. Затем я вспомнила рассказ

Денни о Келлане и его отце. Это остудило мое негодование. Этому красавчику не всегда приходилось легко.

— Ну, что скажешь? — осведомился он весело, как будто заранее знал ответ.

Я попыталась насупиться, словно бы хотела назвать его выступление редким дерьмом, но не сумела и вместо этого рассмеялась:

— Вы клевые ребята. Серьезно, это было невероятно.

Он улыбнулся и кивнул, вновь принимаясь за кофе. Не новость, значит.

— Спасибо, я передам парням, что тебе понравилось. — Он покосился на меня. — Уже не так непристойно?

Я начала краснеть, вспоминая вчерашний разговор, но затем в моей памяти пронесся концерт. Мне с некоторым удивлением пришлось признать, что он действительно убавил чувственность. Конечно, он продолжал кокетничать, но уже не так откровенно.

— Да, гораздо лучше... Спасибо.

Келлан прыснул, а мне было приятно, что он на самом деле учел мою грубую критику.

Некоторое время мы пили кофе в тишине, но вдруг в моей памяти всплыл вчерашний разговор, и я заговорила прежде, чем успела подумать.

— До нас твоей соседкой была Джоуи?

Черт, да почему же при нем я постоянно распускаю язык? С этим придется что-то делать.

Он медленно поставил кружку.

— Да... Она съехала незадолго до звонка Денни насчет жилья.

Заинтересованная странным выражением его лица, я сказала:

— Она оставила кучу вещей. Вернется забрать?

На мгновение он опустил глаза, а затем снова взглянул на меня:

— Нет... Я почти уверен, что она уехала из города.

Недоумение вновь развязало мне язык.

— Что случилось?

Я вовсе не собиралась спрашивать. Ответит или нет?

Он ненадолго задумался, как будто и сам не знал, стоит ли говорить.

— Недоразумение, — произнес он в итоге.

Я приказала себе заткнуться и сосредоточилась на кофе. Больше не буду совать нос не в свое дело. Меня это не касалось, и я не собиралась докучать новому соседу. В любом случае все это не имело значения. Между Джоуи и нами с Денни существовала огромная разница. Я лишь надеялась, что она, если вернется, не увезет кровать. Та была исключительно удобной.

Мы с Денни провели остаток этого сонного воскресенья за подготовкой к трудам грядущего дня. Жалованье стажера было мизерным, и мы радовались, что я так быстро нашла работу. Я поблагодарила Келлана за его скромное участие в нашем знакомстве с Питом, а мысленно поблагодарила и Гриффина — за то, что тот не умел придержать свой шланг. Подумав об этом, я, конечно, слегка покраснела.

Но все же я нервничала. Я никогда раньше не работала в баре. Денни и Келлан добрых пару часов допрашивали меня насчет состава различных коктейлей. Я возражала сперва, повторяя, что ничего в них не смыслю и коктейли смешивает бармен — ему и разбираться. Мне останется лишь передавать ему заказы. Но как только Келлан перечислил несколько напитков с двусмысленными названиями, которые — я не сомневаюсь — он выдумал сам, я увлеклась и втянулась в игру. Мне казалось, что так я запомню по максимуму.

К вечеру разволновался и Денни — как-никак ему тоже предстоял первый рабочий день. Он вынул три комплекта одежды, перерыл все учебники, четыре раза уложил портфель и в конце концов сел на диван, притопывая ногой. Келлан покинул нас, сославшись на встречу с группой: похоже, они репетировали почти ежедневно. Наверное, поэтому они так непринужденно чувствовали себя перед концертом. Я воспользовалась нашим уединением, чтобы успокоить Денни всеми мыслимыми способами.

Думаю, после второго раза он все-таки расслабился...

❖ ❖ ❖

Утро понедельника наступило скорее, чем ожидалось. Пока Денни собирался на работу, я спустилась за утренним кофе. Келлан восседал за столом на своем обычном месте, небрежно откинувшись на спинку стула, с кружкой и газетой в руках. Я хмыкнула при виде его футболки: черная, с крупной белой надписью «Чудилы» — но в правильном начертании. Келлан услышал, перехватил мой взгляд и очаровательно улыбнулся:

— Нравится? Могу достать. — Он подмигнул. — Я знаю людей.

Я улыбнулась, кивнув ему, и он вернулся к своему кофе.

Денни спустился чуть позже. Он прекрасно выглядел в парадной синей рубашке, застегнутой на все пуговицы, и брюках цвета хаки. Он глянул на Келлана и указал на его футболку.

— Клевая вещь... Раздобудь мне такую же.

Келлан хохотнул и кивнул. Денни подошел ко мне и обнял сзади. Я надулась, когда он чмокнул меня в щеку.

— Что такое? — спросил он, быстро осматривая себя.

Я разгладила складки у него на груди и провела рукой по его лицу.

— Ты чересчур красив. Тебя, того и гляди, умыкнет какая-нибудь нахальная блондинка.

— Глупышка, — улыбнулся он.

Но тут вмешался Келлан, с серьезным видом покачавший головой:

— Нет, старина, она права. Ты крут.

Ухмыляясь, он снова глотнул кофе.

Закатив глаза на его реплику, я подарила Денни долгий поцелуй и пожелала ему удачного дня. Келлан был тут как тут: он подскочил и шаловливо чмокнул приятеля в щеку. Денни рассмеялся и, все еще нервничая, вышел за дверь.

Мне было нечего делать днем, так как занятия начиналась лишь через два с половиной месяца, а потому я снова позвонила маме и сообщила, что уже отчаянно соскучилась. Она, разумеется, мгновенно предложила мне билет на самолет. Я заверила ее, что, хоть и тоскую по дому, здесь все идет прекрасно и я даже нашла работу. Мама, не переставая вздыхать, пожелала мне удачи и любви, я же попросила ее поцеловать за меня папу и Анну.

Остаток дня я смотрела телевизор и наблюдала за Келланом, сочинявшим песни. Его одолевали мысли: он то и дело что-то записывал, вычеркивал, менял местами, а порой задумчиво грыз карандаш. Иногда он интересовался моим мнением о написанном. Я старалась отвечать глубокомысленно, но не была сильна в теории музыки. Его вид завораживал, и время пролетело незаметно: я оглянуться не успела, как пришла пора собираться на смену.

Я приняла душ, оделась, накрасилась и собрала волосы в хвост. Глянув в зеркало, вздохнула. Ничего особенного, но вполне сносно. Я спустилась за курткой, оставленной на крючке.

— Келлан?

Он посмотрел на меня из гостиной, где устроился перед телевизором.

— Да?

— Где здесь автобусное расписание? Хочу проверить маршрут.

Денни, забравший нашу единственную машину, еще не вернулся, и я хотела выйти пораньше, так как не знала, сколько времени займет дорога до бара.

Келлан смотрел недоуменно, пока до него не дошло.

— Его нет... Но я тебя подброшу.

— Нет-нет. Это вовсе не обязательно.

Я искренне не хотела его обременять.

— Не проблема. Возьму пивка, поболтаю с Сэмом. — Он одарил меня чарующей полуулыбкой. — Я буду твоим первым клиентом.

Прекрасно. Не пролить бы ему пиво на брюки.

— Ладно, спасибо.

Я присела к нему на диван посмотреть телевизор — спешить, вообще говоря, было незачем.

— Держи, я ничего не смотрел. — Он небрежно вручил мне пульт.

— Спасибо.

Жест был необязательным, но выдавал добрую волю. Я принялась переключать каналы, пока не наткнулась на HBO[1].

— О, да у тебя есть кабельное?

Казалось странным, что он потратился на дополнительные каналы, коль скоро, похоже, не смотрел ни один из них.

На лице Келлана появилась озорная ухмылка.

— Это для Гриффина. Ему нравится иметь все под рукой, когда захочется. Думаю, он знаком с какой-то девицей из кабельной фирмы.

— Надо же.

Я прикидывала, какие программы способны заинтересовать Гриффина, пока не заметила картинку. Остановилась я на эротической сцене: обнаженные мужчина и женщина пребывали на пике страсти. Парень не то был вампиром, не то просто любил кусаться и упоенно впивался даме в шею, так что кровь хлестала вовсю, и все эти засосы с облизываниями выглядели крайне непристойно. Залившись краской, я вернулась к прежнему шоу и бросила Келлану пульт.

Тот лишь посмеивался, и я старалась не встречаться с ним взглядом.

Когда подошло время, Келлан выключил телевизор и посмотрел на меня.

— Готова?

Я выдавила улыбку:

— Конечно.

Он усмехнулся:

---

[1] *HBO* (Эйч-би-оу) — кабельный телеканал.

— Не волнуйся, ты отлично справишься.

Мы сгребли куртки и пошли к выходу. Я надеялась, что Денни вернется вовремя и заберет меня. Весь день мне отчаянно его не хватало, но он, вероятно, все еще был на работе. Хоть бы его первый день прошел хорошо. Хоть бы мой первый день прошел не хуже.

Мы приблизились к машине Келлана, и я невольно улыбнулась. То был мощный автомобиль родом словно из шестидесятых — гоночный «шевелл-малибу», судя по логотипу на бампере. Черный, сверкающий хромом, где только возможно, он был изящен и несказанно сексуален, идеально подходя своему обладателю. Я чуть закатила глаза, впечатленная привлекательностью Келлана, которую странным образом подчеркивала старая машина. Внутри было на удивление просторно, а спереди и сзади разместились черные кожаные сиденья-диваны. При виде старомодной приборной панели я чуть не рассмеялась. Если забыть про телевизор в гостиной, Келлан несколько отставал от прогресса. Я и сама не слишком за ним поспевала — у нас с Денни даже не было мобильников. Келлан, явно гордившийся своим автомобилем, с улыбкой скользнул за руль. И почему ребята так прикипают к своим тачкам?

В пути мы молчали, и очень скоро у меня засосало под ложечкой. В первый рабочий день меня всегда подташнивало. Я смотрела в окно и считала фонари, чтобы отвлечься.

Когда мы подъехали к «Питу» — аккурат после двадцать пятого фонаря, — я вдруг осознала, что не имею понятия, что мне делать и куда идти. К счастью, хорошенькая блондинка, которая накануне подавала нам пиво, встретила меня на входе, представилась Дженни и, махнув Келлану, увела меня по коридору в заднюю комнату напротив туалетов.

Там оказался большой склад: многочисленные полки вдоль одной из стен были уставлены коробками со спиртным и пивом, салфетками, солью, перцем и прочими припасами. Возле другой стены стояла пара столов и несколько стульев, а третью занимали шкафчики для персонала. Дженни вынула для меня из коробки красную футболку «У Пита», показала мой шкафчик и журнал учета. В туалете я переоделась, и мне сразу стало чуть-чуть легче. Внешнее сходство с работниками бара породило во мне чувство общности.

Я немного преувеличила, когда сказала Питу, что работала официанткой. Однажды летом я подменяла сестру, которая отправилась «на поиски себя», что бы это ни значило. Ее крошечная закусочная вмещала, дай бог, половину публики, которую в «Пите» обслуживали за обычный вечер. Мне было немного страшно.

Через несколько минут выйдя из коридора, я увидела Келлана, который потягивал пиво, облокотившись на стойку. Барменша подалась к нему и пожирала его глазами. Она переделала свою форменную футболку, снабдив ее непристойным вырезом. Келлан, не обращая на нее внимания, мимоходом глотнул из своего стакана и улыбнулся, увидев меня.

Я чуть нахмурилась, взглянув на его бокал, и он заметил это.

— Извини. Рита тебя опередила. В следующий раз.

Барменша Рита была блондинкой постарше — впрочем, я сильно сомневалась, что цвет ее волос натуральный. Ее кожа чуть загрубела, Рита слишком увлекалась автозагаром. Когда-то, возможно, она была симпатичной, но время не пощадило ее. Однако в собственных глазах она оставалась красавицей и отчаянно кокетничала. Вечер показал, что она очень любила свою работу и с удовольствием пересказывала всякие слухи, которыми с ней делились клиенты. За смену я не однажды краснела, выслушивая эти байки и мысленно приказывая себе (хоть я и не собиралась) никогда и ни за что не доверяться барменам — особенно этой.

Весь вечер я по пятам ходила за Дженни, принимавшей заказы. Было немного неловко, так как большинство клиентов были завсегдатаями и неизменно заказывали одно и то же. Она подходила к столику и просто спрашивала:

«Салют, Билл, тебе как обычно?» Тот кивал, она улыбалась и шла в бар или кухню передавать заказ, которого я даже не слышала. Это пугало меня.

Дженни заметила мою тревогу.

— Не волнуйся, освоишься. По будням с постоянными клиентами легко... Они будут с тобой вежливы. — Она чуть нахмурилась. — Ну, большинство, а с остальными я помогу.

Она дружески улыбнулась, и я была очень признательна ей за любезность. Ее наружность полностью отражала характер. Она была, как говорится, словно нераскрывшийся бутон: миниатюрная, с шелковистыми струящимися светлыми волосами, светло-голубыми глазами и формами ровно такими, чтобы привлечь внимание некоторых клиентов. Но я не могла к ней ревновать: Дженни была слишком мила. К тому же я моментально почувствовала, что между нами установилась связь.

В какой-то момент Келлан нарисовался передо мной и дал мне на чай за выпивку, которой я ему не подавала. Он виновато улыбнулся, извиняясь за свой вынужденный уход.

— У меня концерт в другом баре. — Он указал большим пальцем через плечо. — Надо встретить ребят, помочь им с аппаратурой.

— Спасибо огромное, что подвез.

Я чмокнула его в щеку и почему-то покраснела, а Рита озадаченно вскинула брови. Келлан улыбнулся, пробормотал что-то насчет пустяков и вскоре покинул бар.

Позже зашел Денни — взглянуть, как у меня дела. Он обнял меня и расцеловал к восторгу Риты, которая, как я сочла, взирала на него довольно нахально. Но Денни задержался лишь на минутку. Он получил проект, над которым спешил поработать дома. Он неистово ликовал и заразил меня своей радостью. Впервые с тех пор, как он уехал, я улыбалась во весь рот.

Помимо наблюдения за Дженни, мне приходилось заниматься уборкой. Я потратила много времени на протирку столов, мытье стаканов и помощь на кухне, а стоило веселью пойти на убыль — и на очистку стен туалета от граффити. Пит выдал мне серую краску и маленькую кисть. Рита велела сообщить ей, если найдется что-нибудь смачное. Дженни с улыбкой пожелала мне удачи, и я вздохнула.

Я начала с женского туалета, решив, что там будет приличнее, тем более что в мужской мне идти совсем не хотелось. Все три кабинки были исписаны снаружи и изнутри ручками и маркерами. Я снова вздохнула и помечтала о валике — дело грозило затянуться.

Некоторые надписи были вполне безобидны: «Я люблю Криса», «А. М. + Т. Л.», «Здесь была Сара», «Люблю навеки», «Ненавижу водку», «Иди домой, ты пьяна» (эта меня рассмешила). Но многие оказались не столь невинны: «Хочу трахаться», «Хочу перепихнуться вечерком, мой парень в этом знает толк». Иногда попадалась нецензурщина. А в некоторых надписях говорилось о людях, уже знакомых мне: «От Сэма я вся теку», «Я люблю Дженни» (гм, это был женский туалет), «Рита — шлюха» (я прыснула — не иначе тот самый смак, которого ей хотелось).

И наконец, масса слов, посвященных рок-группе. Сперва я удивилась, но после решила, что это объяснимо, коль скоро они так часто здесь играют и выглядят так привлекательно.

Самые откровенные фразы были посвящены Гриффину. Я даже не смогла прочесть их полностью. Красная как рак, я поскорее закрасила слова, в которых выражались всяческие намерения в его адрес и желание ему отдаться. Имелось даже крайне живописное изображение полового акта с ним, настолько нелепое и грубое, что я встревожилась, не застрянет ли оно в моей памяти. Со вздохом я поняла, что непременно вспыхну, как только увижу Гриффина. Ему, небось, это понравится.

Надписи, относившиеся к Мэтту и Эвану, были более сдержанными. Девицы восхищались Эваном: «Я люблю его, я хочу его. Эван, женись на мне». Про Мэтта писали: «Черт, он крутой, я дам ему хоть сейчас», «Мэтт меня заводит».

Но большая часть граффити была, конечно, посвящена Келлану, начиная с милого «Келлан меня любит», «Келлан навеки, будущая миссис Кайл» и заканчивая уже не таким милым. Келлан явно знал, о чем говорит, когда заявил, что женщины реагировали на его сексуальность. Высказывания были весьма откровенны — почти как те, что касались Гриффина, — и сообщали миру о вещах, которые девушки хотели бы с ним проделать. Были надписи и от женщин, которые, похоже, успели познакомиться с ним ближе. Правду они говорили или нет, но их фразы являлись наиболее бесстыдными: «Келлан лизал мне...» (я закрасила продолжение, где пояснялось, что именно он лизал), «Я отсосала у Келлана...» (стоп, не хочу ничего знать), «Хочешь отдохнуть — позвони...» (я захлопала глазами — да тут наш телефон! — и немедленно закрасила номер), «Келлан вставил свой...». Так, об этом я и вовсе не стала читать. Мне уже были обеспечены кошмары с участием Гриффина, а потому совершенно не хотелось, чтобы к нему присоединился и наш сосед по квартире.

Покончив с дамской комнатой, я отправилась в мужской туалет, больше не переживая на этот счет. Хуже, чем у девушек, там быть не могло.

Дженни любезно подвезла меня домой. Я вошла на цыпочках, но Денни все равно проснулся. Он терпеливо выслушал мой отчет о первом дне, а затем битый час разглагольствовал о своем. Он был на седьмом небе от счастья, как и я — от радости за него.

❖ ❖ ❖

Денни, Келлан и я быстро наладили общий быт. Келлан почти всегда вставал первым, и, когда я наконец приползала в кухню, там меня уже ждал свежий кофе. Денни шел в душ, а мы сидели и болтали о всякой чепухе.

Денни настаивал, чтобы я не вставала с ним вместе, раз уж работаю допоздна, но я любила смотреть на него по утрам. Уходя, он весь сиял. Работа очень нравилась ему, и я ликовала. У меня было много свободного времени, и вскоре я захотела найти себе какое-нибудь занятие, хотя и начинала тревожиться насчет учебы, которая должна была начаться через пару месяцев.

Келлан, похоже, нигде не работал и только играл в группе. Днем или ранним вечером он мог исчезнуть на несколько часов, чтобы повидаться с ребятами. По будням они выступали в нескольких барах поменьше, а в «Пите» — каждую пятницу и почти каждую субботу. Иногда он делал пробежки и даже пару раз звал меня с собой, но мне было неудобно. Все остальное время он валялся, читал, писал, пел или играл на гитаре. Он сам стирал, сам готовил и прибирал за собой, не считая вечно разоренной постели. Он был идеальным соседом.

Я тоже втянулась в рабочий ритм. Мои скудные навыки обслуживания начали улучшаться. В первую неделю Денни регулярно появлялся у «Пита» после работы, чтобы я «поупражнялась» на нем. Он заказывал то одно, то другое, стараясь намудрить и проверить, пойму ли я. Я хохотала, но это помогало. В третий вечер я наконец принесла ему то, что он хотел, и это было здорово, так как мы уже начали раздражать поваров.

Меня удивила частота, с которой Келлан и его команда наведывались в бар по будням. Они всегда занимали один и тот же стол, спиной к сцене. Вряд ли их волновало, свободен ли он. В баре просто знали, что это их стол, и стоило им войти, как чужакам приходилось решать, остаться ли сидеть с ними или пересесть. В будни работа кипела, но далеко не так, как на выходных, и, хотя женщины все равно глазели на Келлана, в обычные дни в баре собирались завсегдатаи и группу оставляли в покое. Как правило. Фанаты всегда находились. Ребята приходили к «Питу» после репетиции или перед концертом и посещали бар практически ежедневно.

Их личный стол оказался в моем ведении. В мой второй вечер они прибыли в полном составе. Я подошла к ним, стиснув зубы. К счастью, с ними был Денни, и наш разговор упростился. Всем скопом они вселяли в меня панику — особенно после сортирных восторгов, пока еще свежих в моей памяти. И, как я и предвидела, я позорно тушевалась перед Гриффином, что доставляло ему несказанное удовольствие.

Я успокоилась на их счет лишь к понедельнику, который последовал за безумным уик-эндом с толпами людей, пришедших послушать их в пятницу и субботу (там воцарился такой ад, что я мало что помнила). К несчастью, они к тому времени тоже привыкли ко мне. Им страшно нравилось меня дразнить — всем, кроме Эвана, который оставался здоровенным милягой.

И вот, едва они нарисовались, я вздохнула и закатила глаза. Опять двадцать пять. Эван вошел первым и заключил меня в медвежьи объятия. Я рассмеялась, когда снова смогла дышать. Мэтт и Гриффин о чем-то спорили, но Гриффин все-таки на ходу изловчился и шлепнул меня по заднице. Я покачала головой и глянула на Сэма, который не обращал на этот квартет никакого внимания. Любого другого за такое бы вышвырнули вон из бара, но эти четверо явно были здесь хозяевами.

Келлан вошел последним — как всегда, воплощенное совершенство. Сегодня он был с гитарой, которую прихватывал с собой, когда работал над новой вещью. Он кивнул мне с легкой волшебной улыбкой и сел.

— Как всегда, мальчики? — спросила я, стараясь говорить на манер Дженни, уверенно и любезно.

— Да, Кира, спасибо, — учтиво ответил за всех Эван.

Гриффин был не так вежлив и одарил меня порочной ухмылкой:

— Конечно, сладкая, без балды.

Он словно знал, до чего меня бесит его хамство, и отличался всякий раз, когда я оказывалась поблизости. Я проигнорировала его, призвав на помощь всю свою выдержку и не меняя выражения лица.

Очевидно, я плохо постаралась, и он уловил мое раздражение.

— Ты такая лапочка, Кира. Просто невинная школьница. — Он в откровенном восторге покачал головой. — Я всего-то и хочу тебя растлить.

Он подмигнул.

Я побледнела и уставилась на него, лишившись дара речи.

Келлан прыснул, не сводя с меня глаз, а Мэтт, сидевший рядом с Гриффином, фыркнул:

— Дурик, она же с Денни, раз и навсегда. Зуб даю, ты упустил свой шанс.

У меня отвисла челюсть, я в ужасе внимала им. Неужто они и вправду обсуждают мою девственность прямо передо мной? Я была слишком потрясена, чтобы уйти.

Гриффин повернулся к Мэтту:

— Вот облом... Я мог открыть ей целый мир.

Эван и Келлан захохотали, а Мэтт, с трудом сдерживая смех, возразил:

— Когда это было... чтобы ты открыл женщине... целый мир?

Гриффин ощерился:

— У меня есть навыки... Вы, парни, просто не догадываетесь. Жалоб не было.

— Как и благодарностей, — ухмыльнулся Келлан.

— Пошел на хрен. Я тебе прямо сейчас покажу! Берешь телку...

Он осмотрелся, словно в поисках добровольца, и его взгляд остановился на мне. Я побледнела еще сильнее и отступила на шаг.

— Не-е-ет! — возопили все они хором, отшатываясь от Гриффина и вскидывая руки, готовые скрутить его при необходимости.

Поскольку разговор, в моем представлении, перешел все мыслимые границы, я взяла себя в руки и подумала, что настало время ускользнуть от них. Я двинулась бочком, но Гриффин продолжал смотреть на меня. Он осклабился, не обращая внимания на общее веселье.

— Если тебя, Кира, уже лишили девственности... — Он раздраженно зыркнул на своих дружков. — Уверен, что вручную, какой-нибудь штукой...

Он снова взглянул на меня, и парни захохотали пуще прежнего.

— Если я прав, развлеки нас какой-нибудь шалостью...

Его светлые глаза лучились озорством. Гриффин поиграл штангой, вживленной в его язык. Вышло весьма чувственно, и я слегка похолодела. У меня не было ни малейшего желания разбираться с его тупыми запросами.

Я скривилась и повернулась, чтобы уйти.

— Мне надо работать, Гриффин.

— Да ладно тебе, матюгнись разок. Ты, вообще, умеешь ругаться?

Я хотела пройти мимо, но он схватил меня за руку.

Более занятая тем, чтобы высвободиться, чем думая о словах, я вздохнула:

— Да, Гриффин, я умею ругаться.

И немедленно пожалела о сказанном.

— Серьезно? Ну, давай!

Похоже, его искренне позабавила мысль о том, что я могу нахамить не хуже. Эван, возмущенный такой настырностью, закатил глаза. Мэтт подпер кулаком подбородок и подался вперед, а Келлан взъерошил волосы и откинулся назад. Оба взирали на меня с любопытством. Мне стало не по себе под их взглядами.

Я уставилась на Гриффина:

— Черт побери.

Мэтт и Келлан прыснули. Гриффин заправил свои белокурые волосы за уши и надул губы:

— У-у-у, как нехорошо. Давай теперь по-настоящему.

— Это и есть по-настоящему.

Я хотела лишь одного — вернуться к бару, но очутилась в западне. Теперь Келлан, не таясь, смеялся над моим смущением, и я все сильнее злилась на него лично.

— Ну же, выдай чего позабористей, что-нибудь простенькое. Как насчет «суки»?

Гриффин дьявольски усмехнулся и скрестил руки на груди.

— Ты еще такое дитя, Гриффин.

Я закатила глаза и посмотрела на Эвана, мысленно умоляя его положить этой беседе конец, ведь он единственный, кроме меня, тоже испытывал неловкость.

Гриффин рассмеялся, заметив этот призыв:

— Тебе что, и вправду не выговорить?

— Мне незачем.

Не то чтобы я никогда не ругалась — но только мысленно, чтобы никого не задеть. Впрочем, я не собиралась радовать Гриффина. Можно было просто уйти и покончить с этой идиотской забавой, но я осталась, так как представила, какой грянет хохот.

Сцепив руки, Гриффин навалился на стол и взмолился:

— Давай! Хоть что-нибудь. Мне все равно — главное, чтобы гадость.

Я помялась, все еще подумывая о бегстве. Может, просто влепить ему пощечину? Это наверняка отвлечет от меня внимание, но я не знала, как он отреагирует. Я не хотела ни злить его, ни возбуждать.

Тут вмешался Келлан:

— Однажды она назвала меня сексуальным.

Гриффин чуть не свалился со стула от смеха.

Я уставилась на Келлана, который взирал на меня с невиннейшим видом и воздевал руки к небу, будто спрашивая: «А что?» Воспользовавшись паузой — теперь уже хохотал весь стол и даже мой союзник Эван, — я устремилась к бару.

В надежде, что лицо у меня не слишком пылает, я добралась до Риты, которая уже приготовила всей группе напитки. Я осторожно оглянулась. Гриффин и Мэтт продолжали потешаться над глупой репликой Келлана. Эван виновато смотрел на меня — что ж, хоть ему было стыдно за этот гогот. Келлан, все еще усмехаясь, поднял с пола гитару и начал лениво перебирать струны.

Он тихо затянул песню, по-моему новую. С моего места мне было не разобрать слов, но мелодия оказалась очень приятной. Я инстинктивно шагнула ближе, чтобы лучше слышать.

— Я бы не напрягалась, — сурово заметила Рита.

— О чем ты?

— О нем. — Она указала на Келлана. — Зря потратишь время.

Не вполне понимая, что она имеет в виду, я забыла возразить, что всего-навсего хотела послушать песню, и вместо этого спросила:

— Что ты такое говоришь?

Рита склонилась ко мне с заговорщическим видом, радуясь возможности поделиться.

— Он обалденный, да, но разобьет тебе сердце. Он из тех, кто поматросит и бросит.

— А, ты об этом. — Я подумала, что в этом нет большой новости, учитывая толпу безумных фанаток, осаждавшую его на всех концертах, и надписи в туалетных кабинках. — Между нами ничего нет. Он мой сосед — и только. Я просто слушала...

Она оборвала меня:

— Не представляю, как ты с этим живешь? — Рита мечтательно закусила губу. — Меня бы такое точно сводило с ума, день за днем.

Она поставила на стойку пару пивных бутылок.

Ее голодный взгляд в сторону Келлана начинал меня раздражать, как и то, что она упорно именовала его «оно», будто он не был полноценным человеком.

— Ну, у меня есть парень, с ним, конечно, полегче.

Я ответила не без сарказма, но право слово — чем мы, по ее мнению, занимались дома?

Рита хохотнула:

— Ох, милочка, ты думаешь, ему это важно? Солнышко, я была замужем, и его это совершенно не смутило. — С легкой улыбкой она выставила на стойку две последние бутылки и подмигнула. — Впрочем, дело того стоит.

Я в шоке разинула рот. Рита была вдвое старше Келлана и, как я слышала, жила с четвертым мужем. Похоже, что Келлан тащил к себе всех подряд — вообще без разбору, как я начинала подозревать. Удивительно, как я до сих пор ни на кого не наткнулась.

Взяв себя в руки, я пробормотала:

— Зато это важно мне.

Я сгребла бутылки и пошла к ребятам — немного на взводе, не вполне понимая почему.

ГЛАВА 4

ПЕРЕМЕНЫ

Денни быстро прижился на новой работе, в чем я и не сомневалась, и вместе мы бывали гораздо реже, чем мне того хотелось. Я старалась общаться с ним утром, но, так как я ложилась с каждым днем все позже, мне становилось все труднее просыпаться. В итоге я оставалась в постели, он быстро целовал меня на прощание и уходил. Стремясь произвести хорошее впечатление на начальство, Денни работал сверхурочно, а потому не забирал меня и из бара. И быстро выяснилось, что нам удается побыть вдвоем лишь днем на выходных до моей смены да пару вечеров в будни, когда я не работала.

Но Денни старался и делал все, чтобы проводить время вместе. Он приходил в бар после работы, иногда даже оставался поужинать и выпить с Келланом и его группой. Мы обнимались и целовались, а завсегдатаи стонали при виде нас и насмешливо закатывали глаза. Кто-то даже бросил в нас скомканной салфеткой. Я всерьез подозревала Гриффина и радовалась, что это была лишь салфетка.

Июнь пролетел незаметно, и я не успела оглянуться, как наступил июль. Четвертого числа[1] Денни пришлось идти в офис. Я немного повозмущалась, так как мы собирались сходить на его любимый пляж Элкай-Пойнт — немного солнца и моря для моего любившего воду мальчика, — но Денни пообещал провести в «Пите» весь вечер, несмотря на мою занятость, и это слегка остудило мой гнев. В конце концов я целый день читала и загорала на заднем дворе, маленьком и солнечном. Загар подразуме-

---

[1] *Четвертое июля* — День независимости США.

вал, что кожа должна была потемнеть и окраситься в приятный бронзовый оттенок, как у Денни. Но с моей белоснежной кожей такого произойти не могло. Она становилась ярко-розовой, а после — снова бледной. Поэтому я надела раздельный купальник и натерлась кремом, чтобы, по крайней мере, не обгореть и, если уж не сменить цвет, хоть погреться на солнышке.

Я читала книгу и блаженствовала, впитывая лучи бедрами и поясницей. Прямо передо мной на травинку села грациозная стрекоза. Ее тело и кончик хвоста были ярко-бирюзового цвета, как украшения коренных американцев из местных лавок. Стрекоза выглядела абсолютно счастливой на своем крошечном насесте и наслаждалась погожим днем, как и я. Я улыбнулась ей и вернулась к чтению. Какая-никакая, а все же компания.

И вот мое тело поглотило дневную норму витамина D. Я поплелась в дом, пьяная от солнца, и почти мгновенно вырубилась на диване. Проснувшись за полчаса до начала смены, я бросилась переодеваться и собираться. К автобусу и в бар я поспела минута в минуту. Что ж, по крайней мере, я взбодрилась и не буду спать на ходу.

Денни, как и всегда верный своему слову, после работы явился в бар. Для праздника там было необычайно многолюдно, и Денни пришлось устроиться у стойки. Меня уже начали раздражать призывные взгляды, которые бросала на него Рита, как вдруг объявились Келлан и остальные участники группы. Они захватили свой стол и удачно втиснули дополнительный стул для Денни. Бар был набит битком, однако смех за этим столом никто не мог перекричать.

Незадолго до концерта Денни и Келлан отправились погонять шары. По дороге на кухню я остановилась и прислонилась к стене: на их беспечную дружбу нельзя было смотреть без улыбки. Они веселились, как будто всегда были лучшими друзьями и в жизни не расставались.

Я также не могла удержаться от смеха, глядя на то, как плохо играл Келлан. Когда он мазал, Денни ухмылялся и пытался показать, как правильно, а Келлан только смеялся и пожимал плечами, словно знал, что все равно никогда не научится. Я тоже играла слабенько, и Денни, который и впрямь был в этом очень хорош, пару раз брался учить и меня. Он терпеливо твердил мне снова и снова: «Это всего лишь законы физики, Кира», — как будто это знание могло что-то по волшебству изменить. Денни заметил, что я слежу, и подмигнул мне, и я со счастливым вздохом вернулась к работе.

Едва они закончили игру и Келлан стал пробираться к сцене, снаружи донесся грохот фейерверков. Мэтт и Гриффин нацепили дурацкие ухмылки и вырулили за дверь, а за ними бросилось полдюжины девиц. Чуть позже, усмехаясь, к дверям направились Эван и Дженни, сопровождаемые собственной свитой. Келлан подошел к нам с Денни в обществе миниатюрной девушки, прядки белокурых волос которой были выкрашены в ярко-красный и синий цвета. Он приобнял ее за плечи и с улыбкой кивнул нам, приглашая следовать за собой. Мы переглянулись, пожали плечами и вышли вместе с очередным десятком человек.

Итак, половина бара высыпала на парковку и уставилась в небеса, где над Лейк-Юнион расцветала вспышка за вспышкой, одна другой причудливее и краше. Гриффин и Мэтт отошли в сторону, любуясь этим зрелищем. Точнее, любовался Мэтт. Гриффин по-хамски прижал девчонку, и та, к его удовольствию, наезжала на него. Дженни обняла Эвана за талию, уютно прижалась к нему и наблюдала за шоу с другой стороны парковки.

Денни заключил меня в объятия, и я расслабленно положила голову ему на плечо. Келлан стоял перед нами, небрежно обнимая девицу и сунув руку в ее задний карман. Он прихватил с собой пиво. Отвернувшись, чтобы сделать солидный глоток, он заметил позади себя нас с Денни. Выпив, Келлан улыбнулся мне, встретившись со мной глазами. Я слегка покраснела, тогда как Денни довольно вздохнул и чмокнул меня в затылок.

Подруга Келлана, должно быть, что-то сказала, он повернулся к ней и тихо ответил. Та встала на цыпочки и поцеловала его в шею, скользнув рукой в карман его джинсов. Келлан крепко обхватил ее. Увижу ли я эту барышню утром?

Я вновь было обратила свое внимание на цветастое зрелище, но вдруг из-за спины послышалось громкое:

— Эй! Я плачу вам не за то, чтобы вы на звезды глазели.

Обернувшись, я увидела Пита, который стоял в дверях и с унылой миной смотрел на Келлана. Группе уже полагалось стоять на сцене.

— Иди играть, — пробормотал Пит, указывая внутрь бара. Он мельком глянул на шоу, Келлан хмыкнул, и внимание Пита переключилось на нас с Дженни. — И вы, два сапога — пара. Давайте-ка внутрь... Там еще есть люди, которым хочется выпить.

Дженни высвободилась из объятий Эвана и робко потрусила к Питу.

— Извини, Пит. — Она поцеловала его в щеку и скрылась в баре.

Келлан немедленно последовал за ней, таща за руку свою подругу в сине-красных полосках.

— Да, Пит, извини.

Криво улыбнувшись, он тоже чмокнул Пита в щеку и отпрыгнул, увернувшись от оплеухи. Его барышня прыснула, когда он вслед за Дженни нырнул в бар.

Мы с Денни чуть постояли в обнимку, любуясь представлением, и после вернулись в помещение вместе с толпой. Тем вечером группа особенно блистала, и Денни остался до конца. Мы даже пару раз станцевали. К завершению смены я была готова ехать домой, чтобы уснуть у него под боком. Заканчивая дела, я засекла уходившего Келлана. Удивительно — он был один. Через несколько минут, когда я вышла из подсобки, Денни взял меня за руку и мы тоже отправились домой, улыбаясь друг другу.

Позже, едва мы легли и я прижалась к нему, меня наполнила радость: мне нравилась моя здешняя бесхитростная жизнь, а особенно то, что ничего не изменится как минимум в ближайшие два года. Но кое-что изменилось уже через две недели, в рабочий вечер пятницы...

❖ ❖ ❖

Ребята сидели за своим постоянным столиком и расслаблялись перед выступлением. К восторгу нескольких обожательниц, расположившихся по соседству, Гриффин был без рубашки. Он показывал Сэму новую татуировку на плече, которую успел сделать на неделе. Змей обольстительно обвивался вокруг обнаженной женщины. Сэм ухмылялся: похоже было, что ему это искренне нравилось. Мне же рисунок показался немного безвкусным. Змей был излишне чувственным, а женщина — вопиюще непропорциональной. Ей-богу, реальная женщина с такими формами не смогла бы стоять прямо. Я невольно улыбнулась, так как безвкусная татуировка идеально подходила ее обладателю.

Мэтт тоже показал Сэму татуировку — какой-то символ на внутренней стороне запястья. Я не знала его значения, но рисунок понравился мне куда больше, чем тот, что красовался на плече Гриффина. Сэм кивнул, а затем оглянулся на изображение голой женщины. Я ждала, что Гриффин сейчас наденет рубашку. Эван, руки которого были истатуированы сверху донизу, в демонстрации не участвовал. Он торчал на краю сцены и был слишком занят, флиртуя с компанией девчонок.

Келлан сидел, откинувшись на спинку стула, и наблюдал за мной. Он поманил меня к себе.

— Привет. Пиво? — спросила я.

Он тепло улыбнулся и кивнул:

— Ага. Спасибо, Кира.

Внезапно мне стало интересно, есть ли татуировки у Келлана. При мысли, что я уже видела его почти голым, я вспыхнула. Если что и было, то в укромном месте. Келлан заметил мое смущение.

— Что такое?

Зная, что проще будет спросить, я указала на плечо Гриффина и осведомилась:

— У тебя тоже есть?

Он оглянулся на все еще полуобнаженного басиста.

— Татуировки? — спросил он, вновь повернувшись ко мне, и покачал головой. — Нет. Не могу придумать такой рисунок, который хотел бы сохранить на своей коже навсегда.

Он криво улыбнулся.

— А у тебя?

Я снова залилась краской от его улыбки.

— Не... Девственно чистая кожа. — Я сразу же пожалела о сказанном, став красной, как свекла.

Келлан посмеивался над моей реакцией, и я пробормотала:

— Сейчас принесу тебе пиво...

Я со всех ног поспешила прочь, тихо твердя себе, что надо думать, прежде чем говорить, и чуть не врезалась в Денни, входившего в бар.

— Салют! Есть новости — ну-ка, угадай!

Он схватил меня за плечи, сияя.

— Понятия не имею, — ответила я, улыбаясь его воодушевлению.

— Сегодня Марк отозвал меня в сторонку. Они хотят, чтобы я ехал с ними в Тусон открывать новый офис!

Он был всецело захвачен этой перспективой, но у меня сердце упало.

— Тусон? Серьезно? И надолго?

Я не хотела его расстраивать, но сама уже была не в восторге от этой идеи.

— Не знаю... — Денни пожал плечами. — Может, на пару месяцев?

Я разинула рот:

— На пару месяцев? Но мы же только приехали! До начала занятий чуть больше месяца. Мне надо зарегистрироваться, узнать расписание, получить книги... Я не могу сейчас взять и сорваться в Тусон.

Он посмотрел на меня в некотором замешательстве:

— Тебе и незачем. Это всего на пару месяцев, Кира.

Теперь мне стало наплевать на его энтузиазм. Теперь я разозлилась.

— Что? — переспросила я громко, и на нас оглянулись. Денни деликатно взял меня за руку и вывел наружу.

На свежем воздухе он снова стиснул мне плечи и заставил посмотреть на себя.

— Это моя работа, Кира, наше будущее. Я должен.

Его акцент усиливался вкупе с озабоченностью.

Мои глаза наполнились слезами.

— Два месяца, Денни... Это так долго.

За все время вместе мы разлучались самое большее на две недели, когда он ездил к родителям после смерти дедушки. Я ненавидела каждую минуту этих двух недель.

Он стер слезу с моей щеки.

— Эй, все же в порядке. Может, окажется и не так долго. Я точно не знаю. — Он привлек меня к себе. — Это для нас, Кира. Хорошо?

— Нет, — отозвалась я убитым голосом.

Два месяца казались вечностью, и я прошептала:

— Когда ты уезжаешь?

— В понедельник, — шепнул он в ответ.

Я больше не могла сдерживать слезы. Через какое-то время Денни отпустил меня.

— Прости. Я не хотел тебя огорчать. Думал, ты за меня порадуешься. — Он чуть нахмурился. — Прости, мне следовало сказать тебе после работы.

Я шмыгнула носом, чувствуя себя виноватой.

— Нет, все в порядке. Просто это так неожиданно. Я приняла слишком близко к сердцу. Все будет хорошо, честное слово.

Денни снова обнял меня и продержал так несколько минут.

— Прости... Я не могу остаться. — Он робко взглянул на меня. — Мне нужно вернуться в офис, чтобы обговорить детали. Мне надо идти, извини. Мне просто очень хотелось поделиться.

Я смахнула слезы:

— Иди, все в порядке. Мне все равно пора возвращаться к работе...

Он удержал мое лицо в ладонях:

— Я тебя люблю.

— И я тебя люблю, — пробормотала я.

Денни поцеловал меня в лоб и припустил к машине. Ему явно не терпелось от меня избавиться. Я вздохнула, помахала ему и уныло поплелась в бар. Первым, кого я увидела, был Келлан, который навалился на стойку, потягивал пиво и беседовал с Ритой. Ох, точно, он же заказывал пиво, перед тем как Денни... На глаза вновь навернулись слезы, и я быстро утерла их, но Келлан успел заметить.

Я все еще стояла в дверях, когда он подошел ко мне, нахмурившись.

— Все в порядке?

Я смотрела через его плечо, зная, что разревусь, если увижу сочувствие в его глазах.

— В полном.

— Кира...

Он тронул меня за руку, и я взглянула ему в лицо. Забота в его глазах и неожиданная нежность прикосновения стали для меня последней каплей, и слезы хлынули ручьем. Он, не раздумывая, притянул меня к себе и крепко обнял. Он гладил меня по спине, прижавшись щекой к моей голове. Мне было очень уютно, но я все равно всхлипывала, и все на нас глазели. Келлан не обращал внимания на эти любопытные и вопросительные взгляды (в конце концов, у него была репутация) и безропотно стоял со мной, пока я не перестала плакать.

В какой-то момент подошел Сэм — наверное, чтобы сказать, что все готово, но я почувствовала, как Келлан покачал головой, не успел тот произнести и слова. Я чуть отстранилась и вытерла слезы с лица.

— Все хорошо. Спасибо. Иди блистай.

Он озабоченно посмотрел на меня:

— Уверена? Ребята подождут.

Тронутая его предложением, я помотала головой:

— Нет, честно. Я в порядке. Мне все равно нужно работать. Я так и не принесла тебе пиво.

Келлан отпустил меня с ухмылкой:

— В другой раз.

Он погладил меня по руке и со своей полуулыбкой пошел к друзьям, которые уже поднимались на сцену.

Конечно, группа Келлана была восхитительна, но я не могла не заметить, что он чаще обычного смотрел на меня. Иногда он чуть хмурился, и я обнаружила, что успокаивающе улыбаюсь в ответ. Со мной и вправду все было в порядке. Он мог не беспокоиться, хотя мне было приятно.

Я ушла позднее обычного, отказавшись от любезного предложения Дженни подвезти меня. Я просто пока не была готова отправиться домой. Меня угнетала мысль о новом разговоре с Денни насчет его отъезда. Печалила меня и перспектива не застать его дома. Я не знала, что хуже, и не спешила выяснять.

Я задом наперед села на стул возле бара, положила руки на спинку и утвердила на них подбородок. Понедельник. Все шло так гладко — и вот у меня остались всего одни выходные, после чего Денни уедет на целых два месяца. Я не знала, что буду делать без него. Все произошло слишком быстро, чтобы обдумать. Мы будем вместе завтра днем, потом все воскресенье, а потом... Я понятия не имела, когда увижу его вновь.

Слезы вернулись, и я сердито смахнула их. Незачем горевать, — наверное, это и впрямь будет месяц-другой. «Успокойся», — скомандовала я себе.

Келлан сел рядом, и я почувствовала его раньше, чем увидела.

— Эй, может, расскажешь, в чем дело?

Я поглядела на сцену, где все еще тусовалась группа. Эван разговаривал с Сэмом, но Гриффин и Мэтт пялились на нас. Гриффин, кривясь в ухмылке, что-то бросил Мэтту, а тот закатил глаза и рассмеялся. Можно было представить, о чем они толковали. Нет, здесь я беседовать не собиралась. Дело обязательно кончилось бы рыданиями, и я не хотела, чтобы «Чудилы» на это смотрели. Они уже достаточно надо мной потешались. Я покачала головой.

Келлан проследил за моим взглядом и вроде бы понял.

— Подвезти домой?

Я благодарно кивнула. Мои шансы попасть домой в такой час стремительно уменьшались.

— Да, спасибо.

— Без проблем. Только соберу барахло, и сразу поедем.

Келлан одарил меня чарующей улыбкой, и я почему-то вспыхнула. Он подошел к сцене и сказал пару слов ребятам, которые после работы выпивали с Сэмом. Те кивнули. Гриффин ткнул Мэтта под ребра и самодовольно ухмыльнулся. Келлан покачал головой и подобрал свою гитару. Он уже собирался вернуться ко мне, но Эван поймал его за руку и что-то произнес, после чего Келлан раздраженно покачал головой. Эван, казалось, был удовлетворен его ответом и отпустил его.

Келлан подошел ко мне, тепло улыбаясь:

— Готова?

Я кивнула, встала, вздохнула и мысленно приготовилась либо увидеть, либо не увидеть Денни. На выходе я робко помахала Рите. Та подняла брови, понимающе улыбнулась и подмигнула так, что я опять покраснела. Она словно думала, что я намерена запрыгивать на Келлана всякий раз, как только мы остаемся наедине. Мне стало ужасно не по себе от этой провокации.

Поездка домой прошла в уютном молчании. Келлан ничего у меня не выпытывал, но его доброта и недавнее теплое объятие вызвали желание открыться ему.

— Денни уезжает, — сказала я тихо.

Он ошеломленно взглянул на меня:

— То есть?..

Я пресекла его мысль, сообразив, насколько зловеще у меня вышло:

— Нет, всего на несколько месяцев по работе.

Келлан расслабился и чуть улыбнулся:

— А я-то уже решил...

— Нет, я просто слишком остро реагирую, — вздохнула я. — Все замечательно. Дело всего-навсего в том...

— Что вы никогда не разлучались, — мягко закончил Келлан.

Я с облегчением улыбнулась: он понял.

— Да. То есть бывало, но чтобы так надолго — ни разу. Наверное, я просто привыкла видеть его каждый день, и мы столько времени ждали, когда заживем вместе, и вот все наладилось, а теперь...

— Теперь он уезжает.

— Точно.

Я повернулась и взглянула на Келлана. Он смотрел прямо перед собой и пребывал в глубокой задумчивости. Его лицо периодически освещалось светом уличных фонарей. Так он казался еще привлекательнее. Контраст между светом и тенью на его лице завораживал, и я не могла отвести глаз. О чем он думал?

Он повернулся:

— Ни о чем...

Я опешила, не сознавая, что произнесла последние слова вслух. Келлан улыбнулся:

— Мне просто очень хотелось, чтобы у вас все срослось. Вы оба... — Он не договорил и вновь стал смотреть на дорогу.

Я зарделась и в сотый раз подумала, что должна следить за своим языком в его присутствии. А также за своими мыслями, ибо даже они вырывались наружу без разрешения.

Вскоре мы приехали. Побитая древняя «хонда» Денни уже стояла на месте. Нет же, я *точно* надеялась, что он будет дома. Повернувшись к Келлану, я сердечно поблагодарила его:

— Спасибо тебе за все.

Тот чуть застенчиво опустил глаза:

— Пустяки, Кира.

Мы вылезли из машины, вошли в дом и поднялись наверх. Я помедлила, взявшись за дверную ручку, не в силах заставить себя войти.

— Все будет хорошо, Кира, — остановившись перед своей дверью, сказал Келлан.

Я улыбнулась, шепотом пожелала ему спокойной ночи, собралась с силами и зашла в темную комнату. Моим глазам понадобилось время, чтобы привыкнуть. Я услышала, как Денни заворочался, раньше, чем разглядела его. Он приподнялся на локтях:

— Эй, ты поздно...

Голос был сонный, и акцент обозначился предельно четко.

Я ничего не ответила. Мне пока было непонятно, как отнестись к изменившейся ситуации, в любом случае печальной. Я села на постель и переоделась в пижаму, а Денни молча смотрел на меня. Когда я закончила, он наконец заговорил.

— Кира, — произнес он тихо. — Поговори со мной.

Я вздохнула и нырнула под одеяло, а Денни перевернулся на бок лицом ко мне. Он запустил пальцы в мои волосы, потом погладил меня по щеке.

— Ну и что тут у нас творится? — Он легонько постучал по моему виску.

Я улыбнулась:

— Всего лишь раздумья: что мне делать без тебя... — Моя улыбка увяла.

Денни поцеловал меня в лоб:

— Дом... Работа... Дом... Работа... Очевидно, то же, что и со мной.

— Да, но теперь мне все это перестанет нравиться, — уныло пробормотала я, уткнувшись взглядом в его подушку.

— Я тоже буду скучать, — рассмеялся он.

— Неужели? — посмотрела ему в глаза я.

— Конечно, — изумленно моргнул он. — Постой, ты думаешь, я хочу уехать? Мне будет легко и просто? И я не буду скучать — ужасно, изо дня в день?

— Да.

Именно это приходило мне в голову не раз за тот вечер. Теперь вздохнул он.

— Кира, это бред. — На его губах появилась моя любимая глупая улыбка. — Ты еще взвоешь от моих звонков.

Я вымученно усмехнулась:

— И не надейся. — Мой тон стал серьезным. — Тебе действительно нужно... Ты в самом деле должен это сделать?

Денни уловил мою интонацию и перестал улыбаться.

— Да, — кивнул он.

Я вздернула подбородок:

— И ты вернешься, когда закончишь?

— В ту же секунду, — вновь улыбнулся он.

— Что ж... — Я сделала паузу. — Похоже, осталось обсудить только один вопрос...

— Какой же? — с любопытством взглянул на меня Денни.

Я провела рукой по его щеке и нежно его поцеловала:

— Как проведем последние два дня?

Он нашептал мне на ухо массу вещей, которыми мы могли заняться. Я улыбалась, смеялась, колотила его по плечу, снова смеялась, краснела и наконец слилась с ним в глубочайшем поцелуе. И на какой-то миг позабыла о неизбежных переменах...

❖ ❖ ❖

Утро понедельника наступило быстрее, чем я могла вообразить. В выходные мы с Денни не разлучались ни на мгновение. Я так и липла к нему, и он проявлял поразительное терпение. Он знал, как тяжело мне придется. Я молча надеялась, что и ему тоже. Часть меня желала Денни блеснуть, отличиться перед начальством и прекрасно провести время. Другая — гораздо большая — мечтала, чтобы он провалился с таким треском, что больше и не думал бы от меня уезжать. Наверное, я была излишне сурова.

Келлан любезно предложил отвезти нас в аэропорт, и я была ему безгранично признательна. Я пребывала в слишком расстроенных чувствах, чтобы садиться за руль, и не могла ограничиться коротким поцелуем на прощание. Мне хотелось до последней секунды быть с Денни, увидеть, как взлетает его самолет, и покончить с этим. Но когда самолет и вправду взлетел, а мы с Келланом остались в аэропорту, мне вдруг отчаянно захотелось домой, чтобы там плакать в подушку. Келлан заметил, что слезы уже на подходе, ласково обнял меня и молча повел к машине.

Я только смутно сознавала, что иду с ним, сажусь в автомобиль и еду домой. Мне рисовались сотни кошмаров — все самое страшное, что только могло случиться, из-за чего я никогда больше не увижу любимого. И в конце концов я разрыдалась, пока мы неслись по автостраде.

Келлан был крайне заботлив и — что удивительно — ничуть не раздосадован моими слезами, реагируя на них не так, как большинство парней. Он усадил меня на диван, принес платки и воду, а затем плюхнулся на стул рядом, включил телевизор и отыскал какую-то глупую комедию. Это помогло: к середине дурацкого фильма мы оба уже смеялись. Ближе к концу я стала засыпать и, прежде чем отключиться, почувствовала, как Келлан укрывает меня легким одеялом.

Через несколько часов я проснулась в гостиной одна и вновь пережила последнее прощание с Денни в аэропорту, в равной степени сладостное и ненавистное для обоих...

Денни стиснул меня в объятиях. Я приблизилась к его лицу и целовала его жарко, как только могла, — пусть он вспоминает об этом в разлуке. Наконец он отстранился от меня, задыхаясь, но с мягкой улыбкой:

— Я люблю тебя... Я скоро вернусь. Не волнуйся.

Он поцеловал меня в щеку, и я смогла лишь кивнуть, не в силах выговорить ни слова из-за комка в горле.

Затем он приблизился к Келлану, который стоял на почтительном расстоянии от нас и наблюдал за нашим прощанием. Денни странно глянул на меня через плечо и что-то шепнул другу. Тот побелел и зыркнул в мою сторону. Денни отступил с серьезной миной и протянул ему руку. Бледный и чуть сконфуженный, Келлан пожал ее, кивнул и пробормотал что-то. О чем шла речь? Денни в последний раз обернулся, послал мне воздушный поцелуй и зашагал к терминалу, покидая меня.

Я потерянно вздохнула, вновь и вновь прокручивая в памяти эту сцену. Внезапно зазвонил телефон, и я вскочила, чтобы ответить. Волшебный голос Денни заполнил мои разум и сердце. Мы не виделись всего полдня, а его отсутствие уже стало невыносимым. Он рассказал, как добрался и где устроился. Я долго не отпускала его уже после того, как он заявил, что больше не может разговаривать. Наконец Денни сказал, что ему действительно пора, но он перезвонит мне перед сном. Я недовольно согласилась.

Вечером мне пришлось идти на работу, и я ненавидела каждую секунду, проведенную в баре. Я могла пропустить звонок Денни, и это причиняло мне физическую боль. Тот не уточнил, когда выйдет на связь: перед сном — и точка. Но перед чьим сном — его или моим? Весь вечер я пребывала в раздражении. В итоге я нагрубила Рите, которая крайне неподобающе высказалась насчет моего нынешнего существования наедине с Келланом. Я перепутала несколько заказов и даже не потрудилась извиниться перед клиентами. В конце концов, когда Гриффин схватил меня за задницу, я отвесила ему оплеуху. Впрочем, этот эпизод мне понравился.

Келлан задержался в баре допоздна и снова подвез меня домой, что было очень мило с его стороны. Всю дорогу я сидела как на иголках в надежде, что все же не пропустила звонок Денни, тот не спит и я смогу с ним говорить — хорошо бы часами. Можно устроиться ночевать на кухне — тогда мы будем болтать, пока я не засну. Я вздохнула. Надо взять себя в руки.

Келлан улыбнулся, услышав мой вздох:

— Если хочешь позвонить Денни, то я уверен, что он еще не спит.

— Спасибо, что меня целый день возишь.

Он рассмеялся и сказал:

— Кира, мне вовсе не трудно.

Я на секунду задержала на нем свой взгляд, пока мысленно не вернулась в прощальные объятия Денни.

Телефон зазвонил, едва мы переступили порог. Сияя от восторга, как школьница, я ответила после первой же трели. Денни знал, что я была на работе, и точно все рассчитал. Я расслабилась, осознав, что напрасно переживала весь вечер. Денни тоже хотелось меня услышать. Он так или иначе добился бы этого.

Келлан подошел, улыбнулся и взял трубку:

— Доброй ночи, Денни.

Вернув ее мне, он подмигнул и отправился спать.

Мы с Денни разговаривали и смеялись не один час.

ГЛАВА 5
ОДНА

Первая неделя оказалась самой долгой в моей жизни. Семестр еще не начался, и мне целыми днями было нечем заняться. Я начала впадать в спячку. Я отмеряла каждую секунду каждой минуты каждого часа каждого дня.

Келлан, как мог, развлекал меня. Мы болтали за кофе, он пытался учить меня игре на гитаре (у меня очень плохо получалось), а в итоге вытащил меня на пробежку. Я быстро невзлюбила Сиэтл — красивый город, спору нет, однако беспощадный к бегунам, предпочитающим описывать круги по равнине, а не сбивать себе ноги, одолевая холмы. Мне пришлось остановиться на полпути и повернуть домой. Келлан посмеялся, но предложил составить мне компанию. Я выбилась из сил и чувствовала себя глупо, а потому шикнула на него, чтобы он бежал себе дальше, а сама побрела обратно, мечтая упасть на диван.

Когда запасы продуктов истощились, Келлан сходил со мной в магазин. Это была забавная, но абсолютно несуразная вылазка. Хорошо еще, что у меня не было недостатка во всяких женских принадлежностях, иначе я умерла бы от стыда. Впрочем, Келлан и так вогнал меня в краску, когда рассеянно прихватил и бросил в корзину пачку презервативов. Украдкой оглянувшись с выражением — в том не было сомнений — ужаса на лице, я схватила эту коробочку и осторожно, словно та могла укусить, вручила ему обратно. Сперва он не захотел взять ее и лишь насмешливо уставился на меня. Но мимикой и жестами я настаивала все яростнее, и Келлан в итоге забрал упаковку. Он вернул ее на полку, не уставая потешаться над моим смущением.

Быстро оправившись от инцидента, я покатила тележку по проходу, а Келлан, вполголоса подпевая убогим фоновым песенкам (он знал каждую наизусть), наполнял ее, но только теми товарами, которые я предварительно одобряла. Меня веселило его симпатичное ухмыляющееся лицо. Мы прошагали полмагазина и вступили в центральный проход, когда по радио заиграл дуэт. Келлан выжидающе взглянул на меня, приглашая исполнить женскую партию, и меня бросило в жар. Певица из меня была никудышная.

При виде моего нежелания Келлан расхохотался и затянул свою партию громче, отступив и жестикулируя так, будто пел мне серенаду. Это был сущий позор: несколько человек, оказавшихся рядом с нами, откровенно развеселились. Он не обращал на них внимания и продолжал петь для меня, наблюдая, как краска на моем лице становится все ярче. Он буквально лучился восторгом при виде моей неловкости.

Келлан простер руки — давай же! — и вскинул брови: он снова хотел, чтобы я подключилась. Я упрямо помотала головой и шлепнула его по руке, надеясь, что он прекратит меня позорить. Он хохотнул, схватил меня и крутанул прямо посреди прохода, а затем оттолкнул, вновь притянул к себе и даже наклонил, ни на секунду не прекращая петь. Пожилая пара улыбнулась, обходя нас.

Когда он поставил меня на место, я прыснула и сдалась, начав очень тихо выпевать женскую партию. Келлан ослепительно улыбнулся и только тогда отпустил меня. С покупками было покончено и с пением тоже. Впоследствии я пела все, что он хотел. Сопротивляться ему было решительно невозможно.

Желая скоротать время, я нехотя позвонила родителям. Я не собиралась сообщать им, что Денни бросил их малютку одну в чужом городе, но это каким-то образом всплыло в разговоре, и мне пришлось выслушать часовой спич на тему «Я так и знала, что от него добра не жди, давай-ка живо уматывай оттуда домой». Я в тысячный раз повторила, что остаюсь в Сиэтле и что мне здесь нравится. По крайней мере, будет нравиться, когда вернется Денни. Я снова и снова заверяла их, что незачем так волноваться из-за меня.

Денни звонил мне по два-три раза на дню — и это были лучшие моменты моей теперешней жизни. Я постоянно сидела на кухне в ожидании звонка. В конце концов это стало меня раздражать. Я была сама по себе, и если и пропустила бы звонок, то вполне могла прожить день без разговоров с Денни. Хорошо, не день — несколько часов. Я старалась не зацикливаться на этом... но без толку, разумеется, и лелеяла в памяти каждую беседу.

— Эй, крошка!

Я сознавала, что по-идиотски улыбаюсь в трубку, но ничего не могла с собой поделать. Я соскучилась по его голосу.

— Привет... — Я буквально выдохнула это слово. — Как дела? Не пора ли домой?

Я досадливо поморщилась, понимая, что в точности копирую родителей.

Денни рассмеялся, как будто тоже заметил это:

— У меня все отлично. Устал, конечно, но дела просто блеск. Конца, правда, еще даже не видно, прости.

В его голосе слышалось искреннее сожаление, и я невольно улыбнулась:

— Да ладно, все в порядке... Я просто безумно скучаю.

Он снова усмехнулся:

— Я тоже соскучился.

Это был ежедневный ритуал. «Не пора ли домой? Я по тебе скучаю. Я тоже скучаю». До чего же я любила этого дуралея.

— Я собирался быстренько перекусить и отрубиться. А ты что делаешь вечером? — Он негромко крякнул, словно наконец присел, полностью вымотанный.

— Абсолютно ничего, — вздохнула я, — а Келлан с ребятами сегодня играют в «Бритвах», так что я буду сидеть тут совсем одна... — Я сообщила об этом тихо, обводя взглядом дом, внезапно показавшийся мне огромным.

— А ты почему не идешь? — зевнул Денни.

Я в замешательстве уставилась на телефон:

— Куда?

— Ну, с Келланом... Почему не пойдешь их послушать? Хоть какое-то занятие...

Он снова зевнул, и я услышала звук, как будто Денни плюхнулся на кровать.

— Ты устал, наверное? — спросила я.

Мне было совестно удерживать его, но пока я не хотела класть трубку.

— Есть немного, но это ерунда. — Я поняла, что он улыбается. — Все равно не лягу, буду говорить с тобой.

На глаза упрямо наворачивались слезы. Мне так его не хватало.

— Я больше не хочу тебя мучить. Поговорим утром, перед работой. Позавтракаем вместе.

Я старалась изобразить радость при виде такой перспективы, тогда как на деле хотела лишь рыдать и умолять его вернуться домой.

Очередной зевок.

— Уверена? Я вовсе не возражаю...

Нет, я хотела говорить с ним всю ночь.

— Да, поешь, поспи и скорее возвращайся.

— Я люблю тебя, Кира.

— Я тоже тебя люблю... Спокойной ночи.

— Спокойной ночи. — Он зевнул в последний раз и повесил трубку.

Я добрую минуту смотрела на телефон, пока тяжелая слеза скатывалась по моей щеке. Прошло всего девять дней — и вот оно, я уже плачу от одиночества. Это было не в моем духе. Может, он был прав и мне стоило выйти? Во всяком случае, вечер пройдет быстрее. Не успею я оглянуться, как уже настанет пора завтракать. Эта мысль подстегнула меня. Я смахнула слезу и пошла наверх к Келлану.

Он немедленно отозвался на мой стук:

— Заходи.

Я мигом покраснела, едва вошла: не успев толком одеться, он стоял у кровати лицом к двери и застегивал джинсы.

Свежая футболка еще лежала на постели, а его сногсшибательное тело оставалось чуть влажным после душа.

Он с любопытством взглянул на меня:

— Что стряслось?

Я осознала, что стою на пороге и глупо таращусь на него, раскрыв рот.

— Я... мм... просто хотела спросить, нельзя ли пойти с тобой в «Бритвы»... послушать группу...

С каждым словом, слетавшим с губ, я ощущала себя все большей дурой. Мне вдруг захотелось, чтобы я отворила свою, а не его дверь и провела вечер в печальном одиночестве.

Келлан взял футболку, улыбаясь во весь рот.

— Да неужели? Тебя еще не тошнит от моего пения?

Он подмигнул, натягивая футболку на свой поразительный торс.

Я сглотнула слюну, откровенно уставившись на него, и снова захлопнула рот.

— Нет, еще нет. Хоть чем-то займусь.

Я моментально пожалела о сказанном, так как прозвучало это ужасно грубо.

Он с наслаждением прыснул, взъерошив свою густую мокрую шевелюру, а затем вынул из комода какое-то средство и уложил волосы на свой волшебный манер. Я заинтересованно следила за ним, — раньше я никогда не видела, чтобы прическу делали так. Келлан ни разу не посмотрел в зеркало: он инстинктивно знал, что нужно сделать, чтобы достичь требуемого результата, и получилось сказочно сексуально.

Я вздрогнула, когда он заговорил:

— Конечно пойдем, я уже почти готов.

Он сел на постель, чтобы обуться, и похлопал по кровати рядом с собой. Я присела, чувствуя, что даже входить сюда было глупо.

— Это Денни звонил?

— Да...

Келлан выдержал паузу.

— С его приездом что-нибудь прояснилось?

Он потянулся за вторым ботинком.

— Нет, — вздохнула я.

Келлан улыбнулся своей волшебной полуулыбкой:

— Уверен, что осталось не так уж долго. — Он встал, взял из двух гитар ту, что была поновее, и уложил ее в футляр. — Время пролетит незаметно, честное слово.

Он улыбнулся столь ободряюще, что я ответила тем же.

— Готова?

Келлан запер футляр и перекинул ремень через плечо.

Я кивнула, и мы спустились. Келлан захватил ключи, а я — удостоверение личности и немного налички из чаевых. Мы вышли.

Вечер в «Бритвах» на удивление удался. Этот бар был значительно меньше, чем «У Пита». В длинном, узком прямоугольном здании имелась небольшая площадка для выступлений, вдоль стены тянулась барная стойка, а все остальное пространство было занято столами и стульями. Келлан усадил меня поближе — можно сказать, в первый ряд, для интимного шоу.

Конечно, группа играла изумительно хорошо, но более сдержанно. Это было едва ли не частное выступление для меня и двадцати моих близких друзей. Келлан пел, сидя на стуле и перебирая струны: в отсутствие стайки восторженных девчонок его кокетство убавилось вдвое. Нельзя сказать, чтобы здешние девушки не восхищались группой, но то были просто клиентки, случайно завернувшие нынче в бар, а не толпа пылких поклонниц, прочно окопавшихся в «Пите», где музыканты базировались постоянно.

Я была полностью захвачена представлением Келлана, внимательно вслушиваясь в слова и звучание его голоса и даже негромко подпела нескольким песням, что заставило его просиять, когда он это заметил. Денни подкинул блестящую идею, и вечер действительно пролетел незаметно. Я не успела оглянуться, а ребята уже паковались и Келлан прощался с немногими местными знакомыми. Нескольких женщин он одарил поцелуями в щечку, затем мы дошли до машины и отправились домой.

На обратном пути Келлан улыбался и тихо напевал последнюю сыгранную песню, большими пальцами отбивая ритм на рулевом колесе. Она оказалась той самой, что так растрогала меня первым вечером в Сиэтле, — той песней, благодаря которой я разглядела потаенного Келлана. Я откинулась на сиденье, чтобы видеть его. Келлан, уловивший мое восторженное внимание, разулыбался еще пуще, не прекращая петь.

— Эта мне нравится, — пояснила я, и он кивнул, не прерывая исполнения. — Похоже, она важна для тебя. Означает что-то особенное?

Я не хотела об этом спрашивать, но теперь уже было поздно.

Он перестал петь и озадаченно взглянул на меня.

— Гм, — пробормотал он, прекратив отстукивать ритм и вновь сосредоточив свое внимание на дороге.

— Что? — робко спросила я в надежде, что ничем его не задела.

Но Келлан только слегка улыбнулся, ничуть не смущенный:

— Никто меня об этом не спрашивал. Ну, кроме группы.

Он пожал плечами, глядя мне в глаза. Я покраснела и отвернулась, гадая, не счел ли он меня идиоткой.

— Да... — произнес он негромко.

Я моргнула и снова повернулась к нему, решив, что опять выболтала свои мысли, а он лишь согласился с моей дуростью. Но, добродушно смотря на меня, Келлан лишь добавил:

— Она многое для меня значит...

Он замолчал и сконцентрировался на дороге. Я же закусила губу и твердо решила больше не спрашивать его об этом, хотя мне, конечно, отчаянно хотелось. По его слишком вдумчивому созерцанию дороги и быстрому взгляду на меня краем глаза я поняла, что он не стремился развивать эту тему. Мне пришлось постараться, но я проявила такт и новых вопросов не задала.

❖ ❖ ❖

За телефонным завтраком я рассказала Денни о вечере, и он был доволен моей вылазкой вне его общества. Меня эта мысль не сильно вдохновляла: я хотела развлекаться с ним, но он, вероятно, был прав. Надо почаще выходить и веселиться без него. Уныние лишь заводило меня в тупик, поэтому я стала больше общаться с Дженни. Уже в воскресенье она пришла в наш угрюмый дом и, как и я в свое время, была шокирована его необжитостью. Мы весь день проходили по секонд-хендам и лавкам подержанных вещей в поисках разных дешевых и симпатичных штуковин, способных оживить атмосферу.

Нам удалось найти несколько милых вещиц в стиле ар-деко для гостиной, пару фотографических пейзажей для моей комнаты и, разумеется, картины с изображением чая и кофе для кухни, а также занятный снимок водяной капли — для ванной. Я набрела даже на старый постер «Рамоунз»[1], который мог понравиться Келлану, поскольку его комната была не лучше остальных.

Я нагрузилась целой охапкой фоторамок и распечатала снимки, которые сделала на камеру Денни в первую неделю после нашего приезда. На некоторых были мы с Денни, на паре других — только ребята, а на любимой фотографии, которую я хотела послать родителям, — мы втроем. Конечно, мы накупили и кучу девчоночьей ерунды: корзинок, декоративных растений и купальных полотенец. Мне даже посчастливилось отыскать дешевый автоответчик, чтобы впредь не слишком нервничать насчет пропущенного звонка.

Я сомневалась, что Келлан будет в восторге оттого, что в доме похозяйничали девчонки, но, когда мы вернулись, его не было. Беспрестанно хихикая, мы поспешили приступить к работе, чтобы все обустроить до его возвращения. Но когда он пришел, мы только заканчивали с кухней.

---

[1] «Рамоунз» — американская рок-группа, относится к родоначальникам панк-рока.

При виде нас с Дженни, занятых последней кофейной картиной, он улыбнулся и чуть покачал головой. С негромким смешком он повернулся и поднялся к себе. Мы с Дженни решили, что получили его одобрение, и, посмеиваясь над собой, быстро завершили задуманное.

Когда в скором времени Дженни собралась уходить на смену, я поблагодарила ее за то, что она разогнала мою хандру и помогла украсить дом. Она крикнула: «До свидания!», обращаясь к Келлану, и сверху донеслось: «Пока». Дженни махнула мне и вышла за дверь. Я поспешила наверх, не вполне уверенная, что Келлану понравились обновления.

Его дверь была приоткрыта, и я увидела, что он сидит на краю кровати и смотрит в пол со странным выражением лица. Озадаченная, я постучалась. Он поднял взгляд, едва я открыла дверь шире, и жестом пригласил меня войти.

— Эй, извини за все это барахло. Если тебе не нравится, я все уберу.

Я виновато улыбнулась и присела рядом.

Он тоже улыбнулся и помотал головой:

— Нет, все отлично. Пожалуй, здесь было пустовато. — Он указал через плечо на постер, который я повесила на стене. — Мне нравится... Спасибо.

— Ага, я так и знала, что ты оценишь...

Гадая, о чем он только что думал, я выпалила:

— У тебя все в порядке?

Он посмотрел на меня в замешательстве.

— Да, все хорошо... А что?

Внезапно смутившись, я не знала, что сказать.

— Ничего, просто мне показалось, что ты... Да ерунда, извини.

Какое-то время Келлан задумчиво рассматривал меня, как будто не мог решиться на что-то. Я замерла под испытующим взглядом его темно-синих глаз. Внезапно он улыбнулся, встряхнул головой и спросил:

— Ты голодная? Может, к «Питу»? — Его улыбка ослепляла. — Давненько мы там не были.

Несмотря на ранний час, народу в баре оказалось прилично. Мы с Келланом заняли обычное место, и Дженни, улыбаясь, подошла к нам, готовая принять заказ. Мы попросили бургеры и пиво, и в ожидании я принялась изучать публику. Было довольно странно сидеть на людях с Келланом, особенно в баре, где я работала. Любопытная Рита поглядывала на нас, и я старалась не встречаться с ней глазами. Она, конечно, подумает худшее.

Но Келлан, похоже, чувствовал себя как рыба в воде. Он развалился на стуле, закинув ногу на ногу, и наблюдал за мной. Я вдруг поняла, что меня весь день не было дома, потом мы с Дженни украшали комнаты, и вот я в «Пите», а с Денни так ни разу и не поговорила. Это настолько меня встревожило, что я чуть не попросила Келлана отвезти меня домой.

Он заметил неладное:

— Что-то случилось?

Осознав свою глупость и тот факт, что теперь, имея автоответчик, я могла бы слушать голос Денни сколько угодно, если бы тот позвонил, я улыбнулась и пожала плечами:

— Да просто скучаю по Денни. Но со мной все в порядке.

Келлан обдумывал это с минуту, потом кивнул.

Дженни принесла пиво, и он молча припал к бокалу, все еще пытливо посматривая на меня. Мне стало немного не по себе, и я была рада, когда вскоре она принесла и еду. Неловкость быстро улетучилась, мы ели и по-дружески болтали. Сидели, лопали, трепались, выпивали — не знаю, как долго, но в итоге мы оказались за столом не одни.

«Чудилы» явились к «Питу» ближе к ночи. Они присоседились к нам, даже не думая, что их не звали. Я была не против. С ними было весело. Ну, может, с Гриффином в меньшей степени, но я могла выносить его, пока он держался подальше от меня.

К счастью, он уселся рядом с Келланом за дальним концом стола. Конечно, он не замедлил хлопнуть Келлана по плечу со словами «Круто, мужик», при этом таращась на меня непотребнейшим образом. Келлан усмехнулся, а я закатила глаза. Мэтт сел рядом со мной, а Эван взял стул и поставил его у края стола, устроившись там.

Дженни быстро принесла всем пива, и на тот вечер я стала пятым членом их банды. Было занятно наблюдать за ними вблизи, а поскольку бар был набит битком, мне представилась масса возможностей посмотреть на их общение с окружающими — в основном с женщинами. Я обнаружила, что ребята по-разному держались со своими фанатками. Конечно, все они флиртовали с поклонницами, даже спокойный Мэтт и милый Эван. Каждый из них наслаждался мнимой звездностью, но по-своему и в разной степени.

На одном полюсе был Гриффин, который мог бы, по-моему, вести счет своим победам, если бы сам знал их число, и ставить галочки на руках. Он трубил о своих похождениях на каждом углу. Я находила это отвратительным и всячески старалась его не слушать. Остальные же весьма по-мужски забавлялись его историями. Даже некоторые женщины замирали и буквально пускали слюни, внимая его похабным россказням. Я почти видела, как они мысленно представляют себя на месте случайных подруг из его баек.

Кроме того, казалось, что Гриффин участвует в каком-то странном соревновании с Келланом. Он постоянно спрашивал, спал ли тот с одной или другой девицей. Келлан, к его чести, был поразительно сдержан в своих откровениях. Он ни разу не ответил Гриффину прямо. Он тактично менял тему, так и не сообщая, «оприходовал» ли он девушку или нет. Вспоминая те дни, я признаю, что, даже если у него кто-то и был, я никого не видела. Ничего, кроме флирта. Кучи флирта, говоря откровенно. Мальчик любил пообжиматься. Я много слышала о его победах, но в основном от женщин, толкавшихся в баре, или от ребят, или же из настенных росписей в туалете. Не веря, что такой привлекательный парень может хоть ненадолго «оказаться не при делах», я гадала, куда и к кому он ходит.

Даже в этот момент Келлан болтал с какой-то брюнеткой, отводя ей волосы с плеча и подаваясь вперед, чтобы прошептать ей что-то на ухо, а та хихикала и гладила его по груди. Отвернувшись, я стала смотреть на Эвана, сидевшего на краю сцены.

Эван был шумным и веселым повесой. Из услышанного о нем вытекало, что он ненадолго сходился с одной девушкой, а когда дело начинало приобретать серьезный оборот, переключался на другую. Если он влюблялся, то по уши, но это никогда не длилось долго. «Влюблялся» он часто. В настоящий момент он преданно распинался перед пышной блондинкой в облегающих шортах.

Я усмехнулась и обратила взор к Мэтту — единственному в компании, кто только наблюдал за происходящим, как и я. Он улыбнулся мне и в уютном молчании отхлебнул пива.

Мэтт чуть ли не тушевался перед девушками. Я ни разу не видела, чтобы он сам к кому-нибудь подошел. Первый шаг всегда делали они. Но даже тогда он препоручал им большую часть разговоров и флирта — если не все. Я прекрасно понимала Мэтта и его застенчивость. В чем-то мы были похожи. Но к концу вечера даже Мэтт привлек внимание симпатичной девчушки, которая притащила стул и села с ним рядом.

Я закатывала глаза, пила пиво и продолжала наблюдать за людьми, точнее, за группой. Безудержный флирт вокруг внезапно заставил меня отчаянно затосковать по Денни. Я печально таращилась на свою пивную бутылку, когда почувствовала, что кто-то подошел ко мне. Подняв глаза, я увидела Келлана, он улыбнулся мне и протянул руку. Я смущенно подала свою, и он поднял меня.

— Мы идем катать шары. Ты с нами?

Он указал на Гриффина, допивавшего свое пиво.

Я не была в восторге от перспективы более тесного общения с Гриффином, но Келлан улыбался от всей души, и я непроизвольно кивнула. Он положил руку мне на спину, и мы пошли в бильярдную. Особа, с которой он заигрывал, последовала за нами, прихватив с собой пару подруг. Басист шел за ними с нехорошим блеском в светло-голубых глазах.

Гриффин ударил первым, пока Келлан стоял возле меня, воздев кий. Он ухмыльнулся мне, когда старания басиста оказались тщетными. Затем он склонился над столом, послал мне свою полуулыбку и нанес удар. Я тихо рассмеялась, когда его шар так и не задел ни один из остальных. Он воззрился на стол и нахмурился, затем обернулся ко мне и прыснул, выпрямляясь. Его дама сочувственно положила руку ему на живот, но он даже не взглянул на нее.

Гриффин, пройдя мимо, хлопнул Келлана по спине:

— Класс! Спасибо.

Гриффин загнал в лузы два шара. Келлан сидел рядом со мной, а его обожательница стояла впритык позади него с видом, будто всерьез подумывала плюхнуться к нему на колени. Он же, следя за игрой Гриффина, машинально провел пальцем у нее под коленкой, слегка задрав юбку.

Игнорируя этот флирт, от которого мне было немного неловко, я предпочла прокомментировать игру:

— В бильярде ты не блещешь, да?

Я широко улыбнулась при этой мысли.

Он тоже рассмеялся:

— Нет. Ты верно подметила. — Келлан оглянулся на Гриффина, тогда как брюнетка запустила руку в его шевелюру. — Думаю, Гриффин потому и любит со мной играть.

Он снова засмеялся и улыбнулся хихикнувшей девице.

Я заметила с легкой издевкой:

— Может, будь ты повнимательней...

Он оскорбленно оглянулся на меня, и я захохотала.

С секунду Келлан молча смотрел на меня со странной серьезностью, а после тоже начал смеяться, тряся головой.

— Ага, может быть.

Я отвернулась и увидела, как Гриффин ударил еще дважды. Он-то играл неплохо. Келлан вновь усмехнулся чему-то, и я посмотрела на него. Он, криво улыбаясь, наблюдал, как я слежу за игрой Гриффина.

— Сыграешь с победителем, — объявил он, чуть коснувшись моего колена рукой с кием.

Глаза у меня полезли на лоб. Я вовсе не была мастером бильярда... как и он. Всполошившись еще сильнее, я глянула на Гриффина, который в паузах между ударами пытался задрать кием юбку какой-то девчонке. Я не могла играть с ним ни в коем случае! Эти мысли отразились на моем лице, и Келлан покатился со смеху.

Он закончил партию (продул ее вчистую и заявил, что они квиты) и чмокнул в щеку свою вдруг загрустившую брюнетку. Затем, простившись с Дженни, группой и развеселившейся Ритой, мы отправились домой. Несмотря на мое одиночество, вечер удивительным образом удался. Однако как бы мне ни было весело, дома я первым делом проверила автоответчик — нет ли пропущенного сообщения от Денни.

Ничего. Вообще ничего. Я прерывисто вздохнула и побрела спать.

❖ ❖ ❖

Не услышав ни слова от Денни минувшим вечером, на следующий день я рассердилась, когда он позвонил. Денни каялся и клялся всеми богами, что был завален работой и не имел возможности сделать даже перерыв на еду, не говоря уж о разговорах со мной. Он с огоньком, искусно донес это до меня сперва так, потом эдак, и вот я уже смеялась, немного остыв. Но через несколько дней история повторилась, а потом опять.

Вне себя от тревоги и недоумения, я занялась оформлением в университет. Именно Денни намеревался показать мне новый кампус. Нет, он не знал его лучше, чем я, но мы хотели выделить на это целый день: поехать туда в воскресенье, записаться на лекции (Денни был мастером составлять расписания), купить нужные книги, прогуляться по студенческому городку и выяснить, что к чему, вместе. И вот он уехал на неопределенный срок, а мне предстояло со всем разбираться самостоятельно.

В одну из сред Келлан вошел в кухню, когда я мрачно взирала на университетские брошюры, каталоги лекций и карту огромного кампуса. Вновь разозлившись на отсутствие Денни, я довольно резко выругалась и одним махом смела все со стола. Конечно, мне было невдомек, что Келлан стоял за спиной, иначе я не стала бы разыгрывать такую драму. Мне попросту не хотелось бесцельно кружить по кампусу, выглядя словно заблудившаяся идиотка.

Моя вспышка рассмешила Келлана, и я испуганно обернулась.

— Мне не терпится рассказать об этом Гриффину.

Он расплылся в улыбке, обрадованный немного сверх меры. Я залилась краской и застонала, представив восторг Гриффина. Просто класс.

— Что, начинается учеба?

Келлан кивнул на разлетевшиеся по полу брошюры.

Вздохнув, я нагнулась, чтобы их подобрать.

— Да, а я еще не была в кампусе. Понятия не имею, где там что находится. — Я выпрямилась и посмотрела на него. — Просто... Предполагалось, что мне все покажет Денни.

Мне было противно: такое впечатление, что без Денни я была как без рук. Разбираться во всем самостоятельно будет сущим кошмаром, но как-нибудь справлюсь. Я нахмурилась, отгоняя мрачные мысли.

— Его нет уже почти месяц.

Келлан пристально, слишком внимательно изучал меня, и я отвернулась.

— «Чудилы» постоянно выступают в кампусе. — Он странно улыбнулся, когда я вновь на него взглянула. — Вообще-то, я там прекрасно ориентируюсь. Если хочешь, я могу тебе все показать.

Я испытала великое облегчение при мысли, что у меня будет гид.

— О да, пожалуйста. — Стараясь вернуть самообладание, я добавила: — Если тебе не трудно, конечно.

— Нет, Кира, мне не трудно... — очаровательно улыбнулся он.

Фраза повисла в воздухе, и я, игнорируя странные нотки в голосе Келлана, продолжила:

— Завтра нужно зарегистрироваться. Сможешь меня отвезти? И еще в воскресенье, чтобы осмотреться?

— Отлично, — снова широко улыбнулся он.

На следующий день Келлан в приподнятом настроении отвез меня на место и проводил в приемную комиссию, так как прекрасно знал, где она находилась.

Я снова и снова благодарила его, но он лишь отмахнулся:

— Сущие пустяки.

— Я это ценю... Понятия не имею, сколько я простою в очереди, так что не жди. Обратно я запросто доеду на автобусе.

Келлан взглянул на меня с усмешкой:

— Что ж, удачи.

Я осталась в зоне ожидания с другими нервничавшими студентами и рассматривала свои руки, прикидывая, на какие занятия записаться, пока ко мне не подошла женщина, направившая меня в кабинет регистрации.

Там было тепло и уютно, и я немного расслабилась. У стен стояли два огромных книжных шкафа, забитые фолиантами в твердых переплетах. Множество картотечных ящиков темно-вишневого цвета и большой чистый стол у окна с видом на двор прекрасно сочетались с бежевыми стенами. Повсюду была зелень. Хозяин кабинета, должно быть, имел прирожденный талант к садоводству — лично у меня ни одно растение не выживало дольше трех дней.

Женщина, сидевшая за столом, подняла глаза, как только ее молоденькая помощница провела меня внутрь. У нее был сугубо деловой вид, и я вдруг показалась себе убогой, почувствовав себя не в своей тарелке. Мне странным образом захотелось, чтобы Келлан оставался поблизости. Я была уверена, что он подошел бы к этой женщине запросто и получил бы все, что хотел, одарив ее своей лукавой полуулыбкой, от которой она бы размякла. Меня захлестнула зависть. Жить куда проще, когда сознаешь свою немыслимую привлекательность.

Вздохнув про себя и приблизившись, я расправила плечи. Может, внешне я из себя ничего и не представляла, но при этом была смышленой, а ум в таком месте ценится выше. Пытаясь представить, как поступил бы в такой ситуации Денни, я протянула руку:

— Здравствуйте, я Кира Аллен. Я перевожусь и хочу зарегистрироваться.

Решив, что представилась успешно, я улыбнулась.

Женщина тоже улыбнулась и ответила на мое рукопожатие.

— Рада познакомиться, Кира. Добро пожаловать в Ю-Дабл[1]. Чем могу вам помочь?

Я вновь улыбнулась и села. Все оказалось намного лучше, чем я представляла. Мы сидели и говорили о том, что я уже успела изучить в Огайо и что мне еще предстояло освоить. Мы обсудили мое расписание и ознакомились со списком курсов, на которые еще можно было записаться, отыскав несколько таких, которые идеально стыковались. В этом семестре мне, к счастью, нужно было пройти всего три цикла, и, таким образом, у меня оставалось достаточно времени на подготовку и — что скрывать? — на сон, ведь вечерами я чаще всего работала допоздна.

К концу беседы мое расписание было составлено. Европейская литература со всей классикой: сестры Бронте, Остин, Диккенс. Этого цикла я ждала с нетерпением. Микроэкономика — ее мне посоветовал Денни, утверждавший, что поможет с занятиями. Я возражала, что и сама справлюсь, но он был захвачен перспективой меня поучить. И наконец, психология. Я очень хотела изучать ее, но по времени мне подходил лишь один курс — «Сексуальность человека». Я записалась, заранее устыдившись. Можно сидеть в углу и помалкивать. К тому же, когда Денни вернется, он поможет мне и с этим...

---

[1] *Ю-Дабл* — Вашингтонский университет (Университет Вашингтона). Здесь игра смыслов: «Ю-Дабл» (U-W) означает «дабл ю» (букву W) наоборот.

Чуть позже, при выходе из офиса, я с удивлением обнаружила Келлана, который прислонился к стене напротив, упершись в нее ногой, и держал в руках стаканчики эспрессо. При виде меня он приподнял один из них и вскинул брови. Я не смогла сдержать широкой улыбки, пока шла к нему.

— Что ты здесь делаешь? — Я радостно схватила кофе. — Я же сказала тебе не возвращаться.

— Ну, я подумал, что тебе будет приятнее на машине, а для бодрости и глотнуть чего-нибудь не помешает.

Он отхлебнул из своего стаканчика.

Я лишь смотрела на него, на какое-то время онемев, а затем чмокнула в щеку:

— Спасибо, Келлан... За все.

Он потупился и, улыбаясь, покачал головой.

— Идем, — позвал он негромко. — Поехали домой. Расскажешь про свои курсы.

Он оглянулся на меня и ухмыльнулся.

При мысли о моем психологическом цикле меня бросило в жар, а Келлан рассмеялся.

В воскресенье днем Келлан устроил мне экскурсию по кампусу. Там оказалось на удивление много народа: одни собирались вернуться к учебе, другие, подобно мне, знакомились с местом. Кампус был велик и напоминал скорее небольшой город. Конечно, в первую очередь Келлан показал мне маленький бар напротив университетской книжной лавки. Посмеиваясь над ним и чуть качая головой, я зашла внутрь, и мы быстро перекусили и выпили пива перед нашим маленьким приключением. Затем мы отправились в книжную лавку, где я нашла все нужные книги. Большинство из них были подержанными, что сэкономило мне приличную сумму, ведь книги стоят ужасно дорого. Я не могла смотреть на Келлана без улыбки, пока стояла в очереди: он листал толстый анатомический атлас и беседовал с двумя студентками-хохотушками — словом, был в своем репертуаре.

После этого мы перешли улицу и оказались на территории кампуса. Он был настолько красив, что дух захватывало. Дорожки вели к грандиозным кирпичным строениям, перемежавшимся с искусно обустроенными и ухоженными газонами. Повсюду были вишни со спящим цветом — весной кампус превратится в настоящую сказку. На траве расположились люди всех возрастов и цветов кожи, наслаждавшиеся погожим днем.

Келлан с улыбкой вел меня мимо величественных зданий. Он знал название каждого из них и рассказывал мне, чему там учили. Гоуэн-Холл — азиатская литература и политические дисциплины; Смит-Холл — история и география; Сейвери-Холл — философия, социология и экономика (в том числе мой микроэкономический цикл); Миллер-Холл — административный корпус, единственное место, где я уже побывала; Рэйтт-Холл — риторика и диетология...

Он продолжал в подробностях объяснять, что где находится. У меня были проспекты, но в них он почти не заглядывал. Он шел как гончая по следу. О лучшем гиде я не могла и мечтать и все больше ценила самого Келлана и его любезное предложение — и не только потому, что он, похоже, знал здесь каждый закоулок, хотя это и казалось мне странным, так как он вроде бы говорил, что был здесь всего пару раз с концертами.

Нет, я была больше всего признательна за то, что прогулка с ним по университетским холмам и дорожкам делала меня почти невидимой. Все взгляды были обращены к нему, словно он был пламенем, привлекающим к себе мотыльков. На него откровенно таращились все женщины и даже некоторые мужчины. Те ребята, что не смотрели на него, озадаченно глядели на барышень, будто не понимая, в чем дело. И то и другое меня устраивало, покуда глазели на *него*. С момента отъезда Денни я чувствовала себя по-настоящему одинокой и глубоко подавленной. Мы проходили мимо людей, которых я не знала и вряд ли могла узнать за сегодняшний день, а потому я была только рада стать невидимкой.

Келлан был приятным спутником и учтиво перебрасывался со мной словами. Он перехватывал взгляды одних девиц и поразительно ловко уклонялся от других (на сей счет у меня возникли подозрения). Мы обошли значительную часть кампуса и кое-какие здания. Келлан постарался отметиться везде, где мне предстояло учиться, показав мне, где находятся мои аудитории и как до них быстрее добраться.

Все было спокойно, если не считать взглядов, направленных на Келлана, и тут состоялась встреча, удивившая нас обоих. Мы шли по коридору к аудитории, где мне предстояло изучать европейскую литературу, как вдруг услышали сзади:

— О, боже мой! Келлан Кайл!

Келлан остолбенел, когда к нему устремилась взъерошенная рыжеволосая девчушка с веснушчатым лицом. Затем его черты в панике исказились, и я на секунду подумала, что он пустится наутек. Но, прежде чем он успел что-либо сделать, девчушка повисла у него на шее и принялась жадно целовать его.

Я ошарашенно хлопала глазами, чувствуя себя не в своей тарелке. Девица на миг отстранилась от него и восторженно вздохнула:

— Глазам не верю, что ты меня навестил.

Келлан моргнул и изумленно разинул рот, но ничего не сказал.

Та взглянула на меня и нахмурилась:

— О, да ты не один.

Она достала из сумочки клочок бумаги и ручку, нацарапала что-то и довольно нахально сунула записку в нагрудный карман Келлана. Имея весьма странный вид, он переступил с ноги на ногу.

— Позвони мне, — выдохнула она, еще раз страстно поцеловала его перед уходом, а затем скрылась за поворотом коридора.

Келлан тронулся с места, как ни в чем не бывало, и я поспешила его догнать, не веря своим глазам. Он держался так, словно его не впервые атаковали подобным образом и это было в порядке вещей. Наконец он повернулся ко мне.

— Кто это был? — спросила я.

Келлан состроил милую гримасу — смущенную и сосредоточенную.

— Честно говоря, понятия не имею. — Он полез в карман и вынул записку. — Гм, это была Кэнди.

По его глазам я поняла, что он вспомнил ее. Он усмехнулся и посмотрел в ту сторону, куда она скрылась. Неожиданно я почувствовала некоторое раздражение. Мои недавние подозрения полностью подтвердились.

К моему удивлению, Келлан скомкал записку и бросил ее в первую же урну. Меня это озадачило, но раздражение улеглось. Я догадывалась, что Кэнди рассчитывала на телефонный звонок. Бедняжка. Она была так взволнована.

Прошла неделя, и ясным и солнечным утром следующего воскресенья я сидела и бесцельно переключала телеканалы. Глубоко задумавшись, я ничего не смотрела. Накануне вечером Денни снова не позвонил. Эта практика участилась, и я начинала терять терпение. Я снова и снова пыталась напомнить себе, что через несколько недель он вернется и эта пытка закончится. Но нынче ничто не могло меня развеять, только не в этот день. Сегодня в моих планах значилась жалость к себе.

Я вздохнула в тысячный раз, и тут в гостиную стремительно вошел Келлан. Он остановился между мной и телевизором.

— Идем. — Он протянул мне руку.

Я непонимающе взглянула на него:

— Куда это?

— Хватит протирать диван, — улыбнулся Келлан. — Пойдешь со мной.

— И куда мы пойдем? — осведомилась я мрачно, не двигаясь с места и досадуя на его бодрость.

— На «Бамбершут».

— Бампер — что?

Он прыснул, и его улыбка стала шире.

— «Бамбершут». Не волнуйся, тебе понравится.

Я понятия не имела, что это такое, и насмешливо заметила:

— Тогда накроется моя идеальная сиеста длиною в день.

— Обязательно.

Он весь сиял, и его внезапно обозначившаяся красота ошеломила меня. Что ж, это могло быть интересным...

— Ладно, — вздохнула я и, игнорируя его протянутую руку, с преувеличенным недовольством встала и пошла наверх переодеться, сопровождаемая смехом.

Келлан оделся без изысков — в футболку и шорты, а потому я поступила так же, разве что вместо футболки нацепила обтягивающий топ. Келлан смотрел, как я спускалась по лестнице, а потом отвернулся, улыбаясь чему-то своему.

— Готова? — спросил он, забирая ключи и бумажник.

— Конечно.

Я так и не знала, на что соглашаюсь.

Как ни странно, Келлан поехал к «Питу».

— Что, «Бамбершут» будет у Пита? — издевательски осведомилась я.

Он закатил глаза:

— Нет, там ребята.

У меня душа ушла в пятки.

— Они тоже поедут?

Келлан припарковал машину и нахмурился при виде моего разочарования.

— Да. Ничего страшного?

Я покачала головой, удивляясь, с чего завелась:

— Конечно ничего. Все равно я обуза, порчу тебе весь день.

Он наклонил голову и стал само очарование.

— Кира, ты ничего не портишь.

Улыбнувшись, я выглянула из окна, и сердце мое снова упало. У моего нежелания тусоваться с ребятами имелась причина, и в данный момент она направлялась прямо ко мне. Гриффин. Я вздохнула, и Келлан заметил, куда я смотрю. Он усмехнулся и шепнул мне на ухо:

— Не бойся. Я защищу тебя от него.

Я чуть покраснела от его неожиданной близости, но быстро улыбнулась в ответ. Гриффин припал к окну, пугая меня, и прижал к стеклу губы. Он похабно задвигал языком, постукивая своим пирсингом. Я состроила рожу и отвернулась.

Мэтт отворил заднюю дверцу со стороны Келлана и улыбнулся мне. В его светло-голубых глазах читалась искренняя радость от встречи.

— Салют, Кира, ты с нами? Классно.

Он заскочил внутрь, захлопнул дверь, и я кивнула:

— Привет, Мэтт.

Эван распахнул заднюю дверь с моей стороны и помахал Гриффину, приглашая его сесть в середину.

— Ага, щас. Черта с два я сяду на сучье место[1]. Садись туда сам, — негодующе изрек Гриффин, обращаясь к Эвану.

— Не выйдет, дружище. Я должен сидеть у окна, иначе меня укачает, — разведя руками, вздохнул Эван и вновь указал на сиденье.

Гриффин, изнемогая, взглянул на Мэтта, но тот лишь осклабился и не шелохнулся. Тогда басист скрестил на груди руки, явно не намеренный отступать. Эван и Келлан дружно вздохнули.

— О, ради всего святого, — пробормотала я и осторожно перелезла через переднее сиденье, чтобы занять «сучье место», как изящно выразился Гриффин.

— Умница!

Гриффин быстро уселся рядом и захлопнул дверцу перед носом Эвана. Я мгновенно пожалела о своем решении и посмотрела на Келлана, который пожал плечами. С очередным вздохом я придвинулась к Мэтту, а Гриффин притиснулся ко мне, насколько это позволяло большое заднее сиденье.

---

[1] *Сучье место* — середина заднего сиденья, самое неудобное место; также заднее сиденье мотоцикла, или «место, где сидит ведьма (сука)».

Эван сел спереди, приветственно помахав мне, и мы тронулись. Ехать, к счастью, пришлось недолго. Я лишь трижды смахнула руку Гриффина со своего бедра и один раз отпихнула ее от шеи. Келлан время от времени посматривал на нас в зеркало, но мне было плохо его видно, и я не могла понять, веселился он или сердился.

Оказалось, что «Бамбершут» — это фестиваль искусств в «Сиэтл-Центре». Келлан пристроился на парковке через улицу и подал мне руку, помогая выйти из машины, что было очень мило с его стороны. Когда мы вошли в парк, я сразу увидела, что он поступил весьма практично, так как стоянка была заполнена. Келлан купил мне билет, настаивая на том, что, раз он меня пригласил, ему и платить, и мы вошли на территорию огромного кампуса.

Там было потрясающе: повсюду расположились выставки и шли разные представления. Мы миновали «Космическую иглу»[1], и Келлан привлек меня ближе, сказав, что, если я захочу, чуть позже мы сможем подняться на самый верх. Дальше мои глаза и вовсе разбежались. Снаружи было около десятка эстрад и еще столько же крытых площадок, на каждой из которых выступали группы различного толка. Были представлены все музыкальные направления от регги до рока. Хватило места даже для комических шоу. Тонны еды, торговые палатки, парк аттракционов — я не знала, куда пойти.

К счастью, Гриффин и Мэтт прекрасно понимали, куда им нужно, и мы последовали за ними сквозь толпу. Та еще больше сгустилась, когда мы приблизились к одной из открытых эстрад. Я сжала руку Келлана, а он улыбнулся и притянул меня к себе. Мне по-прежнему не хватало Денни, но с Келланом было здорово. Он вселял в меня чувство удовлетворенности.

---

[1] *«Космическая игла»* — самая узнаваемая достопримечательность на северо-западе тихоокеанского побережья США и символ города Сиэтла — башня в футуристическом стиле гуги, расположенная на территории выставочного комплекса «Сиэтл-Центр».

Гриффин, Мэтт и Эван проталкивались к особенно буйной компании фанатов, внимавшей рок-группе, о которой я слыхом не слыхивала. Там было слишком жарко для меня, и я испытала облегчение, когда Келлан остановился поодаль от этого хаоса. Мы стали слушать музыку, и Келлан время от времени подпевал, не выпуская моей руки. Я прижалась к нему, когда сзади на нас начали напирать в стремлении протиснуться ближе. Видя, что меня толкают, Келлан сомкнул руки на моей талии и поставил меня перед собой, чтобы я была в безопасности. В его объятиях было тепло и уютно, и я не отвергла его, как Гриффина.

Какое-то время я наблюдала за группой, — на мой взгляд, коллектив Келлана был лучше, — а после переключилась на бушевавшую толпу. Остальных «Чудил» не было видно (а их название продолжало меня веселить). Я огляделась и обнаружила их в сторонке. Они познакомились с какими-то ребятами и передавали друг другу сигареты, не совсем обычные, как мне показалось.

Келлан заметил мой интерес и посмотрел в ту же сторону. Я наблюдала за его реакцией. Мне было любопытно, присоединится он к ним или нет. Его синие глаза сверкнули на солнце, и он перевел взгляд на меня, понял мой невысказанный вопрос и чуть улыбнулся, а затем переключил внимание на концерт.

Мне стало легче при мысли, что ему хорошо со мной. Я было удивилась этому, но потом решила, что он пожинает плоды своей популярности, и это объяснение мне показалось достаточным. К тому же мне было отчаянно одиноко, а с ним это чувство притуплялось. Расслабившись впервые за несколько недель, я развернулась и обхватила Келлана за талию, а голову положила ему на грудь. Он чуть напрягся, но вскоре тоже размяк и стал поглаживать меня по спине большим пальцем. Не знаю, зачем я это сделала, но мне было хорошо.

Так мы и провели большую часть дня, переходя от эстрады к эстраде и слушая разную музыку. Гриффин и Мэтт вели нас сквозь толпу. По пути басист свистел вслед всем симпатичным девчонкам, каких встречал, и некоторые из них отвечали, другие же оскорблялись. Мэтт то и дело отвешивал ему шлепка, чтобы отвлечь и изменить направление нашего движения. Эван шагал рядом со мной и Келланом, глазея на прохожих и более пристально — на Келлана, который так и держал меня за руку. Около эстрады ребята скрывались из поля зрения, стремясь подобраться как можно ближе и смешаться с более агрессивной публикой, но Келлан оставался со мной, довольствуясь задворками. Мне было немного совестно из-за того, что он упускал «забавные», по мнению его друзей, вещи, но в то же время радостно от его соседства, и я ничего не говорила.

Около полудня мы остановились перекусить бургерами и картошкой фри. Келлан схватил мой пакет и с улыбкой кинул его на свободное место посреди ближайшего газона. Мэтт и Эван сели на траву. Гитарист взял бутылку и что-то добавил в их напитки. Гриффин присел перед ними и протянул для долива свой стакан. Не знаю, что это было, — наверняка какой-то алкоголь. Я нахмурилась, а потом вздохнула. Мальчишки есть мальчишки.

Мэтт вежливо показал мне бутылку, предлагая присоединиться. Я села рядом с ним и покачала головой: нет. Он пожал плечами и посмотрел на Келлана, который — удивительное дело — тоже отказался. Я с улыбкой впилась в соломинку, потягивая чистый лимонад. Мне было приятно, что Келлан не испытывал желания «разогреться». Мэтт снова пожал плечами, быстро глотнул из бутылки и спрятал ее в рюкзак.

Гриффин выпрямился перед Мэттом и сделал движение, будто хотел присесть рядом со мной, но Келлан опередил его и устроился впритык. Я благодарно приникла к нему, и он игриво толкнул меня плечом. Бросив взгляд на Келлана, Гриффин побрел мимо Мэтта к Эвану. Я прыснула, наблюдая его досаду и отмечая, что все мы уселись в ряд, вместо того чтобы образовать кружок. Но я оценила это в полной мере, когда до моего слуха донеслись обрывки истории, которую Гриффин рассказывал Эвану. Мэтт наклонился к ним, прислушиваясь, но на словах «безбашенная» и «охрененно невероятно» я поспешила повернуться к Келлану, который ухмыльнулся и закатил глаза. Стараясь заглушить Гриффина, я сосредоточилась на беседе с ним.

Конечно, здешние женщины ничем не отличались от остальных, которые встречались нам с Келланом повсюду, куда бы мы ни пошли. Он притягивал их, даже сидя на газоне, где ел и болтал со мной. Но впервые за все время нашего знакомства Келлан не обращал на них внимания. Обычно он хотя бы улыбался им или перехватывал чей-нибудь взгляд, однако сегодня он был рад просто сидеть и общаться со мной. Ребята были более чем счастливы, что он не смотрит на девушек: видя, что дело дохлое, те моментально переключались на них. Нашу шеренгу окружил причудливый овал, образованный кокетками. Я испытала странное удовольствие оттого, что хотя бы на этот день полностью завладела вниманием Келлана.

После ланча ребята решили оттянуться на аттракционах. Эван, Мэтт и Гриффин, явно навеселе, захотели прокатиться на горках, внушивших мне ужас. Беда была не в том, что пассажиров, поднимавшихся все выше, так и швыряло туда-сюда, а в том, что, добравшись до самого пика, повозка стремительно обрушивалась вниз. Мне это совсем не нравилось. У аттракциона я вцепилась в Келлана, и он задумчиво покосился на меня. Я ответила вопросительным взглядом, но он лишь спокойно улыбнулся. Я прижалась к нему и положила голову ему на плечо, благодарная за его очевидное решение воздержаться от катания.

Но остальные ребята, каждый при девице под боком, были в восторге от дурацкой затеи. Когда они добрались до вершины, я отвернулась. Келлан рассмеялся и повел меня к забавам менее страшным. Там мы повеселились, сыграв в несколько ярмарочных игр. В итоге он, метая мячики, выиграл для меня плюшевую зверушку, а я в благодарность чмокнула его в щеку.

На выходе из игрового павильона мы натолкнулись на крохотную девчушку, горевавшую по своему мороженому, которое упало на горячий асфальт. Мать успокаивала ее, но тщетно. Келлан пару раз глянул на метавшуюся мамашу и ее зареванное чадо, а потом повернулся ко мне. Я озадаченно уставилась на него и заметила, что он смотрит на выигранного мишку.

— Не возражаешь? — Он кивнул на малютку, все еще рыдавшую над мороженым.

Я улыбнулась его отзывчивости и протянула мишку:

— Нет. Действуй.

Он извинился и направился к девочке. Вопросительно посмотрев на ее маму, которая в ответ улыбнулась и кивнула, он присел на корточки и вручил плаксе игрушку. Девчушка схватила ее, прижала к груди и моментально успокоилась. Застенчиво держась одной рукой за мамину ногу, а другой обнимая подарок, она тихо поблагодарила Келлана и захихикала. Келлан взъерошил ей волосы и выпрямился, выслушивая сердечные благодарности от ее матери. Он кивнул, приветливо улыбнулся им и заверил женщину, что все в полном порядке. Я вся растаяла, когда увидела его идущим ко мне.

Потянувшись к его руке, я улыбнулась краешком рта, когда он взял ее и наши пальцы сплелись.

— Ты, выходит, добрая душа?

Келлан осторожно оглянулся:

— Тсс. Никому не говори, — и рассмеялся. — Хочешь, добуду тебе новую?

Решив, что никакая игрушка не заменит прекрасного воспоминания о его поступке, я покачала головой:

— Нет, мне и так хорошо.

Он увлек меня к тому месту, где мы покинули ребят.

Когда начало смеркаться и я настолько устала, что еле передвигала ноги, мы отправились к машине. Не желая больше сидеть с Гриффином, я устроилась на переднем сиденье между Келланом и Эваном. Гриффин, вынужденный сесть сзади, надулся, а я расплылась в улыбке.

Езда укачала меня, и, начав засыпать, я прикорнула на плече у Келлана. После всех наших объятий я полностью освоилась в его обществе. И мне до странности нравилось прикасаться к нему. Почти отключившись, я почувствовала, что машина остановилась, и услышала звук открывающихся дверей. Я хотела открыть глаза и попрощаться с ребятами, но тело не слушалось.

— Эй, Келлан, мы зависнем у «Пита». Ты придешь?

Я не разобрала, кто спрашивал, — по-моему, Эван.

Мне показалось, что Келлан чуть отодвинулся, чтобы взглянуть на меня, почти уснувшую на его плече.

— Не, сегодня я пас. Надо ее уложить.

Повисло долгое молчание. Дверь оставалась открытой.

— Аккуратнее, Келлан. Тебе же не нужна очередная Джоуи, и... Денни — наш друг, старина.

Я хотела вмешаться, почувствовав нарастающее негодование, но мой усталый мозг не мог сосредоточиться.

Келлан молчал еще дольше.

— Эван, я не собираюсь... — Он не договорил, и меня охватило искреннее любопытство. — Не волнуйся. Может, я и заеду попозже.

— Ладно, до скорого.

Дверь тихо закрылась.

Келлан глубоко вздохнул и вырулил с парковки. Пока мы ехали домой, я то просыпалась, то отключалась. Я бы легла к нему на колени, но боялась, что этого испытания наша дружба уже не выдержит. Мне показалось, что поездка длилась всего несколько секунд, после чего мы остановились.

Келлан немного выждал в темном и тихом салоне, и я ощутила на себе его взгляд. Наверное, мне следовало встать и идти в дом, чтобы он спокойно поехал к «Питу», но мне было ужасно интересно, как он поступит, да и расслабилась я, если честно, уже полностью. Тишина сгущалась. Мое сердце забилось чуть чаще, и мне стало не по себе, а потому я зевнула и чуть потянулась.

Я натолкнулась на взгляд его красивых синих глаз.

— Эй, соня, — шепнул Келлан. — Я уж решил, что придется тебя нести.

— Ой, прости. — Я вспыхнула при этой мысли.

Он усмехнулся:

— Ничего страшного. Я бы не расстроился. — Он секунду помедлил. — Тебе понравилось?

Восстановив в памяти день, я осознала, как он был хорош.

— Очень. Спасибо, что вытащил.

Он улыбнулся уголком рта и глянул в сторону едва ли не застенчиво:

— Всегда пожалуйста.

— Прости, что завис со мной и не попал в «мясо»[1].

Келлан хохотнул и посмотрел на меня:

— Да ладно тебе. Лучше пообниматься с красавицей, чем проснуться в синяках.

Он улыбнулся немного смущенно, а я потупила глаза. Было в высшей степени странно услышать такую оценку из уст столь симпатичного парня, но мне, само собой, было приятно.

— Ну, поехали. Я отнесу тебя в дом.

— Нет, зачем? — замотала я головой. — Я как-нибудь справлюсь. Поезжай к «Питу».

Он вдруг встревожился, и я поняла, что он думал, будто я проспала весь его разговор с Эваном.

Я постаралась исправить дело:

— Ребята ведь туда отправились?

Келлана явно отпустило.

— Ага, но я не обязан быть с ними. Ну, если ты не хочешь сидеть одна. Можем заказать пиццу, посмотреть кино или еще что.

Внезапно почувствовав голод, я подумала, что пицца придется в самый раз. Желудок во весь голос согласился. Я смущенно расхохоталась.

— Ладно, мой живот голосует за второй вариант.

— Вот и отлично, — улыбнулся он.

---

[1] *Мясо* — толпа на танцполе, ближе к сцене.

Мы заказали огромную «Пеперони» и съели ее, стоя на кухне и хохоча над воспоминаниями о дурацких выходках Гриффина и остальных ребят. Потом я свернулась калачиком в кресле, а Келлан растянулся на диване и включил «Принцессу-невесту». Перед сном я смутно запомнила, как маленький мальчик на экране беседовал с дедушкой. Я проснулась, когда Келлан сел рядом и стал укрывать меня одеялом.

— Келлан... — прошептала я.

Его руки замерли.

— Что?

Я еле различала его в темноте.

— Мы забыли про «Космическую иглу».

Улыбнувшись, он подоткнул одеяло.

— В другой раз.

Он помедлил, по-прежнему склонившись надо мной. Его глаз было не рассмотреть, но я странным образом возбудилась от его взгляда. В следующую секунду он шепнул:

— Спокойной ночи, Кира.

Келлан ушел. Я успокоилась и с улыбкой вспомнила минувший день, а также то, что почти ни разу не затосковала по Денни сильно.

ГЛАВА 6

СЛИЯНИЯ И РАССТАВАНИЯ

После того дня Келлан уже не выходил у меня из головы. Я не могла не замечать, насколько он мил: он слегка кивал мне, появляясь в баре, посматривал на меня и периодически мне улыбался со сцены, болтал со мной за утренним кофе и пел для меня одной, что я обожала. С каждым днем я все сильнее прикипала к нему, что восторгало меня и в то же время тревожило. Однако, как бы это ни было скверно, в его присутствии я забывала о тоске по Денни. Я продолжала ждать звонков, но, если тех не было день или два, мое одиночество скрашивалось обществом Келлана. Он, казалось, ничуть не возражал против того, что я постоянно вьюсь рядом. Как раз наоборот, он явно поощрял это.

Мы продолжали дружеский флирт, начатый на «Бамбершуте». В погожие дни мы выходили на задний двор, лежали там на траве, читали и радовались солнцу. Келлан обычно раздевался до пояса, чтобы позагорать, и мое сердце билось чуть чаще, благо я оказывалась совсем рядом. В конечном счете он засыпал, а я перекатывалась на бок и любовалась его безупречным спокойным лицом. Однажды он лишь притворился, что спит, приоткрыл глаз и улыбнулся, отчего я ужасно покраснела, перевернулась на живот и спрятала голову от его смеха.

В те вечера, когда у меня бывали выходные, он иногда приходил домой с репетиции, вместо того чтобы сидеть с дружками в «Пите». Мы обедали, а потом садились бок о бок и смотрели кино. Иногда Келлан приобнимал меня и поглаживал пальцами или же брал меня за руку, играл с ней и улыбался своей потрясающей сексуальной полуулыбкой.

А если мне предстояло идти на смену, мы сидели в обнимку перед работой — читали газеты или смотрели телевизор. Келлан позволял мне расслабленно навалиться на него и положить голову ему на плечо. Однажды, когда я провела бессонную ночь в тоске по Денни, мы так же обнялись и он бережно опустил меня ниже, чтобы моя голова легла ему на колени. Я так и заснула, слившись с ним: он придерживал меня одной рукой, а другой гладил мне волосы. В глубине души я знала, что Денни это вряд ли понравилось бы, но мне было уютно, и я чувствовала себя превосходно. Удовольствие от близости Келлана немного тревожило меня, и все-таки я не могла остановиться.

Однажды вечером в баре кто-то выбрал в музыкальном автомате особенно заводную мелодию, и Гриффин, гордо носивший свою футболку с истинным названием группы, почувствовал необходимость выцепить по девице из-за каждого столика, возле которого оказывался, и утянуть их с собой на танцпол. Конечно, все шли охотно. Но потом он заметил меня и призывно направился в мою сторону. Не желая, чтобы он касался меня своими блудливыми лапами, я выставила вперед руки и стала пятиться назад. Эван захохотал и сгреб Дженни, чтобы наклонить ее в танцевальном па, и та взвизгнула. Мэтт же сидел на столе и потешался над всеми.

Гриффин почти настиг меня, как вдруг кто-то увлек меня прочь и несколько раз крутанул вокруг своей оси. Смеясь над досадой Гриффина, Келлан повернул меня еще разок-другой, и я очутилась на другом конце зала. Я улыбнулась ему, благодаря за спасение, и он отпустил меня, поцеловав мою руку. Через секунду его окружило полдюжины поклонниц, мечтавших потанцевать со своим рок-идолом. Остаток вечера он провел за довольно сексуальными танцами то с одной из них, то с другой. Он двигался без устали, и это было исключительно соблазнительным зрелищем. За смену мой взгляд останавливался на нем не раз и не два.

На пороге дома, когда я все еще думала о телодвижениях Келлана, меня приветствовал телефонный звонок. Улыбаясь при мысли, что в такой поздний час это мог быть только Денни, я немного смешалась и едва узнала голос.

— Салют, сестренка.

— Анна! Сколько лет, сколько зим... Что случилось? Почему так поздно?

— Да вот, получила нынче твою посылочку... — Я отправила родителям и Анне фотографии университета, бара и нас с Денни и Келланом. — Боже ж ты мой... Кто этот красавчик и почему ты не сказала о нем сразу, как только там оказалась?

Надо было мне раньше сообразить, что сестра западет на Келлана.

— Это Келлан, мой сосед.

— Черт! Теперь я точно приеду в гости.

Моя сестра и Келлан в одной комнате. Вот это уже будет интересно. Внезапно мне расхотелось ее видеть.

— Знаешь, сейчас как раз не самое... Стоп, а что с Филом?

— Пффф... Фил! Я тебя умоляю. Против твоего знойного соседа? Извини, он не идет ни в какое сравнение.

Мама говорила, что Анна была знакома с Филом целых две недели, прежде чем съехаться с ним. Их медовый месяц явно подошел к концу.

— Слушай, сейчас и правда не лучший момент. Вот-вот начнутся занятия, а Денни еще не вернулся...

— Денни уехал?

— Черт, Анна, ты вообще разговариваешь с родителями? — Я вздохнула, искренне не желая повторять всю историю еще одному члену семьи.

— Только когда не бывает выбора. Что случилось?

— Это по работе. Ему пришлось ненадолго отлучиться в Тусон.

«Ненадолго» обернулось вечностью, а сегодня он снова не позвонил...

— А, так он скитается по пустыне, а тебя оставил наедине с этим плейбоем?

Я так и видела ее глупую ухмылку.

— Господи, Анна... Ничего подобного.

Я вздохнула. Мы с Келланом сдружились ближе, чем раньше, но явно не настолько, как думала моя сестра.

Та залилась смехом:

— Ладно, просвети меня... Значит, это Келлан? Ну, и какой он?

— Он... — Как описать Келлана? — Он милый.

Я глянула наверх в надежде, что «он» спал. Несколько часов назад он уехал из «Пита», зевнув три раза подряд за время беседы с Дженни. Нелегко быть сразу жаворонком и совой.

— Боже, боже... Он что, гей? Все настоящие красавчики — геи.

Она театрально вздохнула.

Я рассмеялась. Нет, исходя из того, что я слышала и видела, Келлан явно был натуралом.

— Нет, я уверена, что он не из этих.

— Отлично! Так когда можно к вам? — Ее голос восторженно звенел в предвкушении.

Я вздохнула про себя. Так просто она не отстанет.

— Ладно... Может, на зимних каникулах? Пошатаемся все вместе по клубам или еще где.

Образ танцующего Келлана не шел из моей головы. Впрочем, нам всем не помешало бы подвигаться.

— О, классно. Вся в мыле, с ним на танцполе. Рубашку я с него, конечно, сорву — исключительно чтобы помочь... Ну, ты поняла. А потом мы нырнем под одеяло, чтобы не растерять тепло долгой, суровой зимней ночью.

— Анна, притормози! Мне с ним еще жить.

Мне крайне не понравилась картина, которую она только что нарисовала. Мысленно усмехнувшись, я сочинила другой вариант:

— Он, может, и горяч, но знала бы ты его приятеля Гриффина...

— Что, серьезно?

— Да чтоб мне провалиться!

Остаток беседы я убеждала ее в многочисленных достоинствах Гриффина. В жизни столько не врала.

❖ ❖ ❖

На следующий день Денни наконец позвонил мне после двухдневного молчания. Мне казалось, что мы не разговаривали с ним — не говорили по-настоящему — целую вечность. Я страстно хотела увидеть его и обнять. Беседа была короткой, и он изъяснялся рассеянно, как будто звонок был для него тяжкой обязанностью. Через несколько минут он извинился и заявил, что его зовут на совещание. Простившись, я повесила трубку, и в животе у меня разлился холод, а сердце упало. Я смотрела на телефон минут двадцать, раздумывая, можно ли ему перезвонить и почему Денни говорил со мной все меньше и меньше.

Той ночью я проснулась в панике и с диким сердцебиением: мне приснился кошмар. Самого сна я не помнила, осталось лишь чувство ужаса. Хотелось плакать, а почему, я не знала. Сев на постели, я обхватила колени, пытаясь выровнять дыхание и сердечный ритм. Мне не хотелось закрывать глаза. Я осмотрелась в темноте, пытаясь отличить реальность от вымысла. Комод, телевизор, ночной столик, пустая со стороны Денни постель... Да, все реально, причем до боли.

Мне очень хотелось поговорить с Денни. Уверенности не было, но мне казалось, что сон был о нем. Однако звонить ему в номер, наверное, было слишком поздно. Я села на краю постели и посмотрела на часы — половина четвертого. Слишком поздно, чтобы звонить, — или слишком рано, чтобы будить. Придется подождать несколько часов и попытаться застать его до ухода на работу.

Снизу, как ни странно, доносились какие-то звуки. Кто-то переключал каналы. Решив, что Келлан тоже проснулся и можно будет взамен поговорить с ним, я встала и спустилась. Обогнув угол и заглянув в гостиную, я поняла, что он был не один. Я хотела развернуться и пойти обратно к себе, но было уже поздно.

— Кира! Эй, киса! — Гриффин стоял посреди гостиной, потягивая пиво и держа в руке пульт. — Классный прикид.

Он подмигнул, и я залилась краской.

Когда я сошла с лестницы, с дивана виновато выглянул Келлан.

— Привет, извини. Мы не хотели тебя разбудить.

Из кресла мне улыбнулся Мэтт. Эвана нигде не было видно.

— Вы и не разбудили... — Я пожала плечами. — Просто плохой сон.

Келлан криво улыбнулся.

— Пивка? — Он приглашающе приподнял свое.

— Конечно.

В любом случае я не собиралась больше спать.

Он пошел на кухню за пивом, а я неуклюже топталась за креслом Мэтта. Гриффин снова защелкал пультом. Мэтт тоже повернулся к телевизору. Келлан вернулся через минуту, вручив мне пиво и кивнув на диван. Я пошла за ним.

Гриффин сел возле стола. Он поставил свое пиво, чуть хмурясь: похоже, он не нашел того, что искал. Я быстро проскользнула мимо Келлана и села на противоположном конце дивана. Покачав головой и ухмыльнувшись, Келлан устроился в середине и придвинулся ко мне. Я подобралась к нему и прижалась, взгромоздившись на диван с ногами. За последние дни сидеть с ним в обнимку стало для меня обычным делом. Он улыбнулся, обхватил меня за бедра и задиристо толкнул плечом. Склонив голову, я улыбнулась в ответ.

Гриффин, все еще раздосадованный, изрек:

— Знаете, я тут подумал...

Мэтт застонал, я рассмеялась, но Гриффин проигнорировал нас обоих.

— Когда эта группа развалится... — (Я вскинула брови, и Келлан мне ухмыльнулся.) — Наверное, я уйду в христианский рок.

Я поперхнулась пивом. Большая часть вернулась в бутылку, но остальное пошло не в то горло. Келлан, набравший его полный рот, улыбнулся, кивнул на Гриффина и закатил глаза.

Мэтт, не веря своим ушам, повернул всклокоченную белокурую башку и уставился на Гриффина.

— Ты — в христианский рок? Сильно.

Гриффин ухмыльнулся, продолжая щелкать каналами.

— Ага! Толпа озабоченных целок! Да вы только представьте!

Он выдал дьявольскую улыбку, пока я откашливалась после пива.

Наконец он нашел, что искал. Я несколько раз сглотнула и отпила побольше, чтобы успокоить горло. Порой Гриффин говорил дикие вещи. Он и впрямь идеально подходил Анне. Вздохнув при этой мысли, я глянула на экран и в конечном счете увидела, что он выбрал. Порнуха — или какая-то подобная программа по кабельному. К щекам прилил жар, и я уставилась в бутылку. Мэтт и Гриффин устроились смотреть, тогда как Келлан испытующе взглянул на меня.

Я старалась сдерживаться. Если бы я встала и ушла, завтра в баре у Гриффина был бы праздник. Если останусь посмотреть, он, может, и забудет об этом. Но звуки, доносившиеся с экрана, не позволяли мне справиться со стыдом. Зачем ребята смотрят эту муру? И почему Келлан смотрит на меня?

В итоге он подался ко мне и шепнул на ухо:

— Тебе неприятно?

Я отрицательно помотала головой. Мне не хотелось, чтобы он считал меня еще большей ханжой, чем, очевидно, уже назвал про себя. На самом деле было бы здорово, если бы он вовсе не замечал меня и смотрел свою гадость. Сколько мне еще сидеть, прежде чем можно будет тайком ускользнуть? Приняв мой ответ, Келлан чуть подался вперед, прикрывая меня от Гриффина, а Гриффина — от меня. Я благодарно улыбнулась и заглянула ему в лицо. Он внимательно смотрел телевизор и был явно увлечен. С фильмом мне знакомиться не хотелось, но за Келланом я наблюдала с огромным интересом.

Сначала он просто смотрел, но чуть погодя его взгляд изменился, вспыхнув и разгораясь все ярче. Он глотнул пива и на миг задержал бутылку у рта. Его губы чуть приоткрылись, дыхание слегка участилось. Напряженно глядя в экран, он медленно провел языком по нижней губе и закусил ее.

Фильм был настолько эротичен, что я издала горлом негромкий звук, и мое дыхание пресеклось. Телевизор меня заглушал, но Келлан, сидевший вплотную, услышал. Его горящие синие глаза встретились с моими. Я поняла, почему ни одна женщина не могла устоять под этим взглядом: вряд ли кто-то мог ответить на него отказом. Ну а я, если бы Келлан перешел к делу? О чем он сейчас думал? Я понятия не имела...

Его дыхание заметно участилось в ответ на мое. Внезапно взгляд его переметнулся на мои губы, и я знала, точно знала, что у него на уме. Ему не следовало думать об этом. Я не хотела, чтобы он думал об этом. Он снова тронул губу языком и на миг встретился со мной взглядом. Огонь в его глазах пылал все сильнее. Он вновь переключился на мои губы и наклонился ко мне. У меня бешено забилось сердце, и я понимала, что должна оттолкнуть его. Но в голове царил кавардак, не позволявший вспомнить *почему*. Я не могла пошевелиться.

Чувствуя его приближение, я закрыла глаза. Все во мне кричало — столь тесным стало наше соседство: бок о бок, его рука на моей ноге. От осознания этого в сочетании со страстным телевизионным звукорядом по спине у меня пробежал озноб. Прошла, казалось, целая вечность, прежде чем он дотронулся до меня, но не так, как я ожидала. Мы соприкоснулись лбами и носами и так застыли. Я ощущала, как он дышит — негромко, но часто. Повинуясь инстинкту, я вскинула подбородок в поисках его губ и вновь издала приглушенный горловой звук.

Но наши губы еще не соприкоснулись. Я ощутила жар его кожи и легкое касание плоти, он провел носом по моей щеке. От близости к нему я перестала дышать. Он выдохнул в меня, и я вдохнула, с его губ слетел искушающий шелест, обративший меня в дрожь. Он замер, дважды неровно вздохнул, а я продолжала таять, не узнавая себя. Мои колени вдавились в него, рука легла ему на бедро, и я приблизилась у нему вплотную. От него так хорошо пахло...

Вдруг Келлан схватил меня за руку и стиснул ее чуть ли не до боли. Он хрипло шепнул мне в ухо:

— Идем со мной.

Не вполне понимая, чего хочу я и чего хочет он, я встала и вышла за ним из комнаты. Мэтт и Гриффин, о присутствии которых я напрочь забыла, на нас не взглянули. К моему удивлению, он отвел меня на кухню. Я понятия не имела, что он собрался там делать, и воображала, как он, укрывшись от глаз друзей, подарит мне долгий, горячий и страстный поцелуй, представляла, как он зароется руками в мои волосы и привлечет к себе, как прижмется ко мне всем телом. Когда мы вошли в кухню, мое дыхание уже немного сбивалось.

Однако Келлан был безупречен. Он выпустил мою руку, поставил свое пиво на стойку и налил стакан воды. Смущенная и отчасти раздраженная переменой в его настрое, я задалась вопросом — не приснилась ли мне короткая сцена в гостиной? Казалось, что между нами проскочила искра. Он был готов поцеловать меня. Я в этом не сомневалась. Более того, и я была готова поцеловать его. Все это сбивало с толку.

Келлан тепло улыбнулся, как будто ничего странного не произошло. Протянув мне воду, он забрал у меня пиво и поставил его рядом со своим. Я глубоко вздохнула, успокаиваясь. Внезапно я ощутила себя полной дурой. Конечно же, ничего не было. Он обычный парень, решивший посмотреть дурацкий эротический фильм, а я почему-то вообразила, будто он возжелал конкретно меня. Боже, какой же я, наверное, выглядела идиоткой, когда с закрытыми глазами ждала его поцелуя. Меня охватил стыд, и я залпом выпила воду, благодарная за возможность не смотреть на Келлана.

— Прости за фильм... — Я вскинула глаза, когда он заговорил, и Келлан усмехнулся: — Гриффин есть Гриффин.

Он пожал плечами. Меняя тему, Келлан продолжил:

— Ты спустилась расстроенная. Хотела рассказать сон?

Он прислонился к стойке возле плиты и скрестил на груди руки, выглядя полностью собранным и расслабленным.

Все еще чувствуя себя глупо, я пробормотала:

— Я не помню его... Знаю только, что он был плохой.

— Надо же, — ответил он негромко, вдруг задумавшись.

Желая повернуть время вспять и остаться в постели, я поставила мой почти пустой стакан и двинулась мимо Келлана.

— Я устала... Спокойной ночи, Келлан.

Он улыбнулся и шепнул, когда я миновала его:

— Спокойной ночи, Кира.

Избегая смотреть на Мэтта, Гриффина и телевизор с бесконечным, похоже, эротическим фильмом, я оглянулась через гостиную на заднее окно кухни. В нем хорошо отражался Келлан. Он все еще стоял у стойки, но теперь обмяк и пощипывал переносицу. Казалось, у него болит голова. Я озадачилась этим, однако поспешила наверх, не желая, чтобы он заметил мою слежку. И мне действительно хотелось отгородиться от звуков этого дурацкого фильма.

Утром при встрече с Келланом я чуть покраснела, но он лишь улыбнулся и предложил мне кофе. Он не обмолвился ни словом о моем постыдном просчете, да и мне не хотелось о нем говорить. Сидя за столом напротив Келлана, я заметила, что он снова надел неприличную футболку «Чудил». Я нахмурилась, и он слегка побледнел.

— Что? — спросил он негромко и несколько нервно.

Не понимая его реакции, я указала на футболку и ответила как можно непринужденнее:

— Ты так и не достал мне такую же.

Он явно расслабился и кивнул:

— О, точно.

Затем он пожал плечами, встал и снял футболку. Я разинула рот, когда он вывернул ее и протянул мне. У меня не осталось слов. Мое внимание было приковано к его телу, пока он одевал меня, и я даже не могла ему помочь. Ему пришлось просунуть мои руки в рукава, словно я была маленькой девочкой.

— Ну вот, носи мою.

Он просиял, продолжая маячить передо мной и ничуть не стесняясь своей наготы.

Мое лицо пылало и наверняка было красным.

— Я не имела в виду... Ты не обязан... — Мне было даже не выстроить фразу.

Он тихо рассмеялся:

— Не парься, я еще достану. Ты даже не представляешь, сколько Гриффин понаделал этой фигни.

Он снова хохотнул и повернулся, чтобы уйти. Я невольно уставилась на его мускулистую спину — широкую в плечах, чуть уже в груди, затем еще уже в пояснице. Взгляд сам опускался ниже, как намагниченный. Келлан обернулся на пороге, застукал меня, опустил глаза и улыбнулся краем рта.

— Сейчас вернусь.

Он снова оглянулся, продолжая пленительно улыбаться, и в очередной раз вогнал меня в краску.

Затем до меня донесся запах. Он был настолько восхитителен, что я закрыла глаза, взяла футболку за подол, подняла его и глубоко вдохнула. Не знаю, что это было — мыло, дорогой шампунь, стиральный порошок, одеколон или просто его естественный запах, — но от Келлана всегда прекрасно пахло, и сейчас я купалась в этом аромате. Когда он вернулся, я сидела и нюхала футболку, как дура.

Келлан склонил голову набок и с любопытством улыбнулся. Я выпустила футболку. Внезапно я захотела вообще не просыпаться с утра. Сколько способов я могу придумать, чтобы выглядеть идиоткой круглосуточно? Келлан сел в свое кресло и допил кофе. Теперь на нем была яркосиняя майка, оттенявшая синеву его глаз. Сглотнув, я сосредоточилась на своей кружке.

День прошел обычно: я стирала, он мыл посуду; я пылесосила, он играл на гитаре. Однако смущение не покидало меня. Минувший вечер был убийственным. Я собиралась держаться от Келлана подальше, но, когда он устроился посмотреть телевизор перед уходом к друзьям, я, разумеется, вожделенно уставилась на диван. Он заметил это и протянул руку, похлопав другой по подушке. Я не смогла устоять — улыбнулась и уютно свернулась у него под боком, положив голову ему на плечо. У меня развивалась зависимость.

На выходных мы много держались за руки, вместе сидели на диване, стихийно обнимались на кухне и валялись во дворе. Я лежала головой на его коленях, но никто больше не предпринимал никаких постыдных поползновений к поцелуям. Не успела я оглянуться, как наступил понедельник, а с ним — и учебный год.

Дневной телефонный звонок привел меня в раздражение и заставил нервничать.

— Привет, солнышко.

Я всегда улыбалась акценту Денни, но нахмурилась, по-прежнему раздосадованная его дежурными, все чаще короткими звонками.

— Кира?

До меня дошло, что я до сих пор не ответила.

— Привет, — буркнула я.

— Злишься, да? — вздохнул он.

— Может быть...

Да... Да, я злилась.

— Прости... Я знаю, в последнее время я весьма рассеян. Это совершенно к тебе не относится, клянусь. Я просто ужасно занят.

Его отговорки не умаляли моего раздражения.

— Неважно, Денни.

Снова вздох.

— У меня есть время... Может, расскажешь про университет? Завтра начинаешь учиться?

Я слабо улыбнулась: он помнил, — а затем нахмурилась, потому что вспомнила сама. Завтрашнее утро вселяло в меня тревогу.

— Хоть бы ты был здесь... Я правда психую.

Денни усмехнулся — не иначе припомнил, как я всегда помогала ему... успокоиться.

— Ох, солнышко... Ты даже не представляешь, как мне хочется оказаться с тобой. Я по тебе скучаю.

— Я по тебе тоже... балда, — расплылась я в улыбке.

Он от души рассмеялся:

— Давай рассказывай, чем занималась. Хочу слышать твой голос...

Я тоже покатилась со смеху и следующий час рассказывала ему обо всем, что только приходило в голову. Впрочем, я опустила кое-что насчет сближения с Келланом — и, уж конечно, оставила за кадром почти интимное происшествие на диване, но поделилась всем остальным. Его я успокаивала обычно более действенным способом, но и этот разговор немного помог мне, капельку. Я смогла отработать смену и заснула, лишь слегка переживая.

На следующее утро, когда я спустилась в кухню пить кофе, моя тревога усилилась. Занятия начинались через несколько часов. Первый учебный день в новом месте был ненавистен мне еще больше, чем первый рабочий. Я хмурилась, но тут увидела Келлана, наливавшего себе кофе. Он напевал одну из своих песен, и на его губах играла улыбка. Группа исполняла ее быстро, но он тянул медленно и негромко, превращая в балладу... Это было прекрасно.

Сделав несколько шагов, я облокотилась на стойку, чтобы послушать. Не прекращая петь, он посмотрел на меня и улыбнулся шире. Быть может, он заметил мою хандру, или уже достаточно меня изучил, чтобы знать о моем недовольстве грядущим днем, или просто скучал. Как бы там ни было, он потянулся, взял меня за руку и привлек к себе. Я удивленно вздохнула, а затем рассмеялась, когда он обнял меня за талию и начал медленный танец.

Он запел громче, начиная двигаться активнее. В конечном счете он закружил меня, гоня прочь, а после — обратно к себе. Играючи, он нагнул меня, и я вновь рассмеялась, начисто позабыв о тревогах по поводу учебы. Келлан поставил меня обратно и положил на талию обе руки. Я вздохнула, полная счастья, и обняла его за шею, прислушиваясь к негромкой, чудесной песне.

Он резко замолчал и уставился на меня. Я осознала, что запустила пальцы ему в волосы. Это было несказанно приятно, но я заставила себя прекратить и положила ладони ему на плечи.

Не отпуская меня, он глухо сказал:

— Я понимаю, что лучше бы здесь был Денни, — я замерла при звуке этого имени, — но можно мне отвезти тебя в университет в первый раз?

Договорив, он улыбнулся.

Мое сердце забилось чуть чаще от его красоты и нашей близости. Стараясь не показать этого, я пробормотала:

— Можно, наверное.

Келлан рассмеялся и стиснул меня в объятиях, прежде чем отпустить.

— Женщины мне так обычно не отвечают, — бросил он, доставая мне из буфета кружку.

Решив, что задела его, я спешно выпалила:

— Прости, я не хотела...

Он снова прыснул и посмотрел на меня, наливая кофе:

— Кира, я просто дразнюсь. — Он следил, как наполняется кружка. — Ну, вроде того.

Я залилась румянцем:

— О... То есть... Да, спасибо.

К его радости, я спотыкалась на каждом слове.

Нервничая, я переоделась для выхода и необычно долго причесывалась и красилась. Не сказать, чтобы стало намного лучше, но я хотя бы отчасти собралась и понадеялась, что все это поможет мне справиться с неловкостью в ходе предстоявших знакомств. Возможно, я просто тихонько просижу всю неделю где-нибудь сзади, пока не привыкну к обществу.

Я запихнула в сумку книги, тьму-тьмущую ручек и пару блокнотов. Сегодня мне, к счастью, предстояла только микроэкономика. При мысли об этом предмете я помрачнела. Денни болтал бы о нем без умолку. Я улыбнулась: может, он позвонит позже и мы проговорим несколько часов — о чем угодно, лишь бы услышать его голос.

Когда пришла пора выходить, я спустилась, и Келлан улыбнулся с дивана при виде меня:

— Готова?

Я горестно вздохнула, когда он направился ко мне.

— Нет.

Он взял меня за руку и с кривой улыбочкой, которая заставила меня нервничать совсем по другому поводу, повел к двери. По дороге в университет мы молчали, и у меня отчаянно сосало под ложечкой. Я без устали повторяла себе: ерунда, ерунда, ерунда... Но организм не слушал.

Мы жили неподалеку от университета и быстро доехали. Не успела я оглянуться, как он уже припарковался. Мое сердце стучало как бешеное. Когда Келлан остановился, я наверняка была белее снега... или казалась больной. В смятении я смотрела, как он выходит и открывает мне дверь.

Я глупо ухмыльнулась и кивнула на дверь, вставая:

— С этим я справлюсь.

Он хмыкнул и снова взял меня за руку. Я сжала ее, наслаждаясь уютным теплом, и он ответил с улыбкой:

— Идем.

Он указал на устрашающее кирпичное здание, где находилась моя аудитория.

Мы тронулись с места, и я озадаченно спросила:

— А ты куда?

Келлан издал очередной смешок:

— Веду тебя на занятия, как видишь.

Я закатила глаза, устыдившись того, что он считал это необходимым. С этими трудностями я и правда могла справиться.

— Тебе не обязательно, я и сама могу.

Он ободряюще сжал мне руку:

— Может, мне хочется.

Когда мы подошли к зданию, я отвернулась, и Келлан придержал дверь.

— Я не так уж занят по утрам. Дремал бы — вот и все.

Он сухо улыбнулся, а я взглянула на него и рассмеялась:

— Зачем же ты встал в такую рань?

Он тоже рассмеялся, пока мы шли по коридору, и его модельная внешность привлекла внимание многих девушек.

— Это не я так решил, поверь. Я бы лучше все время спал и бодрствовал только по четыре-пять часов ночью.

— Ох... Тогда точно иди домой и поспи, — настояла я, когда мы дошли до аудитории.

— Так и сделаю.

Келлан с улыбкой распахнул мне дверь, и я уж подумала, что он войдет вместе со мной. Он заметил мое замешательство и усмехнулся:

— До места проводить?

Отпустив его руку, я слегка оттолкнула его и задорно ответила, что этого не нужно. Мне помогло его общество: я слегка успокоилась. Склонив голову набок, я какое-то время задумчиво изучала его с порога.

— Спасибо, Келлан.

Я быстро чмокнула его в щеку.

Он глянул на меня исподлобья и чуть заметно улыбнулся:

— Всегда пожалуйста. Заберу тебя позже.

Я начала было протестовать:

— Ты не обязан...

Он осадил меня сухим взглядом, и я замолчала, улыбнувшись.

— Ладно... Тогда увидимся.

Келлан оглядел помещение и вновь посмотрел на меня:

— Повеселись.

Он вышел из аудитории, и я не могла не проводить его взглядом. К несчастью, он обернулся и заметил, что я опять на него глазею. Келлан улыбнулся и помахал мне, а я залилась краской, чувствуя себя идиоткой.

От него и вправду было не отвести глаз. Войдя в класс, я поняла, что не одинока в своих чувствах. Большинство девушек продолжали смотреть на дверь, возможно гадая, не вернется ли он и не присоединится ли к их обществу. Некоторые хихикали и перешептывались, указывая на коридор. Другие кивали на меня. Если бы я уже не покраснела, будучи застигнута за вожделенной слежкой за Келланом, меня бы вогнало в краску их внимание. Досадным следствием общения с Келланом являлось то, что люди, стоило ему скрыться, начинали задумываться обо мне — чересчур для декорации на заднем ряду. Я поспешила пройти мимо компании таких любопытных, когда пара из них уже была готова пригласить меня присоединиться, чтобы потрепаться о Келлане. К неловкой болтовне с незнакомыми людьми я была совершенно не расположена, а потому отыскала место на задворках, где соседей оказалось немного. Несколько девушек проследили, куда я пошла, но ни одна из них не последовала за мной.

Я с головой ушла в учебу и не успела оглянуться, как занятие закончилось. К моей радости, все прошло здорово и волновалась я совершенно напрасно. В школе я училась хорошо. Сестра всегда говорила, что ум у меня книжный, а не уличный. Не знаю, задумывалось ли это как оскорбление, но она была права. Я гораздо лучше ладила с заданиями и тестами, чем с людьми. Трудно сказать, какая мне светила карьера. Специализацию я еще не выбрала, склоняясь при этом к английскому языку, но понятия не имела, кем именно буду работать. Иногда я завидовала уверенности Денни: он всегда знал, чего хотел, шел и делал это. Я же до сих пор не представляла, куда податься.

Келлан, верный своему слову, ждал меня за дверью. Я улыбнулась, хотя его внимание и было излишним. Когда я приблизилась, он взял меня за руку. Из аудитории вышли две девушки, приметившие его раньше. Он ухмыльнулся им, и они прыснули. Я закатила глаза и покачала головой, удивляясь его нескончаемому кокетству.

— Идем, Казанова, — пробормотала я, оттаскивая его от хихикавших девиц.

Он наморщил лоб, а потом расхохотался:

— Как отучилась?

— Изумительно!

Он подивился моему энтузиазму. Лекция по экономике явно не была ему так же интересна, как мне. Я улыбнулась, представив его оцепеневшим от тоски на занятии.

— Ты вздремнул?

— Да, — кивнул Келлан, — целый час. До трех продержусь.

Я только покачала головой:

— Как тебе удается?

Он рассмеялся, и мы вышли из здания.

— Это дар... И он же — мое проклятие.

Он возил меня на занятия и обратно всю неделю, что было не обязательно, так как Денни оставил мне свою обожаемую «хонду», но здорово, потому что я терпеть не могла ручную коробку передач. Мы болтали и смеялись без устали. Келлан расспрашивал меня обо всех курсах, выясняя, что мне нравилось больше, а что — меньше. Он упорно продолжал каждое утро провожать меня до аудитории, что было совершенно ни к чему, но очень мило с его стороны. Девушки обмирали при его появлении и наблюдали за ним, буквально истекая слюной, когда он со мной прощался. И он, конечно, все это немедленно подмечал и одаривал их улыбками. После занятий, к моему полному восторгу, он ждал меня в коридоре или на парковке с эспрессо наготове.

В первые дни учебы Келлан обеспечил мне гладкий переходный период, тогда как я ожидала худшего. Я была бесконечно признательна ему за это. На самом деле в течение всей недели всерьез меня огорчало лишь одно — Денни.

К выходным мое раздражение в его адрес сильно возросло. Когда он только-только уехал, звонки поступали ежедневно. Затем он стал звонить раз в два дня. Однако на этой неделе я вовсе его не слышала — целых пять дней! Последний разговор состоялся накануне начала учебного года. Я была уверена, что он позвонит узнать, как прошел мой первый день, но этого не случилось. В силу занятости Денни редко появлялся в гостинице и не получал сообщений, которые я ему оставляла, поэтому поздно вечером в воскресенье, переодевшись ко сну, я решила позвонить ему в последний раз. Когда я наконец-то пробилась к нему в номер, то поначалу пришла в восторг.

— Привет, солнышко.

Родной акцент согрел мне сердце, но голос Денни был очень усталым.

— Привет! Ты в порядке? У тебя измученный голос — могу перезвонить завтра.

Я закусила губу в надежде, что он не попросит об этом. Облокотившись на кухонную стойку, я скрестила пальцы.

— Нет, хорошо, что ты позвонила. Нам нужно поговорить.

Внезапно я захотела, чтобы он сказал мне перезвонить позже. Меня охватила паника.

— Да? — Я постаралась говорить небрежно. — И о чем же?

Он выдержал паузу, и мое сердце тяжело забилось.

— Я кое-что сделал. Не думаю, что тебе это понравится.

Перед моим мысленным взором мгновенно выстроился целый перечень вещей, которые он мог сделать и которые мне бы не понравились. Затем я вспомнила о Келлане и том, что могло произойти между нами во время просмотра того дурацкого фильма. Денни это тоже наверняка не понравилось бы. В горле образовался ком, но я выдавила:

— Что?

Он надолго замолчал, и мне вдруг захотелось завопить ему: да говори уже!

— Во вторник вечером, после работы... — Денни снова помедлил, и в моем воображении нарисовался самый худший кошмар. — Марк предложил мне постоянное место здесь...

Облегчение нахлынуло на меня, ведь я напридумывала вещей куда более страшных.

— Денни, ты меня напугал...

Он перебил меня:

— Я согласился.

Моя мысль увязла. Мне понадобилось время, чтобы осознать услышанное. Когда до меня дошел смысл его слов, мое дыхание пресеклось.

— Ты не вернешься?

— Кира, такое бывает раз в жизни. Они никогда не предлагают руководящие посты интернам. — Голос Денни дрожал.

Ему было нелегко говорить. Он отчаянно не хотел причинить мне боль.

— Пожалуйста, постарайся понять.

— Понять? Я бросила все, чтобы поехать сюда с тобой! А ты теперь хочешь оставить меня одну? — К глазам подступили слезы, но я приказала себе сдержаться — не время плакать.

— Всего на два года, — взмолился он. — Закончишь учебу и приедешь ко мне. Мы скоро опять будем вместе. Здесь тебе тоже понравится.

Я обомлела вконец. Два года? Несколько недель без него уже показались жестокостью — как протянуть два года? Это дольше того времени, что мы знали друг друга...

— Нет, Денни.

Он ответил не сразу. Тишина оглушала.

— Что ты имеешь в виду?

— Нет! Я хочу, чтобы ты вернулся! Останься со мной, найди другую работу. Ты умный, ты что-нибудь найдешь!

Теперь уже я умоляла его.

— Кира, но я этого хочу... — прошептал он.

— Больше, чем меня? — Едва этот вопрос слетел с моих губ, я поняла, что он нечестен, но все во мне кипело от ярости.

— Кира... — произнес он убито. — Ты знаешь, что это не так...

— Да неужели? — Теперь я окончательно рассвирепела. — Мне кажется иначе: ты выбираешь работу и бросаешь меня.

Какой-то крохотной частью сознания мне хотелось прекратить этот чудовищный разговор и перестать обижать Денни, но я не могла остановиться.

Он вновь предпринял слабую попытку возразить, и его акцент усилился от чувств.

— Солнышко, это всего два года. Я буду приезжать при каждой возможности...

Мой мозг воспламенился. Два года... Два чертовых года! Не думая, не потрудившись даже сначала спросить меня, он согласился на работу в тысяче миль от Сиэтла и несколько дней молчал! Я застряла в этом городе. Мои родители смирились с переездом главным образом из-за стипендии. Они не позволят мне перебраться в новый институт очередного штата! И в любом случае не станут за это платить, а самой мне не потянуть два года обучения. Стипендия, которую я выиграла, была *моим* единственным шансом в жизни. Такая удача навряд ли улыбнется вновь.

Я застряла здесь до конца учебы, и Денни знал это.

Он знал! Мой разум, кипевший яростью, пришел к наиболее вероятному выводу: Денни хотел, чтобы я осталась. Он хотел, чтобы мы были врозь. Он хотел меня бросить. Я взбесилась. Что ж, я не позволю ему сделать это первым.

— Не утруждайся визитами, Денни! Ты сделал свой выбор! Надеюсь, ты будешь счастлив со своей *работой*! — Я подчеркнула это слово. — Я остаюсь здесь, а ты — там. Все кончено... Прощай.

Швырнув трубку, я выдернула шнур телефона. Мне не хотелось, чтобы он перезванивал. Я так разозлилась, что вообще не желала с ним говорить. При мысли о том, что больше мы не увидимся, отчаяние вернулось столь быстро, что я была не в силах вздохнуть, хватая ртом воздух. У меня закружилась голова, я сползла на пол, и сдерживать рыдания дальше стало невозможно. Слезы хлынули ручьем.

Мне показалось, что прошло несколько часов, и я встала, чтобы налить воды, но обнаружила в холодильнике откупоренную и непочатую бутылку вина. Схватив ее, я стала пить прямо из горлышка. Мне было ясно, что этим горю не помочь, но я нуждалась хоть в чем-то. Я хотела отключить чувства и разобраться с ними потом.

Взяв стакан вместо хрупкого бокала, я наполнила его доверху и принялась пить. Вино обжигало. Оно никак не предназначалось для такого употребления, но мне было необходимо унять боль.

За считаные секунды я осушила стакан и сразу наполнила вновь. Рыдания наконец прекратились, хотя слезы все еще текли по моим щекам. Перед глазами так и стояло лицо Денни: его прекрасные, теплые карие глаза и дурацкая ухмылка. Я слышала его очаровательный акцент, вспоминала его неизменную готовность покатиться со смеху, его тело, сердце. Мое собственное сердце болезненно сжалось, и я сделала очередной долгий глоток.

Все это не по-настоящему, твердила я себе. Мы не могли проститься, не могли расстаться. Он называл меня своим сердцем, а с сердцем не распрощаешься. Без сердца не прожить.

Я допила второй стакан и налила третий — увы, последний, — когда услышала звук отпираемой входной двери.

Было очень поздно или очень рано — это как посмотреть, и Келлан вернулся с дружеских посиделок. Он вошел в кухню и привычным жестом бросил на стойку ключи. Заметив меня посреди комнаты, он застыл. В этот час я обычно спала, если не было смены.

— Привет.

Продолжая пить, я повернулась к нему. Голова начала кружиться. Отлично.

Я молча изучала его. Взгляд Келлана чуть туманился. Должно быть, он пропустил пару стопок с группой — или даже больше. Келлан был одет как обычно: обтягивающая футболка, потертые синие джинсы и черные уличные ботинки. Вино ли было тому причиной или моя печаль, но сегодня он выглядел особенно сногсшибательно. Взъерошенная шевелюра была дьявольски сексуальна. «Вау», — пронеслось у меня в голове, уже не способной мыслить. Упиваясь им, как вином, я обретала куда лучшее забвение.

— Все в порядке?

Келлан чуть склонил голову набок и вопросительно взглянул на меня. Он притягивал, как магнит, и я на секунду перестала пить.

— Нет. — Слово растянулось, пока вино быстро растекалось по моим жилам.

Мне хватило трезвости быстро добавить:

— Денни не вернется... Мы расстались.

Прекрасное лицо Келлана немедленно преисполнилось сочувствия, и он направился ко мне. С секунду я думала, что он собрался меня обнять, и мое сердце забилось сильнее при этой мысли. Но вместо этого он облокотился на стойку, упершись в нее позади себя руками. Я продолжала пить вино, смотря, как он наблюдал за мной.

— Хочешь выговориться?

Я помедлила.

— Нет.

Он глянул на пустую винную бутылку и вновь на стакан, который я приканчивала.

— Хочешь текилы?

Впервые за время, показавшееся мне годами, я улыбнулась:

— Само собой.

Келлан полез в буфет над холодильником и начал перебирать бутылки со спиртным, о наличии которых я даже не подозревала. Он потянулся так, что футболка слегка задралась, обнажив полоску кожи на его талии. При виде этого невозможного красавца болезненные мысли о Денни медленно отступали. Черт, он был секси.

Келлан нашел, что хотел, и повернулся ко мне. Футболка опустилась, я вздохнула. Мой мозг, пропитанный алкоголем, вдруг ощутил одиночество. Я осталась одна. Проделав длинный путь, чтобы быть с Денни, теперь я оказалась наедине с собой. Я следила за чарующей игрой мышц Келлана, пока он доставал бокалы, соль и несколько лаймов. Чувство одиночества рассеялось и стало преобразовываться в нечто совершенно иное.

Келлан разлил текилу и с обезоруживающей полуулыбкой вручил мне мою стопку:

— Лекарство от сердечных мук, как я слышал.

Наши пальцы соприкоснулись, когда я забирала напиток из его рук. От этого легкого касания по моей руке растеклось тепло, и я праздно подумала, что он может быть лучшим лекарством.

В баре я предостаточно видела, как делают шоты, и даже сама их готовила. Но Келлан занимался этим столь сексуально, что мне было неловко подглядывать. Выпитое вино в моих глазах превращало каждое его движение в эротическое шоу. Он обмакнул в спиртное палец и смочил тыльную сторону ладони сначала себе, потом мне. Насыпал немного соли, пока я дивилась внезапному теплу в моей руке после его прикосновения. Он слизнул соль и энергичным глотком выпил текилу, а затем всосался в лайм, вытянув губы трубочкой. У меня захватило дух.

Собравшись, я выпила, и текила ударила мне в голову. Если вино растекалось пламенем по всему телу, то она выжигала дотла. Я скривилась, и Келлан усмехнулся, от выпитого его улыбка стала еще прекраснее.

Он немедленно снова наполнил стопки. Мы не разговаривали. Сейчас мне это было совершенно ни к чему, и он, похоже, это чувствовал. Молча мы приготовили второй шот, и на сей раз мне удалось выпить не поморщившись.

К третьей рюмке мне стало тепло и щекотно. Мне было трудно сфокусировать взгляд, но я все равно пристально наблюдала за движениями Келлана. На его месте мне было бы крайне неловко предстать объектом неотрывного внимания, но он вел себя так, будто ничего не замечал. Я вспомнила его обожательниц в баре и подумала, что он, видимо, просто привык к этому.

На четвертом шоте глаза Келлана и вовсе остекленели. Он улыбался расслабленно и непринужденно. Разливая текилу, он пролил немного на стол и разразился смехом, когда взял лайм. Я смотрела, как Келлан сосет его дольку и ощущала безумнейшую, сильнейшую потребность к нему присоединиться.

На пятой стопке все мое отчаяние, одиночество и боль целиком преобразились в нечто другое — в желание. Точнее, в отчаянное желание этого божественного мужчины, стоявшего прямо передо мной. Я вспомнила искру, проскочившую между нами несколько ночей назад, и хотела, чтобы та страсть вернулась — возможно это было или нет.

Недолго думая, я поступила так, как хотела с первого шота. Я взяла его за руку, как только он нагнулся слизнуть соль, чуть прижала язык к его кисти, и соль приятнейшим образом смешалась со вкусом его кожи. Он перестал дышать, когда я опрокинула в себя текилу. Быстро поставив стакан, я поднесла ломтик лайма к полуоткрытому рту Келлана. Затем придвинулась к нему вплотную. Наполовину я сосала лайм, наполовину — прижималась к его губам своими и вся горела при этом.

Я медленно отстранилась от него, прихватив с собой лайм. Келлан дышал чаще и чуть сбиваясь с ритма. Осторожно вынув лайм, я положила его на стойку, облизывая пальцы. Келлан, глядя мне в глаза, проглотил текилу. Он резко поставил свой стакан, скользнул языком по нижней губе, обнял меня за шею и притянул обратно к себе.

ГЛАВА 7

ОШИБКИ

Моей первой ошибкой была бутылка вина. Второй — текила... Но сейчас меня волновала лишь дикая головная боль. От яркого света, проникавшего в окно, у меня заслезились глаза, но стоило закрыть их, как комната стала вращаться столь стремительно, что мне пришлось уставиться в точку на потолке и держать голову абсолютно неподвижно. Я застонала. Боже, неужто я до сих пор пьяна?

Не двигая головой, я попыталась оглядеться в незнакомом помещении. Вот черт... Это не моя постель! Взглянув вниз и моментально пожалев об этом, так как моя голова едва не взорвалась, а стены бешено закружились, я обнаружила, что лежу голая и укутана в чужие одеяла. Черт... Я голая!

Я постаралась не шевелиться и разогнать пелену, скрывавшую память о минувшем вечере. О... Боже, нет... Внезапно я поняла, где нахожусь. Я глянула на другую половину постели, но та пустовала: Келлан исчез. Движение вышло резким, и голова, а теперь еще и желудок отреагировали бурным протестом.

Черт, черт, черт! Внезапно я пришла в раздражение. Стиснув виски, я попыталась унять безжалостную пульсацию. Воспоминания обрушились на меня подобно кровавой сцене, на которую не хотелось смотреть, но оторваться тоже не удавалось.

Этот невероятный первый поцелуй — неистовый, крепкий и полный страсти. Напрягшаяся рука, лежащая на моей шее и привлекающая меня все ближе. Другая рука, покоящаяся на пояснице. Келлан, медленно прижимающий меня к стойке и усаживающий на нее. Мои ноги, обвитые вкруг его пояса.

Мои руки, зарывшиеся в его волосы. Его пьянящий аромат, привкус текилы на его языке...

При воспоминании о текиле желудок свело судорогой. Не желая, чтобы меня стошнило в постель, я рискнула жутким головокружением и села. Выждав секунду, чтобы мысли мои прояснились, и осознав, что этому не бывать, я огляделась в поисках одежды. Нашла только майку, небрежно свисавшую с гитарного грифа возле кровати. Вот черт.

Медленно надев ее, я встала, чуть пошатнувшись. Разве мне не пора прийти в чувство? Я посмотрела на часы... Половина третьего. Уже? Слишком поздно, чтобы идти учиться: занятие по психологии подходило к концу. Я крадучись направилась к двери. У порога валялись мои трусики. Вздохнув, я осторожно нагнулась за ними. Желудок опасно свело, и я поспешила надеть их, распрямившись.

Кое-как одевшись, я решила, что скромность теперь перешла в разряд моих наименьших проблем. В любом случае я понятия не имела, куда делся Келлан, и понимала, что мой желудок никоим образом не шутил. Я метнулась в ванную и успела как раз вовремя, чтобы меня оглушительно вывернуло в унитаз.

Прижавшись лбом к холодному фарфору, я стала вспоминать дальше.

...Рука Келлана скользит по моей шее, следом за ней — губы. Моя голова запрокидывается, глаза закрываются. Дышится тяжело. Тихие стоны. Прерывистые вздохи. Я стягиваю с него футболку. Его восхитительно загорелая грудь. Тугие мускулы, нежная кожа. Дыхание Келлана учащается, когда я дотрагиваюсь до его груди. Келлан чуть слышно стонет и привлекает меня ближе. Он обвивает меня руками и поднимает. Вверх по лестнице...

Желудок снова свело, на лбу выступил пот. О, как я ненавидела текилу. И вот нахлынули безжалостные воспоминания о дальнейшем...

...Мы пьяно спотыкаемся на ступеньках, падаем и дружно хохочем. Я лежу на лестнице, он придавливает меня всем

своим весом и бормочет извинения, проводя языком по моей шее. У него встал, я чувствую, и у меня перехватывает дыхание. Я посасываю его ушную мочку. Теплые губы припадают к моим. Руки грубо сдирают с меня брюки...

«О, так вот где они», — подумала я отрешенно, прислушиваясь к бунтовавшему желудку.

...Я силюсь расстегнуть его джинсы и хохочу, потому что пальцы не слушаются. Келлан покусывает мою губу. Я глажу его. Он ласкает мои груди, пробравшись под топ. Я чуть прикусываю его плечо. В мои трусики проникают его пальцы, они кругами скользят по влажной коже и вторгаются внутрь. Страсть в его глазах, прикованных ко мне, и я не в силах вздохнуть. Я умоляю его отнести меня в комнату...

О боже! Я пресмыкалась, умоляла его, всерьез умоляла... Кто-нибудь, убейте меня! И мой желудок вновь ожил.

...Меня подхватывают. Белье летит прочь. Келлан сбрасывает ботинки, снимает джинсы, а я смеюсь, потому что самой мне это так и не удалось. Он вторит мне смехом, стягивая с меня майку. Мягкий язык дразнит и пробует мой сосок. Меня шутливо толкают на кровать. Он снимает трусы. Я бросаю взгляд на его прекрасное обнаженное тело. Смех прекращается, дело приобретает серьезный оборот. Он поедает меня глазами и целует всю с головы до пят. Я прикасаюсь к нему повсюду, поглаживая каждый мускул. Целую его мужественное лицо... шею... грудь... живот. Он стонет, когда я дразню языком головку...

Желудок чуть успокоился, я села на пятки и попыталась припомнить остальное.

...Келлан укладывает меня на спину и плавно входит в меня. Я задыхаюсь от удовольствия. Мы слаженно двигаем бедрами. Я воспаряю и падаю. Он мычит от наслаждения. Я мычу от изумления. Время будто растягивается, и наши тела во хмелю вбирают каждое ощущение. Тепло его дыхания на моей шее. Я прижимаю к себе его голову, когда мы приближаемся к финалу, столь яркому и невероятному. Мы кончаем вместе и кричим в унисон. Он изливается в меня, и внутри растекается тепло. Мы задыхаемся, биение наших сердец

постепенно замедляется. Мы смотрим друг другу в глаза. Я забываюсь в его объятиях...

Я выпрямилась, дрожа, но стоя уже увереннее, умылась, почистила зубы и с удивлением осознала, что минувшая ночь была потрясающей.

В глубокой задумчивости я направилась в свою комнату и замерла в дверях, увидев безупречно застланную постель. Все чувства прошлого вечера обрушились на меня: наш с Денни разрыв, утешение в рюмке и в обществе Келлана. Я повалилась на колени и разрыдалась.

❖ ❖ ❖

Не помню точно, когда я пошла вниз и подобрала с лестницы брюки. Надев их, я остановилась на нижней ступеньке, не зная, что делать дальше. Мне ужасно хотелось пить, а голова по-прежнему раскалывалась, но больше прочего ныло сердце.

Я села на ступеньку и уронила лицо в ладони. Вновь хлынули слезы, и я вдруг захотела, чтобы Келлан вернулся домой, чтобы он по-дружески обнял меня и сказал, что все будет хорошо. Что я не совершила страшную ошибку, порвав с Денни... Точнее, две страшные ошибки, второй из которых был он сам... Я не знала, что на меня нашло накануне. Хорошо, против текилы не попрешь, но только ли в ней было дело? Рите бы понравилась эта чушь, хотя я и не собиралась ей что-либо рассказывать. Столько предупреждений — а я на все наплевала. На стенке четко написали, что он кобель. И еще какое-то недоразумение с его бывшей соседкой Джоуи. Очевидно, с ним иначе и не бывало.

Просто класс. Теперь я не только была совершенно одна, но и могла ожидать, что Келлан попросит меня съехать, как Джоуи, — тогда я стану еще и бездомной. Это не укладывалось в голове. Он всегда был крайне любезен с людьми, другим я его не видела. Бывало, он поддразнивал меня, но без тени жестокости. Я не могла представить, что он возьмет и просто выставит меня на улицу, в неизвестность. Но он мог создать мне такие условия, что я сама захотела бы уехать. Прямо сейчас я мечтала об этом... Во мне все оборвалось при мысли о его самодовольной ухмылке. «Еще одна зарубка, новая галочка в его послужном списке», — подумала я мрачно. Так или иначе, куда он делся? Может быть, он так не хотел меня видеть, что нарочно держался подальше?

Какой же я была дурой. Больше в жизни не прикоснусь к текиле!

Наконец я подняла свою вялую тушку и налила давно вожделенный стакан воды. В итоге я осушила три. Я вставила телефонную вилку в розетку и добрых двадцать минут таращилась на нее. Мне отчаянно хотелось позвонить Денни и сказать, что он нужен мне и прошлой ночью я совершила чудовищную ошибку, куда большую, чем он думал. Но я не смогла. Моя вина была слишком велика. Еще через пять минут тупого созерцания дурацкой штуковины я заставила себя вернуться наверх и встать под душ в надежде смыть отчаяние. Но это не помогло. Из ванной я пошла к себе, легла на кровать и снова расплакалась, уставившись на нашу с Денни фотографию.

В конце концов мне пришлось переключиться со старого горя на новое: пора было собираться на работу. Я автоматически оделась, убрала волосы в пышный хвост и подкрасилась. Выглядела я ужасно, а чувствовала себя отвратительно, но комната, по крайней мере, перестала кружиться, а желудок притих. Осталось что-то сделать с сердцем...

К «Питу» я приехала поздно — так и не привыкла к ручной коробке передач, а горки делу не способствовали — и незаметно прошмыгнула мимо Риты. Мне совершенно не нужны были выводы, которые она могла сделать, взглянув на меня. Будучи вся на нервах, я скинула куртку в подсобке. Я не знала, придет ли сегодня Келлан. Не покажется ли мне странной встреча с ним, после того как я разглядела его слишком подробно? Думая об этом, я краснела, возвращаясь в бар. Скользнув взглядом по столам, я не заметила ни его, ни других рокеров. Я глубоко вздохнула и выкинула из головы любые мысли о Денни и Келлане.

В спокойной прострации я ухитрилась отработать половину смены и растерялась, лишь когда Дженни отвела меня в сторону и спросила, в чем дело. У меня хлынули слезы, едва я пересказала вчерашний разговор с Денни. Дженни порывисто обняла меня, отчего я расплакалась еще пуще, и заверила, что все устаканится, ведь мы с Денни — идеальная пара. Она улыбнулась так уверенно, что во мне зародилась искра надежды: может быть, все обойдется. Затем я вспомнила вторую часть вечера. Когда Дженни обняла меня в последний раз, я задумалась, не рассказать ли ей.

— Дженни...

Она отстранилась и ласково посмотрела на меня в ожидании продолжения. Дженни была просто чудо, и, взирая на нее, я вконец испугалась. Скорее всего, она не поймет... Ее отношение ко мне изменится. Может быть, она даже подумает обо мне худшее и вычеркнет меня из списка подруг. Часть меня сомневалась в столь строгой оценке моего поступка, но в этот момент я сама себя проклинала и не хотела рисковать усугублением этого мнения со стороны. Нет, я никому не могла рассказать о Келлане.

— Спасибо, что выслушала.

— В любое время, Кира.

Она улыбнулась, еще раз обняла меня, и мы вернулись к работе.

Через полчаса с порога донесся звук, заставивший меня окаменеть: раскатистый хохот Эвана. Следом быстро вошел Мэтт, тоже со смехом. Я неподвижно смотрела на них. Двое пришли, двоих еще не было. Гриффин нарисовался через пару секунд, откровенно взбешенный. Он зыркнул на Эвана и Мэтта, которые явно продолжали потешаться над ним. Гриффин показал им средний палец и устремился к обычному столику ребят. Я продолжала глазеть на дверь, тогда как Эван и Мэтт, по-прежнему не в силах успокоиться, последовали за Гриффином.

Остался один.

Я смотрела на дверь, но ничего не происходило. Встряхнув головой и чувствуя себя глупо, я осознала: Келлан не придет. Что же, он и в баре меня избегал? Это почему-то казалось хуже, чем если бы он сторонился меня дома. На мои глаза вновь навернулись слезы.

Дженни положила руку мне на плечо:

— Ты плохо выглядишь... Все в порядке?

Я моргнула сквозь слезы:

— Да, все нормально.

Недавний эмоциональный раздрай начал сказываться: я выбилась из сил.

Дженни заметила это.

— Кира, иди домой.

Она стала разворачивать меня к подсобке.

— Иди. Сегодня пусто. Я тебя прикрою.

Дженни продолжала придерживать меня за плечи, пока я не достигла коридора, который вел в подсобку.

— Честное слово, Дженни, это не обязательно.

— Знаю, знаю... Ты крутая, тебе все нипочем... — Она насмешливо улыбнулась. — Иди домой, вот и все... А завтра, если захочешь, подменишь меня и я уйду пораньше.

Я улыбнулась: эта мысль показалась мне отличной, ведь я вдруг почувствовала чудовищную усталость.

— Да... Хорошо, заметано.

Обратной дороги я не помню. Я только что прощалась на парковке с Дженни, которая обещала проведать меня на следующий день, и вот уже приблизилась к подъездной дорожке, смотря на пустой участок, где обычно стояла машина Келлана. Все еще не дома. На миг я почувствовала себя раздосадованной, а потом, ощутив еще бо́льшую усталость, поплелась в дом и поднялась к себе. Там я быстро переоделась ко сну и рухнула на постель. Прежде чем я отключилась, из моих глаз выкатилось еще несколько слезинок.

Мне показалось, что прошло всего несколько секунд, когда меня разбудили легкие шаги по ступенькам. Келлан наконец пришел. Я посмотрела на часы — десять минут двенадцатого. Может быть, он решил, что я уже крепко сплю и мы не увидимся. Я сдержала внезапные слезы одиночества. Надо было остаться на работе...

Неожиданно дверь в мою комнату приоткрылась. Отлично: он таки вознамерился попросить меня на выход и хотел сделать это прямо сейчас. Что ж, достойное завершение прекрасного дня. Давай же, Келлан, мое сердце уже разбито, будь добр, разорви его в мелкие клочья. Если он подумает, что я сплю, то может отложить дело до утра и уйти. Эта мысль внушила мне искру надежды, и я лежала совершенно неподвижно, стараясь дышать неспешно и ровно.

Не тут-то было. Он уже сидел на постели рядом. «Козел», — раздраженно подумала я. Он что, и вправду не мог подождать и вышвырнуть меня утром? Я подавила настойчивое желание вздохнуть и сказать ему, чтобы ушел, что завтра я съеду, что я не собираюсь причинять ему неудобства. Но я все надеялась, что он вот-вот уйдет, и продолжала прикидываться спящей.

Его рука легла на мое плечо, и мне пришлось резко дернуться, чтобы уклониться от его прикосновения.

— Кира?

В мои мрачные мысли вторгся акцент, родной до невозможности.

Я потрясенно открыла глаза, перевернулась и уставилась на пришельца.

— Денни?..

Немедленно подступили слезы. Мне снится? Он настоящий?

Он улыбнулся с блеском в глазах.

— Что... как... почему?.. — В изумлении я не могла изъясняться связно.

Денни погладил меня по щеке, смахнув с нее слезу.

— Ты мое сердце. — Вот все, что он сказал.

Всхлипывая, я села и обняла его за шею.

— Денни... — Мне было сложно говорить. — Я так виновата...

Мысленно я намного больше винила себя за то, что случилось с Келланом, чем за ссору, но не собиралась признаваться в этом.

— Ш-ш-ш... — Он прижал меня к себе, нежно баюкая и гладя по голове. — Я здесь... Все в порядке.

Я отстранилась, чтобы взглянуть на него, и увидела, что он тоже плакал.

— Ты вернулся ради меня?

Он вздохнул и отвел локон с моего уха.

— Конечно. А что, могло быть иначе? Думала, я позволю тебе ускользнуть? Я люблю тебя...

Его голос чуть надломился на последних словах.

Я проглотила комок.

— А твоя работа?

Он снова вздохнул:

— Я отказался.

Меня вдруг захлестнуло отчаяние из-за моего эгоизма. Два года... Прошлым вечером они показались вечностью, но с Денни в моих объятиях они предстали до смешного недолгим сроком.

— Прости, пожалуйста. Я не сдержалась. Конечно же, ты должен согласиться. Позвони им! Два года — ерунда. Это твоя мечта...

К моему чувству вины начала примешиваться паника.

— Кира... — Он перебил меня. — Они уже взяли кого-то другого.

— Ох. — Я закусила губу. — А твоя стажировка?

Денни в очередной раз вздохнул:

— Они отдали мое место, когда я согласился на работу.

Когда я осознала сказанное, у меня не осталось слов. Он пожертвовал всем ради меня. Волшебной стажировкой, из-за которой мы приехали в Сиэтл, работой, шанс на которую выпадает раз в жизни, какую вообще не предлагают стажерам. Все сгинуло, потому что я не могла подождать каких-то два года, а он не хотел меня терять.

Я вновь разразилась слезами горя и сожаления.

— Прости. Прости меня, Денни. Прости...

Я повторяла это снова и снова, а он прижимал меня к своему плечу. Когда я закончила сокрушаться из-за собственного эгоизма, слезы хлынули по другому поводу — из-за ночи, проведенной с Келланом.

Денни просто обнимал меня, твердя, что все образуется, мы вместе, а остальное не важно. В конце концов — пожалуй, больше, чтобы отвлечь меня, чем для чего-то еще, — он притянул меня за подбородок и крепко, страстно поцеловал.

Родное тепло и уют этого поцелуя на миг успокоили мое истерзанное виной сознание. Затем, когда он чуть приоткрыл рот и осторожно нашел мой язык, проснулась другая часть мозга. Меня захлестнуло желание, и я поцеловала его со всей страстью. Правда, последних слез я все-таки не сдержала, и Денни заботливо стер их с моих щек большим пальцем.

Он уложил меня на подушки и поцеловал в губы, а затем в лоб, не переставая гладить по щеке. Я провела рукой по его волосам и лицу, кончиками пальцев ощутила знакомую мягкую щетину над верхней губой. Мне не верилось, что он действительно рядом.

Отбросив скорбь, вину и ужас от содеянного, я загнала их на задворки своего сознания. Потом разберусь. Сейчас я могла сосредоточиться лишь на одном и, притянув ищущие губы Денни к своим, упоенно поцеловала его. Он издал приятный горловой звук, и его дыхание участилось.

Я слегка оттолкнула его и сбросила с себя одеяло. Денни слишком долго был вдали от меня. Мне хотелось, чтобы он оказался намного ближе.

— Иди сюда.

Он ненадолго встал и аккуратно разделся, затем скользнул под одеяло, обнял меня и придвинулся, чтобы поцеловать в шею.

— Я соскучился, — выдохнул он, обдав жаром мою кожу.

Мое дыхание пресеклось, и я сморгнула набежавшую слезу. Позже, напомнила я себе.

— Денни, я ужасно, ужасно по тебе скучала.

Я вздохнула и вернула его к моему рту. Губы Денни были кислородом, а я задыхалась, я не могла остановиться и все целовала его. Больше я ничего не хотела. Все, в чем я нуждалась, сводилось к его мягким губам, припавшим к моим, и его языку, игравшему с моим. Мое сознание начало переливаться в него, и я неспешно теряла способность мыслить.

Он медленно и осторожно стянул с меня пижамные брюки. Я издала вздох и поцеловала его крепче. Сняв их, он взялся за белье. Мой разум встрепенулся: я вдруг подумала, что он шестым чувством уловит мою измену. Но он без колебаний стянул с меня трусики. Его губы не отлипали от моих, он по-прежнему тяжело дышал. Он не возненавидел меня и все так же хотел.

Его пальцы скользнули в меня, и я полностью отрешилась. Мне стало на все наплевать.

Я сняла майку, остро желая почувствовать Денни всем телом. Его губы наконец оставили в покое мои и принялись блуждать по шее и груди, дразнясь и ласкаясь. Его пальцы скользили по моей влажной коже. Я простонала:

— Денни...

Он перестал водить языком вкруг моего соска и посмотрел мне в лицо. Я притянула его к себе и шепнула:

— Ты мне нужен...

Денни осторожно лег на меня, и вместо пальцев я ощутила кое-что поприятнее. Я глотнула воздуха и закрыла глаза, Денни же начал двигаться, и по моему телу пробежала дрожь. Внезапно нахлынула боль одиночества, которое я испытывала несколько недель, и по моей щеке скатилась слеза.

— Боже, я скучала...

Он подался к моему уху и прерывисто шепнул:

— Я люблю тебя.

Наше желание обладать друг другом стремительно возросло. Я не могла вести себя тихо, да и не хотела. В тот совершенный момент мне было безразлично, где я и кто находится по соседству. Важно было одно: Денни был со мной. Мы кончили вместе. Потом он долго держал меня в объятиях, гладил по голове и целовал в висок, пока сон не сморил его.

Однако я вдруг окончательно проснулась.

Мне стало душно в комнате, наполненной лишь звуком легкого дыхания Денни. Вина и печаль, отвергнутые мною, мгновенно вернулись назад. Не желая будить Денни и слушать его расспросы насчет моего отчаяния, я оделась, вышла в коридор и как можно тише затворила дверь. Не глядя на спальню Келлана, я спустилась по лестнице. Слезы настигли меня только в гостиной.

Стену, сдерживавшую их, разрушил вид сумок Денни, составленных возле кресла, и его пиджака, переброшенного через спинку. Я рухнула в кресло, уткнулась в прохладный рукав и зарыдала. Прошло, казалось, несколько часов, а я все сидела, глубоко задумавшись, чувствуя вину и отчаяние, пока меня не вывел из уныния осторожный стук в дверь. Гадая, кто бы это мог быть в такой поздний час, и надеясь, что Денни не проснется, я вытерла слезы, тихо встала и открыла.

На пороге стоял измученный Сэм, поддерживавший мертвецки пьяного Келлана.

— По-моему, это ваше.

Не дожидаясь, когда я оправлюсь от потрясения, он шагнул внутрь, волоча Келлана в гостиную, и свалил его в кресло.

— Вот, он весь ваш.

Я таращилась на Келлана, не веря глазам. Вчерашним вечером он явно наподдал, но я никогда не видела его таким. Он сгорбился в кресле, повесив голову, как будто не мог сидеть прямо.

— Что случилось? — спросила я.

— Да виски, зуб даю. Я ничего не знаю, нашел его в таком виде, — пожал могучими плечами Сэм.

— Ты его нашел?

— Ага, это было легко. Чуть не споткнулся об него, а то бы растянулся с ним заодно на собственном пороге. —

Он повернулся, намереваясь уйти, затем провел рукой по бритому черепу и усталому лицу. — Ладно, я доставил этого придурка домой. Мне надо поспать, я вымотался.

— Стой! Мне-то что делать?.. — Я осеклась, так как Сэм уже скрылся за дверью. — Хорошенькие дела...

Я вернулась к креслу, в котором скрючился Келлан. Что с ним стряслось? Наверное, выпивал с какими-нибудь девицами. Эта мысль привела меня в раздражение, а потом я рассердилась на себя за это. Пихнула его в бедро.

— Келлан...

Он медленно поднял голову и прищурился от мягкого света лампы.

— А, соседушка...

Он выделил это слово и закусил губу. Пьяно шатаясь, он встал — во всяком случае, попытался — и в изумлении повалился обратно в кресло.

Я вздохнула и протянула руку.

— Давай помогу.

Глаза Келлана полыхнули гневом, когда он взглянул на меня.

— Не нужна мне твоя помощь.

Он чуть ли не выплевывал слова.

Я оторопело уронила свою руку и смотрела, как он безуспешно пытается встать и сразу падает обратно. Я быстро поддержала его, подставив плечо и прихватив за грудь, приняв тем самым на себя его вес, хотел он того или нет. Он чуть навалился на меня, не делая попытки оттолкнуть.

От него страшно воняло смесью виски и блевотины. Я вновь задумалась: какого черта он делал?

— Идем.

Я увлекла Келлана к лестнице. Его близость напомнила мне о вчерашней ночи. До сих пор не зная, как относиться к случившемуся иначе, нежели с чувством вины, я отложила дело в долгий ящик. Пора разбираться со всем еще не настала.

Каким-то образом я ухитрилась затащить Келлана наверх. Через каждые две ступеньки он порывался шагнуть на одну назад. Примерно на полпути он стал оседать, и я какое-то время боялась, что он повалится на меня прямо на лестнице. Это вызвало в памяти столь живое воспоминание, что я покраснела и толкнула его в грудь, чтобы он не упал. Он промолчал, но недобро зыркнул на меня, явно разрываясь между раздражением и другим чувством, определить которое я была не в силах. У самого верха мы шумно врезались в стену, и я застыла, взирая на свою дверь и молясь, чтобы Денни не проснулся. Келлан проследил за моим взглядом, но я не видела выражения его лица, так как была слишком занята наблюдением за дверью. Не услышав ни шороха, я облегченно выдохнула и подняла глаза на Келлана: тот тупо таращился в пол.

Мне хотелось ему чем-то помочь. Я подумала, что, если смыть под душем запах, пропитавший его насквозь, утром Келлану будет не так тошно. Его в любом случае не обрадует пробуждение, но в нынешнем виде оно станет серьезным испытанием для его желудка. Я втащила его в ванную и усадила на стульчак. Он мирно смотрел на меня расфокусированным взглядом.

Включая воду, я гадала, сумеет ли он справиться с душем, не убившись. Внезапно я залилась краской — неужели придется его раздевать? Келлан решил вопрос, неуклюже поднявшись и перелезши через край ванны полностью одетым. Он прислонился к стене и прикрыл глаза под струями воды. Та сбегала по его лицу. Мокрые волосы прилипли к коже, губы чуть приоткрылись, дыхание стало поверхностным. Под намокшей футболкой обозначились грудные мышцы. Он был прекрасен даже вдребезги пьяным.

Я снова вздохнула. Он не успел намочить ботинки с носками, и мне удалось снять их. Затем я пробежалась пальцами по его волосам, чтобы шевелюра полностью пропиталась водой, и Келлан издал вздох, так и не открывая глаз. Я не могла не вспомнить, как вцеплялась ему в волосы минувшей ночью, и с болью проглотила комок.

Келлан так притих, что я испугалась, не отключился ли он. Самой мне его было не дотащить, придется звать

Денни. Вдруг Келлан что-то сболтнет? Или вывалит все как есть? Мне отчаянно не хотелось, чтобы Денни узнал. Он вернулся ради меня. Бросил все и приехал... только из-за меня. Правда убьет его.

Я выключила воду, но Келлан не шелохнулся; отвела волосы с его глаз — ни тени движения.

— Келлан... — Я легонько хлопнула его по щеке — тщетно. — Келлан...

Я ударила сильнее. Он негромко застонал и пьяно приоткрыл глаза. Попытавшись сфокусироваться на моем лице, он мучительно медленно моргнул и чуть встряхнул головой.

— Пошли.

Не зная, сумею ли вытащить его из душа, я дернула его за плечо. Я старалась немного облегчить ему грядущее утро, но теперь эта мысль уже не казалась мне столь удачной. Наконец я добилась реакции, и Келлан медленно встал и вылез из ванны, спотыкаясь и все заливая водой. Я, как могла, вытерла его (и себя), пригладила ему волосы и прошерстила их пальцами. Он болезненно посмотрел на меня, и я прекратила.

Я взяла его за руку и отвела в комнату. У меня была к нему масса вопросов, но Келлан не был расположен к беседам. До того как наши отношения углубились, он уважал мое молчание. Я могла, по крайней мере, ответить ему тем же.

Возвращение в его комнату пробудило намного больше воспоминаний, чем я хотела. Они стали особенно яркими, когда Келлан снял футболку. Как только он начал расстегивать джинсы, я повернулась и пошла к двери. Впрочем, мне было не удержаться, и я стала подглядывать в щелку. Он принялся стягивать джинсы, шатаясь и не вполне справляясь с мокрой тканью. Я уже хотела помочь ему, но в конце концов он преуспел. Стоя в одних трусах, Келлан таращился на постель.

Внезапно он пробежался рукой по влажным волосам и повернулся к двери. Не знаю, заметил ли он меня, — вряд ли, учитывая, каких трудов ему стоило сфокусировать на мне взгляд в душе. Я испытала некоторые угрызения совести, но мне было так интересно посмотреть на дальнейшее, что я не могла оторваться.

Лицо Келлана оставалось непроницаемым. Он просто переводил взгляд с кровати на дверь и обратно. И вот он в последний раз изучил свою постель, после чего сила тяжести победила и Келлан грузно рухнул на простыни.

Я наблюдала за ним еще несколько минут. Когда его дыхание замедлилось и выровнялось, я заключила, что он наконец уснул, и вновь прокралась в его комнату. Я помедлила, любуясь его болезненным совершенством. Затем расправила сбившиеся простыни и одеяло, пока он не оказался укрыт. Мне безумно захотелось поцеловать его. Сев на край постели, я тихо вздохнула и склонилась, чтобы прикоснуться губами к его лбу. Откинула ему волосы, погладила по щеке — где его нынче носило? И думал ли он вообще о нашей ночи? Сказать ли ему, что Денни вернулся? Признается ли он Денни? Изменится ли наша жизнь?

Келлан пошевелился, и я убрала руку с его щеки. Его затуманенные глаза нашли меня, и я застыла.

— Не бойся, — пробормотал он. — Я ему не скажу.

Затем Келлан закрыл глаза и отключился.

Я сидела на постели, размышляя над услышанным. Он вправду не скажет? Да и откуда он узнал, что Денни вернулся? Что принесет мне завтрашний день?

ГЛАВА 8
СВИНЬЯ

На следующее утро я проснулась разбитой. Было действительно нелегко вернуться в постель к Денни, особенно когда он счастливо вздохнул во сне и потянулся ко мне. Чувство вины едва не вынудило меня пулей вылететь из комнаты, но я заставила себя закрыть глаза и остаться.

Я застыла от удивления, когда с утра вырулила на кухню. Келлан, мертвецки пьяный накануне, ухитрился встать раньше меня. Но, в отличие от прежних утренних встреч, он впервые выглядел помятым. Футболку он надел, но оставался в трусах. Шевелюра — всклокоченная и, как всегда, прекрасная — лишь подчеркивала его усталость, круги под глазами и шокирующую бледность. Келлан сидел за столом, положив голову на руки. Он дышал ртом, очень медленно и осторожно.

— Ты в норме? — прошептала я.

Он состроил страдальческую мину и поднял на меня взгляд.

— Да, — шепнул он в ответ.

Конечно, он врал.

— Кофе?

Я почти выдохнула это слово, чтобы не причинять ему лишних мучений.

Он все равно скривился, но кивнул. С любопытством глядя на него, я пошла заваривать кофе. Келлану было так худо, что я сочувствовала ему, хотя он сам был виноват — не стоило так напиваться. Я старалась как можно меньше шуметь, но он морщился при каждом стуке и каждом звоне, даже при журчании воды. Ему было по-настоящему плохо.

Мне оставалось только гадать, что довело его до ручки. Где он вчера пропадал, пока я страдала? Я попыталась припомнить нашу короткую вчерашнюю беседу, но Келлан сказал не больше пары фраз и ничем не выдал, где был и что делал. Впрочем, одна его реплика выделялась.

Недолго думая и не снижая голос, я выпалила:

— Откуда ты знал, что Денни вернулся?

Келлан со стоном уронил голову на стол, и я быстро прикрыла рот ладонью.

— Пиджак увидел, — промямлил он.

Я удивленно моргнула. Вчера он, казалось, ничего не замечал, не говоря уж о такой мелочи, как пиджак на стуле.

— Вот оно как, — не зная, что добавить, и обеспокоенная его вдруг усилившейся бледностью, я вновь осведомилась: — Ты уверен, что все в норме?

Он раздраженно взглянул на меня.

— Со мной все в порядке, — заявил он холодно.

Смутившись, я насыпала кофе и подождала, пока тот вскипит. Затем вынула из буфета две кружки. Келлан вдруг нарушил молчание и медленно спросил:

— А ты в порядке?

Я посмотрела на него. Он изучал меня со странным выражением на лице. В надежде, что ему стало лучше, я успокаивающе улыбнулась:

— Да, со мной все отлично.

Его, похоже, накрыла волна тошноты. Он положил руки на стол и уткнулся в них головой. Дыхание стало натужным, как будто Келлан отчаянно пытался его выровнять. Я стала разливать кофе, надеясь, что он ему поможет.

— «Джека» плесни.

Он чуть повернулся ко мне, чтобы мне было лучше слышно. Я уставилась на него. Он что, серьезно? Келлан поднял голову без тени веселья в глазах:

— Пожалуйста.

— Да ради бога, — вздохнула я и пожала плечами.

Действуя как можно тише, я потянулась поверх холодильника за бутылкой «Джека Дэниелса». Затем поставила ее перед Келланом, но тот не отнял головы от рук. Себе в кофе я добавила сахара и сливок, а ему неслышно принесла черный. Келлан по-прежнему не двигался. Я капнула в его кружку виски и собралась завинтить пробку.

Келлан кашлянул и знаком, по-прежнему лежа на своих руках, потребовал налить еще. Я вздохнула и от души плеснула виски в кофе. Он чуть приподнял голову и посмотрел на меня:

— Спасибо.

Убрав бутылку, я тоже села за стол. Он сделал большой глоток и втянул воздух сквозь зубы. Наверное, получилось слишком крепко. Я надеялась, что хоть это ему поможет.

В молчании я пила кофе и не знала, о чем говорить с этим мужчиной, с которым мы еще недавно были столь близки. Мне хотелось задать ему миллион вопросов, касавшихся главным образом одного: значила ли я что-нибудь для него? И сохранятся ли наши отношения? И куда, черт возьми, он отправился накануне? Наконец я решила, что неотложным является только одно дело, которое следует обсудить, пока Денни еще наверху.

— Келлан... — Все во мне восставало против этого разговора. — Той ночью...

Он наблюдал за мной поверх кружки. Я не знала, о чем он думал, а Келлан ничего не говорил.

Я кашлянула.

— Я просто не хочу недопонимания.

Последнее слово я произнесла тихо, сама толком не понимая, что имела в виду. Я не знала, какие чувства испытывала к этому парню, который был просто мил со мной, пока Денни пребывал в отъезде. Но я не могла это осмыслить — не теперь, когда Денни вернулся. Мне всего-навсего не хотелось разрушать нашу дружбу. Она была важна для меня.

Прежде чем отозваться, Келлан вновь сделал приличный глоток.

— Кира, между нами нет никакого недопонимания.

Он говорил холодно и ровно, и по моей коже пробежали мурашки. Внутри все сжалось: наверное, было поздно и наша дружба уже навсегда изменилась.

Мы сидели в молчании и допивали кофе. Я сделала Келлану еще одну чашку и с облегчением увидела, что он выпил ее без спиртного. Чуть позже спустился Денни и, поздоровавшись с Келланом, удивленно взглянул на него, так как тот и впрямь выглядел ужасно.

— Ты живой, старина? — спросил он учтиво, приобнимая меня.

Я напряглась, внезапно почувствовав себя крайне неуютно в одной комнате с ними обоими.

Келлан чуть вздрогнул:

— Не совсем. Пойду еще полежу. Рад тебя видеть, Денни.

Он прошел мимо, избегая встречаться с Денни взглядом, и я услышала, как он поднимается по лестнице.

Денни хмурился, глядя ему вслед.

— Боже, ну и видок. Что с ним стряслось?

— Наверное, какая-то девчонка.

Я произнесла это с некоторым раздражением, и Денни покосился на меня:

— У вас все нормально было без меня?

Он спросил с улыбкой, и я не знала, подозревал он о чем-то или нет.

Испытав приступ паники, я сумела взять себя в руки, улыбнулась и обняла его за талию.

— Я по тебе истосковалась, а в остальном все было хорошо.

Я чувствовала себя ужасно. Может, просто рассказать ему?

Глаза Денни лучились теплом и любовью. И я поняла, что не сумею признаться, даже если захочу. Я не вынесу, если эти глаза посмотрят на меня иначе. Денни склонился и пылко поцеловал меня.

— Я тоже скучал, но...

Отстранившись, я взглянула на него с опаской:

— Но что?

— Кира, у меня больше нет работы, — тихо вздохнул он. — На твои средства нам не прожить. Сегодня я кое с кем встречусь, — может быть, что-то подвернется.

Он пожал плечами и с надеждой взглянул на меня.

Я подавила раздражение, вспомнив о его жертве. Подумав, как сильно он разозлился бы, если бы знал.

— Прямо сейчас? — спросила я, надеясь, что он займется этим завтра и после долгой разлуки мы проведем хоть один день вместе.

Я могла прогулять занятия. Да что там — ради него я и работу могла прогулять.

— Извини, дело не терпит. Сегодня я успею поговорить с полудюжиной человек.

Он вытянул меня из кресла, стиснув в своих объятиях, и я закрыла глаза, желая, чтобы он остался, но понимая, что ему придется уйти... опять.

— Ладно... — Я вскинула голову и поцеловала его в щеку. — Я уверена, ты что-нибудь найдешь. Ты же такой умный, и вообще...

Я усмехнулась краешком рта.

— Все же будет хорошо, правда?

— Конечно. — Денни хмыкнул. — Все будет в ажуре.

Я сдвинула брови:

— Никогда не понимала, что это значит, но да.

Денни улыбнулся.

— И почему мне так повезло? — спросил он тихо.

Я не смогла сдержать слезы вины, навернувшиеся на глаза. Если бы он только знал, он бы не думал обо мне в превосходной степени. Денни решил, что это слезы радости, поцеловал меня и увлек наверх, где оделся и приготовился к выходу на поиски заработка. Я сидела на кровати, молча следя за ним, и старалась не волноваться за успех его предприятия, равно как и не терзаться из-за него же. Но угрызения совести не отступали — из-за того что он лишился работы, из-за Келлана, из-за секретов, которые теперь у меня появились от Денни. Раньше их не было. Мне это не нравилось.

Он поцеловал меня на прощание, готовый свернуть горы. Я ответила тем же и пожелала ему удачи, а затем услышала, как он сбежал по лестнице, хлопнул дверью и отъехал. Меня накрыло одиночество. За какие-то сорок восемь часов изменилось все! Я некоторое время посидела на постели, обдумывая эту мысль, а потом со вздохом оделась, чтобы отправиться в университет.

Уложив волосы и накрасившись, я захватила куртку и сумку с книгами и вышла. Келлана не было видно. Я посмотрела на пустую подъездную дорожку и праздно подумала, что ему придется забирать свою машину у Сэма. Оглянувшись на кухонное окно, я с удивлением увидела в нем Келлана, который стоял и провожал меня взглядом. Лицо его было бесстрастно. Я хотела помахать ему, но он почти сразу отвернулся и скрылся, и это расстроило меня. Угораздило же меня так испоганить нашу дружбу!

На лекциях я не могла сосредоточиться и продолжала метаться между радостью в связи с возвращением Денни, чувством вины за то, что он столь многим ради меня пренебрег, угрызениями совести из-за своей измены, сожалением о нашей дружбе с Келланом, досадой, что я оказалась не так важна Келлану, как вообразила, раздражением на себя за желание значить для него больше и снова — чувством вины за то, что столь огромную часть моих дум занимал не Денни, а он. Мысли мои замыкались в порочный круг. К исходу дня у меня разрывалось сердце.

Когда я вернулась домой, Денни еще не было. Я отперла входную дверь и решила, что какая-нибудь безмозглая телепередача отвлечет меня от мрачных размышлений. Заглянув в гостиную, я обнаружила там Келлана, который, так и оставшись в трусах, растянулся на диване. Он смотрел телевизор, хотя, возможно, не осознавал увиденного. Мне захотелось спрятаться у себя и сидеть тихо, пока не вернется Денни. Покачав головой, я поставила сумку и повесила куртку. Как можно непринужденнее я прошла в комнату и села на стул напротив дивана. Со временем все так или иначе наладится, неловкость пройдет, и я не хотела затягивать этот момент, избегая Келлана.

Он бегло взглянул на меня, когда я садилась, и вновь уставился в свое скучное телешоу. Мне вдруг стало не по себе — плохая была идея. Я сглотнула и осмотрела гостиную. Пара безделиц, которые купили мы с Дженни, украсили это место, как и мои снимки, развешенные там и тут. С ними все ожило. Я знаю, что парням обычно плевать на красоты, но здесь было голо даже для холостяка. Возможно, домовладелец был слишком строг. Боже, вдруг я своим барахлом напортила больше, чем он показывал?

Глядя на наш снимок, где мы были втроем, счастливые и улыбающиеся, когда все казалось простым и понятным, я бездумно спросила:

— У кого ты снимаешь этот дом?

Голос, донесшийся с дивана, был холоден и безучастен. Глаза Келлана не отрывались от экрана.

— Ни у кого. Он мой.

— О как, — поразилась я. — Но откуда у тебя...

Я не закончила, так как боялась ляпнуть какую-нибудь грубость.

Келлан взглянул на меня и ответил:

— От родителей. — Он вновь уставился на экран. — Они погибли в автокатастрофе два года назад. Оставили мне свой дворец. — Келлан взмахом обвел помещение. — Единственный ребенок и все такое...

Он произнес это так, словно родители не оставили бы ему дом, имей они выбор.

— Понятно... Извини.

Я пожелала отмотать время назад и держать язык за зубами. Келлан все еще выглядел больным и вряд ли хотел затевать сейчас этот разговор. Меня немного удивило, что он вообще мне ответил. Вновь оглядевшись, я вспомнила, как пусто здесь было всего несколько недель назад. В жизни бы не подумала, что здесь мог жить ребенок.

— Не парься. В жизни всякое бывает.

Он говорил, как если бы у него умерла кошка или собака, но не родители. Я вспомнила слова Денни о жизни Келлана в семье. Хотела спросить, но решила, что лучше не надо — только не после той ночи, которую мы провели вместе. Тогда все было интимно, конечно, но расспросы о семье почему-то казались мне еще интимнее.

— Тогда почему ты сдаешь комнаты, если дом твой?

Зачем я продолжала с ним разговаривать?

Келлан повернулся и задумчиво посмотрел на меня. Он хотел что-то сказать, но захлопнул рот и помотал головой. Уставившись в телевизор, он холодно отозвался:

— Лишние деньги не помешают.

Я не поверила, однако настаивать не стала.

Внезапно раскаявшись из-за разговора на столь болезненную для него тему, я присела к нему на край дивана. Он настороженно посмотрел на меня.

— Я не хотела лезть не в свое дело. Извини.

— Забудь.

Келлан с усилием сглотнул, и я увидела, как дернулся его кадык.

Испытывая желание просто обнять его, потому что он явно в этом нуждался, я склонилась над ним и просунула под него руки. От Келлана исходило тепло, но он дрожал и дышал мелко. Он не отвечал на мой порыв. Его тело чуть напряглось. Тихо вздохнув, я вспомнила, как легко и приятно было к нему прикасаться... Видимо, все это осталось в прошлом. Я отстранилась, намереваясь спросить, не нужно ли ему чего.

Заметив выражение лица Келлана и его глаза, я перестала дышать. Он мучился, словно я делала ему больно. Его взгляд был устремлен через мое плечо, нарочно фокусируясь на чем угодно, кроме меня, и Келлан щурился от гнева. Дыхание со свистом вырывалось из его приоткрытого рта. Я немедленно оставила его в покое.

— Келлан?..

— Извини, — проговорил он резко и сел.

Я схватила его за руку, не зная, что сказать: что угодно, лишь бы он не злился на меня.

— Постой... Пожалуйста, поговори со мной.

Келлан скользнул по мне взглядом, гневным и ледяным.

— Не о чем говорить. — Он раздраженно встряхнул головой. — Мне нужно идти.

Он оттолкнул мою руку и встал.

— Идти? — переспросила я тихо, оставаясь сидеть.

— Я должен забрать машину, — отозвался он с порога.

— Но... — Я умолкла, когда захлопнулась дверь.

Я мысленно выругала себя. Наступить на больную мозоль соседу, с которым — тоже некстати — сама же переспала пару дней назад. Молодчина, Кира. Я была в ударе, черт побери.

Оставаясь на диване, я рассеянно смотрела телевизор, в то время как мысли мои витали далеко. Чуть позже спустился Келлан, принявший душ и полностью одетый: его влажные волнистые волосы были уложены на обычный завораживающий манер. Лицо было бледным, а взгляд — усталым, но в целом он выглядел лучше. Не смотря на меня, он взял куртку, тем самым намекнув, что уходит.

— Келлан...

Я позвала его не подумав. Мне почему-то пока не хотелось, чтобы он уходил. Он взглянул на меня. В его глазах, еще недавно холодных, теперь поселилась печаль.

Заливаясь краской и чувствуя себя несказанной дурой из-за нашего разговора и той роковой ночи, я встала и пошла к нему, быстро опустив взгляд, но успела заметить при этом, как он сдвинул брови. Когда в поле зрения нарисовались его ботинки, я остановилась, решив, что подошла достаточно близко.

По-прежнему глядя в пол, я промямлила:

— Мне очень жаль твоих родителей.

Я рискнула поднять на него глаза.

Келлан зримо расслабился. Я не осознавала, насколько его напрягло мое приближение. С секунду он задумчиво изучал меня, после чего негромко ответил:

— Все в порядке, Кира.

Его взгляд оставался печальным.

А у нас — в порядке? Мы друзья? Важна ли я тебе? Важен ли ты мне? У меня была масса вопросов, но я не могла их высказать при виде его грустных синих глаз, следящих за мной. Не зная, что еще сделать, я потянулась и поцеловала его в щеку. Он глянул в сторону и сглотнул. Затем повернулся и вышел за дверь.

Я отправилась в кухню: теперь была моя очередь смотреть на него в окно. Келлан стоял на тротуаре и массировал переносицу, словно у него вновь заболела голова. Я не сразу поняла, почему он медлит, но быстро вспомнила, что он остался без машины. Вскоре окно осветилось фарами — подъехал «фольксваген» Гриффина, который в ином случае показался бы мне забавным. Келлан обогнул автомобиль и оглянулся на окно, прежде чем сесть. Увидев меня, он немного опешил. Затем он одарил меня напряженным взглядом, от которого мое сердце забилось сильнее. Встряхнув головой, Келлан отвернулся и забрался в салон. Через пару секунд Гриффин уехал.

Минут через двадцать явился Денни в подавленном настроении. Очевидно, поиски работы не задались. Я проглотила комок, вновь испытав чувство вины. Да когда оно сгинет? Денни нацепил свою лучшую фальшивую улыбочку и сел на край раковины, намереваясь перекинуться со мной парой слов, пока я собираюсь на работу. Он всегда старался порадовать меня и облегчить боль.

Денни подвез меня до бара, расспросив по пути, чем я занималась, пока его не было. Основное я уже рассказала ему в ходе многочисленных телефонных бесед, а кое в чем, разумеется, не собиралась признаваться вовсе, но мне удалось припомнить несколько забавных эпизодов, о которых я не упоминала раньше. Мы шли рука об руку и все еще потешались над каким-то дурацким высказыванием Гриффина, когда переступили порог бара.

При виде удивления Дженни я вспомнила, сколь многое изменилось с моей вчерашней недоработанной смены. Дженни взяла себя в руки и устремилась к нам, улыбаясь от уха до уха.

— Денни! Вот здорово, что ты здесь!

Она впорхнула к нему в объятия.

Немного смущенный таким воодушевлением, он моргнул и неуклюже облапил ее. Я не смогла удержаться от смеха. Дженни радовалась не столько за него, сколько за меня, ведь мы с Денни снова были вместе, но он, не вполне понимавший, в чем дело, был забавнейшим образом сбит с толку.

Дженни отстранилась и шутливо хлопнула его по щеке:

— Больше не смей заставлять мою девочку расставаться с тобой — она была в полном раздрае! — Затем она чмокнула все еще ошарашенного Денни в щеку и повернулась, чтобы обняться со мной. — Ну вот, я же говорила, что все образуется, — шепнула она мне на ухо.

Я благодарно обняла ее в ответ:

— Дженни, большущее тебе спасибо. Смена за мной! Не забудь уйти пораньше.

Она улыбнулась и взяла меня за руки:

— Я не забыла. — Дженни кивнула на красавчика у стойки. — Это мой кавалер...

Мы с Денни дружно повернулись взглянуть на парня, а она продолжила:

— Мы собираемся заглянуть в тот новый клуб, когда я закончу.

Я улыбнулась:

— Так иди сейчас! Пообедай и ступай. По понедельникам здесь тихо... и я ведь правда твоя должница.

Дженни оглянулась на своего спутника, перевела взгляд на меня и чуть нахмурилась:

— Ты уверена? Мне нетрудно остаться на пару часов, хотя бы пока не схлынет обеденный наплыв.

— Я помогу ей, — встрепенулся Денни и улыбнулся мне. — Вытру стол, который погаже.

Я рассмеялась:

— Видишь, мы справимся. Иди веселись.

Дженни со смехом обняла меня вновь:

— Ладно... Спасибо. — Она еще раз поцеловала Денни в щеку. — И тебе тоже. Серьезно, я очень рада, что ты вернулся.

Сияя, она поспешила к бару и переговорила со своим воздыхателем, затем отправилась в подсобку переодеться.

Я повернулась к Денни, который так и смотрел на меня с мягкой улыбкой.

— Значит, в раздрае? — спросил он негромко.

Я покачала головой, вспомнив, через что прошла и какую сделала глупость, чтобы облегчить боль.

— Ты даже не представляешь, Денни.

«И прошу тебя — больше ни слова об этом».

Его улыбка улетучилась, и он притянул меня к себе для долгого поцелуя. Кто-то демонстративно застонал, и мы со смехом отстранились друг от друга.

— Идем... — Я потянула его в подсобку. — Пора за дело!

На следующее утро я спустилась на кухню и остановилась в дверях. Келлан, конечно, уже был там. Он караулил кофеварку. Навалившись на стойку, он возвел очи горе, пребывая в глубокой задумчивости. Он снова был само совершенство, будто вчера ничего не случилось. Заметив меня, он скользнул по мне взглядом. Улыбнувшись краешком рта, он остался холодным и отрешенным. Прекрасно, история продолжалась.

— Привет, — шепнула я.

— Салют, — отозвался Келлан, не сводя с меня глаз.

Я наконец не выдержала, отвела взгляд и достала из буфета кружку. В молчании я ждала, пока сварится кофе, и отчаянно желала, чтобы напряжение между нами исчезло, испытывая за него вину. Но вот кофе был готов, Келлан наполнил свою кружку и протянул мне кофейник:

— Тебе налить?

Странная постановка вопроса понудила меня вновь заглянуть ему в глаза. Они оставались холодными, но Келлан теперь коварно ухмылялся. Мне стало крайне неуютно.

— Мм... Да.

Я не знала, как еще ответить на его без малого хамский вопрос.

Келлан недобро осклабился:

— Сливки?

Я сглотнула: мне не нравилось ни его лицо, ни странные вопросы. Что с ним такое? Когда он молчал, было лучше.

— Да, — прошептала я наконец.

Он хмыкнул и направился к холодильнику. Я второпях подумала, не бросить ли кофе и не подняться ли обратно к себе, но он вернулся, не успела я сделать и шага. В руках у него был молочник.

— Скажешь, когда будет достаточно.

Он говорил негромко, ровно и по-прежнему холодно.

Наливая сливки, Келлан смотрел мне в глаза, и я сказала ему остановиться, когда набралась лишь малая толика моей обычной порции. Он придвинулся предельно близко ко мне и шепнул:

— Точно хватит? Я думал, ты их любишь.

Я издала горловой звук и отвернулась. Он холодно хохотнул, наблюдая, как кофе и сахар едва не валятся у меня из рук. Да что с ним такое, черт побери?

Не спуская с меня глаз, Келлан выдал-таки вопрос:

— Значит, вы с Денни снова вместе?

Последние слова прозвучали довольно пошло.

— Да, — покраснела я.

— Так запросто, значит... — Келлан склонил голову набок, что было всегда очень мило, но в данный момент смотрелось чуть ли не угрожающе. — Вопросов не было?

Я запаниковала, гадая, что он имел в виду. Может быть, передумал и решил рассказать все Денни? Я заглянула в его ледяные глаза, но они ничего мне не прояснили.

— Ты собираешься сообщить ему?.. — осведомился Келлан со странной улыбкой и сделал грубый жест, отчего я покраснела еще сильнее.

— Нет... Конечно нет. — Я отвернулась, а потом быстро взглянула на него снова. — А ты?

Он пожал плечами:

— Нет, я же сказал. Мне это все равно не очень-то важно. — В его голосе был лед, от которого меня пробирала дрожь. — Я просто хотел узнать...

— В общем, нет. Я не скажу... И спасибо, что ты тоже не скажешь, — прошептала я.

Мое раздражение, вызванное этой странной беседой, вдруг исчезло, и я выпалила:

— Что с тобой вчера случилось?

Келлан взял свою кружку и злобно оскалился, сверля меня взглядом. Ничего не ответив, он сделал большой глоток. За него все сказала его улыбка, и я решила, что мне нет нужды знать, что же с ним «случилось». Не в силах больше терпеть неловкость, я прихватила кофе и пошла наверх, чувствуя на себе его неотрывный взгляд до самой двери.

Я постаралась забыть о причудах Келлана и погрузилась в учебу, отправившись в библиотеку — роскошную, едва ли не лучшую из всех, что я видела, словно сошедшую со страниц книг о Гарри Поттере. У меня было окно между литературой и психологией, и я работала над своим заданием, когда близ моего стола нарисовалась знакомая рыжая девица. Она нахмурилась, увидев меня, и я тоже сдвинула брови, не понимая, откуда ее знаю. Прошла секунда, прежде чем тугие рыжие кудри всплыли в моей памяти и картинка сложилась.

Кэнди — та, что активно вешалась на Келлана. Я скривилась и быстро потупила глаза, осознав, как много общего у нас появилось. Она чопорно вернулась к столу, где ее ждали две подруги, указала им на меня, и те откровенно разинули рты. Я постаралась не обращать внимания. Их интерес ко мне был все равно непонятен.

Позже, на психологии, оказалось, что обе эти девицы посещают тот же курс, что и я. Перед лекцией они подступили ко мне с обеих сторон.

— Привет, — жизнерадостно заявила блондинка. — Я Тина. А это Женевьева.

Брюнетка улыбнулась и помахала рукой.

— Привет, — отозвалась я кротко, мечтая провалиться сквозь землю.

— Наша подружка Кэнди сказала, что видела тебя здесь с Келланом Кайлом. Это правда? — взволнованно спросила Тина, еле сдерживая ликование.

Сразу быка за рога — ладно, так тому и быть.

— Мм... Да, правда.

Она просияла, а ее приятельница хихикнула:

— Да ты что! Ты его знаешь?

Я мысленно скривилась. В самом деле — знала ли я его?

— Да, он мой сосед по квартире.

Брюнетка, Женевьева, хлопнула меня по плечу:

— Да брось!

Тину, казалось, сию секунду хватит удар. Взяв себя в руки, она подалась ко мне, как будто мы вдруг стали закадычными подругами.

— Напомни, как тебя зовут?

Я не представлялась, но спокойно ответила:

— Кира. Кира Аллен.

— Ага, Кира, ну так скажи — вы с Келланом, типа, встречаетесь? — бесстыдно спросила Женевьева.

Внутренне содрогаясь, я посмотрела на настенные часы и прокляла профессора за то, что именно сегодня ему вздумалось опоздать. Не глядя на Женевьеву, я объяснила:

— Нет. Он дружит с моим парнем.

Пожалуй, это оказалось ближе всего к истине. Я не знала, что было между нами с Келланом... особенно теперь, но мы точно не «встречались».

Мое заявление привело их в полный восторг, словно я перестала быть препятствием. Я успокоилась и странным образом немного расслабилась. Можно было и догадаться, что мнимая звездность Келлана будет преследовать меня, но я не подумала об этом и искренне не хотела, чтобы кто-то копался в наших отношениях. Даже я не могла в них разобраться. Чем меньше обо мне будут думать, тем лучше.

— Черт! Он такой крутой! — воскликнула Женевьева. — Давай расскажи нам все-все-все, поподробнее!

— Да не о чем говорить... Он просто обычный парень.

Да, очень сексуальный парень, который утром вел себя как козел, но в целом обычный. Мне не приходило в голову, что им сказать еще, а делиться известными пикантными подробностями совершенно не хотелось.

Я искренне предпочла бы сидеть и молча слушать профессора, который наконец появился и собирался начать лекцию, но девчонок ничуть не заботило его присутствие. Только не в моем обществе: в их глазах я была шпионкой, окопавшейся близ рок-божества. Они понизили голоса, но продолжали пытать меня на протяжении всего занятия.

Сперва я их просто игнорировала. Они не унимались. Тогда я попыталась ответить на некоторые вопросы попроще, в надежде, что они удовлетворятся. Есть ли у него подружка? По-моему, нет. Во всяком случае, я никого не видела. Играет ли он на гитаре с утра до вечера? Да. Поет ли он в ду́ше? Да, поет. Сказав об этом, я слегка покраснела, и они прыснули. Есть ли у него брат? Нет. Я нахмурилась. Нет, он совсем один. Где мы живем? В Сиэтле. На этот вопрос я ответила не без сарказма. Я не собиралась давать им адрес. Какие у него трусы — боксеры или плавки? Понятия не имею. Я знала, но не хотела сообщать им об этом. Он всегда такой крутой и горячий? Да. Я вздохнула, думая о его неизменно безупречном виде по утрам, когда сама я смахивала на зомби... Ну, кроме одного раза. Девицы снова раскудахтались. А голым я его видела? На этот вопрос я точно не собиралась отвечать, и мое молчание позабавило их, — возможно, они расценили его как согласие и были правы.

Я опять посмотрела на часы. Боже, прошла лишь половина лекции. Тут я поняла свою ошибку. По моим расчетам, после ответа на пару невинных вопросов они должны были успокоиться и отстать. Однако теперь, когда я раскрыла рот, они не собирались прекращать беспощадную пикировку. Их явно порадовало мое молчание насчет наготы Келлана, и они принялись развивать эту тему. Какое у него тело — классное? Ни слова в ответ, однако в уме пронеслось: «Более чем». А целуется он хорошо? Снова тишина, но я припомнила: да, черт возьми, он знал свое дело. А «этим самым» мы занимались? Ни звука, конечно, и я молилась про себя — только бы не покраснеть.

По их напору я внезапно смекнула, что они спрашивали не для себя. Конечно, им тоже было интересно, но пытали они меня ради Кэнди — зондировали мои отношения с Келланом. Я даже усомнилась, что они вообще числились в моей группе, а не просто последовали за мной в аудиторию.

Я вспыхнула гневом и принялась игнорировать все последующие вопросы, как пустячные, так и предельно интимного содержания, заставлявшие меня краснеть. Об этом вообще не спрашивают при первом знакомстве. Когда лекция наконец-то закончилась и слушатели потянулись к выходу, я испытала колоссальное облегчение и спешно собрала вещи под градом заключительных вопросов, оставшихся без ответа.

Спокойно — ну, почти спокойно — извинившись, я пулей вылетела за дверь. В спину мне бросили: «Эй, ты куда? Следующая пара будет дома?» Снова смех. Как же бездарно прошло мое занятие. Я не собиралась отвечать на такого рода вопросы о человеческой сексуальности.

❖ ❖ ❖

На следующее утро Келлан повел себя еще несноснее: его не оказалось на кухне... Его даже не было дома. Он отсутствовал и накануне, когда я вернулась с занятий. Подумать только — его не было и тогда, когда мы с Денни легли спать. Меня немного уязвило то, что утром мы не встретились: он не потягивал кофе, не читал газету, не улыбался мне. За время разлуки с Денни я начала просыпаться раньше нужного лишь для того, чтобы видеть эту картину. Эта мысль немного встревожила меня, но я отогнала ее. Теперь уже не важно. Той нашей дружбы уже нет. По сути, нет уже никакой дружбы. Занявшись кофе, я проглотила слезы.

Денни проснулся чуть позже и быстро собрался на поиски работы. Я тоже подготовилась к университету, и он поцеловал меня на прощание. Коль скоро Денни вернулся, я не думала, что Келлан будет и впредь отвозить меня на занятия, особенно учитывая наш холодный разговор на кухне, но мне было грустно стоять на остановке в ожидании автобуса. Я скучала по нашим поездкам. Может быть, его отчуждение было к лучшему. Может быть, я слишком привязалась. Теперь, когда Денни снова здесь, это казалось неуместным. Конечно, между нами с Келланом вообще произошло много неуместного.

Мы почти не виделись дома, но в баре мне было не укрыться. Не успела моя смена толком начаться, как вся четверка явилась и направилась к своему столику. Келлан проигнорировал меня и пошел сразу к Рите взять ребятам пива. Странно, но это меня задело. Что, мне теперь и обслуживать его нельзя? Он перегнулся через стойку и криво улыбнулся, а Рита взъерошила ему волосы. Это меня тоже рассердило, когда я вспомнила, что и с Ритой мы во многом уравнялись. От этой мысли меня слегка затошнило, и мне пришлось отвернуться, чтобы не видеть их воркования.

Я направилась к Дженни, которая рассчитывала столик. Отбросив личные проблемы, я справилась у нее, как прошел вечер.

— Эй, Дженни, я ведь даже не спросила про твое свидание.

Дженни, руки в боки, направилась к бару. Я вздохнула про себя, осознав, куда она движется. Наш разговор был в разгаре, и я не могла не идти за ней следом, хотя Келлан все еще флиртовал с Ритой у стойки. Да о чем они говорят? Господи, не здесь ли он был? Они что — встречаются?

— Полная катастрофа.

Дженни рассказывала о свидании, и я заставила себя сосредоточиться на ее словах, а не на своей ужасной догадке. Дженни приблизилась к Келлану, и я держалась чуть позади, стараясь не смотреть на его безукоризненно очерченную спину.

— Кира, он оказался редким занудой. Я чуть не заснула лицом в ризотто.

При звуке моего имени Келлан чуть повернул голову. Он посмотрел на Дженни, а потом зыркнул на меня. Дженни мельком взглянула на него:

— Привет, Келлан.

Он вежливо кивнул, но ничем не выделил мою персону. Дженни продолжила рассказ:

— Тогда я сказала, что уже поздно, и даже не пошла в клуб.

Дженни отвернулась и быстро передала Рите заказ. Та немного рассердилась, лишившись внимания Келлана, и с ворчанием принялась за дело. Дженни обратилась лицом ко мне, тогда как Келлан уперся взглядом в стойку, слегка наклонив голову, будто прислушиваясь.

— Симпатяга, но... — Дженни постучала себя по голове. — Шариков не хватает.

Келлан улыбнулся и как будто постарался сдержать смех, развеселившись ее замечанием. Во мне зажглась надежда: быть может, его хандра исчерпана и он снова будет милым. Вновь сосредоточившись на Дженни, я произнесла:

— Мои соболезнования...

Больше мне было нечего сказать. Я не могла похвастаться большим опытом в области свиданий.

Забрав у Риты напитки, она пожала плечами:

— Невелика потеря... Мой парень где-то ходит.

Она улыбнулась и пошла к своим клиентам.

Почувствовав себя увереннее с Келланом после его улыбки, я осталась у стойки. Риту кликнул клиент на другом конце бара, и я воспользовалась случаем.

— Келлан, — сказала я тихо ему в спину.

Он развернулся с самодовольной миной. Его усмешка была почти презрительной, и у меня екнуло в груди.

— Кира.

Он говорил тускло, хорошее настроение улетучилось.

У меня вдруг пропали все слова. В итоге я указала на четыре пивные бутылки, которые он держал в руках:

— Я могла принести.

Келлан выпрямился во весь рост, и я ощутила себя очень маленькой, когда он навис надо мной.

— Я справлюсь сам... Спасибо.

Он грубо протиснулся мимо меня, устремившись к столу.

Я глотнула и перевела дух. Чем я его так раздражала? Почему мы не могли остаться друзьями? Почему мне его так не хватало?..

❖ ❖ ❖

В пятницу утром, когда мы с Денни уютно устроились на диване, он в сотый раз вздохнул и беспокойно поерзал. Поиски работы не шли. Все вакансии были заняты, а стажировки попадались редко. Всю неделю он бегал от зари до зари и истощил все ресурсы. Он начал полушутя поговаривать насчет работы в «Макдоналдсе» — тогда нам хватило бы на жилье. Келлан попросил его не тревожиться на сей счет, и у меня разгорелось любопытство. Он явно не нуждался в деньгах — зачем тогда сдавал комнату?

Взглянув на Денни, я на секунду подумала, что он мог бы устроиться к «Питу», но Келлан приходил так поздно и был настолько холоден и неприступен, что я расценила эту идею как неподходящую. Вдобавок их соседство было мне крайне неудобно. Мы жили достаточно странно. Не то чтобы Келлан бывал дома часто. Но когда бывал, его ледяные глаза следили за каждым нашим с Денни движением, каждым прикосновением. Я вовсе не хотела, чтобы это продолжилось еще и на работе.

Дела в баре шли напряженно. Никто, похоже, не замечал перемены в отношении Келлана ко мне. Я же, разумеется, замечала. Ребята по-прежнему беспощадно дразнили меня, но заводилой теперь чаще оказывался Келлан. Он больше не останавливал Гриффина с его грубыми байками в моем присутствии. На самом деле он как будто еще активнее восхищался ими и ухитрялся задать нужный вопрос в тот самый момент, когда я приближалась к их столу, чтобы мне были слышны все чудовищные подробности. «Сколько девок, Гриф, ты говоришь? Нет, я не знаю эту позу. Погоди, повтори — что она сделала с конфетой?»

Хуже того — бывало, что он интересовался моим мнением по поводу того или иного отчета Гриффина. Я густо краснела и спешила уйти без ответа. Эван хмурился и урезонивал его, а Мэтт спокойно посмеивался. Келлан и Гриффин громко хохотали, как будто в жизни не видывали ничего смешнее. Их гогот преследовал меня до самой стойки, и я искренне предпочитала судачить с Ритой, чем иметь дело с ними.

Всю мою смену Келлан сыпал ехидными, пошлыми репликами. Он следил за мной ледяным и пытливым взглядом, куда бы я ни пошла, неизменно кривился, стоило мне его задеть, даже нечаянно, и причинял мне массу неудобств.

Мне было немного печально оттого, что из-за одной-единственной дурацкой ошибки разрушилась такая волшебная дружба. Я тосковала по тому Келлану, который болтал со мной за кофе, заботливо обнимал меня, позволял положить голову себе на плечо, сидел со мной, когда я плакала, и укладывал меня спать. А в тех редких случаях, когда я вспоминала о нашей хмельной ночи без ужасающих угрызений совести, воспоминание оказывалось приятным, даже любовным. Меня угнетало, что Келлан явно не разделял этого мнения, и я таким образом в одну ночь разрушила все, что было между нами.

Но чаще, впрочем, меня это злило.

Нахмурившись от картин, мелькавших в моей памяти, я отвернулась от Денни, чтобы он не заметил моей досады. Теперь мне было ясно, почему съехала Джоуи. Сексуальное послесловие в исполнении Келлана напоминало редкостное паскудство. Да что там напоминало! Им оно и являлось! Но я не могла позволить себе роскошь просто сбежать из города. Не теперь, когда я так раздула отъезд Денни, у которого, кстати сказать, возникло бы много вопросов. Я начинала всерьез ненавидеть Келлана, не прекращая одновременно скучать по нему. Правда, при этой мысли в животе у меня возникало странное ощущение.

Однако Денни заметил, что я помрачнела.

— Все в порядке?

Я выдавила улыбку и повела плечами:

— Просто разволновалась за тебя.

Мне было противно лгать ему. Говоря по правде, это была только наполовину ложь. Я действительно беспокоилась за него, просто поведение Келлана тревожило меня больше. Меня угнетало, что Келлан в итоге оказался мне важнее.

Денни обвил меня рукой и прижал к себе. Он перестал вздыхать. Он всегда старался меня порадовать... И от этого мне было только хуже. С каждой его улыбкой моя вина усугублялась десятикратно. Денни ласково поцеловал меня в затылок, и я подняла на него взгляд. Он улыбнулся и провел пальцем по моей щеке:

— Кира, все будет хорошо.

Его забота согрела мне сердце и в то же время разбила его.

Денни склонился и припал губами к моим. Вздохнув, он положил ладонь мне на щеку, осторожно водя по ней большим пальцем, и поцеловал крепче. Мне стало уютно и тепло, я растворилась в его участии и ответила глубоким поцелуем. Он пересадил меня к себе на колени. Я улыбнулась и подумала, как это славно — быть с ним дома все утро. До занятий оставался час, и он обещал быть прекрасным...

Я поудобнее устроилась на коленях Денни и запустила пальцы ему в волосы. Он улыбнулся мне между поцелуями. Мое дыхание только начало учащаться, когда я услышала звук отпираемой входной двери. Накануне вечером Келлан опять не пришел. Фактически он не ночевал дома двое суток подряд. Я задалась вопросом, с кем он путался, и эта мысль беспричинно раздосадовала меня. С кем бы он ни был, вернулся он только сейчас. Я мгновенно застыла и посмотрела на дверь.

Взгляд Келлана незамедлительно встретился с моим. Он ухмыльнулся, и это вышло у него неожиданно гнусно. Но стоило Денни посмотреть в его сторону, как выражение лица Келлана сразу смягчилось. Он улыбнулся другу, хотя глаза его остались холодными.

— Доброе утро.

— Ты что, старина, только пришел? — небрежно осведомился Денни, поглаживая мои бедра.

Келлан полсекунды смотрел на нас, после чего опять улыбнулся, глядя на одного Денни.

— Ага, я, — он холодно зыркнул в мою сторону, — гулял.

Денни не заметил этого взгляда. Он просто пожал плечами и вновь занялся мной. Я соскользнула с его колен и села так, чтобы видеть обоих: Денни и Келлана. Было странно, что оба парня находились в поле моего зрения. С моим желудком творилось неладное. Денни по-прежнему с любовью взирал на меня, а Келлан смотрел, как и прежде, холодно — теперь немного нахмурившись. Мне хотелось заползти в диван и спрятаться там.

В конце концов Келлан пробурчал какое-то извинение и побрел наверх. Я слегка расслабилась, когда услышала, как захлопнулась его дверь. Денни искушающе вскинул бровь и сделал движение, как будто собрался вернуть меня к себе на колени, но я строго зыркнула на него. Он со смехом обнял меня и держал, пока не пришла пора собираться в университет.

Денни отвез меня на занятия и наконец-то прошелся со мной по кампусу. Я старалась быть гидом не хуже Келлана. При воспоминании о том дне у меня болезненно сжалось сердце, едва я принялась указывать на кирпичные строения по пути в аудиторию, где читались лекции по психологии. Денни, конечно, хотелось поговорить об экономическом цикле, и я, пока мы, улыбаясь, шли рука об руку по асфальтовым дорожкам, исчерчивавшим просторные газоны, поведала ему обо всем, что успела за столь короткое время.

Мы вошли в корпус, и окружающая красота произвела на Денни не меньшее впечатление, чем некогда на меня. Это было поистине замечательно, — мы словно перенеслись во времена, где вместо практичных функциональных форм процветали искусства и замысловатые архитектурные изыски. Денни отворил дверь в аудиторию, где проходили занятия цикла, посвященного сексуальности человека, и со смешком заявил, что не прочь послушать, о чем пойдет речь, когда вернется за мной. Рассмеявшись в ответ, я подарила ему долгий поцелуй. Кто-то протиснулся в дверь, разъединив нас, я ворчливо попрощалась и пошла к своему месту.

Мне было странно посещать этот цикл при том сумбуре, что царил в моей голове. Курс больше касался психологических и социальных аспектов сексуального поведения, нежели техники секса. Речь шла о кросс-культурных различиях, сексуальном здоровье, растлении и насилии. Однако все это имело прямое отношение к моей нынешней ситуации, и мне не раз приходилось делать усилие, чтобы отвлечься от анализа *своих* проблем и слушать профессора. Мне стало немного легче, когда занятие завершилось.

Я улыбнулась при виде старенькой «хонды» Денни на парковке — она стояла там же, где он припарковался перед лекцией. Денни выбрался наружу и, сияя, пошел ко мне.

— Привет. — Лучась моей любимой дурацкой улыбкой, он стиснул меня в объятиях и закружил.

Со смехом я сцепила руки на его шее. Он угомонился, поставил меня на землю, и мы страстно поцеловались.

Переведя дух, я заглянула в его искрившиеся глаза.

— Кто-то, я вижу, повеселел.

Денни ухмыльнулся и шутливо толкнул меня.

— Мне позвонили днем: один контакт наконец окупился. — Он приосанился, и я усмехнулась в ответ. — Позволь представиться: новый сотрудник рекламного агентства «SLS».

— Умница... — Я обхватила его и поцеловала в щеку. — Вот здорово!

Отстранившись, я посмотрела ему в глаза:

— Я знала, что ты сумеешь. Ты же гений!

Он вздохнул, любовно глядя на меня:

— Ты все твердишь одно и то же! — Денни пристально меня изучал. — Я очень тебя люблю. Мне страшно жаль...

Меня захлестнуло чувство вины. Дурой была я, а жаль ему?

— Не надо... Это неважно. Теперь все уладилось, как и должно было быть.

Ну, почти все.

Я улыбнулась ему, вдруг готовая прослезиться:

— Я тоже тебя люблю.

Мы еще с минуту целовались на обочине, и все обходили нас. Мы не обращали ни на кого внимания, наслаждаясь обществом друг друга. Наконец Денни отстранился, взял меня за руку, и мы отправились домой.

Вечером он отвез меня на работу. На сей раз мне не хотелось слушать «Чудил». Сама не знаю почему — разве что из-за Келлана, чья холодность ко мне могла, как мне мерещилось, каким-то образом проявиться на сцене и стать очевидной всем. Денни расцеловал меня в щеки, и я пошла в подсобку, чтобы снять куртку и оставить там свою сумку. На выходе я столкнулась с Дженни и Кейт.

Кейт обычно работала по утрам. Я редко видела ее и толком ни разу с ней не разговаривала. Она была довольно симпатичной девушкой с длинными светло-каштановыми волосами, собранными в безупречный хвост. Ее карие глаза были столь светлого оттенка, что по цвету близились к охре, и их обрамляли такие длинные и густые ресницы, каких я в жизни не видывала. Кейт была высокой и, может быть, чересчур худой, но крайне изящной, как будто до «Пита» выступала в балете.

— Привет, Кира! — Дженни наспех обняла меня. — Кейт будет выходить по вечерам, а то в прошлую пятницу нас одолели. Начался учебный год, ребята собирают аншлаг, и к нам снова стягиваются толпы.

Я вежливо улыбнулась Кейт и тоже обняла Дженни.

— Да... Похоже, что так.

В минувшую пятницу здесь и впрямь было многолюдно. Мне едва выпадала свободная минута, чтобы глянуть на группу. Но Келлана я все же заметила. Я наблюдала за ним при всякой паузе в работе. С тех пор очень многое изменилось. С последних выходных наши отношения стали совершенно другими. Я не знала, чего и ждать от нынешнего вечера.

Его начало было вполне приятным. С появлением новой официантки дела пошли лучше. У меня было больше времени поворковать с Денни, который решил остаться пообедать и послушать концерт. Я принесла ему еду и поцеловала. Подала газировку и снова чмокнула. Да к черту — я и лишних салфеток ему притащила, чтобы поцеловать. Дженни улыбалась, глядя на нас, голубков, а я просто радовалась, что он вернулся.

В итоге входные двери распахнулись с большой помпой, и вошел Гриффин, простерший руки на манер короля, вступающего в тронный зал. Фанатки, уже засевшие в баре, естественно, обезумели и устремились к нему. Он приобнял пару поклонниц и направился за свой обычный стол, остановившись по дороге сорвать поцелуй у Кейт, которая проворно оттолкнула его и закатила глаза, явно привыкшая к таким наскокам.

Мэтт и Эван нарисовались следом, но держались намного тише. Мэтт вежливо улыбнулся и пошел за Гриффином к столу. Эван облапил Дженни и обнял одной рукой пронырливую девчонку, которая чмокнула его в щеку, после чего устремился за Мэттом.

Во мне все сжалось, пока я осторожно смотрела на дверь, зная, кто войдет следующим. Он появился, и мое дыхание пресеклось. Он был ослепителен. Волнистые волосы лежали идеально. Рубашка с длинными рукавами, поддетая под фирменную черную футболку, подчеркивала эффектные мышцы груди. Джинсы, вытертые и выцветшие за годы носки, сидели на нем крайне соблазнительно. Губы были изогнуты в сексуальной полуулыбке, а жгучие темно-синие глаза уставились на меня.

Помня о присутствии Денни, я заставила себя сделать вдох и отвела взгляд и повернулась к Денни, но тот обменивался рукопожатием с Мэттом и болтал с остальными ребятами за их столом. Мой взгляд вновь обратился к Келлану, который теперь шел ко мне со странным выражением на лице. Я прикинула, не уйти ли, но он находился в моем секторе, и я была его официанткой. Будет странно, если я обойду его вниманием. Я надеялась, что нынче он отнесется ко мне нормально, а не в обычной для него с недавних пор холодной, глумливой манере.

Келлан подошел прямо ко мне.

— Кира, — произнес он спокойно.

Я глотнула и заставила себя посмотреть ему в глаза.

— Да, Келлан?

Он улыбнулся и склонил голову набок.

— Нам как обычно. — Он кивнул на стол. — И Денни не забудь, раз он с нами.

Его странная формулировка заставила меня нахмуриться, но я кивнула, а он повернулся и пошел к друзьям. На нем почти сразу повисли две девчонки, запустившие пальцы в его сексуальную шевелюру. Взяв себя в руки, я пошла к барной стойке забрать напитки.

Рита заговорщически подмигнула мне, когда я взяла их пиво. Ей чудилось, будто она что-то знает. Конечно, она считала, что я запрыгнула в постель Келлана в первый же день. Я вздохнула, не обращая на нее внимания, и забрала алкоголь для группы.

С приходом ребят работы резко прибавилось, и у меня больше не было времени на флирт с Денни. Говоря откровенно, при Келлане мне все равно было бы неудобно заниматься этим, особенно с учетом того, что все они сидели за общим столом. Я заметила, что Келлан устроился на противоположном от Денни конце. Он развернулся к толпе и болтал с какими-то девицами за соседним столиком. На Денни он ни разу не взглянул. Я не понимала, какие у Келлана возникли проблемы с Денни... Может быть, чувство вины?

Наконец им пришло время выходить на сцену. Толпа, состоявшая большей частью из женщин, пришла в исступление и хлынула ближе. Стоя в отдалении, я наблюдала, как группа взялась за дело. Они, конечно, выступали отменно. Песни воспринимались на раз, голос Келлана был сексуален, взгляды, которые он посылал толпе, казались откровенно непристойными, и вскоре добрая половина бара плясала и самозабвенно подпевала хитам. Я прекратила смотреть на Келлана и его действия и повернулась к клиентам, оставшимся на своих местах.

Группа перешла к песне, которую я не раз слышала, но никогда не вслушивалась в ее текст. Возможно, я стала вникать потому, что постаралась внимать Келлану, вместо того чтобы глазеть на него. Не знаю, было ли тому виной наше хмельное фиаско, но слова композиции вдруг стали мне предельно ясны. Я замерла у стола и с разинутым ртом уставилась на Келлана. Сначала, впрочем, я заметила выражение лица Гриффина — и оно стало первым сигналом. Он буквально парил, чересчур возбужденный, чтобы играть: ему нравилась эта вещь. Затем, не веря ушам своим, я перевела взгляд на Келлана.

Песня изобиловала сексуальными метафорами, и речь шла не о сексе вообще, но о сексе случайном, бессмысленном, на одну ночь. Из текста вытекало, что, хоть этот секс и был прекрасен, «я уже свалил и надеюсь, что ты меня помнишь, ибо я уже забыл о тебе». Я слышала эту песню раньше, но до сих пор не истолковывала ее таким образом. Возможно, я ошибалась, но это было маловероятным, учитывая лицо Гриффина и стальной взгляд Келлана.

Хуже всего было то, что этот взгляд был адресован мне и никому больше. Мне показалось, словно Келлан вопил о нашей ночи всему бару. Я не могла пошевелиться, застыв в глубоком шоке, и на мои глаза наворачивались слезы. Откуда такая бесчувственность, такая намеренная подлость? Я вздрогнула, когда чья-то рука легла мне на талию.

— Эй, крошка, — шепнул мне на ухо Денни. — Я валюсь с ног... Пойду отсюда, пожалуй. Сама доедешь? — Он повернулся взглянуть на меня и заметил мое выражение лица. — Все в порядке?

Я глотнула и постаралась изобразить улыбку, в надежде, что не уроню ни слезинки.

— Да, я...

Мне пришлось замолчать: по ушам хлестнула особенно злая строка. Келлан буквально взвыл: «И что же теперь ты думаешь обо мне?» Толпа обезумела от ее пронзительности. Келлан продолжал смотреть в мою сторону.

Денни поверх моего плеча оценил реакцию публики.

— Ох, песня и вправду классная... Новая, что ли?

— Нет, он ее уже исполнял, — сумела выдавить я. С трудом вернув на лицо улыбку, я целиком повернулась к нему. — Я поеду с Дженни. Иди домой. Со мной все хорошо, просто устала.

Он с ласковой улыбкой произнес:

— Ладно... Разбуди меня, когда придешь.

Затем он чмокнул меня в щеку и вышел из бара. Я хотела лишь одного — уйти с ним вместе. Но я не могла, застряв здесь еще на какое-то время, и пение Келлана стало для меня пыткой...

❖ ❖ ❖

На следующее утро я решила, что пора разобраться со странным отношением Келлана ко мне. Нет, серьезно: я могла бы понять его угрызения совести и неловкость в присутствии Денни, но почему он поступал так низко со мной? Готовая либо увидеть его, либо нет, так как в последнее время он мало бывал дома, я обогнула угол и обнаружила его сидящим с газетой над кофе.

Келлан прохладно взглянул на меня, и моя решимость испарилась при виде его темных глаз. Я прикрыла свои и сделала глубокий вдох. Секунду выждав, я налила себе кофе и села за стол.

— Доброе утречко, — бросил он наконец, не отрываясь от газеты.

— Келлан...

Во рту у меня пересохло, и мне пришлось сглотнуть.

Он посмотрел на меня:

— Что?

Его тон был близок к резкому, и я подумала, не убраться ли мне из кухни.

«Не будь идиоткой, Кира... Возьми и поговори с ним». После всех наших совместных дел беседа с ним не должна была вызвать у меня затруднений...

— За что ты злишься на меня? — прошептала я, отводя глаза.

— Кира, я на тебя не злюсь. Я был с тобой крайне любезен. Большинство женщин говорят мне за это спасибо.

В его голосе звучала издевка.

Я вспыхнула от гнева и уставилась на него.

— Ты свинья! С тех самых пор...

Он вскинул брови, приглашая меня закончить мысль. Я не стала этого делать. В итоге Келлан вернулся к своей газете и отхлебнул кофе.

— Кира, я честно не понимаю, о чем ты толкуешь...

Я задохнулась. Он что, собрался тупо наплевать на свое свинство в последние дни?

— Дело в Денни? Тебя совесть замучила?..

Его ледяные глаза на миг вспыхнули.

— Это не я ему изменил, — сказал он голосом тихим и таким холодным, что я вздрогнула, закусила губу и мысленно взмолилась, чтобы не расплакаться.

— Келлан, мы были друзьями, — прошептала я.

Он уткнулся в газету и небрежно отмахнулся от меня:

— Да неужели? Не знал об этом.

Чувствуя, что на глаза наворачиваются слезы ярости, я парировала:

— Да, Келлан, были. До того, как мы...

Он зыркнул на меня и перебил:

— Друзья мы с Денни. — Келлан едва ли не презрительно смерил меня взглядом. — А с тобой мы... соседи.

Мой гнев придержал на время подступавшие слезы, и я вновь задохнулась:

— В таком случае у тебя забавная манера дружить. Если бы Денни узнал, что ты...

Он опять перебил меня, сверля ледяным взглядом:

— Но ты же ему не рассказываешь?

Келлан уставился в газету, и я решила, что он все сказал, когда его голос зазвучал вновь, уже мягче:

— К тому же это ваши дела, меня они не касаются. Я просто оказался рядом, чтобы подставить плечо.

Я не могла вымолвить ни слова. Келлан с минуту смотрел в газету, затем вздохнул.

— Все? — осведомился он, вскидывая на меня глаза.

Кивнув, я подумала, что «все» прозвучало в более широком смысле. Келлан встал и вышел из кухни. Чуть позже я услышала, как отворилась дверь и отъехала машина. На выходных он дома больше не появился.

ГЛАВА 9
КОФЕЙНАЯ БУДКА

Денни получил работу в маленькой торговой фирме, имевшей дело в основном с сетевой клиентурой. Это было жалкое подобие престижной стажировки в крупнейшей рекламной компании, от которой он отказался. Его блестящий ум, столь востребованный на прежнем месте, здесь едва ли ценился. Идеи Денни пугали ограниченных людей, составивших его окружение. Они предоставили ему должность немногим лучше мальчика на побегушках, и он носился, выполняя их поручения и ублажая их самодовольное естество.

Денни ненавидел эту работу всей душой. Он никогда бы не признался мне в этом, потому что щадил мои чувства, но я все равно знала. Я читала это в его глазах, когда он задерживался в кухне, оттягивая момент ухода, и видела, как он сутулился, когда приходил вечером в бар после наконец завершившегося рабочего дня. Он был несчастен.

Однажды после такого долгого дня Денни в одиночестве сидел на задворках с пивом, погруженный в раздумья. Мне хотелось подойти и поговорить с ним, но сказать было нечего. Я уже твердила ему, что все образуется, однако ничего не налаживалось; уже утешала его тем, что буду любить его вечно за то, что он вернулся, — это породило слабую улыбку, но не больше. Я даже предлагала ему уволиться и подыскать что-то другое, но иных вакансий не было. Денни все еще бодрился, но теперь, если он хотел остаться в профессии и в Сиэтле, он погряз в рутине.

Наблюдая за ним, я вздохнула, а затем посмотрела на Келлана, расслаблявшегося со своей командой через несколько столов от Денни. Я надеялась, что он подсядет

к другу, поговорит с ним и приободрит, но Келлан сидел
к Денни спиной и трепался с Мэттом. Со стороны это могло показаться пустяком, но я знала, что Келлан продолжал
избегать Денни. Он больше не был рад его видеть и редко
говорил ему свыше нескольких вежливых слов. Мне хотелось, чтобы Келлан прекратил эту канитель и снова стал
ему другом, каким себя и считал. Я понимала его чувство
вины — оно и меня тяготило, — но хватит уже, проехали.
Денни нуждался в нас прямо сейчас.

Мобильник, лежавший возле бокала Денни, проснулся,
и тот со вздохом потянулся за ним. Фирма нуждалась в нем
круглосуточно, поэтому ему выдали телефон с предписа-
нием использовать оный лишь для служебных разговоров.
Когда тот звонил, Денни было лучше ответить. Все это
сильно раздражало меня: стажер не обязан заниматься такими вещами.

Денни уныло проговорил несколько минут, закрыл телефон, встал и подошел ко мне.

— Эй, — попытался улыбнуться он, но я заметила, как
вымученно у него вышло.

— Привет, — сказала я как можно более бодро, хотя
раздражение уже зародилось во мне, так как было ясно,
к чему идет дело.

— Извини, — резко произнес он. — Это был Макс.
Мне нужно идти.

Макс был неприятным шустрым коротышкой, который, казалось, ничто на свете не любил так, как посылать
Денни с разнообразными поручениями, желательно в не-
рабочее время. Его последним жизненно важным заданием были химчистка и «Старбакс».

— Опять? Денни...

Я не хотела выдать негодования, но не смогла его
скрыть. Меня уже тошнило от бесконечных задач, которые
занимали все время и мысли Денни, абсолютно не соот-
ветствуя его уровню.

— Кира, — в его глазах всколыхнулся гнев, — это моя
работа. Я должен.

На сей раз я заговорила умышленно раздраженно:

— Такого раньше не было.

— Да, такого раньше не было...

Чувство вины смешалось с гневом и лишь усилило его. Я резко отвернулась от него и стала собирать пустые стаканы с ближайшего столика.

— Ладно, тогда пока.

От злости в голове у меня все помутилось. Он бросил все, чтобы сорваться ко мне. Если бы он дал мне время, я успокоилась бы и мы бы что-нибудь придумали, наверное. Чувствовать себя виноватой из-за его решения было невыносимо, ведь мне хватало вины за себя и за Келлана.

Денни, ни слова не сказав, повернулся и вышел из бара. Проследив, как он скрылся за двойными дверями, я собралась вернуться к своим делам, когда заметила, что на меня смотрит Келлан. Я знала, что он напряженно наблюдал за нашей беседой. «Отлично, — подумала я все еще замутненным рассудком, — очередная пища для его размышлений».

Келлан медленно встал и направился ко мне. Градус моего раздражения вознесся еще выше. Ей-богу, я была не в том настроении, чтобы терпеть его нападки. Он так и не признал, что вел себя со мной гнусно, и его отношение не слишком переменилось с последнего нашего разговора на кухне. При воспоминании о той беседе негодование и вовсе накрыло меня. По его мнению, мы не были даже друзьями.

Сосредоточившись на стаканах, я решила просто проигнорировать его.

Келлан остановился рядом, бочком притиснулся ко мне и уставился на меня свысока. Движение было безусловно интимным, и я испытала странное чувство. В баре было людно, но не настолько. Такое тесное соседство со стороны могло показаться необычным. Я инстинктивно отпрянула и посмотрела на него. Вот тебе и игнор.

— Денни опять тебя бросил? Хочешь, найду тебе другого пьянчужку, если заскучала? — Задав этот вопрос, он дьявольски улыбнулся. — Может, теперь сгодится Гриффин?

— Хватит пороть всякую чушь, Келлан!

— Не очень-то ты счастлива с ним, — отозвался он не-ожиданно серьезно.

— Что? А с тобой была бы счастливее?

Я вперилась взглядом в его очаровательное лицо, сек-суальную полуулыбку и странно холодные глаза. Он ниче-го не сказал, лишь продолжал ухмыляться, поддразнивая меня, и тут я почувствовала, что разозлилась уже по-на-стоящему. От гнева я стремительно перешла к исступлен-ному бешенству.

Подавшись к нему ближе, чтобы никто не услышал, я прошептала:

— Ты был моей самой крупной ошибкой, Келлан. Ты прав: мы не друзья и никогда ими не были. Я хочу одно-го — чтобы ты убрался.

Я немедленно пожалела о сказанном. Он был скоти-ной, но я не хотела задеть его умалением того, что было между нами. И я все еще считала его другом, хоть это чув-ство и оставалось без взаимности. Его улыбка мигом слете-ла с лица. Глаза из прохладных сделались ледяными, и он грубо протиснулся мимо меня, так что я чуть не выронила стопку стаканов.

Вскоре он ушел.

Когда я вернулась со смены домой, Денни ждал меня. Он сидел на кровати, смотрел телевизор и выглядел очень усталым. При виде его лица и оттого, что он дожидался меня и хотел поговорить, я смягчила свой гнев по поводу нашей прошлой беседы и улыбнулась:

— Привет.

— Извини, — моментально сказал он, выключая теле-визор. — Зря я на тебя окрысился. Ты же не виновата, что мне здесь плохо.

Я села с ним рядом и провела ладонью по его щеке. Раньше он никогда не признавался в нелюбви к здешней жизни.

— И ты меня извини. Я тоже не хотела выходить из себя. Я просто скучаю по тебе.

— Знаю. — Его акцент вызвал у меня улыбку. — И я скучаю. Обещаю исправиться, лады? Больше никакой хандры.

Он улыбнулся впервые за долгое время — казалось, что с прошлого раза пролетели недели.

Я рассмеялась и поцеловала его.

— Лады. И я тоже постараюсь не хандрить.

На следующее утро, чувствуя себя лучше после беседы с Денни, я надеялась поговорить и с Келланом. Он, как обычно, пил кофе и читал газету, но даже не взглянул на меня, когда я вошла. Стыдясь за свою вчерашнюю вспышку, я не знала, что предпринять, а потому тихонько приготовила кофе и решила ускользнуть обратно наверх. Мне было не вынести воцарившейся неловкости.

Но не успела я завернуть за угол, как угрызения совести остановили меня. Не глядя, я бросила через плечо:

— Прости меня, Келлан.

Когда я пошла прочь, из-за спины донесся протяжный вздох, но ничего больше.

❖ ❖ ❖

Денни, казалось, перевернул страницу. По-прежнему удрученный своим положением, он горевал намного меньше, а говорили мы гораздо чаще. Я все еще слишком мало бывала с ним, а ему, на мой взгляд, слишком много звонили, но я старалась не вешать нос ни по тому ни по другому поводу. Нам предстояло пережить это вместе.

Келлан тоже изменился. Хандру, которую мы с Денни пытались изжить, он всячески подпитывал. В основном он сторонился нас обоих. В тех редких случаях, когда мы собирались вместе, он ограничивался несколькими вежливыми репликами. Он перестал вести себя по-свински, за что я была признательна, однако его молчание напрягало меня. Я чувствовала: что-то надвигалось, но не знала, что именно. Это выбивало меня из колеи.

В одно субботнее утро, когда я спустилась с лестницы, Денни и Келлан уже беседовали внизу. Не знаю, о чем они говорили, но Келлан улыбался Денни, положив руку ему на плечо. Я понятия не имела, что это значило, но их дружное соседство согрело меня и в то же время пробудило мое чувство вины.

Денни взглянул на меня:

— Ты можешь поменяться с кем-нибудь сменами? У нас вечеринка — оттянемся в кругу друзей.

Я постаралась улыбнуться, но все во мне оборвалось. Это было не к добру.

— Ух ты! Классная мысль, дорогой. Куда идем?

— У моего приятеля есть группа, они играют сегодня в «Хижине», — спокойно подхватил Келлан, смотря на меня впервые за несколько дней.

Взгляд был печальный, и у меня снова заныло под ложечкой.

— Звучит отлично! Я поменяюсь с Эмили. Она работает днем, но недавно спрашивала у Дженни, нельзя ли взять несколько вечерних смен. Чаевые больше...

— Супер! — Денни подошел ко мне и упоенно поцеловал. — Видишь, я еще могу веселиться. Я же обещал, что больше никакого нытья.

Он наспех обнял меня, направился к выходу, обернулся и подмигнул через плечо:

— Сгоняю в душ, а потом приготовлю тебе завтрак.

Я рассмеялась и смолкла, посмотрев на Келлана. Он сидел бледный, отвернувшись от нас. Ему было ничуть не весело.

— Ты в порядке? — шепнула я, отчаянно не желая нарваться на Келлана-свинью.

Он посмотрел на меня грустно, но с улыбкой:

— Конечно. Там будет занятно.

Я подошла к нему, внезапно встревожившись:

— Точно? Это не обязательно. Мы с Денни можем пойти одни.

Он вдруг посерьезнел и ответил, пристально глядя на меня:

— Нет, все в порядке, я буду рад провести вечер со своими соседями.

Келлан отвернулся и пересек гостиную, направляясь к себе наверх. Ноющее ощущение в животе усилилось десятикратно. Он выразился странно, и это привело меня в ужас.

Вечер начался... через пень-колоду. Келлан исчез вскоре после того, как объявил, что нам предстоит выход в свет. Он ушел со словами «Увидимся на месте, ребята», и весь остаток дня мы с Денни его не видели. Меня это вполне устраивало. Его новая манера держаться печально и тихо вселяла в меня панику, которую мне не хватало духу проанализировать.

Вместо этого я переключилась на Денни, стараясь хорошо провести с ним время, как раньше. Он пребывал, казалось, в лучшем настроении, чем обычно. Возможно, он подметил напряжение, царившее дома в присутствии Келлана, и пытался его компенсировать. Денни, похоже, воодушевляла перспектива вечером отправиться куда-то вместе. Я радовалась меньше, но ради него притворялась, что счастлива.

День тянулся медленно и мирно, но вот пришла пора собираться. Погода была не по сезону теплой, и я выбрала кокетливую свободную черную юбку и розовую футболку на пуговицах, поверх которой надела легкий джемпер. Волосы я укладывать не стала, оставив их растрепанными и немного волнистыми. Денни улыбнулся и поцеловал меня в щеку, пока я накладывала помаду. Он надел мою любимую синюю футболку, которая так шла к его загорелой коже. К моему восторгу, он протянул мне тюбик с гелем и разрешил поколдовать над его волосами, качая головой, когда я оставалась довольна. Он старался порадовать меня нынешним вечером, и это ему удавалось. Я была глубоко тронута его заботой.

Когда мы добрались до «Хижины», машина Келлана уже красовалась там. Мы припарковались на боковой стоянке рядом с его «шевеллом». По пути ко входу я заметила, что бар был примерно вдвое меньше, чем «У Пита». Непонятно, где собиралась выступать группа. Затем я обратила внимание на широко распахнутые двери в дальнем конце помещения и собравшуюся снаружи толпу. Мы выбрались в просторный огороженный сад. По периметру и вдоль стены бара были выстроены столы, напротив же здания оказалась большая сцена, перед которой раскинулась широкая свободная площадка. Группа устанавливала оборудование, и Келлан был с ними, беседуя с одним из парней. Завидев нас, он указал на столик возле ограды, где уже стояли большой графин с пивом и три стакана.

Мы с Денни помахали в ответ и пошли к зарезервированному месту. Денни отодвинул для меня стул, как будто мы явились на первое свидание, и я улыбнулась.

— Спасибо, сэр, — поддразнила я его.

— Все, что угодно, для красавицы. — Он просиял и поцеловал мне руку.

Валяя дурака, я притворно изумилась:

— О, да вы австралиец? Я люблю оззи[1].

В ответ он взревел, чудовищно преувеличивая свой акцент:

— Улет! С тебя засос для пацана, шейла[2], а дальше накатим, заметано?

Я покатилась со смеху и потянулась к нему, чтобы поцеловать, как он и просил.

— Вот мужлан!

— Ага, но ты все равно меня любишь. — Он ответил мне поцелуем.

— Дай подумать... Да, ты прав.

Я улыбнулась и обернулась, почувствовав на себе чей-то взгляд.

Позади стоял Келлан, тупо смотревший на нас. Я старалась вернуть все в нормальное русло. Мне хотелось, чтобы Келлан хотя бы попытался сделать то же самое. Его уныние начинало всерьез надоедать мне. Он сел и налил всем пива, не глядя ни на кого из нас.

---

[1] *Оззи* — так называют австралийцев, особенно австралийских солдат, а также австралийский доллар.

[2] *Шейла* — девушка на сленге австралийской молодежи.

Денни как будто не замечал его настроения.

— Когда твой приятель начинает? — осведомился он бодро.

Келлан коротко взглянул на него:

— Минут через двадцать.

Он сделал приличный глоток. Мимо прошла женщина и смерила его довольно откровенным взглядом. К моему удивлению, он только зыркнул на нее и вернулся к пиву. Та нарочито громко фыркнула и величественно удалилась.

Двадцать минут, которые понадобились группе на сборы, показались мне двадцатью часами. Наше маленькое трио сидело тише воды ниже травы. Денни пытался завязать разговор с Келланом, но добивался лишь односложных ответов. В конце концов он бросил это дело. Мое негодование на Келлана росло с каждой мучительной минутой.

Но вот группа заиграла, и мы с Денни оставили хмурого Келлана за столом, а сами отправились веселиться и танцевать у сцены. Между поворотами и наклонами я мельком смотрела на наш стол лишь с тем, чтобы увидеть Келлана, который бесстрастно следил за нами. Девчонки время от времени пытались выдернуть его на танец, но он, похоже, всем отказывал. Мое раздражение вспыхнуло с новой силой. Что с ним такое?

В перерыве мы вернулись к столу, чтобы быстро прикончить пиво и несколько минут передохнуть. Стало холодать, но я согрелась от танцев с Денни. Келлан сидел молча и смотрел на пустой стакан в своей руке, когда вдруг начал трезвонить мобильник Денни. Вздрогнув, я глянула на него, а Денни, как последний дурак, ответил. Я знать не знала, что он прихватил с собой телефон, но постаралась не злиться. В конце концов, это была его работа. Он несколько секунд говорил с кем-то, а после стал звать: «Алло? Алло?»

— Черт, — буркнул Денни, захлопнув крышку. — Батарея сдохла.

Взглянув на меня, он виновато покачал головой.

— Извини, мне правда надо перезвонить Максу. Я сбегаю внутрь — может, воспользуюсь их телефоном.

Скрывая раздражение, я улыбнулась ему. Сегодня мы гуляли, а не скорбели.

— Не вопрос, мы будем здесь.

Я кивнула на Келлана. Тот по-прежнему не смотрел на нас. Он неуклюже сидел, таращась на стакан и слегка хмурясь.

Денни встал и чмокнул меня в щеку, после чего отправился в бар. Келлан негромко вздохнул и поерзал на стуле. Я проследила, как Денни скрылся в толпе, и повернулась к Келлану. Внезапная досада на его нелепое поведение и, если честно, звонок Денни побудили меня выпалить:

— Ты сказал, что все в порядке. Тогда что с тобой?

Синие глаза Келлана уставились на меня.

— Мне просто чудо как хорошо. О чем ты говоришь?

Он говорил бесцветно и холодно. Я отвернулась и постаралась унять свой гнев и выровнять дыхание. Мне не хотелось портить Денни вечер ссорой с Келланом.

— Да ни о чем.

Келлан поставил стакан и резко поднялся.

— Скажи Денни, что мне нездоровится... — Он чуть помедлил, будто хотел что-то добавить, затем встряхнул головой и произнес: — С меня хватит.

Его голос оставался ледяным, а от последних слов все во мне оборвалось. Внезапно я поняла, что он говорил не только о сегодняшнем вечере.

Медленно поднявшись, я посмотрела ему в глаза. Он чуть прищурился, изучая меня. Не сказав больше ни слова, он повернулся и пошел к выходу на боковую парковку, где мы оставили машины. Я наблюдала, как он уходит. Высокий, стройный и мускулистый, он был более чем красив и приближался к совершенству. Когда он отворил калитку, я не могла избавиться от томления в животе, понимая, что, едва он ее захлопнет, я больше его не увижу. При этой мысли внутри меня что-то начало ломаться.

Я должна была отпустить его. Он был мрачен, молчалив, неизменно холоден и задумчив. А некоторое время назад еще и предстал передо мной отпетой скотиной и зондировал мои отношения с Денни, высказывая пошлые замечания о нашей совместной ночи и тайне, которую мы хранили от всех. Картины того вечера пронеслись в моей памяти: его сильные руки, ласковые пальцы, мягкие губы. Я попыталась заглянуть дальше, в те дни, когда он был только другом, добрым товарищем. Сдержав внезапно навернувшиеся слезы, я метнулась за ним.

Когда я захлопнула за собой калитку, он был на полпути к машине.

— Келлан!

Не сдержав паники, я крикнула слишком пронзительно. «Возьми себя в руки, — подумала я злобно. — Попрощайся с ним, пусть идет, а сама бери ноги в руки и марш обратно, ждать Денни».

— Подожди, пожалуйста.

Он замедлил шаг и оглянулся на меня через плечо. Я не была уверена на таком расстоянии, но мне показалось, что он вздохнул.

— Кира, что ты делаешь?

Вопрос был полон разных смыслов.

Я настигла его и схватила за руку, чтобы остановить и развернуть к себе.

— Постой, пожалуйста, останься.

Келлан стряхнул мою руку чуть ли не со злобой и взъерошил свои густые волосы. Какое-то время он смотрел в небо, после чего наши глаза встретились.

— Я больше так не могу.

Его серьезность застала меня врасплох, ведь я ожидала услышать ничего не значащие двусмысленности, и я вся похолодела.

— Не можешь остаться? Ты же знаешь, что Денни захочет попрощаться.

Это прозвучало жалко и неуместно. Денни был ни при чем — или при всем.

Келлан покачал головой и посмотрел мне через плечо, прежде чем снова взглянуть в глаза.

— Не могу оставаться здесь, в Сиэтле. Я уезжаю.

Слезы, недавно лишь грозившие выступить на моих глазах, хлынули ручьем. Черт, что со мной случилось? Разве не на это я надеялась? Мне следовало хлопнуть его по спине и сказать: «Отлично, счастливого пути». Без него здесь стало бы намного легче, учитывая все его отчуждение, идиотские реплики, нескончаемую череду женщин, лебезивших перед ним, страдальческий взгляд его синих глаз, следовавший за мной повсюду, интимные воспоминания, время от времени всплывавшие в моей голове...

Я снова взяла его за руку. Он застыл, но не отверг меня.

— Нет, пожалуйста, не уезжай! Останься... Останься здесь, с нами. Только не уезжай...

Мой голос сорвался. Я сама не понимала, зачем говорила все это. Мне хотелось проститься с ним — почему же из меня рвались совершенно не те слова?

Келлан смотрел на слезы, струившиеся по моим щекам, словно не мог разобраться с какой-то проблемой.

— Я... Почему ты?.. Ты сказала... — Он сглотнул и глянул поверх меня, как будто был больше не в силах выносить это зрелище. — Ты не... мы с тобой не... я думал, что ты...

Он медленно выдохнул, собираясь с силами, и вновь посмотрел мне в глаза:

— Прости. Прости за холод, Кира, но я не могу остаться. Смотреть на это я больше не в состоянии. Я должен уехать...

Его голос понизился до шепота.

Я хлопала глазами, не веря своим ушам и все еще надеясь очнуться от этого дурного сна. По моему молчанию поняв, что этот странный разговор завершен, Келлан начал поворачиваться, чтобы уйти. Абсолютная паника заставила мое тело действовать не думая.

— Нет! — буквально завопила я, схватив его за руку еще крепче, чем прежде, и потянув к себе. — Пожалуйста, скажи, что это не из-за меня, не из-за нас с тобой...

— Кира...

Я положила другую руку ему на грудь и подошла ближе.

— Нет, не уезжай из-за моей глупости. Тебе было хорошо здесь, пока я...

Он сделал полшага назад, но не убрал мою руку с груди.

— Это... Это не из-за тебя. Ты не сделала ничего плохого. Ты принадлежишь Денни, и я не должен был... — Он горько вздохнул. — Ты... Вы с Денни оба...

По-прежнему плача, я подошла еще ближе и прижалась к нему.

— Что — оба?

Келлан замер и прерывисто выдохнул. Пристально глядя на меня, он прошептал:

— Вы оба важны для меня.

Я приникла к нему, а он смотрел на меня сверху вниз и медленно дышал полуоткрытым ртом.

— Важны... Почему?

Он чуть мотнул головой и отступил еще на полшага.

— Кира, отпусти меня. Тебе это ни к чему... Возвращайся к Денни.

Он было собрался оттолкнуть меня, но я не позволила. Слово вырвалось прежде, чем я успела подумать.

— Останься.

— Пожалуйста, Кира, уходи, — прошептал он.

Его прекрасные глаза вдруг заблестели, а безупречное лицо исказилось.

— Останься... Пожалуйста. Останься со мной... Не покидай меня, — молила я тихо, сорвавшись на последнем слове.

Я сама не ведала, что говорила. Мне просто была невыносима мысль, что я никогда больше его не увижу.

По щеке Келлана скатилась одинокая слеза, и я окончательно сломалась. Его боль и страдание пробудили во мне доселе неведомые чувства. Я хотела защитить его, исцелить и была готова отдать что угодно, лишь бы унять эти мучения. На их фоне стало неважным все: холодность, раздражение, женщины, Денни, правда и ложь.

Он продолжал тихим голосом упрашивать — меня или себя?

— Не надо. Я не хочу...

Я безрассудно провела ладонью по его щеке и стерла пальцем слезу. Мне моментально стало ясно, что это было ошибкой. Прикосновение вышло чересчур интимным. Тепло его кожи разошлось по моей руке и воспламенило все тело. Его дыхание прервалось, когда мы закрыли глаза, и я знала, что должна была повернуться и со всех ног бежать в бар. Я также понимала, что уже поздно.

— Кира, пожалуйста... Дай мне уйти, — прошептал Келлан.

Оставив его слова без внимания, я обвила свободной рукой его шею и потянула его к себе, пока наши губы не соприкоснулись. Мне было невыносимо видеть его лицо и читать его мысли — я не знала и своих, — а потому я плотно сомкнула веки и снова прижалась к нему. Его тело окаменело, но губы не противились моим поцелуям.

— Не делай этого, — шепнул он так тихо, что я едва расслышала.

Я все еще не понимала, к кому из нас он обращался, и крепче впилась в его губы, а он издал почти болезненный стон.

— Кира, что ты делаешь? — повторил он шепотом, все еще напряженный всем своим существом.

Я помедлила, почти касаясь его губами.

— Не знаю... Только не уезжай, пожалуйста, не оставляй меня, — прошептала я, задыхаясь и не открывая глаз, чтобы не видеть его реакции на мои мольбы.

Келлан выдохнул и шепнул:

— Кира... Пожалуйста...

Затем, содрогнувшись всем телом, он наконец с силой впечатал свои губы в мои и упоенно меня поцеловал.

Он крепко обнял меня за талию и прижал к себе. Его губы разомкнулись, язык коснулся моего. Я застонала от возникшего ощущения, от его вкуса и стала жадно искать его вновь. Исполненная чувств, туманивших мой разум, я припадала губами к его губам, и мои пальцы зарывались в его густую шевелюру. Смутно я понимала, что мы движемся. Келлан медленно увлекал меня вперед, и я не знала куда и зачем, но мне было все равно — лишь бы он не отпускал меня. Я ощутила, как он уперся во что-то твердое, и воспользовалась случаем прижаться к нему как можно плотнее. Наше дыхание участилось, и он застонал, притянув меня к себе.

Его руки скользнули мне под футболку и сомкнулись на пояснице, я вздохнула, почувствовав, как его кожа ласково соприкоснулась с моей. Он пошарил позади себя, желая узнать, к чему прижимался. Я услышала щелчок и наконец открыла глаза, чтобы взглянуть, где мы находились.

Келлан упирался спиной в закрытую дверь кофейной будки посреди парковки. Каким-то участком сознания я знала, что она где-то поблизости, мне просто было невдомек, что мы оказались так близко к ней. Келлан завел за спину руку, которую убрал с моей талии, и повернул дверную ручку. Дверь чудесным образом отворилась, будучи не запертой. Та часть меня, что еще могла разумно мыслить, задумалась, что было бы, окажись она на замке, но в целом мне было глубоко наплевать. Я лишь хотела попасть в место более укромное, чем открытое пространство парковки.

Келлан отпрянул от двери, чтобы распахнуть ее. Наши губы на миг замерли, и я отважилась взглянуть ему в глаза. Мое дыхание пресеклось от страсти, которая пылала в них. Я не могла думать. Не могла пошевелиться. Все, на что я была способна, — это смотреть в темно-синие горящие глаза Келлана. Он обнял меня, потом завел руки ниже и легко меня подхватил. Мы попятились в темноту.

Келлан осторожно выпустил меня и закрыл дверь. Какое-то время мы стояли во мраке: я обнимала Келлана за шею, он же, положив мне на талию одну руку, другой чуть прижимал створку. Было тихо, и наше дыхание оглушало. Что-то в этой темноте, в ощущении тела Келлана рядом с моим и в том, как мы задыхались, напрочь сорвало мне крышу, и я окончательно лишилась рассудка. Осталась только страсть — нет, необходимость... настойчивая, жгучая необходимость.

Затем Келлан пошевелился. Медленно, держа меня очень крепко, он опустился на колени сам и понудил меня.

Мои руки порхнули к его куртке, спешно снимая ее, прежде чем перейти к рубашке и чуть не в безумии сорвать с него всякую одежду. Глаза достаточно приспособились к слабому свету, проникавшему в высокие окна, чтобы видеть точеную грудь Келлана. Его мускулы были на удивление тугими, но кожа — поразительно нежной. Идеальной. Я провела по ней пальцами, задерживаясь кончиками в ямках. Он тяжело дышал, его грудь вздымалась и опадала, а я изучала каждую линию на его животе, задержавшись на удлиненном «V» внизу. Келлан издал глухой стон и быстро, со всхлипом вдохнул. Мое тело мгновенно отреагировало, наполняясь желанием, и я сама застонала от удовольствия, когда теплые губы Келлана коснулись моей шеи. Они устремились ниже, одновременно он снял с меня кофту и расстегнул мою рубашку. Я сорвала ее, едва он разделался с последней пуговицей, и наши обнаженные тела слились.

Он тяжело выдохнул и, пожирая меня глазами так, что я задрожала, провел ладонью по моей шее и ниже — по груди, животу. Моя кожа приятно вспыхивала от его прикосновений. Я застонала так громко, что если бы сохранила рассудок, то непременно сгорела бы от стыда. Он сделал очередной выдох и двинул руку обратно, вверх, задержав ее на груди: принял ее в ладонь и поласкал сосок через тонкую ткань лифчика. Почти задыхаясь, я выгнулась под его рукой. Больше мне было не выдержать. Я хотела его немедленно и вновь нашла его губы. Келлан дышал так же часто, как и я сама.

Опершись на руку, он уложил меня на пол и лег сам. Мне было наплевать на грязь. Аромат кофе будоражил меня. Он столь волшебно смешивался с пленительным запахом Келлана, что я знала: отныне они станут неразрывными в моей памяти. Чуть царапнув спину Келлана, я едва не сошла с ума от его глубинного горлового стона. Забыв себя, я оттолкнула его бедра, чтобы добраться до джинсов.

Он замычал от желания и со свистом втянул воздух сквозь зубы, я же расстегивала пуговицы и молнию его ширинки. Я сдернула его джинсы и чуть помедлила, любуясь Келланом. У него уже стоял как штык, выпирая сквозь материю, и я наполнилась истомой при мысли, что приму его в свое тело. Я тоже была полностью готова и легонько провела пальцами по его пенису, и Келлан осторожно прижался ко мне губами. Наши лбы соприкоснулись. Стиснув его член рукой сквозь трусы, я вспоминала, каково мне было в прошлый раз, и отчаянно желала ощутить это вновь. Его губы атаковали меня, а руки вдруг принялись задирать мою свободную юбку и стаскивать трусики. У меня не осталось мыслей. Я до боли хотела Келлана.

— Боже... Пожалуйста, Келлан... — простонала я ему в ухо.

Он проворно избавился от лишней одежды и вторгся в меня, прежде чем мой смятенный мозг сумел осознать случившееся. Мне пришлось чуть закусить его плечо, чтобы не взвыть от наслаждения. Он зарылся лицом мне в шею и помедлил, восстанавливая дыхание. Я в нетерпении подалась к нему бедрами, и он со стоном вошел в меня сильнее и глубже. Мне было мало. К своему удивлению, я так и сказала ему, и Келлан повиновался грубо и неистово.

— Боже, Кира... — расслышала я слабый голос. — Господи... да.

Он прошептал мне в шею что-то невнятное. Его слова, интонации и жаркое дыхание, обжигавшее мне кожу, потрясли мое тело, подобно девятому валу, и я еще крепче вцепилась в него.

Внутри меня вспыхнуло пламя, и я вздрогнула от его ярости. Чувство было знакомым, однако новым. Все было сильнее, напористее, грубее, чем в первый раз, но в то же время и слаще. Он входил в меня глубоко и жестко, и я упоенно впитывала каждый толчок, и никто из нас не заботился о продлении действа — лишь о потребности унять желание, нараставшее с каждым мигом. Все мои чувства обострились, и я, ощутив приближение финала, лишилась остатков контроля. Я не могла сдержать звуков, которых требовало тело, и испытала великий восторг оттого, что и он дал себе волю: его стоны и крики слились с моими.

На пике экстаза, когда моя плоть сомкнулась вокруг его, засевшей во мне на всю длину, я вновь впилась ногтями ему в спину... на сей раз сильно — очень, очень сильно. Я ощутила кровавую влагу, разодрав кожу, и он задохнулся... От боли? Удовольствия? Меня это лишь подстегнуло, и я издала долгий вопль, когда внутри меня разлилось тепло. Келлан ответил тихим стоном и так вцепился в мои бедра, что я поняла — останутся синяки, он же протолкнулся в меня последние несколько раз, изливаясь.

В тот самый миг, когда всякая страсть покинула мое тело, пробудился рассудок. С ледяной ясностью, которая заставила меня содрогнуться с головы до ног, я в ужасе осознала, что́ мы только что натворили. Что я натворила. Я закрыла глаза. Это был сон, всего-навсего яркий сон. В любую секунду мне вольно проснуться. Одна беда: то был не сон. Я прикрыла рот трясущимися руками в тщетной попытке проглотить рыдания, которые теперь было не остановить.

Келлан отвернулся. Чуть отстранившись, он нащупал свои джинсы и сел на пятки. Глядя в пол, он подобрал рубашку и вяло держал ее в руках, дрожа от холода.

Живот у меня свело, и я боялась, что меня стошнит, покуда я натягиваю трусы и оправляю юбку. Я нашла свою футболку и ухитрилась надеть ее, застегнувшись одной рукой, так как другой зажимала рот. Мне было страшно, что если я отниму ее, то проиграю битву с желудком. Все мое тело сотрясалось от рвавшихся наружу всхлипов. Келлана трясло куда больше, но он не шелохнулся, не оторвал взгляд от пола, ничем не попытался мне помочь.

Я ничего не соображала, не понимала, что произошло и как мое тело столь вероломно подвело разум. Почему я позволила Келлану дотронуться до меня? Почему я сама так рьяно касалась его, хотела его, умоляла? И господи — Денни... Я даже не могла додумать эту мысль.

Хлюпая носом, я пролепетала:

— Келлан?..

Он поднял взгляд. Его сверкавшие глаза встретились с моими — страсти, которая так недавно в нем полыхала, не было и в помине.

— Я все сделал правильно. Почему ты не дала мне уехать? — спросил он грубым шепотом.

Его вопрос разбил мое сердце на тысячу кусков, и рыдания возобновились. Дрожа всем телом, я подняла кофту, встала и пошла к притворенной двери. Келлан таращился в пол и не двинулся с места, чтобы остановить меня. Я тихо открыла дверь и бросила на него прощальный взгляд: он так и сидел на коленях с рубашкой в руках. Вдруг я увидела у него на спине узкие алые полосы, заканчивавшиеся кровавыми каплями. Глотнув воздуха, я подалась к нему.

— Не надо, — бросил он, не повернув головы. — Уходи. Денни тебя, наверное, уже ищет.

Его тон был ровным и предельно холодным.

В слезах, я распахнула дверь и выбежала в ночную прохладу.

ГЛАВА 10
ДАЛЬШЕ — БОЛЬШЕ

Утром, когда мое сознание начало медленно возвращаться к жизни, я заметила три вещи. Первой было то, что все мое тело болело. Выходит, накануне все вышло жестче, чем мне запомнилось. О боже... Я что, действительно просила его быть грубым со мной? Какого черта? Мой мозг невольно затопили мысли о руках и губах Келлана. Я с трудом сглотнула и заставила себя думать о другом.

Второй вещью был желудок: казалось, я рисковала извергнуть все, что в нем еще чудом осталось. Но слезы, как я заметила с облегчением, все-таки прекратились. Убедить Денни в том, что я отправилась на стоянку, гонимая тошнотой, чтобы не вывернуться перед толпой наизнанку, оказалось намного легче, чем я могла вообразить.

Он ни на секунду не усомнился в моих словах, лишь заботливо помог мне усесться в машину и отвез меня домой. Когда мы проезжали мимо кофейной будки, я не могла удержаться от того, чтобы с болью украдкой не взглянуть на нее. Мне оставалось только гадать, был ли Келлан еще внутри, коленопреклоненный, ожидающий, когда свернется кровь. Мне пришлось прижать к животу руку и с силой надавить на него, чтобы желудок не прыгнул вверх. Денни встревоженно взглянул на меня и прибавил скорость. О Келлане он спросил только вскользь. Я ответила, что оставила того за столом и не знала, куда он подевался. К своему удивлению, говорила я ровно. Жестко, но ровно. Денни не обратил внимания на мой тон — а может быть, списал его на мое недомогание.

Дома он со всей заботой помог мне переодеться и уложил меня в постель. Я не могла вынести его нежность, его любовные взгляды. Мне хотелось, чтобы он орал и бушевал, ведь я заслужила это — и много больше. Вновь подступили слезы, и я отвернулась от него, притворившись спящей. Он ласково поцеловал меня в плечо, прежде чем улечься рядом, и следующие несколько часов я беззвучно проплакала в подушку.

Проснувшись, я предположила, что Келлан направился куда-то прямо из бара. Очевидно, он не желал больше видеть ни меня, ни Денни. Только не после того, что он — мы с ним — сделали. В первый раз мы были пьяны и ошиблись, ведь тогда мы с Денни пусть ненадолго, но расстались. Сейчас все было иначе. Это была неприкрытая измена.

Такая мысль подвела меня к третьему поразительному наблюдению. Снизу доносились обрывки беседы Денни и Келлана, даже их смех. Никто не кричал и не орал. Никаких буйств. Он что, правда предавался обычной воскресной болтовне с лучшим другом, которому только что нанес удар в спину?

Быстро поднявшись, я ринулась в ванную. Выглядела я страшнее смерти. Глаза измученные и налитые кровью, волосы спутаны и всклокочены. Я прошлась щеткой по густым локонам, плеснула в лицо холодной водой и кое-как почистила зубы. Не блеск, но уже лучше, тем более что я прикидывалась больной. Быстро глянув на бедро, я заметила там синяк и закусила губу, а мой желудок снова ожил. Поспешно приведя в порядок одежду, я решила остаться в пижаме. Для меня не было ничего необычного в том, чтобы расхаживать в таком виде, и вдобавок мне стало настолько любопытно, что я не могла утерпеть ни секунды больше.

Я слетела по лестнице и чуть не упала, затормозив на последней ступеньке. Сделав намеренно глубокий вдох, я усмирила избыточно частое дыхание и взволновавшееся сердце. Может быть, Келлан был здесь потому, что минувшим вечером ничего не случилось, а мне лишь привиделся жуткий сон? Может, я и поверила бы в это, не будь мое тело в синяках, не боли оно сладкой болью и не наполнись мой рот го́речью при этой мысли.

Медленно я прошла в кухню и обогнула угол. Точно, мне наверняка приснилось. Или же я спала прямо сейчас.

Денни облокотился на стойку и невозмутимо пил чай. Он улыбнулся мне, как только заметил мое бесшумное появление.

— Доброе утро, соня. Ну что, получше?

Его чарующий акцент был этим утром особенно прекрасен, однако ничто во мне не обрадовалось, ибо на меня смотрел еще кое-кто.

Келлан небрежно сидел на кухонном столе, одной рукой лениво поглаживая кружку, полную кофе, а другую спокойно положив на бедро. Должно быть, его глаза устремились в мою сторону, едва я появилась, потому что наши взгляды мгновенно встретились. Нынешним утром эти глаза были совершенно безмятежными, но все еще странно прохладными. Они не потеплели, даже когда уголок его рта дернулся вверх в легкой полуулыбке.

Вспомнив наконец, что Денни задал мне вопрос, я быстро глянула на него и ответила:

— Да, намного лучше.

Я села напротив Келлана, и все это время он наблюдал за мной. О чем он думал, ради всего святого? Хотел открыться? Собирался уведомить Денни? Я покосилась на того: Денни стоял все там же, пил чай и смотрел выпуск новостей. Он уже давно встал, принял душ и оделся на выход. Его поношенные джинсы элегантно обтягивали ноги, а простая серая футболка подчеркивала каждую мышцу. С горечью я подумала, что он был прекрасен.

Виновато вздохнув, я отвернулась. К несчастью, я ухитрилась забыть, что Келлан никуда не делся, а сидел напротив и пялился на меня. На сей раз, взглянув на него, я не сумела оторваться. Глаза Келлана сузились, изучая мои, улыбка слетела. Вечером он выглядел так же. В точности так же, осознала я в некотором смятении. Он не переоделся. На нем так и была белая рубашка с рукавами, закатанными чуть выше локтей. Те же выцветшие синие джинсы. Даже взъерошенные волосы лежали так же, как было, когда в них утопали мои пальцы. Казалось, он только что явился домой. Мне хотелось заорать на него и спросить, почему он все еще здесь. Почему он сверлил во мне взглядом дыры, когда Денни стоял от нас всего в нескольких шагах?

Но вот Келлан отвернулся всего за долю секунды до того, как ко мне повернулся Денни. Я была не столь проворна, и Денни заметил, что я смотрела на Келлана с чувством, которое, вероятно, выглядело как гнев. Легкая улыбка Келлана вернулась, стоило мне переключиться на Денни. Тупая, раздражающая улыбка.

— Приготовить тебе что-нибудь? — осведомился Денни, выискивая во мне признаки недуга.

— Нет, не стоит. Мне пока не до еды.

Меня и вправду еще подташнивало, но только не по той причине, которую он воображал.

— Кофе?

Он указал на почти полную кофеварку.

Запах ударил мне в нос, и я испугалась, что сию секунду утрачу контроль над желудком. Я больше никогда не смогу думать о кофе, не говоря уж о том, чтобы его пить.

— Нет, — прошептала я, побледнев.

Денни не заметил, что я была бела, как мрамор. Он поставил пустую кружку, выпрямился и подошел ко мне.

— Ладно. — Он нагнулся, чтобы поцеловать меня в лоб, и я краем глаза увидела мину, которую состроил Келлан. — Дашь знать, когда проголодаешься. Я приготовлю что захочешь.

Денни улыбнулся и проследовал мимо меня в гостиную. Привычно развалившись на диване, он переключился на спортивный канал.

Я задержала дыхание. Мне хотелось присоединиться к Денни, укрыться в его объятиях и вздремнуть, пока он будет смотреть телевизор. Диван прямо взывал, приглашая меня в уют и тепло. Но муки совести удержали меня на месте. Я не заслуживала Денни с его сердечностью и заботой, а заслуживала лишь холодную твердь кухонного стула. С трудом сглотнув, я уставилась в стол, довольная уже тем, что слез не осталось.

Келлан негромко кашлянул. Я вздрогнула. Витая в облаках, я позабыла о его присутствии. Он глянул на Денни, растянувшегося на диване, а затем посмотрел мне в глаза. Мне померещилась секундная гримаса боли, но все исчезло, прежде чем я успела удостовериться в увиденном. Сама того не желая, но и не будучи в силах остановиться, я вновь подумала о событиях прошедшего вечера. Я вспомнила, каким я увидела его напоследок — с исцарапанной в кровь спиной. Мой взгляд уперся в его рубашку. С места, где я сидела, было видно не все, но та, похоже, осталась чистой — никаких кровавых пятен.

Взгляд Келлана потеплел. Он криво улыбнулся мне, и у меня сложилось впечатление, что он точно знал, чего я искала. Я покраснела и постаралась отвернуться так, чтобы не смотреть на Денни.

— Не поздновато ли скромничать? — прошептал Келлан, расплываясь в своей несносной и волшебной полуулыбке.

Мой взгляд метнулся обратно к нему, я вновь была шокирована. Мы будем обсуждать это прямо здесь? Сейчас? Я прикинула, достаточно ли громко он говорил, чтобы его было слышно в соседней комнате под бормотание телевизора. Нет, это вряд ли.

— Ты совсем рехнулся? — Я попыталась подстроиться под его шепот, но бешенство вытеснило все прочие эмоции, и мне показалось, что я кричу. — Что ты здесь делаешь?

Вторая фраза вышла уже намного тише.

Он кокетливо склонил голову:

— Я здесь живу, забыла?

Я могла ему врезать. Мне в самом деле хотелось, но опасение возбудить любопытство и, скорее всего, неодобрение Денни остановило мою руку. Взамен я стиснула кулаки, переборов соблазн.

— Нет, ты уезжаешь, забыл? Грандиозный, задумчивый, театральный уход... Колокола звонят?

Мое раздражение неприкрыто сочеталось с сарказмом.

Келлан тихо прыснул:

— Ситуация изменилась. Меня очень настойчиво попросили остаться.

Он порочно улыбнулся и закусил губу.

Мое дыхание пресеклось, и я ненадолго прикрыла глаза, чтобы не видеть его безупречного лица.

— Нет. У тебя нет ни малейшей причины быть здесь.

Открыв глаза, я увидела, что он продолжал гадко улыбаться. Не иначе набрался вчера: ничем другим было не объяснить перемену в его поведении. Я рискнула взглянуть на Денни, но тот все так же блаженно следил за соревнованиями.

Когда я вновь обернулась к Келлану, он перестал улыбаться и сосредоточенно подался ко мне.

— Я ошибался. Возможно, ты этого хочешь. Дело стоит того, чтобы остаться и выяснить.

Он говорил шепотом, но мне мерещилось, что он орет во все горло.

— Нет! — Я брызнула слюной, с секунду не зная, что сказать дальше. Собравшись, я добавила: — Ты был прав, я хочу Денни. И выбираю Денни.

Я говорила с ним тихо, не смея даже взглянуть в гостиную, боясь, не различил ли Денни собственного имени.

Келлан чуть улыбнулся и потянулся к моей щеке. Я машинально захотела уклониться и съездить ему по физиономии, но тело не слушалось. Почему оно больше не подчинялось мне? Тупое, непокорное тело. Келлан провел кончиками пальцев по моему лицу. При первом касании меня обожгло памятной страстью. Я разомкнула губы, когда его пальцы скользнули по ним, и полуприкрыла глаза от удовольствия, но мигом распахнула их, услышав смешок.

— Посмотрим, — сказал он небрежно, положив руку на колено и откинувшись в кресле с победной самодовольной улыбкой.

Тупое, дурацкое, непослушное тело.

— А он? — Я мотнула головой в сторону Денни.

Улыбка Келлана увяла, взгляд уперся в стол. Голос зазвучал болезненно, но твердо.

— Вчера вечером я много об этом думал. — Он опять посмотрел мне в глаза. — Не хочу ранить его без нужды. Я ничего не скажу ему, если ты не попросишь.

— Нет, я не хочу, чтобы он знал, — прошептала я, вновь радуясь, что у меня не осталось слез. — Что это значит «без нужды»? Кто мы с тобой теперь, по-твоему?

Его улыбка вернулась, и он потянулся через стол, чтобы взять меня за руку. Я дернулась назад, но Келлан крепко вцепился в мою кисть и погладил мои пальцы.

— Ну, в настоящий момент мы друзья. — Он смерил меня взглядом так, что я вспыхнула. — Добрые друзья.

Я задохнулась, не вполне понимая, что я могу ответить на это, затем во мне разгорелась злость.

— Ты сказал, что мы никогда не были друзьями. Только соседями, помнишь? — Я не могла сдержать яд.

Он склонил голову набок, симпатичный донельзя.

— Ты заставила меня передумать. Ты умеешь быть очень убедительной. — Он искушающе понизил голос. — Может, поубеждаешь меня еще при случае?

Я резко встала, и ножки стула взвизгнули по полу. Келлан спокойно выпустил мою руку и смотрел на меня, тогда как Денни крикнул из гостиной:

— Ты в порядке?

— Да, — отозвалась я, чувствуя себя глупо. — Просто иду наверх, в душ. Пора собираться на работу, подменять Эмили.

Внезапно мне захотелось смыть с себя все следы Келлана. Я взглянула на Денни. Он уже отвернулся к телевизору, полностью безразличный к кухонным баталиям.

— Хочешь, я пойду с тобой? Мы сможем продолжить нашу беседу, — прошептал Келлан, дьявольски ухмыляясь.

Мое сердце затрепетало. Я бросила на Келлана прощальный взгляд и решительно вышла вон.

Затягивая сборы, я обдумывала проблему, в которую превратился Келлан. Что я наделала? О чем, ради всего святого, я думала? Я должна была дать ему уехать... Почему не дала? Почему я не позволила ему залезть в машину и позволила залезть в...

Я вздохнула. В тот момент мне действительно не хотелось думать об этом. Желудок и без того мучительно ныл.

Дело было в том, что только что на кухне он сказал очень странную вещь. Как же он выразился?.. «Возможно, ты этого хочешь». Этого? Кем он нас считал без учета роковой ошибки? Хорошо, если верить ему, теперь мы точно были друзьями. Меня немного раздосадовало, что *это* побудило Келлана считать нас друзьями. В моем представлении мы были ими всегда. А теперь стали друзьями добрыми? И он мог этого не сказать, но я точно услышала, как если бы он кричал с колокольни: добрыми друзьями — с привилегиями. «Ну, извини, — подумала я, расчесывая волосы и собирая их в хвост, — мы не такого рода друзья. Во всяком случае, отныне».

Денни отвез меня на работу, но в бар не зашел, так как Макс позвонил ему в тот самый момент, когда он парковался. Раздосадованно покачав головой, он вздохнул и сказал мне, что должен уехать на несколько часов, но заберет меня после смены. Я кивнула и ответила, что это здорово. То, что я ему сделала, в значительной мере усмирило во мне всякое недовольство посягательствами Макса. Мне все еще было дурно. Я взялась за живот, провожая взглядом габаритные огни его машины. Часть меня испытала облегчение, когда они скрылись вдали: мне нужно было пережить вину в одиночестве.

Днем же в «Пите» одиночества было не занимать. Конечно, не в прямом смысле — на ланч собралась куча народа, но я никого не знала. Если бар «У Пита» был большой семьей, то сменщицы дневные и ночные приходились друг дружке дальними родственницами. Да, мы встречались по праздникам, но в действительности общались редко.

Дневной бармен был симпатичным мужчиной, который вежливо кивнул мне, когда я вошла в бар. По-моему, его звали... Трой? Я не была в этом достаточно уверена, чтобы обратиться к нему по имени. Незачем выставлять себя идиоткой. Простого «привет» покамест хватит. Две другие официантки были старше и работали здесь, очевидно, с начала времен. Обе седые и курчавые, они всех называли «лапушками» и «дорогушами», а потому я решила, что их не обидит, если и я назову их так же. Они были, впрочем, очень милы, и я быстро вошла в струю.

Публика тоже была другая. Вечером приходили все больше пьянчужки. Эти же были в основном едоки. За этот день я побывала на кухне больше раз, чем за все время моей работы в «Пите». Вечером готовкой заведовал застенчивый малый по имени Скотт. Долговязый и странно тощий для повара, он, я могла поклясться, знал свое дело! Кухня в «Пите» была одной из лучших в округе. Источник кулинарного таланта Скотта заправлял в кухне днем — то был его отец, Сол, такой же длинный и тощий и столь же (если не более) отменный повар. Он был веселым и всякий раз, стоило мне явиться с заказом, подмигивал мне и отпускал шуточку.

Дела шли гладко, и я уже наслаждалась работой в расширенном семейном составе, когда ощутила, что воздух — готова поклясться — сгустился. Я все поняла до того, как увидела его, ведь всегда чувствовала приближение Келлана Кайла.

Он появился у меня за спиной, и я не обернулась, чтобы обслужить его. Он волен был сесть и подождать, как все... желательно, не в моей зоне. Но он этого не сделал. Он просто стоял позади, пока я ждала газировку у стойки. Я заметила, что Трой разглядывал его с полуулыбкой, и это меня немного раздосадовало. Неужели к нему притягивало решительно всех? И вот рука погладила мое бедро... в том месте, где был синяк. Я застыла и повернула голову. Мне хотелось отвесить ему оплеуху, но вид Келлана заставил меня задохнуться. Мое сердце отчаянно забилось, и я задержала руку.

Он был только-только из душа: волосы взбиты, но все еще влажные. На нем были черные ночные джинсы, контрастировавшие с красной футболкой в обтяжку, которая дразняще подчеркивала каждый изгиб его широких плеч и грудные мышцы, за какие убился бы любой красавец с обложки. Но меня околдовало не его умопомрачительное тело — глаза. Они буквально кипели, пока он придерживал меня за бедро. Он изучал меня, и на его губах застыла кривая ухмылка.

Я спешно смахнула его руку в надежде, что потеря контакта угомонит мое бешено стучавшее сердце. Это могло бы сработать, не возьми он взамен мои пальцы. Краем глаза я видела, с каким любопытством следил за нами Трой. Точнее, не за нами: Трой смотрел на Келлана.

— Что ты здесь делаешь? — спросила я севшим голосом, пытаясь высвободить пальцы.

— Проголодался. Прослышал, что тут хорошо кормят и персонал... гостеприимный.

Его ухмылка стала шире, когда он изловчился переплести наши руки.

Я задохнулась.

— Гостепри...

Даже не договорив слова, я запнулась и покраснела. Келлан хохотнул и отвел прядь волос, которая выбилась из моего хвоста на ухо. Это было так приятно, что я невольно прикрыла глаза, но немедленно открыла их вновь и вырвала руку.

— Тогда иди и садись! Официантка скоро подойдет.

Он улыбнулся и пожал плечами:

— Ладно.

Келлан глянул на Троя, учтиво кивнул ему, храня на губах слабую улыбку, и неторопливо направился к своему обычному столику. Господи, да был ли здесь кто-то, с кем он не кокетничал?

Я избегала его сколько могла, обслуживая всех и каждого, покуда Келлан самодовольно ухмылялся в мою сторону, скрестив на груди руки. Он бесстыдно наслаждался моим нежеланием оказаться поблизости. Наконец я подошла к его столу, больше желая выкурить его из бара, нежели обслужить или, как он выразился, быть «гостеприимной».

— Чем могу помочь?

Он вскинул бровь, и я залилась краской. Сосредоточившись на блокноте, я постаралась отогнать непристойные мысли, которые он только что успешно возбудил в моей голове. Почему мой мозг превращался в помойку, когда Келлан оказывался рядом? И почему его мозг постоянно был такой помойкой?

— Я возьму бургер, картошку, пиво...

Конец фразы повис, как будто ему хотелось чего-то большего, и я покраснела еще сильнее.

— Отлично. Сейчас передам, — прошептала я.

Я повернулась, чтобы скорее уйти, но он придержал меня:

— Кира?

Нехотя я взглянула на него.

— У вас тут не найдется аспирина? — Келлан поморщился и завел руку за спину, указывая на лопатку. — Спина ужасно болит.

Он коварно просиял, а у меня душа ушла в пятки.

Картина того, как я впиваюсь ногтями в его плоть, явилась мне столь живо, что я едва устояла на ногах. Я глотнула воздуха и девчачьим движением прикрыла рот, затем развернулась и скрылась, ничего не ответив. Меня охватил стыд, затем — чувство вины, а за ним... желание? Я поспешила передать его заказ, молясь, чтобы он скорее убрался.

Наконец, после поразительно долгого ланча, который побил бы любой обед с семью переменами блюд как по длительности, так и по оказанному Келлану вниманию (не только Милочка принесла ему воду и не только Лапушка налила ему еще, так как было ясно, что я к его столу больше не приближусь, но даже Трой собственноручно притащил ему второе пиво, которое поставил перед ним со слабой, застенчивой улыбкой, вызвав этим очаровательную ухмылку Келлана), он встал, намереваясь покинуть бар. Я только закатывала глаза. Если кто и нуждался в меньшем личном внимании, так это был он.

Приблизившись ко мне, он молча сунул мне в карман деньги. Я даже не шелохнулась, чтобы принести ему чек. Откровенно говоря, Келлан, скорее всего, открыл в баре счет, и Пит ежемесячно высылал ему итог, ведь он торчал здесь чертовски часто. Расплатившись, он лишь улыбнулся и повернулся к выходу, и я была готова поклясться, что Трой вздохнул при виде этого. Я вынула деньги из кармана и двинулась было к стойке для записи, облегченно вздыхая при мысли, что Келлан наконец ушел, когда рассмотрела, что он мне дал. Полтинник.

Полтинник? Да неужели? Мгновенно разъярившись, я вылетела из бара.

Резкий скрип моих шагов по мостовой отражал мое негодование, и храбрость моя неуклонно росла. Я устремилась прямо туда, где Келлан уже взялся за дверную ручку своего черного, отчаянно сексуального «шевелла». Он либо услышал мое приближение, либо ждал его и повернулся с еле различимой улыбкой. Она угасла, когда он заметил вовсе не приветливое выражение моего лица. Келлан выпрямился и выжидал, сверля меня странным взглядом.

Я остановилась почти вплотную к нему и помахала оскорбительной банкнотой:

— Что это?

Легкая улыбка вернулась.

— Ну как же, это пятьдесят долларов. Ими рассчитываются за товары и услуги.

Успокаивая себя, я сделала глубокий вдох. Остряк. Сколько раз за сегодня мне хотелось съездить ему по морде?

— Это мне известно, — процедила я. — За что они?

Он склонил голову и улыбнулся уже во весь рот:

— Это тебе плюс по счету. По-моему, все очевидно.

Я снова глубоко вздохнула:

— С какой стати? Я почти не занималась тобой и даже не приносила тебе еду.

Об этом я предоставила позаботиться Милочке, сославшись на срочную необходимость отлучиться в туалет.

Келлан слегка нахмурился, облокотился на машину и скрестил на груди руки.

— Иногда чаевые, Кира, это всего лишь чаевые.

Ага, правильно. Только не в его случае... Не сегодня, не после вчерашнего вечера. Не обращая внимания на его ослепительный вид, я продолжила наседать:

— За что?

Он ответил до странности серьезно, хотя на его лице сохранилась беспечная улыбка:

— За все, что ты для меня сделала.

Я тут же швырнула деньги ему в лицо и устремилась в бар. Он мог улыбаться сколько угодно, но я распознала за этим оскорбление. И меня глубоко задело, что он испытывал потребность вознаградить меня.

Денни забрал меня после работы и рассказал о том жизненно важном задании, которое не могло подождать до понедельника. Речь шла о цветах и бронировании места в ресторане, куда невозможно было попасть, для какой-то девицы, которую в настоящее время окучивал Макс. Денни был рад этому в той же мере, что и я. Впрочем, я нацепила притворную улыбку и утешила его тем, что рабочий день, по крайней мере, уже закончился. При мысли о том, что моему ужасному дню предстоит лишь продолжаться, я ощутила угрызения совести пополам с напряжением. Мы ехали прямо к Келлану.

Но того не оказалось дома. Когда пришло время ложиться спать, а он так и не появился, я начала злиться. С кем он шлялся — с дружками или с девицей? Я подавила досаду. Какое мне дело? Едва я собралась умыться и смыть, дай бог, стресс, мне на глаза попалась записка, спрятанная за флаконом с очищающим гелем. Изящным почерком Келлана там было написано: «Я не хотел тебя обидеть», — к посланию прилагалась двадцатидолларовая бумажка.

Ух ты, почти извинение. Это было что-то новенькое.

❖ ❖ ❖

Утром я отнеслась к случаю с чаевыми чуть рассудительнее. На самом деле мой демарш выглядел глуповато. Может быть, Келлан просто оказал мне любезность, которая не имела никакого отношения к нашему совместному вечеру. Понять Келлана бывало чертовски трудно, особенно с учетом его отвратительного поведения после нашей первой ночи. До чего же мне было мерзко, что теперь их было уже две. Спасибо, что хоть третьей не бывать. Нет уж, никаких трайфект[1].

Я осторожно спустилась, гадая, каким увижу Келлана теперь. Он, как обычно, пил за столом кофе, небрежно улыбался и молча наблюдал за моим появлением. К моей радости, он помалкивал и не собирался обсуждать вчерашний инцидент. Однако он буквально раздевал меня взглядом. Это нервировало. Возбуждало. Заставляло меня чувствовать себя виноватой.

Келлан сделал большой глоток, и я не могла не вспомнить о кофейной будке. Мои щеки порозовели, и он дьявольски улыбнулся, как будто доподлинно знал, что у меня на уме. Келлан поставил кружку и спокойно зашел мне за спину. Обольстительно убрав мои волосы с шеи, проведя рукой от плеча к плечу, он быстро поцеловал меня в обнажившееся место.

— Доброе утро, — шепнул он мне прямо в ухо.

Я вздрогнула. Что он делал со мной своими прикосновениями? Келлан обнял меня за талию и притянул к себе.

— Келлан, прекрати, — прошептала я, извернувшись и мягко оттолкнув его.

Он тихо рассмеялся:

— Что прекратить, Кира? Мы занимались этим постоянно, пока Денни не было... Помнишь?

Он снова привлек меня.

---

[1] *Трайфекта* — ставка на трех предполагаемых победителей одного забега с указанием последовательности, в которой они придут к финишу.

Вздохнув, я оттолкнула его жестче, силясь не обращать внимания на удовольствие, которое испытывала в его объятиях.

— Теперь все изменилось.

И снова он потянул меня к себе и задышал в ухо, шепча:

— Да, все изменилось очень сильно.

Я оттолкнула его слабеющими руками. Во мне вспыхнуло раздражение.

— Ты такой капризный. Мне к тебе не подстроиться.

Мой взгляд смягчился, так как я подумала, что рассердила его.

Но Келлан только криво ухмыльнулся:

— Я артист... Никаких капризов.

— Значит, ты капризный артист... — закончила я мысль, пробормотав на выдохе: — Ты вообще практически девчонка.

Он проникся. Резко развернув меня к себе лицом, он прижал меня к стойке и навалился. Я глотнула воздуха, когда он схватил меня за несчастное израненное бедро и закинул мою ногу на себя. Другую руку он положил мне на спину, и мы оказались лицом к лицу. Он снова хрипло зашептал мне в ухо:

— Уверяю тебя, это не так.

Его губы скользнули по моей шее, и я опять вздрогнула. Проклятье... Нет, он определенно не девчонка.

— Пожалуйста, перестань, — сумела прошептать я, предпринимая очередную жалкую попытку оттолкнуть его.

Келлан поцеловал меня в последний раз — в шею, крепко, и я на миг испугалась, что там останется засос, но он отстранился и вздохнул:

— Хорошо... Но только потому, что ты взмолилась. — Он чуть ли не мурлыкал. — Люблю, когда ты так делаешь, — прошептал он и вышел, посмеиваясь себе под нос.

После этой короткой встречи я блаженствовала в душе, пытаясь упорядочить мысли и чувства. Из головы — или из тела — не уходило ощущение того, как Келлан прижимался ко мне. Поцелуй, подаренный Денни, когда тот ушел на работу несколько минут назад, чудовищно ранил мне сердце. Совесть не отступала, и Келлан здесь явно не мог помочь. Я вздохнула и запрокинула голову под струями. Он был таким странным. После первой ночи он обратился в камень, а сейчас был раскален докрасна. Боже, что будет, если мы?.. Нет, об этом я не хотела даже думать. Что бы ни происходило между нами, *это* безоговорочно осталось в прошлом! Я не предам Денни еще раз.

Через некоторое время я немного успокоилась, но тут перед моим лицом повис самый здоровый паук, какого только видело человечество. Нет, я привыкла считать, что вполне трезво относилась к грызунам, насекомым и паукообразным. Я прекрасно понимала, что они играют свою роль и имеют место в круговороте жизни. Но этот, зависший прямо перед лицом, с десятисантиметровыми — богом клянусь — ногами, спровоцировал меня на абсолютно девчоночью реакцию: я завизжала. И не просто, а как резаная. Я выскочила из душа и немедленно заплясала по ванной. Известный танец: «Боже, я знаю, на мне есть еще, они где-то спрятались». В ту же секунду в ванную ворвался Келлан. Ради всего святого, как я могла не запереться? При виде него я окаменела. Он тоже застыл, когда увидел, как я скачу вокруг голая.

Покраснев с головы до пят, я схватила первое попавшееся полотенце.

— Ты жива?

Он огляделся, как будто после моих воплей ожидал увидеть маньяка и реки крови.

— Паук, — сказала я, мертвея.

Начать бы этот день сначала.

Келлан перевел на меня взгляд, еле сдерживая смех. Ему пришлось закусить губу, и улыбка, оставшаяся на его лице, стала дьявольски соблазнительной.

— Паук? — выдавил он почти невозмутимо. — Ты не умираешь?

Я нахмурилась, когда его взгляд перестал быть глупо самодовольным и скользнул по моему едва прикрытому телу.

— Придется осмотреть тебя всерьез. Исключительно ради твоего же успокоения, а то вдруг они где-нибудь еще на тебе.

Келлан сделал пару шагов ко мне, и я вдруг испытала приступ клаустрофобии в маленькой ванной.

Я перегрелась и чуть ослабела. Толкнув Келлана в плечо, я направила его к двери.

— Нет... Проваливай!

— Ладно. — Он склонил голову набок, разворачиваясь на выход. — Я буду у себя, если передумаешь.

Он недобро ухмыльнулся:

— Или если приползут новые пауки.

Как только он вышел, я захлопнула и заперла дверь. Я разозглась до предела. С этим нужно было что-то делать, но я не имела понятия что.

Келлан был весьма изощрен в заигрываниях со мною, всегда выгадывая моменты, когда Денни выходил из комнаты или поворачивался к нам спиной. При первом поцелуе в шею в присутствии Денни я потрясенно задохнулась. Келлан издал смешок и отпрянул, как только Денни озадаченно взглянул на меня. Я промямлила какую-то чушь — мол, увидела паука — и посмотрела на Келлана, который при известии об очередном пауке расхохотался и вскинул брови. Моя шея приятно пылала в месте поцелуя.

Мне все больше и больше нравилось уединяться на занятиях. Это была единственная зона, свободная от Денни и Келлана. На протяжении нескольких часов я могла думать о чем-то помимо постоянного домашнего позора. Но через несколько дней, когда я слушала лекцию о взглядах Зигмунда Фрейда на вытесненную сексуальность, тяжелые мысли неизбежно всплыли вновь.

Я не знала, как быть. С одной стороны, у меня был красивый, любящий парень, которым я восхищалась и ради которого пересекла всю страну, однако испугалась его готовности променять меня на работу. Мне было неприятно думать об этом. Он не был виноват в моей дикой реакции и все-таки передумал и вернулся ко мне почти моментально ценой огромных потерь, но опоздал. Во время его недолгой отлучки в игру вступил Келлан, теперь превратившийся в занозу.

Я вздохнула, действительно не понимая, как относиться к этому, кроме как с ощущением огромной вины. Меня сто раз предупреждали насчет Келлана. Я знала, что он за тип, и все равно попалась... Дважды. Я ненавидела мою слабость по отношению к нему и власть, которую он надо мной приобрел, тогда как у меня ее не было и в помине. Это просто выводило меня из себя.

Конечно, в последние дни он осмелел. Его прикосновения стали намного интимнее. Когда он шел мимо, его пальцы всегда находили сантиметры кожи между моими футболкой и джинсами. Я открывала холодильник, а Келлан гладил меня по щеке. Я готовила — а он припадал губами к моему обнаженному плечу. Он покусывал мне ухо, стоило Денни выйти за почтой. Он подкрадывался ко мне на работе и клал мне на спину руку, когда никто не смотрел.

Черт побери, он сводил меня с ума, и я ненавидела это всей душой. Разве нет?

Я подняла глаза. Лекция, из-за которой я далеко улетела в своих мыслях и ничего не слышала, закончилась. Я даже не заметила, что студенты потянулись на выход и аудитория наполовину опустела. А все дурацкий Келлан с его дурацкими, волшебно прекрасными пальцами.

Теперь мне предстояло увидеться с этим дурацким человеком в дурацком баре, так как моя смена начиналась через пару часов. Конечно, он будет сидеть там за выпивкой вместе со своими приятелями. Они репетировали чуть ли не ежедневно и почти всегда заходили к «Питу». И Келлан, разумеется, не упустит случая помучить меня в отсутствие Денни. Он всегда был достаточно осторожен, чтобы никто не заметил его домогательств, но у меня было чувство, что ему бывало легче, когда не приходилось смотреть Денни в глаза.

На улице моросило, и я направилась к автобусной остановке. Дождь был слабый, но я в конце концов промокла. Люди вокруг, похоже, не боялись воды. Никто даже не брал с собой зонта, если не шел ливень. Лично я предпочитала оставаться сухой, однако утром дождя не было, а мне не хотелось, как дуре, разгуливать с зонтиком в ожидании, когда он польет.

Я решила доехать на автобусе прямо до бара. Лучше приеду раньше, чем буду маяться дома наедине с Келланом. Денни был на работе — кто мог знать, что взбредет тому в голову? Не то чтобы я ему позволила бы. Я была уверена, что нет... Так или иначе, смогу подготовиться в подсобке к занятию по литературе.

Когда я шла к остановке, кто-то сзади выдохнул:

— Боже, ты глянь на того парня — до чего классный!

Машинально повернувшись, я обомлела. Келлан был здесь? Почему Келлан был здесь? Стоя возле машины, он успел вымокнуть, и ему, как и прочим местным, было на это наплевать. Увидев, что я его заметила, он выдал свою сексуальную полуулыбку. Я закатила глаза и даже не потрудилась взглянуть, кто подал реплику. Мне было ясно, что это какая-то случайная девица, пускавшая слюни по поводу его совершенства.

Мне не хотелось окончательно промокнуть в ожидании автобуса, а потому я без особого желания устремилась к Келлану. Дождь падал на его взъерошенные волосы, и капли стекали на лицо. Келлан был в черной кожаной куртке. Он прислонился к машине, скрестив на груди руки. Кто бы там ни исходил слюнями, эта особа была права: он околдовывал.

— Я подумал, что тебе захочется на машине, — мурлыкнул он.

— Конечно, спасибо. Мне надо к «Питу».

Я надеялась, что мне удалось говорить безразлично, как я и хотела. Сердце уже забилось при мысли о тесном соседстве с Келланом в замкнутом пространстве, но перспектива остаться сухой была слишком заманчивой.

Келлан улыбнулся, как будто откуда-то заранее знал мой ответ. Он скользнул за руль, предварительно театральным жестом отворив мне дверцу. Мы отъехали от университета, и я напряглась в ожидании... чего-нибудь. Я понятия не имела, как он поступит в такой ситуации, и в голове царил кавардак от множества вариантов. Вдруг он повалит меня прямо здесь и попытается... Я оглянулась на заднее сиденье. Оно вдруг показалось поразительно просторным и вполне удобным. До меня мигом дошло, что машина Келлана представляла собой «походно-полевую кровать». От этой мысли мое лицо вспыхнуло, а дыхание сбилось.

Келлан покосился на меня и хмыкнул:

— Все хорошо?

— Да, — абсолютно неубедительно солгала я.

— Ладно.

Мы остановились на красный, и Келлан пригладил волосы, метнув на меня искрящийся, игривый взгляд.

Я осознала, что дышу чересчур тяжело. «О, ради Пита», — подумала я злобно. Он даже не прикоснулся ко мне. Меня охватило предвкушение. Мне хотелось, чтобы он взял меня и все сделал. Еще минута — нет. Всколыхнулось знакомая досада. Я же не хотела, чтобы он дотрагивался до меня?..

Мы тронулись вновь, но теперь я смотрела в окно, вконец смущенная, и едва ли заметила, что мы едем. Я любила Денни — но почему же так жаждала прикосновений Келлана? Полная бессмыслица. Но больше обдумывать это я не смогла. Келлан наконец решил коснуться меня. Он просто положил руку мне на колено и скользнул выше. Этого хватило. Я закрыла глаза: его легкое касание воспламенило все мое тело. Пока мы не доехали, я так и не разомкнула веки.

Мы добрались до бара слишком быстро и все же недостаточно быстро. Келлан припарковался, не отнимая руки от моего бедра. Я чувствовала его взгляд, но продолжала держать веки сомкнутыми. Он подвинулся, чтобы прижаться ко мне. Его тепло, смешанное с ароматом дождя, заставило мое дыхание участиться. Он водил рукой по моему бедру, и я глотнула воздуха, широко раскрыв рот. Мне вдруг захотелось большего... и я ненавидела себя за это. Келлан потерся о меня щекой, и я постаралась смотреть прямо, не поворачиваясь к нему. Он поцеловал меня в щеку, затем легонько провел языком до уха, и я начала дрожать. Он на секунду задержал во рту мочку моего уха и выдохнул:

— Готова?

Паника понудила меня распахнуть глаза. Я взглянула на него, и мое дыхание стало позорно быстрым. Он искушающе улыбался мне, и у меня не осталось иного выхода, кроме как повернуться к нему лицом. Теперь нас разделяли считаные сантиметры, и я почувствовала, как его рука ползет по моему бедру все выше и выше. Затем что-то щелкнуло, и мой ремень безопасности соскочил.

Келлан отстранился и начал смеяться. Взбесившись в мгновение ока, я вышла и хлопнула дверью. Оглянувшись на его сверкавшую от дождя машину, я различила Келлана в окне: он восторженно наблюдал, как я удалялась в сторону бара. Теперь я искренне радовалась дождю — он остудил меня, пока я шла к двойным дверям. Черт, до чего же хорош был этот парень.

На следующее утро, когда я вывернула из-за угла в кухню, Келлан был там и наливал себе кофе.

— Доброе...

Я мгновенно оборвала его чарующее приветствие, все еще гневаясь из-за вчерашней поездки.

— Тебе, — я ткнула пальцем в его грудь, и он, ставя кофеварку на место, волшебно улыбнулся, — пора тормозить!

Он схватил меня за руку и заключил в объятия.

— Я ничего тебе не сделал за последнее время, — заявил он с невинным видом.

Я попыталась вырваться, но он держал крепко.

— А это что?..

Дернувшись, я хотела указать на его руки, обвившие меня, но едва могла пошевелиться.

Келлан просиял и поцеловал меня в щеку.

— Да мы же этим постоянно занимаемся. Иногда — больше...

Я в бешенстве отпрянула и в полном раздрае выпалила:

— А в машине?

Он покатился со смеху:

— Это все ты. Это ты возбудилась от одного соседства со мной. — Он чуть присел, чтобы заглянуть мне в глаза. — Я что, должен был сделать вид, что ничего не заметил?

Я вспыхнула: он был прав. Раздув ноздри, я отвернулась.

Он тихо рассмеялся, наблюдая мою реакцию:

— Ммм?.. Хочешь, чтобы я остановился?

Произнося это, он водил пальцами по моим волосам, щеке, дальше — ниже, по шее, между грудей, по животу до самых джинсов. Он уцепился за их кромку и притянул меня ближе.

К моей досаде, тело мгновенно отозвалось: дыхание участилось, сердцебиение достигло своего пика, и я закрыла глаза, не желая приближаться к его губам.

— Да, — проговорила я, задыхаясь и не зная, правильно ли ответила.

— Ты будто сомневаешься — я что, делаю что-то неприятное?

Голос Келлана был хриплым, он искушал, а я не открывала глаз, а потому не видела выражение его лица. Теперь его пальцы путешествовали по моей талии: один проник под джинсы и легким касанием будоражил мне кожу.

— Да.

У меня голова шла кругом — о чем он спросил?

Он подался к моему уху:

— Хочешь, я снова войду в тебя?

— Да...

Ответ вырвался у меня, хотя я не успела осознать вопрос. Его пальцы остановились. Я распахнула глаза, когда поняла свою ошибку, и посмотрела на его удивленное лицо.

— Нет! Я хотела сказать — нет!

Келлан откликнулся полуулыбкой и выглядел так, буд-то готов был в любую секунду покатиться со смеху, хотя старался оставаться серьезным.

Я разозлилась. «Класс, теперь я раскрылась еще боль-ше и тут же ухитрилась выставить себя дурой».

— Келлан, я имела в виду — нет.

Один смешок у него все же вырвался.

— Понятно-понятно. Уж я-то знаю, что ты имела в виду.

Я грубо оттолкнула его и пошла наверх. Вышло совсем нехорошо.

Днем, после занятий, мне пришлось убить несколько часов, пока с работы не вернулся Денни. Я ужасно устала. Спала я плохо. Денни и Келлан, вина и страсть — все это занимало мои мысли, из-за чего заснуть было почти не-возможно. Если в ближайшее время ничего не изменится, я просто взорвусь от напряжения.

Я сидела на середине дивана, тупо глядя в телевизор и глубоко погрузившись в раздумья, когда просела сосед-няя подушка. Зная, кто это был, я машинально попыта-лась встать, не взглянув. Меня поймали за руку и потяну-ли вниз. Рядом был Келлан, пребывавший в чрезвычайно приподнятом настроении. Он широко улыбнулся при ви-де моего нежелания сидеть с ним, но я слишком устала, чтобы разбираться с этим...

Возмутившись его ухмылкой, я села истуканом, как он меня усадил, и скрестила руки на груди. Его улыбка смяг-чилась, и я отвернулась. Ощутив, как его рука обвила мои плечи, я напряглась, но не отпрянула. Сегодня я больше не собиралась его развлекать. Утренний стыд был еще слиш-ком свеж в памяти. Келлан осторожно потянул меня к се-бе на колени.

Шокированная и рассерженная хамской преамбулой, я дернулась и смерила его ледяным взглядом. Он удивлен-но вздрогнул и сдвинул брови, но сразу расслабился и, рас-смеявшись, указал на свои колени:

— Приляг, у тебя утомленный вид. — Келлан искушающе улыбнулся. — Но если тебе захочется, я мешать не буду.

Я нахмурилась, смущенная своим предположением, и ткнула его локтем под ребра за этот комментарий. Он хрюкнул и опять засмеялся.

— Вот упрямая, — сказал он насмешливо, вновь утягивая меня к себе.

Все еще чувствуя себя глупо из-за догадок насчет его намерений, я позволила ему себя уложить. Он воззрился на меня, едва я плюхнулась на спину. На коленях у него было вполне удобно, а я совсем выбилась из сил. Келлан легко погладил меня по волосам, и я мгновенно расслабилась.

— Видишь? Ничего страшного. — Его синие глаза уже наполнились томлением.

Он несколько секунд смотрел на меня, прежде чем снова заговорил:

— Ты не рассердишься, если я тебя кое о чем спрошу?

Я сразу напряглась, но кивнула. Задавая вопрос, он следил за пальцами, которые зарывал в мои волосы.

— Денни у тебя первый и единственный?

Меня охватило негодование. Какое ему дело?

— Келлан, зачем тебе...

Наши глаза встретились, и он перебил меня:

— Просто ответь.

Теперь он смотрел на меня почти с печалью, а голос его был тихим и бесстрастным.

Смутившись и не раздумывая, я ответила:

— Да... До тебя — да. Он был у меня первым...

Келлан кивнул, обдумывая услышанное и продолжая гладить меня по голове. Мне следовало стыдиться столь откровенных признаний, но никакого смущения не было. В моем теле не было ничего такого, чего Келлан еще не знал или не мог угадать.

— Зачем тебе это знать? — спросила я.

Он на секунду оставил мои волосы в покое, а затем продолжил перебирать их, ласково улыбаясь, но ничего не говоря. Он гладил и гладил меня, пока я вновь не расслабилась. На меня вдруг нахлынул поток воспоминаний о невинных днях в его обществе в отсутствие Денни. Это была настолько замечательная пора, что мои глаза наполнились слезами, когда я подняла их на Келлана.

Он чуть нахмурился, смахнул слезинку и негромко спросил:

— Я тебя обижаю?

— Каждый день, — отозвалась я так же тихо.

Какое-то время Келлан молчал, потом заговорил опять:

— Я не хочу этого делать. Прости.

Смешавшись, я выпалила:

— Тогда зачем обижаешь? Почему не оставишь меня в покое?

Келлан снова нахмурился:

— Разве тебе не нравится быть со мной? Хоть немного?

Мое сердце чуть сжалось при этом крайне нескромном вопросе. В итоге я решила сказать ему правду.

— Да, нравится... Но я не могу. Не должна. Это нечестно по отношению к Денни.

Он кивнул, все еще мрачный:

— Верно... — Вздохнув, он перестал гладить мои волосы. — Я не хотел ранить ни тебя, ни его.

Келлан молчал несколько минут, задумчиво изучая меня. Не в силах говорить, я могла лишь смотреть, как он смотрит на меня. Наконец он сказал:

— Так и оставим. Только флирт. Я стараюсь не навредить тебе. — Он вздохнул. — Только дружеский флирт, как прежде...

— Келлан, мне кажется, что нам не следует даже... Только не после того вечера. Не после того, как мы...

Он улыбнулся, наверное, под действием нахлынувшего воспоминания, посетившего и меня, и провел ладонью по моей щеке:

— Я должен быть рядом с тобой, Кира. Лучшего компромисса мне не придумать. — Его улыбка вдруг стала порочной, и мое сердце забилось от неприкрытой сексуальности Келлана. — Или я возьму тебя прямо здесь на диване.

Я застыла у него на коленях, и он вздохнул:

— Шучу, Кира.

— Нет, Келлан, не шутишь. В этом и беда. Если бы я согласилась...

Он чарующе улыбнулся и прошептал:

— Я сделаю все, о чем ты попросишь.

Сглотнув, я отвернулась, чувствуя себя не в своей тарелке от этого разговора. Келлан провел пальцем по моей щеке, шее, ключице, до пояса. Мое дыхание участилось, и я остро взглянула на него.

— Ой... Извини. — Он застенчиво улыбнулся. — Я постараюсь...

Он вновь занялся моими волосами, и вскоре от монотонных движений меня сморило. Через несколько часов я проснулась в своей комнате, укрытая одеялом. Я взмолилась — пусть я окажусь одетой! — и, к своему несказанному облегчению, ощутила, что так оно и было. Келлан намеревался со мной флиртовать, но ничего больше? Мог ли он это? Будет ли это изменой Денни, если останется невинной забавой? Я сомневалась, что это возможно, однако сегодняшний разговор с Келланом на диване пробудил массу волшебных воспоминаний о наших днях вместе. Можно ли их вернуть? Мысль о свободных прикосновениях к нему вновь пронзила меня настолько остро, что я встревожилась.

Денни вошел в комнату, когда я все еще размышляла о Келлане и его выдумке с флиртом. Я чуть испугалась при виде него, будучи погружена в свои мысли и не осознавая, который час. Денни взглянул на меня озадаченно, скидывая ботинки и снимая рубашку.

— Чем занимаешься? — осведомился он, чуть усмехнувшись и сверкнув глазами, надевая более удобную футболку.

Обычно вид того, как он переодевался, и взгляд вроде того, что он мне только что подарил, вызывали у меня улыбку, но, учитывая, что вертелось у меня в голове, я покраснела. Такая реакция для него была странной, и он свел брови, присев на край кровати.

— Все в порядке? — Денни потрогал мой лоб, затем отвел волосы. — Тебе опять нездоровится?

Его жест был настолько ласков, что я расслабилась, села и обняла его за шею. Вздохнув, я приникла к нему, прижавшись чуть крепче обычного. Он потрепал меня по спине и тоже крепко обнял.

— Со мной все хорошо, просто вздремнула.

Денни отстранился, чтобы любовно взглянуть на меня, и тут я заметила, насколько он вымотался.

— А ты-то в порядке?

Я испытала легкую панику, но отогнала ее усилием воли. Со вздохом он покачал головой:

— Макс. Боже, Кира, какой он идиот. Не будь его дядя хозяином фирмы, ему бы там не работать. Они проводят кампанию для этого лавочника, который... — Он умолк и снова покачал головой. — Да к черту, я даже не хочу об этом думать.

Он пригладил мне волосы и нежно поцеловал меня.

— Я хочу думать о тебе...

Наш поцелуй стал чуть глубже, и я тоже взъерошила ему волосы. В следующую секунду он высвободился.

— Голодная? Если хочешь еще полежать, я что-нибудь приготовлю.

Улыбнувшись в ответ на это милое предложение, я погладила его по щеке:

— Нет, я спущусь с тобой.

Денни взял меня за руки и с улыбкой помог подняться. Сходя по лестнице, я любовалась его темными волосами и прекрасной фигурой. Как я могла быть ему неверна? Он был классным. Я проглотила комок и напомнила себе, что это больше не повторится. Келлан согласился сдать назад. Наша с ним дружба восстановится. Все будет хорошо.

Я решила прилечь на диван, и в конце концов звуки готовки, которой занялся Денни, погрузили меня в сон. Прежде чем отключиться, я подумала: «Ну вот, теперь мне не заснуть ночью». Я проснулась от мягкого прикосновения губ. Меня бросило в жар. Долю секунды я спросонья не могла понять, чьи это губы. Однако рука моя машинально метнулась к лицу, и у меня отлегло от сердца, когда я нащупала бородку. Денни. Все правильно. У меня был выходной, Денни вернулся после долгого рабочего дня, а Келлан играл с «Чудилами» в «Бритвах». Они, должно быть, уже собрались там и расслаблялись перед выступлением.

Поскольку я никогда не упускала случая воспользоваться нашим с Денни уединением, он был готов. Сначала мне было странно, так как у нас ничего не было с момента моей измены и меня все еще отчаянно мучила совесть, но после нескольких упоительных поцелуев на диване, как только рука Денни проникла мне под джинсы, я забыла о своем прегрешении и насладилась каждой клеточкой этого прекрасного, замечательного мужчины.

Когда мы в конце концов собрались перекусить, чудесный ужин, который он приготовил, уже остыл.

ГЛАВА 11

ПРАВИЛА

Вздремнув не раз и не два за день, я долго не могла заснуть той ночью, но в конце концов отключилась. Причиной бессонницы, конечно, был стресс, порожденный незнанием намерений Келлана и чувством вины. Теперь же я понимала, как он намеревался прикасаться ко мне и как не намеревался, и мне вновь стало хорошо. Может быть, нам удастся возродить дружбу? Может, я перестану обманывать Денни? Сделанного не вернешь, и бремя вины будет лежать на мне вечно, но сознание того, что я не стану ее усугублять, воодушевляло меня, когда я ранним утром спустилась в кухню.

И конечно же, возобновление непринужденного общения с Келланом заставило меня просиять, когда он, воплощенное совершенство, приветственно повернулся ко мне. Его разоренная шевелюра идеально соответствовала улыбке.

— Доброе утро. Кофе? — Он указал на кофеварку.

Улыбаясь от уха до уха, я подошла к нему и обняла за талию. На миг Келлан замер, а затем обвил меня руками. Он был теплым, и от него чудесно пахло. Я испытала огромное облегчение. Прикасаться к нему так, как я это делала, было проще простого — особенно если знать, что дальше этого дело не пойдет.

— Доброе утро. Да, пожалуйста.

Я кивнула на кофеварку. Моя первая чашка кофе после нашего рандеву. Наконец-то я достаточно оправилась, чтобы пить его снова... мне его отчаянно не хватало.

Он улыбнулся, взглянув на меня свысока, и его прекрасные синие глаза лучились миром и спокойствием.

— Драться не будешь? — Он притянул меня ближе.

— Нет, я скучала по этому, — ответила я теплой улыбкой.

Келлан подался ко мне, будто хотел поцеловать меня в шею, и я оттолкнула его, нахмурясь.

— Впрочем, нам придется выработать основные правила...

— Хорошо... Валяй, — хмыкнул он.

— Ну, кроме очевидного насчет того, что мы никогда не... — Я густо покраснела от мысли, которую не могла даже высказать, и он расхохотался.

— Не будем заниматься ослепительным сексом? — закончил он за меня, изгибая брови и медленно произнося каждое слово. — Может, еще подумаешь? Мы очень неплохо...

Я резко глянула и перебила его, ударив в грудь за нахальство:

— Кроме этого, очевидного, мы не будем и целоваться. Никогда.

— А можно просто не в губы? Дружеский поцелуй, — с грустью произнес Келлан.

Я тоже нахмурилась и вздрогнула при воспоминании о том, как он ласкал языком мое горло.

— Только не на твой манер.

— Ладно... Еще что? — вздохнул он.

Я улыбнулась, высвободилась из его объятий и жестом обвела зону бикини:

— Не распускать руки.

И он опять сник.

— Черт, да ты лишаешь нашу дружбу всякого шарма. — Келлан поспешил улыбнуться, сглаживая эффект. — Хорошо... Какие еще правила я должен усвоить?

Он держал руки наготове, и я вернулась к нему в объятия.

— Все будет невинно, Келлан. Если не можешь — прекратим.

Я попыталась перехватить его взгляд, но Келлан притянул мою голову к себе на плечо и обнял меня.

— Договорились, Кира, — сказал он со вздохом, чуть оттолкнул меня и рассмеялся. — Учти, к тебе это тоже относится.

Келлан указал на свои губы, потом на штаны.

— Не прикасаться. — Он издевался, и я стукнула его в грудь. — Разве что очень, очень захочется... — добавил он со смешком.

Я двинула ему сильнее, он вновь разразился смехом и притиснул меня к себе.

Вздохнув, я обмякла и подумала, что могу провести так все утро, но тут меня испугал телефонный звонок. Было очень рано. Я глянула наверх, где еще спал Денни, и поспешила ответить, не желая, чтобы тот проснулся. Меня чуть укололо чувство вины из-за того, что на самом деле я не желала его пробуждения, потому что мне хотелось подольше побыть наедине с Келланом.

— Алло? — ответила я, перегнувшись через стойку.

Веселый смешок за спиной понудил меня обернуться. Келлан нахальнейшим образом пялился на меня, подавшуюся вперед. Я выпрямилась, насупилась и приложила палец к губам.

— Привет, сестренка! — долетел бодрый голос Анны с того конца провода, но я продолжала хмуриться на Келлана, и тот быстро начертил над головой нимб — дескать, все, я буду вести себя хорошо.

Я наконец улыбнулась:

— Салют, Анна. — Облокотившись на стойку, я смотрела, как Келлан наливал кофе себе и мне. — Не рано звонишь?

Сестра была совой и до полудня обычно не вставала.

— Да я только иду домой и решила позвонить, пока ты не убежала на занятия. Разбудила?

Я озадаченно посмотрела на часы: пять минут восьмого — значит, в Огайо пять минут одиннадцатого. Только идет домой?

— Нет, я уже встала.

Таращась на циферблат, я не могла понять, чем занималась сестра.

— Отлично. А Красавчика я не разбудила?

Она явно веселилась, придумав для Келлана прозвище, и я тоже рассмеялась:

— Нет, Красавчик проснулся.

Я состроила гримасу, вспомнив, что «Красавчик» был рядом и слушал с чрезвычайно довольным видом. Он вскинул брови, беззвучно прошептал: «Красавчик?» — и указал на себя. Я кивнула и закатила глаза, едва он прыснул.

— Оу-у-у... И чем вы занимаетесь в такую рань? — поддразнивала Анна.

Заинтересованная реакцией Келлана, я решила чуток поиграть с ним и сестрой.

— Мы трахались на столе, пока варился кофе.

То, что отразилось на лице Келлана, настолько совпало с устной реакцией Анны, что я покатилась со смеху.

— Боже, Кира! — взвыла она, тогда как Келлан поперхнулся кофе и, кашляя, уставился на меня неверящим взглядом.

Я вновь рассмеялась и была вынуждена отвернуться, так как Келлан начал нехорошо ухмыляться.

— Черт, Анна. Я же шучу. Я никогда к нему и пальцем не прикоснусь. Знала бы ты, сколько у него было девчонок. Он гадок... К тому же, сама понимаешь, Денни спит наверху.

Я посмотрела туда, где почивал Денни, в надежде, что не разбудила его своим смехом. Затем вернулась взглядом к Келлану. Тот держал кружку с кофе и странно таращился в пол.

— Серьезно? Люблю гадких. Стоп... Он что, вернулся?

Анна спрашивала о Денни, но мое внимание было приковано к Келлану и непонятному выражению на его лице.

— Могла бы звякнуть маме с папой — глядишь, не умерла бы.

Я нахмурилась, увидев, что Келлан поставил свою полную кружку на стол и направился к выходу. Мне мигом стало ясно, что, спеша разделаться с Анной, я брякнула, будто он «гадок».

Анна вздохнула:

— Да-да, конечно. Значит, у вас с Денни все нормально после долгой разлуки?

Когда Келлан поравнялся со мной, я поймала его за руку. Я и вправду его обидела, но неужели он не понимал, что я прикидывалась перед Анной?

— Все хорошо, — сказала я им обоим.

Он скорбно посмотрел на меня, едва я обняла его за талию. Мало-помалу он снова разулыбался и крепко прижал меня к себе, и мы оба навалились на стойку.

— Здорово... Но я бы на твоем месте побарахталась с Красавчиком, пока его не было. Хорошо, что ты не я, да?

Я покраснела: она сказала бездумно, но попала в точку, и Келлан пытливо посмотрел на меня.

— Да, Анна, просто классно, что между нами нет ничего общего.

Келлан обнимал меня, и я снизу вверх заглянула в его вопрошавшие синие глаза.

— Так что? Мне приезжать на выходные?

Перепугавшись вконец, я застыла и уставилась перед собой.

— Нет!

— Что такое? — спросил Келлан шепотом, пытаясь перехватить мой взгляд.

— Да ладно, Кира. Я до смерти хочу познакомиться с Красавчиком.

Я силилась не смотреть Келлану в глаза. Между нами все утряслось, и мне совершенно не хотелось, чтобы сестра все сломала или залезла ему в штаны. У меня не было ни малейшей уверенности, что он ей этого не позволит.

— Анна, у него есть имя, — прошипела я, больше раздосадованная своей последней мыслью, нежели придуманным сестрой прозвищем.

— Ладно, с Келланом. Черт, даже имя жжет. — Она громко выдохнула. — Ты же не можешь его застолбить, сама понимаешь.

— Я и не собираюсь!

Теперь я уже закипала. Натолкнувшись в конце концов на встревоженный взгляд Келлана, я заставила себя успокоиться и расслабиться в его объятиях. Я улыбнулась и покачала головой, показывая ему и утешая себя: все в порядке.

— Анна, на зимних каникулах... Ты забыла? Тогда и приедешь. Сейчас я слишком занята.

Я смотрела в его спокойные глаза, Келлан же улыбался мне. Мысль о его связи с Анной была невыносима.

— На зимних каникулах... Но ведь еще октябрь? — Она оставалась обиженной.

— Анна, я занята... — Я произнесла это мягко, стараясь умиротворить ее.

— Пф-ф-ф... От одного уик-энда, Кира, с тобой ничего не случится.

Я вздохнула, понимая, что, если и дальше буду противиться, у нее возникнут подозрения.

— Хорошо.

Лихорадочно соображая, я пыталась хотя бы немного отсрочить ее приезд. До боли безупречное лицо Келлана столь быстро натолкнуло меня на мысль, что я охнула вслух.

— Что? — дружно спросили моя сестра и Келлан.

Я ухмыльнулась, и Келлан тоже хмыкнул, с любопытством вскидывая брови.

— Да понимаешь, Анна... У Келлана по пятницам и субботам концерты. Он занят до... — Я вопросительно взглянула на него, и он, долю секунду подумав, беззвучно шепнул: «Седьмого». — До седьмого. Так что если хочешь, чтобы он был с нами, придется подождать.

Она вздохнула:

— До седьмого — это уже ноябрь! Кира, еще целых три недели...

Я улыбнулась, подавляя смешок:

— Знаю. Можешь приехать и раньше. Келлана не будет — ну и ладно, затусуешься с нами с Денни. Сходим в кино или...

— Нет-нет... Хорошо, я приеду седьмого. — Затем она воспрянула духом. — Ох и оттянемся, Кира!

Она хихикнула, и я не знала, кому она заранее радовалась больше — мне или моему соседу.

— А можно я буду спать в комнате Келлана?

Снова смешочек.

Что ж, значит — соседу. Я громко вздохнула:

— Мне пора собираться на учебу. Потом поговорим, Анна. Иди ложись спать! И прими холодный душ.

Она снова прыснула:

— Пока, Кира. До скорого!

— Пока. — Я положила трубку. — Вот дерьмо.

Келлан усмехнулся, и я посмотрела на него.

— Не говори об этом Гриффину... пожалуйста.

Он пожал плечами и развеселился еще пуще.

— А что случилось?

Он мягко улыбнулся, подавляя смех.

— Это моя сестра. Хочет приехать, — уныло ответила я.

Келлан смутился:

— Ясно... А ты ее не жалуешь, что ли?

Я покачала головой и потрепала его по руке:

— Да нет, что ты. Я очень ее люблю, но... — Я отвернулась.

— Но что? — Он старался перехватить мой взгляд.

Снова посмотрев на него, я вздохнула и угрюмо ответила:

— Ты для нее как медом намазанный.

— Ах-ха-ха!.. — расхохотался Келлан. — Значит, мне надо готовиться к атаке?

Его, похоже, изрядно развеселила эта перспектива — в отличие от меня, и я надулась:

— Ничего смешного, Келлан.

Он умолк и тепло улыбнулся мне:

— По мне, так даже очень смешно, Кира.

Я смотрела в сторону, готовая расплакаться и не желая, чтобы он это видел. Ему не понять. Я и сама не понимала, но представляла, как поведет себя с ним Анна и как наверняка поведет себя с Анной он... При мысли об этом мне стало дурно. Мне не хотелось, чтобы он прикасался к ней, но я сознавала, что не вправе об этом просить. Он не принадлежал мне.

Келлан завел мне за ухо выбившуюся прядь волос.

— Эй... — Он осторожно тронул мой подбородок, чтобы видеть лицо, и тихо спросил: — Чего ты от меня хочешь? Что мне сделать?

Я не собиралась его просить, но ответ вырвался сам собой:

— Я не хочу, чтобы ты ее «отзачетил». Не хочу, чтобы ты даже прикасался к ней.

Вышло довольно резко, и я стрельнула в него глазами.

— Хорошо, Кира, — ответил он после минутного размышления, легонько поглаживая меня по щеке.

— Келлан, пообещай.

Я смотрела уже не сердито, но пристально, полными слез глазами.

— Я обещаю. Я не буду с ней спать, поняла?

Келлан успокаивающе улыбнулся, и я наконец кивнула и позволила ему обнять меня крепко-крепко.

Мы с Келланом попрощались с Денни, когда тот отправился на работу. Келлан пребывал в поразительно хорошем настроении и хлопнул Денни по спине, пожелав удачи в единоборстве с придурковатым боссом. Денни поблагодарил Келлана и перед уходом наспех чмокнул меня в щеку. Он тоже выглядел бодрее обычного, и меня молнией пронзила мысль: все, что между нами происходило, оказалось проще, чем мне представлялось. Как только Денни ушел, Келлан взял меня за руку, и мы приютились на диване, намереваясь посмотреть телевизор. Я чуть не вздохнула от облегчения, настолько чудесно было сидеть бок о бок с ним, положив голову ему на плечо, как я успела привыкнуть, прежде чем заварилась вся эта каша. Он обнял меня одной рукой, и бо́льшую часть утра мы провели, наслаждаясь теплом друг друга.

Мне предстояла всего одна лекция, после которой я собиралась позаниматься перед работой. Келлан отвез меня в университет, и я немного разволновалась, так как прежние привычки восстанавливались во всей полноте. Я поблагодарила его, но попросила остаться в машине и не провожать меня до аудитории. Мне был ни к чему очередной миллион вопросов, заметь меня кто-нибудь в компании рок-звезды. Келлан насупился, но подчинился, и я улыбнулась, наблюдая, как он уезжает.

После той памятной лекции я больше не видела на занятиях по психологии ни Тины, ни Женевьевы, из чего сделала вывод, что они исключили меня из числа потенциальных соперниц Кэнди. Это вызвало у меня слабую улыбку, стоило мне подумать о том внимании, которое оказывал мне Келлан в действительности. Затем я не замедлила нахмуриться. На что ему так остро понадобилась простушка вроде меня? Так или иначе, не желая вновь сталкиваться с этой троицей, я всячески избегала библиотеки Гарри Поттера. Недавно я обнаружила поблизости премилый парк, который идеально подходил, чтобы разлечься на траве с книгами. После лекции я решила, что день достаточно хорош и можно будет позаниматься там.

Оглядевшись на чудесном пятачке, я вдохнула бодрящий осенний воздух. Листва окрасилась в оранжевый и красный цвета и чуть подрагивала на слабом ветру. Еще немного — и начнется листопад. Я расстегнула свою легкую куртку. Погода оставалась не по сезону теплой, и я уже начинала верить в глобальное потепление, но стоило повеять прохладе, как свежесть и чистота прочищали мне голову. Место и впрямь было отличным, чтобы позаниматься перед сменой. Растянувшись на траве, я порылась в сумке, достала пакетик с виноградом и принялась уплетать ягоды.

По парку бродили компании, наслаждавшиеся солнцем. Может, его уже больше не будет в этом году. Одни играли с собаками, другие, как и я, читали, а третьи устраивали поздний пикник.

Я обратила внимание на группу девочек-подростков неподалеку от меня и повернулась, чтобы узнать, на что они смотрят. Спиной к нам расположился полуголый мужчина. Он отжимался от скамейки. С минуту я праздно следила за ним, девчонки же продолжали шушукаться. Мужчина закончил и взял со скамьи бутылку с водой. Чуть развернувшись ко мне, он отхлебнул. Его тело было безупречным и слишком знакомым. Рассмеявшись, я закатила глаза.

«Ну конечно», — пронеслось в голове. Конечно же, я выбрала парк, где Келлан разминался после пробежек. Конечно же, он оказался здесь, коль скоро я вздумала позаниматься. Он обернулся и моментально узрел меня на газоне, откуда я все еще откровенно таращилась на его тело. На лице Келлана медленно проступила сексуальная улыбка, и, склонив голову набок, он направился ко мне, держа в одной руке воду, а в другой — свою футболку. При виде его волшебной улыбки девчонки, которых он миновал, закудахтали громче и с любопытством уставились на меня. Я села и наблюдала за приближением Келлана. Мое сердцебиение чуть участилось.

Он уселся рядом, и я громко вздохнула:

— Могу я хоть куда-нибудь пойти и не столкнуться с тобой?

Келлан рассмеялся, вытянул ноги и откинулся назад, опершись на руки.

— Это мой парк — ты сама меня преследуешь.

Он усмехнулся уголком рта.

Я тоже ухмыльнулась и бросила в рот виноградину, не сводя с Келлана глаз. Мой взгляд сосредоточился на его бесподобно сексуальной прическе — волосы были чуть мокрыми после зарядки, — но в конце концов перешел на точеные скулы и сильную, изящно очерченную челюсть, а затем спустился ниже, к шее и чуть увлажнившейся груди. Там я задержалась, исследуя каждую линию, начиная сверху и мысленно заканчивая внизу живота, где все дорожки очаровательно скрывались в спортивных брюках.

Мне было не удержаться от воспоминаний о близком познании этого тела на ощупь. Я закусила губу.

— Эй!

Голос Келлана вывел меня из забытья, и я, оглянувшись, наткнулась на его веселый взгляд. Вскинув бровь, он осведомился:

— Ты что, материализуешь меня? — Я покраснела, отвернулась, и он хохотнул: — Если да, то ради бога. Я просто подумал, вдруг ты решила пересмотреть наши правила?

Он заглянул мне в глаза и осклабился.

— Может, все-таки разрешишь поцеловать?

Я гневно зыркнула на него, и Келлан вконец развеселился. Выхватив из его рук футболку, я швырнула ее ему в лицо:

— Прикройся...

— Мне жарко... — насупился он.

— Ты ведешь себя неприлично... И люди глазеют.

Улыбнувшись, я указала на девчонок, так и таращившихся на него.

Он глянул на них, и те прыснули, затем скосил глаза на свое полуобнаженное тело и пробормотал:

— Неприлично? Ладно.

Он вздохнул, взял бутылку и намочил футболку, а потом надел ее.

— Ну вот... Так лучше?

Я смотрела на него с разинутым ртом, пока не пришла в себя.

— Да, спасибо.

Нет, это было ничуть не лучше. Мокрая футболка подчеркнула каждую его мышцу. Он мог с тем же успехом остаться без нее. Но я не собиралась доставлять ему удовольствие и расписывать, до чего он красив. Я не сомневалась, что он и так отлично знал это.

Не вставая, Келлан потянулся к моей сумке и взял пару виноградин. Я сухо улыбнулась:

— Вперед... Угощайся.

Он улыбнулся и бросил их в рот.

— Люблю угощаться, — откликнулся он, изгибая брови и порочно улыбаясь.

Я издала вздох, а Келлан пересел ближе ко мне.

— А что это мы штудируем?

Залившись краской, я улыбнулась:

— «Сексуальность человека».

— Ух ты... Не может быть! — Он шутливо толкнул меня в плечо. — Мой любимый предмет.

Я увернулась от его мокрой холодной футболки. Он посмеялся над этим, а затем без предупреждения схватил меня и прижал к себе.

— Господи, Келлан! Ты просто ледяной! Отвали! — взвизгнула я и попыталась отпихнуть его, смеясь до слез.

Он тоже заливался смехом и не отпускал меня. Схватив меня за руки, чтобы я не смогла его оттолкнуть, он повалил меня на траву.

В конце концов, пока мы смотрели друг на друга, наш смех сошел на нет. Келлан чарующе улыбнулся и чуть боднул меня в лоб. Наверно, это не очень нарушило мои правила. Мы тихо дышали, и он шевельнул руками так, что наши пальцы переплелись.

Я поняла, что мы вот-вот перейдем грань, и собралась заговорить, когда маячившая неподалеку девчонка завопила:

— Целуй ее!

Келлан сглотнул и со смешком отпрянул от меня.

— Гляди-ка. — Он кивнул на стайку подростков. — Они хотят, чтобы мы пересмотрели наши договоренности.

Он коварно ухмыльнулся, и я стряхнула его с себя.

— Ну-ка, ты. — Я ткнула в него пальцем. — Ступай закончи пробежку. — Я неопределенно махнула в сторону нашего дома. — Мне надо заниматься, а ты меня отвлекаешь.

Я покраснела и опустила глаза.

Келлан со смехом встал:

— Ладно, будь по-твоему.

Повернувшись к девчонкам, он пожал плечами и подмигнул. Те захихикали, а когда он устремился к выходу из парка — застонали.

Я в сотый раз закатила глаза и чиркнула ладонью по своей футболке, теперь промокшей. Затем застегнула куртку и поежилась от сырости. Ну, я была почти уверена, что дело в ней.

Все последующее время, пока я занималась, тело Келлана то приятнейшим образом всплывало в моей памяти, то исчезало из нее. Грезя наяву, я добрых десять минут таращилась в один и тот же абзац. Я вздохнула: Келлан отвлекал меня, даже когда его не было рядом, — и вздрогнула, вспомнив, как он прижался ко мне, как мы соприкоснулись лбами, как я ощутила его дыхание на своей коже...

В очередной раз поежившись, я встала. Это не учеба. С тем же успехом я могла отправиться на работу. Кипучая деятельность хотя бы изменит направление моих мыслей.

Однако на работе ничего не изменилось. Я обнаружила, что постоянно смотрю на дверь в ожидании группы. Желание увидеть Келлана казалось мне немного глупым, поскольку мы и так постоянно виделись. На самом деле мне даже не удавалось от него ускользнуть. Эта мысль заставила меня улыбнуться. Наверное, весь вечер, пока я украдкой посматривала на вход, на лице у меня красовалось дурацкое выражение.

Чуть позже ко мне сзади подошла Кейт:

— Ладно, колись, чем он отличился?

— Кто? — спросила я неуверенно.

— Денни. Ты весь вечер ухмыляешься. Обычно это означает, что дружок чем-то порадовал. — Они с Ритой выжидающе облокотились на стойку. — Ну же, выкладывай. Цветы? Бриллианты? О боже, неужели он сделал предложение?

При этой догадке карие глаза Кейт вспыхнули. Упершись локтями в стойку, она уткнула подбородок в ладони, на миг потерявшись в грезах.

Я густо покраснела. Мы с Денни еще и не заговаривали о свадьбе. Он был практичен до мозга костей и не думал вступать в брак, пока не выстроит карьеру. И ухмыляться меня заставил вовсе не он.

— Нет, никаких предложений. Ничего особенного, просто хорошее настроение.

Рита и Кейт обменялись разочарованными взглядами, а затем Кейт перебросила свои длинные волосы через другое плечо.

— Ладно, храни свои тайны.

Грациозно встав, она подмигнула мне и вернулась к работе.

Как только Кейт ушла, Рита заговорщически взглянула на меня:

— Порядок... Ее нет, можешь рассказывать.

Я снова стала пунцовой.

— Рита, рассказывать совершенно не о чем. Извини, но моя жизнь очень скучна.

Про себя я улыбнулась этой неправде.

Вскоре после этого прибыла группа, и я могла поклясться, что при виде Келлана мое сердце на миг остановилось. Тело реагировало так, будто я не встречалась с Келланом изо дня в день и не рассталась с ним в парке несколько часов назад. Он подошел ко мне, донельзя сексуальный в черной рубашке с длинными рукавами, надетой поверх серой футболки, и поинтересовался, чем закончилась моя самоподготовка. Я зарумянилась и ответила, что с его уходом дела пошли куда лучше, чего на самом деле, конечно, не произошло. Он ухмыльнулся, а потом прыснул.

Заказав себе неизменное пиво, Келлан направился к столу, где остальные ребята обсуждали что-то забавное. Я слышала их смех прямо от барной стойки. Проходя мимо, Келлан хлопнул Сэма по спине, а я ощутила приятное тепло в своем плече. Затем я сообразила, что там он держал руку, пока заказывал пиво. Весь вечер на моем лице блуждала дурацкая улыбка.

Говоря откровенно, она сохранялась до конца выходных.

В понедельник же память об этом замечательном уик-
энде заставила меня улизнуть с занятий на полчаса раньше. Я ничего не могла с собой поделать. Мне не сиделось
на месте и хотелось увидеть Келлана. Мысль о том, что он
в одиночестве торчал дома — может быть, скучал, а возможно, думал обо мне, — сводила меня с ума, пока тянулась лекция.

На выходных было весело и немного мучительно. Утром, пока Денни был в душе, мы обнимались за кофе и
держались за руки. Большую часть уик-энда мы праздно
шатались по дому, и всякий раз, когда Денни засыпал перед экраном, мы с Келланом отправлялись миловаться
и болтать в кухню. В воскресенье с утра пораньше Денни
вызвал Макс, мы же валялись на диване. Я обожала быть
рядом с Келланом. Это было весело, игриво и невинно
настолько, насколько мне удавалось выдержать, хотя при
каждом его прикосновении мое сердце начинало биться
чуть чаще.

Я вошла в гостиную и улыбнулась Келлану, который
растянулся на диване перед телевизором, положив одну
руку на грудь, а другую под голову. Он повернулся взглянуть на меня, и я задохнулась от его волшебной улыбки.

— Что-то ты рано, — проговорил он сонно. — А я собирался тебя забрать.

Я направилась к нему, а он тем временем сел, подвинулся и похлопал по диванной подушке у себя между ног.

— Ты какой-то измотанный — все в порядке? — спросила я, усаживаясь и откидываясь ему на грудь.

Он взъерошил мне волосы и обнял меня. У флирта
были свои плюсы.

— Нормально... Просто поздно лег, не выспался.

— Да ну. — Я повернулась и посмотрела на него с сухой усмешкой. — Что, совесть замучила?

Келлан издал смешок и прижал меня крепче:

— Из-за тебя? Мучает ежедневно.

Он вздохнул, а затем чуть оттолкнул меня. Я приготовилась протестовать, но он взял меня за плечи и развернул
лицом от себя. Потом принялся разминать их.

— Ммм... Я подсела на этот флирт.

Он тихо рассмеялся, едва я расслабилась под его сильными руками, гулявшими по моим лопаткам.

— Плохой сон? — спросила я, сама засыпая.

— Нет... — пробормотал Келлан. — На самом деле хороший.

Он говорил тихо и мягко. Голос окутывал меня, как одеяло.

— Ммм... О чем?

Его пальцы бегали по моему позвоночнику, и я замурчала.

— О тебе, — сказал он лениво.

Пальцы замерли там, где были, когда я подала голос. Келлан надавил чуть сильнее, и я застонала громче.

— Ммм... Надеюсь, ничего неприличного. У нас ведь все невинно?

Пальцы с нажимом спустились к пояснице, и я громко выдохнула, когда ноющая боль отступила.

Келлан опять негромко рассмеялся:

— Нет... Клянусь, там не было и тени непотребства.

Руки двинулись по спине вверх, и я вновь застонала, чувствуя, как напряжение покидает тело. У Келлана были чудотворные пальцы.

— Мм... Хорошо, вот и не думай обо мне ничего такого, — пробормотала я.

Он ничего не ответил и только продолжил трудиться над моей спиной, в которой ощущалось приятное покалывание. Я глубоко вздохнула и обмякла уже вконец, издавая довольные звуки. Он чуть поерзал позади меня, но опять ничего не сказал. Слишком разморенная, чтобы поддерживать беседу, я наслаждалась уютной тишиной. Его пальцы снова отправились вниз, минуя ребра. Это было божественно. Я чуть не урчала от удовольствия. Всякий раз, когда я подавала голос, Келлан задерживался на лишнюю минуту, а потому я стала делать это чаще.

В итоге он добрался до поясницы, готовый заняться тазом. Он снова пересел и притянул меня ближе. Решив, что ему неудобно сидеть на диване боком со мной между ног, я дала ему устроиться, как он хочет, однако Келлан лишь подтянул меня за бедра. Думая, что тем дело и кончилось, я вздохнула и расслабилась у него на груди. Меня удивило, насколько он был напряжен. Я начала поворачиваться к нему, когда его руки скользнули ниже. Он принялся растирать мне бедра, снаружи и изнутри, одновременно прижимаясь ко мне. Тут-то я и заметила, что дышал он совсем не так медленно и ровно, как я...

Я резко развернулась к нему лицом. Келлан сидел очень прямо. Глаза его были закрыты, губы — чуть разомкнуты. Дыхание оказалось заметно чаще. Он сглотнул и медленно поднял веки, чтобы посмотреть на меня. Под этим взглядом напряжение немедленно вернулось в мое тело. Глаза Келлана горели вожделением. Взгляд затуманился. Келлан коснулся моей щеки, другой же рукой притянул к себе.

Сглотнув, я заставила себя помотать головой.

— Келлан... Нет, — прошептала я, встревоженная его лицом и гордясь собой за способность отказаться.

Он снова прикрыл глаза и осторожно оттолкнул меня:

— Извини. Дай мне минуту...

Я перебралась на другой край дивана и наблюдала за Келланом, гадая, что я такого натворила. Он притянул к себе колени, обхватил их и трижды вздохнул, успокаиваясь. Затем он снова медленно открыл глаза. Вид у него оставался странным, но более сдержанным. Он улыбнулся, совсем чуть-чуть.

— Прости... Я стараюсь. Но в следующий раз, может быть, ты обойдешься без этих звуков?

Я залилась краской и отвернулась, вызвав у него ухмылку. Мне и в голову не приходило... Возможно, это была неудачная мысль. Не исключено, что невинного флирта не существовало в природе.

ГЛАВА 12
ВСЕ НЕВИННО

Я стала просыпаться все раньше и раньше. Теперь я вставала прежде Денни, а если учесть, что ложилась я поздно, мне было не обойтись без краткого дневного сна после занятий, но я ничего не могла с собой поделать. Мысль о том, что Келлан уже на ногах и томится в кухне, превратилась для меня в естественный будильник. Это немного тревожило, но его теплые объятия слишком манили. Я пристрастилась к ним и не могла удержаться от того, чтобы утро за утром не сбегать по лестнице и не видеть его.

Однажды мы караулили кофе, и руки Келлана обвились вкруг моей талии, а мои легли сверху. Я прижалась к нему спиной, склонив голову ему на плечо. Полностью расслабившись в его объятиях, я задала ему знакомый вопрос:

— Дай слово, что не рассердишься, если я кое о чем спрошу.

Я развернулась к нему лицом и положила ладони ему на грудь. Он усмехнулся и кивнул, миролюбиво улыбаясь. Помедлив, я прикинула, действительно ли хочу знать ответ.

— Тебя напряжет, если мы с Денни будем спать вместе?

Он побледнел, но улыбаться не перестал.

— Ты и так спишь с ним каждую ночь.

Я легонько ткнула его в ребра и возразила, краснея:

— Ты знаешь, о чем речь.

— Напряжет ли меня, если ты займешься сексом со своим парнем? — уточнил он негромко.

Я снова покраснела и кивнула. Он мягко улыбнулся, но ничего не сказал.

— Просто ответь. — Я тоже улыбнулась и подняла бровь, применив его же оружие.

Келлан хохотнул и отвернулся. Наконец он со вздохом ответил:

— Само собой, меня это напряжет... Но я все понимаю. — Он снова посмотрел на меня. — Ты не моя, — сказал он тоскливо.

Меня вдруг захлестнул порыв: я ощутила глубокое сочувствие к Келлану и отчаянно захотела стиснуть его крепко-крепко, погладить по щеке и поцеловать в губы. Я высвободилась из его объятий, и он нахмурился, пытаясь меня удержать.

— Одну минуту... — шепнула я.

Он отпустил меня и посмотрел сконфуженно:

— Кира, со мной все хорошо.

Я грустно взглянула на него:

— Келлан, минута нужна мне.

— А, — произнес он тихо, удивившись.

Мне пришлось какое-то время постоять в стороне: желание поцеловать его было слишком сильным. Это встревожило меня. Мы глазели друг на друга через всю кухню, опершись каждый на свою стойку и попивая кофе. В этот момент я услышала шум воды: включили душ. Я глянула в сторону ванной и снова на Келлана. У него было странное выражение лица. Я даже не могла его определить. В конце концов я прикончила кофе и, взяв Келлана за руку, поставила кружку. Он покосился на меня, когда я к нему прикоснулась, и мое дыхание замерло при виде его взгляда. Сдержавшись, как могла, я быстро обняла Келлана и отправилась наверх, где собирался на работу Денни.

Тот просиял, когда вышел из душа и нашел меня сидящей на кровати.

— О, доброе утро. — Он сердечно поцеловал меня в щеку.

Я улыбнулась, но все еще думала о только что состоявшемся разговоре с Келланом. Денни сел рядом, так и обернутый полотенцем. Он глянул на меня с дурацкой ухмылочкой, и я улыбнулась шире. Затем Денни посуровел — и я тоже.

— Сегодня, наверное, я буду поздно.

У меня чуть екнуло в груди.

— Почему?

Денни вздохнул и встал, чтобы одеться. Он швырнул полотенце на постель, и я, краешком рта улыбаясь, следила за ним. Заметив мой интерес, он издал очередной вздох.

— Хотел бы я бывать с тобой побольше, — сказал он с тоской в голосе.

Я отвернулась и закусила губу, а он негромко рассмеялся:

— Это все Макс. Он припахал меня закончить проект, который нужен его дядюшке сегодня... Он сам не успел — был слишком занят весь уик-энд... платными эскортами.

Разинув рот, я оглянулась на него. Он стоял в трусах и натягивал черные брюки. Денни сухо посмотрел на меня и покачал головой.

— Наверное, я должен сказать спасибо, что мы провели выходные вместе и он не вызвал меня раньше.

Он вздохнул и вновь покачал головой, застегиваясь.

Я ощутила себя виноватой за то, к чему отныне свелась его работа, и проглотила комок. Денни заметил мое выражение лица и выдавил улыбку, извлекая из комода рубашку.

— Кира, я не жалуюсь. Извини.

Он еще извинялся. Мне стало совсем стыдно.

— Нет... Ты правильно жалуешься. Макс — сволочь.

Денни рассмеялся и натянул рубашку. Я подошла и не дала ему застегнуться. Он улыбнулся, когда я доделала это сама. Закончив, я заправила его рубашку, и он разулыбался еще шире.

— Ты терпишь эту мерзкую работу, чтобы остаться со мной, и я обожаю тебя за это, — проговорила я, когда все было готово.

Сияя, Денни обнял меня за талию:

— Ради этого я согласен и на худшее.

Я понимала, что это были слова любви, но они ужалили меня в самое сердце. Если бы он только знал. Пока он заканчивал одеваться, я была спокойна и поцеловала его на прощание тоже спокойно. Я так же спокойно отказалась от обнимашек с Келланом на диване, решив пораньше собраться в университет.

Горячая вода прояснила мне голову и смыла кипевшие эмоции вместе с мылом. Я достала свою любимую обтягивающую блузку с длинным рукавом и брюки карго цвета хаки, затем немного подвила и без того волнистые волосы. Не знаю зачем — может быть, просто выдалось время. Возможно, и потому, что чем красивее наружность, тем приятнее самочувствие. Так или иначе, приняв расслабляющий душ и почистив перышки, отчего мой вид, откровенно говоря, стал немногим лучше сносного, я вновь ощутила себя в норме.

И удостоилась награды — ослепительной улыбки Келлана, встретившего меня внизу. Настроение чуть улучшилось. Он, судя по всему, тоже успел оправиться от недавней беседы. Направившись к машине, он взял меня за руку и подхватил мою сумку. Он взмолился, настаивая проводить меня до аудитории, и я сдалась. В этом не было никакой нужды, но кто я такая, чтобы противостоять этому блистательному мальчику, когда он чуть ли не умоляет меня? Я решила, что шествие в его обществе по коридорам университета стоит очередного шквала вопросов.

Келлан чуть придерживал мои пальцы, пока мы шли на экономику и болтали о моих родителях и моем последнем неохотном разговоре с ними. Они расстроились, узнав, насколько был занят Денни, тогда как я большей частью скучала одна. Я сделала ошибку, сказав, что Келлан почти всегда бывал дома, и началось: «Он что, нигде не работает?» — за чем последовало: «Он выступает с группой», — и разговор выкатился на рельсы: «Мне не нравится, что ты живешь с рок-звездой». К моменту, когда Келлан собрался отворить дверь в аудиторию, он уже покатывался со смеху. Отголоски его хохота оставались со мной на протяжении всей лекции.

После занятий Келлан встретил меня в коридоре с огромным стаканом эспрессо. Я поспешила обнять его, стараясь не пролить драгоценный напиток.

— А-а-а!.. Кофе! Я тебя люблю!

Меня сковал холод, едва я поняла, что ляпнула, но Келлан рассмеялся, когда я отпрянула, и тепло улыбнулся.

— Что ты такого нашла в нас с кофе, если всякий раз у тебя съезжает крыша? — лукаво спросил он, закусывая губу и коварно поглядывая на меня.

Я стала пунцовой и толкнула его в плечо, доподлинно зная, на какой конкретно инцидент с кофейной будкой он намекал. Выхватив у него стакан, я понеслась по коридору. Келлан без труда меня догнал, продолжая посмеиваться.

Увидев мой взгляд, он еще пуще развеселился:

— Да ладно! Я же пошутил.

— Ты малость с приветом. — Я закатила глаза.

— Ты не представляешь с каким...

На это я удивленно вскинула брови, и Келлан снова стал хохотать, пока я в итоге не присоединилась к нему. Он взял меня за руку, и наши пальцы переплелись. Мы вышли из здания и беззаботно дошли до машины. Я силилась игнорировать взгляды, которые приковывал к себе Келлан, — ведь никто из этих людей не знал Денни?

Денни заработался допоздна, а Келлан выступал в маленьком баре, о котором я никогда не слышала, и вечером я осталась одна, будучи рада воспользоваться выходным и сделать то, что в последнее время было для меня редкостью, — завалиться пораньше спать.

Утром я проснулась чуть свет, чувствуя себя посвежевшей. Удивительно, но в кухне я оказалась в одиночестве и принялась наливать себе кофе со сливками, гадая, когда же Келлан спустится и обнимет меня. Мне было крайне непривычно опередить его. В предвкушении я чуть ли не улавливала его запах. Витая в сладостных грезах, я вдруг очутилась в кольце — меня обхватили руками, и я откинулась назад, помешивая кофе.

— Вот ты где, Ке...

Слова мгновенно застряли у меня в горле, как только губы коснулись моей шеи — теплые, мягкие, затем — такой же язык, и еще — небольшая щетина, слегка щекотавшая мою чуткую кожу. Сердце бешено забилось. Я чуть не выговорила имя Келлана, а обнимал меня вовсе не он.

Сердце прыгнуло мне в горло, успешно пресекая всякую речь. Денни промурчал мне в шею «доброе утро», явно не заметив моей без малого гибельной ошибки. Он целовал мне лицо, и мое дыхание пустилось галопом. Я никак не могла успокоиться: катастрофа подступила слишком близко.

Его губы добрались до моего уха, и Денни взял мочку в рот.

— Я скучал, — произнес он хрипло, прижимая меня к себе. — Постель без тебя остыла.

Его упоительный акцент оплетал слова.

Теперь мое дыхание участилось по другой причине, и я развернулась, чтобы поцеловать Денни. Его рот пылко нашел мой, и я заставила себя изгнать образ Келлана на задворки сознания. Сделать это оказалось на удивление трудно.

Внезапно губы Денни замерли, и он со вздохом отстранился. Я мгновенно испытала чувство вины, и паника вновь перехватила мне горло. Я постаралась лицом не выдать внутреннего раздрая, когда Денни провел пальцами по моей щеке.

— Хотел бы я остаться. — Он издал тяжкий вздох. — Но Максу понадобилось, чтобы я нынче явился пораньше. Мне пора собираться.

Он вдруг одарил меня моей любимой глуповатой улыбкой — и меня сразу начало отпускать. Денни игриво поймал мою руку и увлек меня с кухни наверх. Негромко прыснув, когда он втянул меня за обе руки в ванную, я спросила:

— Я думала, ты будешь собираться. Что это мы делаем?

Денни, посмеиваясь, притворил дверь.

— Я и собираюсь. — Он потянулся мимо меня и включил душ. — А ты мне поможешь, — искушающе добавил он с блеском в глазах, который был мне отлично знаком.

— О, — произнесла я, внезапно сообразив, чего он хотел.

В следующий миг он донес свою мысль яснее, стянув меня топик. Я вновь рассмеялась, когда он поцеловал меня в шею и принялся стаскивать брюки, белье и все остальное.

Денни отстранился, разделся сам, и мы с секунду глазели друг на друга. Меня переполнила любовь к этому сказочному красавцу, растворившая тяжелейшие муки совести. Он улыбнулся и завел прядь волос мне за ухо. Я бросилась ему на шею и крепко поцеловала.

Денни сунул руку под душ, проверил воду, затем подхватил меня так, что я рассмеялась, и ступил под струи. Божественно: вода была теплой, его руки — мягкими, а губы — зовущими. Вода стекала по его прекрасному загорелому телу, и мне стало легко от осознания правильности нашей связи. Она казалась естественной, простой и здоровой, и несколько мгновений я наслаждалась его близостью, не испытывая ни вины, ни сожаления по поводу собственной измены.

Я запустила пальцы в его темную шевелюру, чтобы убедиться, что волосы полностью намокли. Денни улыбнулся и закрыл глаза, такие же темные. Взяв с полки наш дешевый шампунь «все в одном», я втерла его ему в волосы, и Денни довольно вздохнул. Он развернул меня и вывел из потока, чтобы сделать со мной то же самое. Я хихикнула и обмякла под его волшебными пальцами. Он вымыл мне волосы, в процессе поцеловав меня в лоб, а после занялся своими, тогда как я поцеловала его в грудь и взяла мыло.

Пока Денни промывал волосы, я намылила ему грудь и живот. Пузырьки соблазнительно сползали по его телу. Я закусила губу, наблюдая за их скольжением к бедрам, и Денни улыбнулся, взял у меня мыло и положил его обратно на полку. Затем он крепко прижал меня к себе, и мыло с его тела перешло на мое. Стараниями его рук каждый квадратный сантиметр моей кожи покрылся пеной. Денни задержал ладони на груди и отвердевших сосках, потом скользнул к ягодицам. Я задохнулась, когда его рука проникла меж моих бедер.

Он улыбнулся столь искушающе, что мое сердце мгновенно пустилось вскачь. Он чуть разомкнул губы, следя за моей реакцией на его пальцы, которые кружили по самым чувствительным местам, пока не скользнули внутрь. Я застонала и выгнулась: он ввел один палец, потом два, слабо водя ими на протяжении нескольких божественных мгновений, после чего дразнящим движением провел их кончиками по влажной коже. Когда он убрал руку и осторожно прижал меня к стене, я почти впилась и всосалась в его губу. Вокруг нас журчала вода, стекавшая в основном по его широкой спине, так что мне доставались лишь некоторые брызги. Денни плотно прижался ко мне всем телом, мы все еще были скользкими от мыла. Он склонился ко мне для глубокого поцелуя, и я пылко, со стоном, ответила тем же.

Его член, стоявший стойма, притиснулся ко мне целиком, и я осторожно сомкнула на нем пальцы. Когда я сдавила самый корень, у Денни вырвался стон — прямо мне в ухо. Я стала двигать рукой, и он тяжело задышал. Его грудь вздымалась и опадала, соприкасаясь с моей, внезапно он чуть приподнял меня и ловко вошел. Он был так силен, что этот маневр дался ему без труда и оказался на удивление удобным для меня. Громко застонав от удовольствия, я обвила Денни ногами, чтобы он вошел еще глубже.

Я обняла его за шею, он же поддерживал меня за бедра, задавая потрясающий ритм. В моей голове растекся сладкий дурман, и весь мир свелся к одному Денни с каждым его прикосновением, вздохом, запахом и движением. Это пьянило, поражало красотой и согревало сердце... и, может быть, немного печалило, позволь я себе в тот момент испытать подобное чувство.

Через несколько секунд дыхание Денни ускорилось до предела, и он кончил с громким стоном, удовлетворенно стиснув мои бедра. Но он не прекратил двигаться, и секундой позже я изогнулась и крикнула, пронзенная судорогой. Мы замерли. Вода остывала вместе с нами, и вот Денни аккуратно опустил меня и переставил так, чтобы чуть теплые струи смыли с нас остатки пены.

— Я люблю тебя, — сказал он, закрывая кран.

Выйдя из-под душа, Денни вручил мне полотенце. Я тепло улыбнулась ему и тоже ступила на ворсистый коврик.

— И я тебя люблю.

Он помог мне немного вытереться своим полотенцем, заставив хихикать, а после занялся собой, и вскоре мы покинули нашу уютную душную ванную, чтобы Денни наконец собрался на работу. Очень скоро он спустился в кухню, одетый в брюки цвета хаки и синюю футболку на пуговицах (синее ему отчаянно шло). Его волосы еще оставались влажными, и он, разумеется, позволил мне уложить их. Я спустилась следом в своих обычных джинсах и блузке и тоже с мокрыми волосами, заботливо расчесанными Денни.

Келлан уже сидел внизу, пил свой кофе и выглядел, как обычно, прекрасно, разве что немного бледным. Денни, лучась от радости, кивнул ему:

— Салют, приятель!

Келлан, хоть и смотрелся болезненным, сумел ответить с непринужденной улыбкой:

— Привет, старина.

Денни поцеловал меня в последний раз и потрепал по щеке.

— Ну вот, теперь я опоздаю. — Он глянул игриво, и я покраснела. — Но ты того стоишь.

Я бросила взгляд на Келлана. Тот побледнел чуть сильнее, продолжая сосредоточенно потягивать кофе, и я поняла, что он знал, о чем шла речь. Может быть, он даже слышал нас в душе. Я не помнила, вела ли себя тихо...

Наверное, нет. Денни обнял меня напоследок, бодро простился и отправился на работу, а я продолжала стоять посреди комнаты с довольно глупым видом и не знала, что делать.

— Я поставил твой кофе в микроволновку, — шепнул Келлан из-за стола, и я взглянула на его бледное лицо и нежные глаза. — Он остыл.

Проглотив комок, я дошла до микроволновки и включила минутный разогрев. Затем повернулась.

— Келлан... Я...

— Не надо, — сказал он тихо, невидящим взором уставясь в кружку.

— Но... — моргнула я.

Он встал и подошел ближе. Остановившись на некотором расстоянии, он не прикоснулся ко мне.

— Ты не обязана мне объяснять... — Келлан смотрел в пол. — И уж точно не должна извиняться. — Он поднял на меня глаза. — Поэтому, пожалуйста... просто молчи.

Вина и сочувствие захлестнули меня, и я раскрыла для него свои объятия:

— Иди сюда.

Он чуть помедлил, будучи весь в растрепанных чувствах, затем обнял меня за талию и уткнулся лицом в мою шею. Я прижала его к себе и погладила по спине.

— Прости, — прошептала я ему на ухо.

Он, может быть, и не хотел ничего слышать, но мне было нужно сказать это.

Келлан тихо выдохнул и кивнул, не отрываясь от моего плеча и стискивая меня чуть сильнее.

По дороге в университет он оставался бледным и молчаливым. Меня мучила совесть. Случившееся задело его. Я не вполне знала чем: моя роль в его жизни была непонятна, но он сказал мне, что такого рода вещи его напрягут, и они напрягли. Меня это не радовало. Но я не принадлежала ему. Мы были просто друзьями... Другое дело — Денни, который был моим парнем, и то, что между нами произошло, обещало повториться. Я изучала лицо безмолвного Келлана, пока мы одолевали короткий отрезок дороги до университета, и надеялась, что он не слишком угнетен.

Он снова проводил меня до аудитории и по пути как будто оживился. Ему хотелось поговорить о литературном цикле, и у него имелись кое-какие забавные соображения о взглядах Остин на общество... большей частью пересекавшиеся с моей недавней лекцией по психологии, где обсуждалась вытесненная сексуальность. На сей раз к моменту, когда он отворил дверь в аудиторию, я уже заливалась хохотом и наверняка была красная, как свекла.

Я решила прогулять занятие по психологии. Это, конечно, была не лучшая идея, но мне не терпелось оказаться дома и побыть с Келланом до начала смены. Да и лекция снова была о Фрейде, а сегодня я точно не могла ее воспринять. Когда я переступила порог, Келлан сидел на диване, перебирая гитарные струны. Песня была красивая, и я тепло улыбнулась, когда он поднял глаза и подарил мне взгляд, пришпоривший мое сердце. Он перестал играть и уже собрался отложить гитару, но я подошла, чтобы сесть рядом, и попросила:

— Нет, не останавливайся. Хорошая вещь.

Келлан потупил взгляд, сдержанно улыбаясь, и встряхнул головой. Он положил гитару мне на колени.

— Держи... Давай, потренируйся.

Я скорчила мину. Последний раз, когда он учил меня, обернулся полным фиаско.

— Она звучит, когда играешь ты. А когда пытаюсь я, в ней что-то ломается.

Он рассмеялся и повернул меня на диване так, чтобы обвить руками и положить их поверх моих.

— Просто держи ее правильно, — шепнул он мне на ухо.

От его дыхания по моей спине пробежал холодок, и я на секунду прикрыла глаза, вбирая его запах, пока Келлан ставил мои пальцы на грифе.

— Вот так... Эй!

Он пихнул меня в плечо, издав смешок, когда заметил, что у меня закрыты глаза. Я смутилась и покраснела, подняв веки, и он опять рассмеялся.

— Давай... Пальцы лежат правильно, аккурат под моими. — Он чуть приподнял их, переведя в неудобное положение. — Теперь, — он показал мне медиатор, — слегка ударяешь, вот так...

Он провел по струнам. Гитара отозвалась чудесным гудением.

Келлан вложил медиатор в мои пальцы, и я попробовала повторить его движение. Чудесного гудения не вышло. Не получилось вообще ничего чудесного. Келлан засмеялся и взял меня за руку, выполняя движения за меня. Коль скоро он сделал за меня решительно все, гитара вновь зазвучала красиво. Он лениво водил нашими пальцами по грифу и ударял по струнам вместе со мной, сцепив наши кисти и наигрывая простенькую мелодию. В конце концов я попала в струю и расслабилась.

Келлан улыбался и смотрел на меня, продолжая не глядя играть за двоих.

— На самом деле не так уж трудно. Вот этому я научился, когда мне было шесть. — Он подмигнул, и я снова залилась краской.

— У тебя просто умелые пальцы, — сболтнула я, на миг отвлекшись его непринужденной улыбкой.

Он перестал играть и начал смеяться. Я закатила глаза и присоединилась.

— До чего же грязные у тебя мысли. Вы с Гриффином два сапога — пара.

Келлан скорчил рожу, а затем снова хохотнул:

— С тобой иначе не получается.

Он пытливо посмотрел на меня и убрал руки с гитары.

— Давай сама.

Вернув руки туда, где они лежали, я вновь попробовала сделать, как он. Удивительно, но с третьей или четвертой попытки у меня получилось. Оглянувшись на Келлана, я хихикнула. Он улыбнулся и кивнул, затем показал мне другой аккорд, и за несколько раз я освоила и его. После череды бездарных проб я смогла наконец кое-как изобразить мелодию, которую он выучил еще мальчишкой.

Я поиграла еще, и Келлан ставил мне пальцы то так, то эдак или показывал очередной аккорд, пока я не выдохлась. В итоге я повисла на нем и согнула руку. Он усмехнулся и поставил гитару на пол, затем прижал меня к груди и начал массировать мою кисть. Я старалась не отвлекать его звуками. Это было неземным блаженством.

— Тебе надо набраться силенок, чтобы играть, — пробормотал Келлан, разминая мои ноющие пальцы.

— Мм... — Я закрыла глаза, наслаждаясь его близостью.

Наконец он остановился и притянул меня к себе. Мне казалось, что я могла просидеть всю ночь в его теплых объятиях.

— Давай кое-чем займемся? — предложил он тихо.

Я моментально напряглась, обернулась и натолкнулась на его улыбку.

— Чем? — спросила я осторожно.

Мое неприятие развеселило Келлана.

— Это безобидно, честное слово.

Он резко улегся навзничь и простер ко мне руки. Я смущенно уставилась на него, а затем юркнула к нему под бок, устроившись между ним и спинкой дивана. Он довольно вздохнул и обхватил меня руками, чуть поглаживая мое плечо.

Я отстранилась и посмотрела на него, все еще сконфуженная:

— Ты этим хотел заняться?

— Ну да... — пожал плечами Келлан. — Было мило... когда ты делала это с Денни...

Кивнув, я положила голову ему на грудь, отогнав внезапный укол совести при упоминании Денни и осознании простой симпатии, которой ждал от меня Келлан. Я осторожно положила поверх него ногу и обняла его. Он издал очередной вздох и склонил ко мне голову. Его сердце билось ровно и сильно. Мое же, казалось, все растаяло и растеклось.

— Тебе хорошо? — прошептал он, касаясь губами моих волос.

Я заставила себя расслабиться. Все было невинно и просто, он больше ничего не хотел, и мне была приятна его близость.

— Да... Так здорово. А тебе?

Витая мыслями в облаках, я начертила круг на его груди.

— Мне хорошо, Кира, — усмехнулся Келлан.

Он осторожно погладил меня по спине.

Я вздохнула и размякла вконец, прижимая его ближе рукой и ногой. В ответ он тоже притянул меня сильнее, и мы просто лежали в обнимку. Я смотрела, как с каждым вздохом поднималась и опадала его футболка. Рассматривала кожу на его шее. Следила, как дергался кадык, когда он глотал. Я проскользила взглядом по линии его подбородка. Наконец я закрыла глаза и уткнулась в его плечо, погрузившись в тепло.

Вскоре он заворочался подо мной, и я поняла, что уснула в его объятиях.

— Извини... Я не хотел тебя будить.

Я села прямо и уставилась на входную дверь. Знакомые слова пробудили во мне воспоминание.

— Денни, — прошептала я, взглянув на его сконфуженное лицо.

Келлан сел и поправил мою прическу.

— Ты недолго спала. Еще рано. Он придет через час или около того. — Келлан задумчиво отвернулся. — Я не допущу, чтобы... — Он вновь посмотрел на меня. — Не допущу, чтобы он увидел, если ты не хочешь.

Я немедленно замотала головой. Нет, Денни не поймет, ведь я даже не была уверена, что понимала сама. Келлан кивнул и пристально посмотрел на меня. Нуждаясь в передышке от его внимания, я задала вопрос, уже какое-то время вертевшийся у меня в голове:

— Куда ты ходил, когда пропадал? Когда не ночевал дома?

Я снова придвинулась к нему. Келлан улыбнулся, но ничего не сказал, и я надулась:

— Если ты тогда... Если ты вообще с кем-то встречаешься, то должен сказать мне.

На самом деле он не был обязан отчитываться, но меня разбирало нездоровое любопытство.

Келлан склонил голову набок в своей располагающей манере.

— Значит, вот как ты думаешь? Что если я не с тобой, то с какой-нибудь женщиной?

Поморщившись, я пожалела, что спросила, и заставила себя тихо произнести:

— Ты и не со мной. Имеешь полное право ходить на свидания.

Я взяла его за руку и стиснула, избегая смотреть на него.

— Знаю, — откликнулся он мягко, поглаживая пальцем мою кисть. — А тебя напряжет, если у меня кто-то окажется? — негромко осведомился он.

Сглотнув, я отвернулась, не желая отвечать. Но у меня все равно вырвалось.

— Да, — прошептала я.

Келлан вздохнул. Когда я вновь посмотрела на него, он глядел в пол.

— Что? — спросила я осторожно.

Он обнял меня за талию и притянул ближе, поглаживая по спине.

— Ничего.

— Нечестно с моей стороны, да? — Я таяла в его нежных объятиях. — Я с Денни. Мы с тобой просто друзья. Я не могу просить тебя никогда не...

Келлан неловко поерзал и хмыкнул:

— Что ж, эту маленькую проблему можно решить, если ты смягчишь свои правила. — Он дьявольски ухмыльнулся. — Особенно первое.

Мое лицо осталось серьезным, и он перестал веселиться. Я спокойно произнесла:

— Я пойму. Мне это не понравится, как и тебе не по нутру, когда я с Денни, но я пойму. Просто не скрывай этого. Не юли передо мной. У нас не должно быть секретов...

Я сознавала, насколько абсурдно все это звучало, и часть меня не желала ни видеть, ни знать того, о чем шла речь, но мне не хотелось и оставаться в неведении. Зная, что мы друзья, ходившие по краю и срывавшиеся порой в нечто большее, я понимала, что все, чем мы занимались, — флирт и постоянная близость — было так же опасно и глупо, как дразнить судьбу. Но я не могла остановиться. Мне было не отделаться от мыслей о нем, от желания быть рядом с ним, прикасаться к нему, обнимать его. Но большее виделось невозможным, и было бы неправильно требовать от Келлана отказывать себе в чем-либо ради той малой части меня, которую я ему предоставляла. Это было несправедливо.

Одну долгую минуту Келлан тоскливо смотрел на меня и в конце концов кратко кивнул.

Я заглянула в его печальные глаза и прошептала:

— Ну и куда ты ходишь?

Он потеплел лицом, его глаза сверкнули.

— Куда я хожу? Это зависит от обстоятельств. Иногда к Мэтту и Гриффину, иногда — к Эвану. Порой напиваюсь в стельку у Сэма на крыльце. — При этих словах он дьявольски осклабился и ухмыльнулся.

— Вот как...

Ответ оказался настолько прост, что должен был стать для меня очевидным; я просто накрутила себя, решив, будто он исчезал, чтобы «присунуть» кому-нибудь, как они выражались. Я погладила его по щеке, чувствуя, что теперь в силах задать вопрос, ответ на который действительно хотела услышать.

— А куда ты пошел после нашего первого раза? Тебя не было сутки. И ты пришел...

«Мертвецки пьяным», — подумала я, но не сказала этого вслух.

Келлан резко встал и протянул руку:

— Идем. Подброшу тебя до «Пита».

Поднявшись, я взяла его за руку:

— Келлан, ты можешь сказать, я не буду...

Он улыбнулся, хотя в глазах не было ни тени веселья.

— Ты же не хочешь опоздать.

Я знала, что разговор окончен, и это бесило меня. Его уклончивость также наполнила меня трепетом. У нас не должно быть секретов, но они были.

— Ты не обязан возить меня повсюду.

Он вскинул брови и самодовольно ухмыльнулся.

— Я и сама отлично справлюсь.

Он закатил глаза и с улыбкой увлек меня наверх, чтобы я собралась. Келлан оставался со мной в баре большую часть времени. Я попеняла ему за прогул репетиции, но он лишь рассмеялся и вновь возвел очи горе. То, что он предпочитал проводить время в моем обществе, в равной степени радовало и тревожило меня.

В один мой перерыв он попытался научить меня играть на бильярде. Вышло довольно забавно, так как наши навыки были примерно равны. Если честно, то ему, по-моему, просто нравилось помогать мне выстраивать удары, а мне — ощущать его тело, вытянувшееся в струну поверх моего. Пока я перекусывала, мы быстренько сыграли партию. Точнее, она была бы быстренькой для кого-то другого. Пока мы оба мазали раз за разом, мой перерыв закончился, и я отправилась работать, оставив его доигрывать с Гриффином, которому он проиграл с разгромным счетом.

Когда игра завершилась, я сунула голову в бильярдную и, потешаясь над его предсказуемым фиаско, напела:

— Держись за работенку[1], Бэнд-бой[2].

---

[1] «Better keep your day job» *(англ.)* — строка из припева одноименной песни американской рок-группы «Грэйтфул дэд».

[2] Инверсия от «Бой-бэнд», что обычно определяется как вокальная поп-группа, состоящая из юношей привлекательной внешности и ориентированная на девушек предподросткового и подросткового возраста.

Келлан поднял брови и саркастически скривил губы.

— Бэнд-бой?

С улыбкой кивнув, я ушла. Из-за спины донеслось довольно громкое:

— Бэнд-бой? Не, серьезно — мы что, пятиклашки?

Я прыснула от этой реплики, пока шла к бару. Дженни присоединилась ко мне и улыбнулась:

— Вы с Келланом выглядите получше.

Хмуро взглянув на нее, я передала заказ Рите, которая удалилась наполнить стаканы.

— Ты о чем?

Кейт подошла с другой стороны и грациозно уселась на стул в ожидании Риты.

Дженни склонила голову набок и чуть свела брови:

— Ну, он держался с тобой прохладно.

— Да неужели? — встряла Кейт. — Ты что, извела его шампунь?

Она мечтательно вздохнула.

— Черт, у него такая классная прическа.

Глядя на них обеих, я издала нервный смешок:

— Ага... Дурацкие бытовые разногласия. Теперь все в порядке.

Тут, слава богу, вернулась Рита с моим заказом, и мне не пришлось развивать тему. Я оставила их обсуждать достоинства шевелюры Келлана и доработала смену. С Дженни придется быть аккуратнее. Она подмечала слишком многое.

ГЛАВА 13

ПЛОХАЯ ИДЕЯ

Следующий вечер выдался слишком шумным для будней, а Гриффин снова заскучал. Он взгромоздился на стол и стал подпевать музыкальному автомату — если точнее, то сэру Микс-э-Лоту с песней «Baby Got Back»[1]. Он делал непристойные жесты и так вертел тазом, что обеспечил мне ночные кошмары. Женщины, сидевшие вкруг стола, хохотали и совали ему долларовые бумажки. Он восторженно принимал их и запихивал в такие места, о которых я не хотела даже думать.

Эван, Мэтт и Келлан отошли от стола и надрывали животы, любуясь этим идиотом. Келлан посмотрел на меня — я стояла посреди прохода, взирая на хамское шоу, — и подмигнул мне, не прекращая смеяться. Я тоже прыснула и улыбнулась ему.

— А ну-ка, Гриффин, слезь, к черту, со стола!

На басиста ощерился Пит, который вышел из кухни, где в старом складе-чулане располагался его кабинет.

Гриффин немедленно спрыгнул, и гарем любовно прильнул к нему.

— Извини, Пит.

Он осклабился, ничуть не выглядя виноватым. Качая головой и бормоча что-то себе под нос, Пит ретировался.

Смех разобрал меня еще пуще, но тут я ощутила движение за спиной. Чья-то рука скользнула мне под юбку

---

1 *Сэр Микс-э-Лот* — сценический псевдоним Энтони Рэя, рэпера и продюсера. Основатель лейбла «Nastymix», он дебютировал в 1988 году с альбомом «Swass». В 1992 году был издан его альбом «Mack Daddy», сингл из которого «Baby Got Back» попал в топы американских чартов и выиграл «Грэмми».

и схватила за ляжку. Я взвизгнула и рванулась прочь. Поганого вида немолодой мужик пожирал меня карими глазками-бусинками и ухмылялся, обнажая частокол желтых зубов. В том, как он подмигнул мне, не было ничего доброго, а его такого же гнусного вида дружок заржал при этом.

Я их не знала. Они не были завсегдатаями, равно как и людьми приятными. Вдобавок они разместились в моей зоне, поэтому всякий раз, когда я направлялась к стойке, мне приходилось идти мимо них, и похотливый урод неизменно порывался цапнуть меня за ногу независимо от того, как далеко я ушла. Я терпела сколько могла, но неизбежно наступил момент, когда я вручила им счет. Мужик покрупнее, уже подержавшийся за мою ногу, встал и грубо схватил меня за задницу, привлекая к себе. Другой рукой он взялся за мою грудь.

Гневно сбросив его лапу, я попыталась оттолкнуть его, но он лишь развеселился. Он источал запах, который я могла определить единственным образом — «аромат бомжатника». Мерзкая смесь затхлого табака, дешевого виски и, клянусь богом, дерьма. И это без учета дыхания, в сравнении с которым все прочее казалось благоуханием. Я оглянулась в поисках Сэма, но вспомнила, что у него выходной, а Пит не считал, что бар был достаточно популярен, чтобы нанимать еще одного вышибалу на полную ставку. Не зная, как поступить, я сомневалась, что справлюсь с этим типом. Но того вдруг резко оттащили от меня.

Позади него возвышался Эван, державший мужика за руки. Перед ним мгновенно нарисовался разъяренный Келлан.

— Плохая идея, — произнес он тихо ледяным голосом.

Мэтт шагнул к мужику пониже, который встал, намереваясь защитить приятеля. Гриффин подошел ко мне и небрежно приобнял меня за плечо.

— Это наша телочка, ребята, — изрек он с улыбкой от уха до уха.

Здоровяк озлобленно стряхнул Эвана и грубо толкнул Келлана.

— Отвали, милашка.

Келлан сгреб его рубашку в две горсти и выдохнул в лицо:

— Только попробуй...

Мужик уставился на Келлана так, будто намеревался втоптать его в землю. Келлан, ничуть не смутившись, выдержал взгляд. В баре воцарилась тишина, и все ждали, чем кончится эта немая сцена. Наконец Келлан выпустил громилу, но руки его по-прежнему чуть подрагивали от натуги.

— Советую свалить. И на твоем месте я бы не возвращался.

Тон был настолько холодный, что делалось страшно.

Мелкий взял дружка за плечо:

— Пошли отсюда. Она того не стоит.

Недовольно сопя и на прощание смерив Келлана взглядом, здоровяк вновь подмигнул мне и повернулся, чтобы уйти. Келлан расслабился и посмотрел на меня участливо. Мужик уже почти развернулся, но вдруг сунул руку в карман. Я различила лишь блеск металла и услышала щелчок, когда этот здоровяк проворно крутнулся и бросился на Келлана.

— Келлан! — завопила я.

Тот, оглянувшись на мужика, подался в сторону и увернулся. Нож промелькнул в каком-то дюйме от его тела. Гриффин мгновенно оттащил меня от обоих как раз в тот момент, когда я дернулась помогать. Мэтт оттолкнул коротышку от его приятеля, так как тот вознамерился ввязаться в бой. Эван хотел перехватить руку с ножом, но Келлан оказался проворнее: он врезал бугаю в челюсть, тот хрюкнул и опрокинулся навзничь. Нож полетел под соседний столик.

Келлан метнулся, чтобы поднять мужика, но тот смекнул, что дело дрянь. Он взвился, перевернулся, вскочил и пулей вылетел из бара, а его товарищ поспешил следом. Тишина в зале длилась еще добрую минуту, а затем возобновился обычный гул, и люди вернулись к своим занятиям.

Келлан сделал глубокий вдох, чуть согнул руку и посмотрел на меня.

— Ты в норме? — нахмурился он.

Я перевела дыхание, расслабившись впервые за всю стычку.

— Да, спасибо тебе, Келлан, и вам, ребята.

Улыбнувшись, я взглянула на Келлана, затем на Эвана и дальше — на Мэтта. Последним стал Гриффин, стоявший позади меня.

— Гриффин, руку-то убери с моей задницы. Теперь уже можно.

Келлан, весь бледный, негромко хохотнул, а Гриффин отнял руку и повертел ею в воздухе:

— Виноват. — Он указал на руку. — Она сама.

Он подмигнул мне, прихватил гоготавшего Мэтта, и они отправились по каким-то своим делам, прерванным этим небольшим поединком.

Эван и Келлан остались со мной. Эван бегло оглядел Келлана с серьезным видом.

— Келл, все в порядке? Он тебя не задел?

Я вздрогнула и всмотрелась пристальнее. Он ранен?

Келлан поморщился и, наконец повернувшись ко мне лицом, сунул руку под футболку. Когда он ее вытащил, пальцы были в крови.

— О боже...

Я схватила его за руку, задрала футболку. Вдоль ребер тянулся приличный десятисантиметровый порез, по которому было видно, сколь тесной выдалась схватка. Рана не выглядела глубокой, но сильно кровоточила.

— Келлан, тебе нужно в больницу.

Он озадаченно скосил глаза и самодовольно улыбнулся:

— Он чуть не достал меня. Я в порядке.

Ухмыльнувшись, он вскинул бровь, так как я продолжала удерживать его футболку задранной.

Я уронила ее и снова взяла его за руку:

— Пойдем.

Эван хлопнул Келлана по спине, когда я повела того прочь. Келлан улыбался и был вполне доволен собой. Мы добрались до дальнего коридора, но по дороге Келлана то и дело останавливали, желая обсудить случившееся. «Ну и люди», — подумала я, увлекая его прочь от любопытных парней и буквально истекавших слюной девиц. Втащив его в подсобку, я схватила чистое полотенце и широченный бактерицидный пластырь из аптечки, хранившейся в одном из шкафчиков, которые мы никогда не использовали. Я надеялась, что этого хватит и порез не настолько глубок, чтобы понадобилось накладывать швы. Выведя Келлана обратно в коридор, я остановилась перед женским туалетом.

— Стой здесь. — Я ткнула его в грудь, и он с чарующей ухмылкой прижал ладони крест-накрест к сердцу.

Распахнув дверь, я быстро заглянула в кабинки, никого не нашла и вернулась в коридор, где Келлан терпеливо стоял, прислонившись к стене, и ждал меня. Теперь мне было видно кровавое пятно на футболке там, где она прилипла к его влажной коже. Я с усилием сглотнула.

— Это не обязательно, — заметил Келлан, когда я взяла его за руку и потянула в туалет. — Я в порядке, — упирался он.

Я глянула на него свирепо: до чего же упрямый.

— Футболку долой.

Он коварно осклабился:

— Слушаюсь, мэм.

Закатив глаза, я постаралась не заметить, как сказочно прекрасно вытянулось его тело, пока он снимал футболку. Держа ее в руке, он с легкой улыбкой остался покорно ждать возле раковины. Рана не так уж кровоточила, но сбоку немного натекло. У меня заныло под ложечкой, когда я представила, что могло бы случиться, не уклонись он вовремя.

Я смочила полотенце холодной водой. Келлан втянул в себя воздух, едва я начала протирать рану. Это вызвало у меня ухмылку.

— Ну ты и садистка, — пробормотал он, и я одарила его порочным взглядом.

Он восхищенно хохотнул.

— О чем ты только думал, когда попер на парня с ножом? — осведомилась я, стараясь обрабатывать порез осторожно.

Рана была глубже, чем мне поначалу показалось, и при нажатии кровоточила немного сильнее.

— Ну, — он сделал очередной вдох, — я же не знал, что у него нож.

Я закончила протирать его бок и плотно прижала к ране полотенце, так что Келлан заворчал.

— Я не собирался позволять ему лапать тебя, — сказал он негромко, и я посмотрела в его искрившиеся синие глаза.

Мы смотрели друг на друга, пока я удерживала полотенце. Наконец я отняла его и увидела, что кровотечение прекратилось. Я распечатала пластырь и нахмурилась, тревожась, что при движении кровь потечет снова. Келлан сказал, ухмыляясь:

— Если мне нельзя лапать, то и ему тоже. Это против правил.

Он издал смешок, и я без лишних церемоний наложила пластырь, от чего Келлан вздрогнул и застонал. Мне сразу стало дурно: может быть, теперь его рана кровила из-за меня.

Действуя осторожнее, я разгладила пластырь пальцами, расправляя его поверх мускулистого бока.

— Ну и глупо. Он же мог тебя серьезно ранить.

При этой мысли я проглотила комок.

Келлан сгреб мои пальцы и прижал к груди.

— Лучше меня, Кира, чем тебя, — прошептал он, и какое-то время мы смотрели друг другу в глаза, после чего он продолжил: — Спасибо, что позаботилась обо мне.

Он погладил мою кисть большим пальцем. Мое дыхание пресеклось под его взглядом, при виде голой кожи под подушечками моих пальцев.

Я вспыхнула и отвернулась.

— Можешь надеть футболку, — сказала я.

Он улыбнулся и натянул ее. Я поморщилась при виде кровавого пятна на боку и разорванной ткани: лезвие прошло слишком близко. Мои глаза наполнились слезами, и Келлан, заметив это, крепко обнял меня. Он сделал короткий вдох, и я ослабила хватку, сообразив, что делаю ему больно.

— Прости, — прошептала я. — Ей-богу, лучше бы тебе показаться врачу.

Он кивнул и притянул меня ближе. Я вздохнула и обмякла. Так мы и обнимались, когда на пороге возникла Дженни.

— Ой... Хотела посмотреть, как поживает твой пациент.

Я отстранилась от Келлана.

— Мы просто... С ним все хорошо, — промямлила я.

Келлан негромко рассмеялся и проследовал мимо Дженни в коридор. Остановившись сразу за дверью, он обернулся и посмотрел на меня:

— Еще раз спасибо, Кира.

Мое сердце упрямо пропустило удар. Келлан вежливо кивнул Дженни:

— Пойду-ка я заберу этот нож у Гриффина.

— Он у Гриффина? — ошарашенно уставилась на него Дженни.

Келлан вскинул брови. Дженни закатила глаза и вздохнула:

— Гриффин... Да, иди и забери.

Он взглянул на меня в последний раз и, посмеиваясь, зашагал по коридору.

Дженни так и стояла в дверях.

— Идешь?

Я вздохнула, стремясь успокоить вдруг затрясшиеся руки и участившееся сердцебиение.

— Да... Задержусь буквально на минуту.

Но задержалась в результате на десять.

❖ ❖ ❖

Следующим утром спустившись в кухню, я шутливо ткнула Келлана в живот. Он хрюкнул и чуть согнулся, а я слишком поздно вспомнила о его ранении.

— Ох... Прости, — ужаснулась я.

Келлан хохотнул и притянул меня к себе, чтобы обнять.

— Я просто дразнюсь. Больно гораздо меньше.

Я обвила руками его шею и надулась:

— Нехорошо так шутить.

Келлан дьявольски ухмыльнулся.

— Нехорошо... Зато ты меня обняла, — договорил он и подмигнул.

— Ты невозможен, — улыбнулась я, закатив глаза.

— Верно, но все равно тебе нравлюсь.

Он обхватил меня крепче.

— Вот уж не знаю чем, — театрально вздохнула я.

Он усмехнулся и склонил голову набок так, что я на миг задохнулась.

— Значит, и вправду нравлюсь. Я хотел выяснить...

Осторожно толкнув его в грудь, я высвободилась.

— Дай-ка взгляну. — Я потянулась задрать его футболку.

Он самодовольно поднял ее.

— Снова меня раздеваешь?

Назло себе я рассмеялась и изучила пластырь. Немного крови все же просочилось. Я нахмурилась:

— Мы договаривались, что ты покажешься врачу.

Я даже выставила его из бара вскоре после инцидента, но он, естественно, не видел нужды в профессиональной помощи.

Келлан пожал плечами.

— Что ж, тебе нужен новый пластырь. У тебя есть?

Он кивнул и ушел искать его. Пока я варила кофе, он вернулся с пластырем.

Прислонившись к стойке, он протянул мне пакет:

— Не окажешь ли честь, раз уж тебе так нравится меня перевязывать?

Я хмыкнула, и Келлан покачал головой, улыбаясь. Он снова задрал футболку и пригласил меня жестом: давай. Я осторожно отлепила уголок и проверила, не прилипло ли что. Убедившись, что все чисто, я посмотрела Келлану в глаза и резко сорвала пластырь.

— Твою-то мать! — взвыл Келлан, отшатнувшись.

Смеясь, я приложила к губам палец и указала наверх, где все еще спал Денни. Гримасничая, Келлан глянул туда же, а потом вернулся взглядом ко мне:

— Извини, но черт побери, женщина!

Все еще веселясь, я покачала головой:

— Большой ребенок...

Я осмотрела рану. Не будучи медсестрой, я все-таки заключила, что выглядела она прилично и воспаления не было. Я осторожно протерла ее и удовлетворенно улыбнулась, не обнаружив крови: видимо, она свернулась еще вечером. Хорошо, в таком случае швы не понадобятся. Медленно распечатав пластырь, я насладилась долгим вздохом Келлана, осознавшего, что вскоре придется снимать и этот. Я аккуратно прижала его к коже, посмеиваясь про себя. Пальцы немного съехали с места ранения, и Келлан негромко усмехнулся:

— Черт, дружище!

Я обернулась и увидела на пороге Денни, который зевал и таращился на бок Келлана.

— Что с тобой стряслось?

Келлан плавно опустил футболку и прислонился к стойке. Он имел непринужденный вид — само совершенство, ничуть не смущенное тем, что Денни практически застукал меня за поглаживанием его груди. Я отошла, пытаясь имитировать ту же раскованность.

— Какая-то фанатка... Сорвало крышу, захотелось кусочек меня в буквальном смысле, — улыбнулся Келлан. — Кира у нас, слава богу, хорошая медсестра. — Он кивнул в мою сторону.

Денни тоже улыбнулся:

— Ага, хотя не самая нежная. — Его улыбка стала шире, когда я напыжилась, а Келлан прыснул. Денни вошел в кухню, хмурясь на Келлана. — Что, в самом деле так и было?

Келлан помотал головой. Я наблюдала за ним, пораженная его способностью шутить и быть таким свободным с Денни, тогда как мы... ну, не были свободными.

— Да нет, я прикалываюсь. Какой-то тупой алкаш полез на меня с ножом.

— Черт. — Денни подошел ко мне и обхватил за талию, странным образом заставив меня покраснеть. — Ты что, девчонку у него увел?

Я оглянулась на Денни. Он улыбался: мне было ясно, что это шутка, но Келлан посмотрел на него странно и только потом нацепил свою обычную ухмылочку.

— Может быть. Иногда не поймешь, кто чей.

Сказав это, Келлан стрельнул в меня глазами, но Денни ничего не заметил, будучи слишком занят лобзанием моей шеи.

Негромко рассмеявшись, Денни посмотрел на Келлана и хлопнул его по плечу:

— Ну, я надеюсь, ты дал ему сдачи.

Келлан быстро осклабился и кивнул.

— Молоток. Рад, что ты цел, старина. — Денни чмокнул меня в щеку и произнес: — У меня осталось время. Есть хочешь?

— Конечно.

Он повернулся для поцелуя, и я наскоро клюнула его, украдкой глянув на Келлана, который уставился в пол.

Денни сунулся в холодильник и принялся что-то искать в глубине. Келлан зашел мне за спину, переплел наши пальцы и завел мою руку назад. Я посмотрела на него, но лицо Келлана оставалось непроницаемым, а глаза пристально следили за Денни. С секунду он гладил мне пальцы, затем стиснул руку и выпустил ее, как только Денни вынырнул из холодильника.

— Отлично... Блинчики с клубникой? — спросил он нежно, помахивая коробкой с ягодами.

Я кивнула и потупила взор, тогда как Келлан молча вышел из кухни. Я чувствовала себя ужасно виноватой и не понимала: из-за Денни или из-за Келлана?

❖ ❖ ❖

Едва я заступила на смену, ко мне подошли Дженни и Кейт. Они хотели послушать о вчерашней поножовщине, так как в тот момент обе находились далеко и мало что видели. Они справились о самочувствии Келлана, и я чуть вспыхнула, ответив, что все в порядке и он даже слегка гордится своим боевым ранением. Обе разделили мой испуг: еще бы немного, и Келлану пришлось бы значительно хуже. Мое сердце сжалось, и я взглянула на его стол, за которым он ужинал в ожидании своей группы. Несколько девиц были не прочь составить ему компанию, но он не обращал на них внимания и разговаривал с Сэмом. Да, еще бы чуть-чуть — и беда.

Мы вернулись к нашим клиентам, и я улыбнулась, вновь глянув на Келлана. Он заметил мой взгляд и ответил тем же. Сердце екнуло, и мне пришлось отвернуться. В конечном счете вечер разгорелся, и Келлан перестал сидеть одиноким «Чудилой». Пит перехватил меня на выходе из кухни и попросил передать Келлану, что пора выходить на сцену. Я улыбнулась, кивнула и подошла к их столу.

При виде меня Келлан улыбнулся. Он чуть отъехал на стуле, так что было почти невозможно противиться желанию усесться к нему на колени. Мне на секунду захотелось уподобиться его более бесцеремонным фанаткам — они бы плюхнулись и свернулись калачиком, даже не задумавшись. Я представила, как его руки обвивают меня. Представила себя окутанной его запахом. Вообразила тепло его кожи под моими губами при поцелуе в шею...

— Кира?

Он склонил голову набок, глядя на меня с любопытством, и я смекнула, что в неуместных раздумьях глазела на него, не говоря ни слова.

Покраснев, я отвернулась.

— Ребята, вам пора, — напомнила я, не приближаясь к столу вплотную.

Задвигались стулья, группа поднялась. Эван и Мэтт, поблагодарив меня, под гром оваций запрыгнули на сцену. Затем подтянулся и Гриффин. Его манерам, случалось, недоставало утонченности. Я повернулась к Келлану: тот допил пиво и неспешно встал. Он секунду постоял у стола, улыбаясь мне и будто чего-то ожидая, а я свела брови и ответила вопрошающим взглядом.

— Удачи не пожелаешь? — осведомился Келлан, подходя ко мне ближе и опираясь о стол.

Я расслабилась и хмыкнула:

— Ты блистаешь и без моих пожеланий.

Он широко улыбнулся, и у меня чуть закружилась голова.

— Согласен, но мне приятно.

Рассмеявшись, я быстро обняла его:

— Что ж, тогда желаю удачи!

Келлан очаровательно надулся:

— Когда девушки желают мне удачи, они обычно не ограничиваются бабушкиным объятием.

Он искушающе вскинул бровь.

Я снова прыснула и толкнула его в плечо:

— А я девушка не простая.

Келлан почтительно улыбнулся и помотал головой:

— О нет... Ни в коем случае.

Он повернулся и вскарабкался на сцену, а у меня голова вновь пошла кругом, и мне пришлось схватиться за стол.

Группа, как обычно, выступила на ура. По ходу концерта толпа как будто удвоилась, и я следила за выступлением Келлана меньше, чем мне хотелось. Но между заказами я все же урвала пару мгновений, чтобы взглянуть на сцену. Во мне все затрепетало, когда я перехватила его взгляд. Внимание Келлана насторожило меня, но я быстро отогнала тревожные мысли. Приходилось признать, что мне оно нравилось.

Утоляя жажду многочисленных страждущих, я негромко подпевала песням, которые знала. В конце отделения группа исполнила вещь, заинтересовавшую меня. Эту пронзительную песню я раньше не слышала, но толпа распевала ее вовсю, — стало быть, она старая. Я посмотрела на Дженни — та тоже пела. Слова были предельно серьезными, как и лицо Келлана. Он чуть ли не впадал в безумие.

«Я видел, что ты сделал с ней... Я знаю твой секрет. Ты можешь сломать ее, но торжеству не бывать... Она держится стойко и ждет, когда схлынет боль. Осталось недолго, пока парят ангелы».

Он больше сосредоточился на гитаре, чем на толпе, и я не могла избавиться от ощущения, что песня не имела никакого отношения к женщине.

«Ты взял все, оставив ее ни с чем. Она была создана для любви. Что случилось с тобой? Она обретет силу, она будет свободна. Осталось недолго... ей... и мне...»

Я испытала внезапную необъяснимую потребность обнять и ободрить его. Обслуживая клиентов, я посматривала на него краем глаза. Песня кончилась, и он перешел к развеселой композиции. С лица его стерлись всякие следы недавних переживаний, но я не могла забыть его неистовой ярости.

❖ ❖ ❖

— Прости, солнышко. — Денни подавленно сидел на краю постели и смотрел на меня. Он разувался и почесывал ноги.

— Ничего, Денни. Всего одни выходные. Я как-нибудь справлюсь, честное слово.

— Ну да, всего одна ночь врозь. Вернусь следующим вечером, — может быть, ты еще не придешь с работы. — Он вздохнул и поставил босую ступню на ковер. — Но все равно извини.

Он закатил глаза.

— Поразительно: Макс гонит меня на эту конференцию только потому, что сам летит на мальчишник в Вегас. — Денни раздосадованно покачал головой. — Дядюшка вышвырнул бы его, если бы узнал.

— Что ж ты не скажешь? — пожала я плечами.

— Работа и так дрянная, не хочу делать еще хуже. — Он сухо улыбнулся. Я чуть поморщилась, вспомнив, кому он был обязан этим местом, и Денни, заметив это, немедленно произнес: — Извини.

Я встряхнулась, отгоняя воспоминание.

— Значит, ты уезжаешь в пятницу утром и возвращаешься вечером в субботу?

Он присел рядом со мной.

— Точно. Я буду скучать.

Он улыбнулся и подался ко мне, чтобы поцеловать меня в шею.

Мои мысли пришли в беспорядок, как только его губы прошлись по моей коже. Я весь день буду наедине с Келланом. Можно куда-нибудь сходить... Уехать туда, где нас не знают и наши забавы перестанут быть тайной за семью печатями. Келлан провел со мной и Денни почти все прошлые выходные. Мы гуляли по центру, и Келлан показывал нам свои любимые места. Он стискивал мою руку, когда Денни не видел, или наскоро обнимал меня. Мы осторожно поглядывали друг на друга и много улыбались.

Губы Денни скользили по моей шее. Я отвлеклась от приятных воспоминаний и чуть оттолкнула его.

— Ты голодный? Теперь моя очередь готовить ужин.

Я подозревала, что Денни был голоден в ином смысле, но пребывала не в том настроении.

Он чуть погрустнел, но отстранился.

— Да, конечно.

— Отлично, — отозвалась я бодро, затем вскочила и чмокнула его в лоб.

Выходя из комнаты, я глянула на дверь Келлана, но его не было дома. Сегодня вечером его группа выступала в маленьком клубе на Пайонир-сквер. Я чуть с ума не сошла, прикидывая, как бы уйти, не вызвав у Денни подозрений. У меня был выходной, и я редко слушала Келлана где-либо помимо «Пита». Я вспомнила его выступление в «Бритвах». В том более тесном, интимном помещении он был потрясающ, хотя, вообще-то, всегда восхищал меня, когда пел.

Сойдя с последней ступеньки, я вздохнула и вошла в пустую гостиную. Без Келлана в доме было непривычно тихо. Он постоянно наигрывал что-то, мычал себе под нос или пел. Он наполнял наше жилище музыкой и своим присутствием. Без него здесь становилось немного пусто. Я прикинула, не сказать ли Денни, что я проведу вечер с Дженни... Но лгать в этом случае пришлось бы слишком много. Что касалось Дженни, она была на работе, и если бы Денни заскучал и отправился к «Питу»... В общем, вышло бы скверно.

Я снова вздохнула, когда вошла в кухню и стала рыться в поисках продуктов. Мне совершенно не хотелось лгать. Это было не в моих обычаях. Я могла подождать. Скоро я увижу Келлана. Грядущие выходные будут в нашем распоряжении почти целиком. Осознав, что мы проведем вдвоем и весь вечер, я чуть нахмурилась и встряхнула головой. Это не имело значения. Мы были просто друзьями. Дальше этого мы не зайдем.

Улыбка вернулась ко мне, когда я подумала о последних нескольких днях с Келланом. Решив приготовить нечто замысловатое, я погрузилась в воспоминания. Прекрасным выдался не только уик-энд: Келлан был мил и обходителен всю неделю. Он неизменно отвозил меня на занятия и провожал до аудитории. Девушки теперь уже выжидающе смотрели на дверь, рассчитывая увидеть, как он входит со мной, и это немного забавляло меня. После учебы он тоже, как правило, ждал и вез меня либо домой, либо к «Питу», если мне хотелось позаниматься там и явиться пораньше. Обычно мне не хотелось. Я предпочитала учиться на диване, в его обществе, хотя порой лежание у него на коленях, пока он гладил мои волосы, отвлекало меня от чтения «Гордости и предубеждения», ведь часто я обнаруживала, что вместо этого таращусь ему в глаза, а он смеется и тычет в книгу. Тогда я протягивала роман ему и заставляла его читать вслух. Он делал это с удовольствием, и его голос убаюкивал меня, временами плавный, а иногда, ей-богу, умышленно хриплый.

Денни присоединился ко мне, едва я закончила, и мы поужинали. Он поделился со мной кое-какими подробностями насчет конференции, на которую собирался, а я рассказала о своих занятиях. Мы до абсурдного долго обсуждали экономический цикл: к этому предмету мне даже не приходилось готовиться, так как из разговоров с Денни я узнавала больше, чем из книг и конспектов. После обеда он стал мыть посуду, а я ответила на телефонный звонок. Звонила сестра, и мы проговорили долго. Она была взволнована скорым визитом и хотела увериться, что Келлан будет с нами. Со вздохом я подавила досаду — будет здорово, — и мы перешли к ее текущим метаниям.

Я все еще болтала по телефону, когда Денни подошел и поцеловал меня, пожелав доброй ночи. Не знаю, ждала ли я возвращения Келлана, но Денни уже лег, а я еще несколько часов проболтала с сестрой. Но вот Келлан зашел домой, и я, повесив наконец трубку, растаяла в его теплых объятиях.

❖ ❖ ❖

— Значит, Денни сегодня не будет? — осведомился Келлан, удерживая мои руки, пока мы сидели за кофе.

Я подозрительно оглядела его:

— Да... Он в Портленде до завтрашнего вечера. А что?

Он опустил глаза, что-то обдумывая, а затем заговорил, так и не глядя на меня:

— Оставайся ночью со мной.

— Но я и так остаюсь с тобой каждую ночь, — смущенно ответила я.

В конце концов, мы жили в одном доме.

Его это позабавило.

— Нет... Спи со мной.

— Келлан! Этого не...

Он перебил меня:

— Я имел в виду буквально... Заснуть со мной в моей постели.

Его развеселило мое предположение.

Я вспыхнула и отвернулась, и Келлан еще пуще разадорился. Наконец мое смущение улеглось, и я взглянула на него:

— Не думаю, Келлан, что это удачная мысль.

Он склонил голову набок и просиял:

— А почему бы и нет? Все совершенно невинно — я даже не полезу под одеяло.

— Что, полностью одетыми? — Я изогнула бровь.

Почему я вообще обсуждала это? Идея была нехорошая.

— Конечно, — рассмеялся Келлан, — если ты так предпочитаешь.

Он погладил мою руку большим пальцем.

Я прыснула, а затем улыбнулась при мысли о том, чтобы заснуть в его объятиях.

— Именно так, — нахмурилась я. Все равно плохая идея: слишком многое могло пойти наперекосяк. — И ты сразу скажешь, когда начнется жесткач...

Он отвернулся, еле сдерживая смех. Я сразу осознала, что сморозила, и густо залилась краской.

— Ты понял, что я имею в виду, — прошептала я, обмирая.

Посмеиваясь, Келлан сказал:

— Да знаю я, что ты имеешь... И да, я скажу. — Он вздохнул. — Ты просто чудо... Знаешь это?

Он произнес это с искренним видом, и я отвернулась с улыбкой.

— Ладно, попробуем, — прошептала я, считая замысел исключительно скверным.

Денни спустился чуть позже — свежевыбритый и со спортивной сумкой. Его карие глаза, обычно теплые, потускнели от огорчения. Ему не хотелось ехать, и я подарила ему долгий прощальный поцелуй в надежде немного приободрить его. Он улыбнулся уголком рта и наконец ушел. Странно, но, наблюдая за его отъездом, я чувствовала себя превосходно. Я решила, что это вызвано кратковременностью его отлучки — всего на одну ночь. Оговоренный срок, не то что прежде, когда он покинул меня на несколько месяцев и было неизвестно, когда он вернется. Но вот ко мне сзади подошел Келлан и обнял меня за талию, тоже глядя в окно. Я разомлела и задумалась над истинной причиной моего удовольствия в связи с отсутствием Денни.

Позднее, в «Пите», я закончила протирать стол и, не глядя на сцену, прислушалась к песне, которую прежде ни разу не слышала в исполнении ребят. Эта вещь более всего напоминала любовную лирику. Простенькая и заводная, она содержала строки вроде «теперь не один» и «счастлив, когда ты рядом». «Может быть, новая», — подумала я, и сердце забилось сильнее при мысли о Келлане, сочиняющем что-то специально для меня. Я довольно улыбалась, протирая столы и витая в облаках.

— Ха!

Дженни встала рядом, и я вздрогнула, взглянув на нее. Она с интересом наблюдала за группой. Я тоже посмотрела на сцену, встревоженная тем, что Келлан, быть может, откровенно глазел на меня и у Дженни зародились подозрения. Он стрельнул глазами в нашу сторону, но больше улыбался толпе девиц — как обычно.

Я расслабилась.

— Что?

Дженни обернулась и улыбнулась мне:

— Эван, похоже, опять втюрился.

— С чего ты взяла? — спросила я заинтригованно.

Она со смешком кивнула в сторону сцены:

— Эта песня... Они всегда ее играют, когда он кого-то окучивает. — Дженни посмотрела поверх толпы. — Интересно, кто эта счастливица.

Я чуть упала духом.

— Хмм... Понятия не имею.

Стало быть, Келлан не писал этого для меня. Оно, пожалуй, и к лучшему. Мне совершенно не нужно было, чтобы он распинался. Ему и без того пришлось тяжко с его влечением ко мне (довольно странным), чтобы увенчать это дело еще и любовью. Как бы там ни было, мы просто друзья. Друзья-проказники, которые нынче заснут в обнимку. Я нахмурилась. Крайне сомнительная идея.

— Тебя подбросить до дома? — учтиво осведомилась Дженни.

— Нет, Келлан меня подвезет. — Я улыбнулась, всячески стараясь не выглядеть излишне взволнованной по этому поводу. — Но все равно спасибо.

— Нет проблем.

Кто-то кликнул Дженни в другой конец бара, и она, извинившись, ушла.

Я приняла еще несколько заказов. У парочки, сидевшей неподалеку, явно было первое свидание. Мужчина ужасно нервничал, а женщина мило робела, вызвав у меня улыбку. Я ждала у стойки, пока им приготовят напитки, когда песня Келлана закончилась и он привлек мое внимание, заговорив.

— Леди... — Толпа взорвалась, и он улыбнулся. — И вы, пацаны, конечно.

Нестройные вопли донеслись из задних рядов.

— Спасибо, что пришли сегодня. — Келлан усмехнулся и поднял палец вверх. — Мы приготовили для вас еще один номер, а потом пакуемся.

Он осторожно зыркнул в мою сторону.

— Всякие планы и вообще. — Он хохотнул, и в первом ряду истошно завизжали девчонки.

Подмигнув им, Келлан задрал футболку и подолом вытер пот с лица: в набитом баре было довольно жарко. При этом обозначились кубики мускулов на его животе, и девчонки вконец рехнулись! Вой был до того оглушительным, что я вздрогнула.

Прямо из-за моей спины завопила Рита, сложившая ладони рупором:

— Снимай ее! У-у-у!

Келлан остановился и широко ухмыльнулся в ее сторону, затем — в мою. Толпа при виде этого взбесилась еще пуще, и Келлан рассмеялся. Он быстро оглянулся на своих ребят. Гриффин лыбился, Мэтт хмурился, а Эван смеялся. Келлан пожал плечами и в самом деле снял футболку! Я задохнулась, когда он небрежно растянул ее над головой, как будто был один в своей комнате, а не стоял на сцене перед толпой народа.

Рев был такой, что впору оглохнуть. Все, что было прежде, поблекло в сравнении с этим воем. Позади меня орала Рита, и я немного удивилась, заметив, что Дженни и Кейт подошли к стойке, прислонились к ней по бокам от меня и тоже начали кричать и свистеть.

Я все еще стояла с разинутым ртом, взирая на светопреставление, когда Дженни высмеяла меня и толкнула в плечо:

— Да будет тебе! Даже ты должна согласиться, что он горяч! У тебя есть Денни, но ты же не каменная.

Ухмыльнувшись, она возобновила свои вопли.

Я вновь посмотрела на сцену. Келлан небрежно затолкал футболку за ремень джинсов. Он стоял спиной к толпе, и его широкие плечи блестели в свете огней. Я поблагодарила судьбу за то, что оставленные мною царапины зажили и не были видны, и вспыхнула, едва вспомнила о них.

Он говорил с Эваном — тот рассмеялся, потом кивнул. Затем Келлан дважды крутанул пальцем в воздухе, указал на него, и Эван заиграл. Я глянула на Мэтта, который с улыбкой качал головой. Выждав несколько ударов, он присоединился к Эвану.

Келлан вернулся к микрофону, и взгляды толпы вновь обратились к его эффектной рельефной груди. Взяв микрофон в одну руку, он взъерошил свою шевелюру другой, и его мышцы пленительно взыграли. В игру вступил Гриффин, и я машинально переключилась на него. Мне было не удержаться от смеха, так как он не замедлил раздеться тоже. Гриффин был готов на все, только бы обнажиться... У Гриффина было приличное тело, и татуировки привлекали внимание, но ему было далеко до совершенства Келлана.

Рита, Кейт и Дженни пристально созерцали последнего и временно игнорировали всех клиентов, а потому я расслабилась и решила, что не случится большого греха, если и я посмотрю. Келлан запел негромко и хрипло. От его голоса по моей спине побежали мурашки — хм, я почти уверена, что дело было в голосе. Песня быстро набрала силу. Толпа обожала эту вещь — как и свое полуголое божество, — и вскоре все танцевали и подпевали. В этом хоре Келлан, налегая на микрофонную стойку, тянулся к толпе, и в движении с его телом происходили потрясающие метаморфозы, от которых люди еще сильнее распалялись.

Время от времени взвизгивали то Дженни, то Кейт: они обе отплясывали у стойки, и я присоединилась к ним, после чего воцарилось общее веселье. Пит высунулся из кухни, и я подумала, что он рассвирепеет при виде полуголого Келлана, но он лишь окинул взглядом бесновавшийся бар, снова оценил Келлана и с улыбкой вернулся к себе.

Келлан допел до места, где спрашивалось: «Это все, что ты хочешь?» Он шаловливо приложил ладонь к уху, и толпа отозвалась новым взрывом. Следующие пару куплетов Келлан хохотал, и ему было исключительно хорошо. Я смеялась, видя его столь радостным.

Мой взгляд невольно переместился на рану у него на боку. Я видела розовую линию поперек ребер: наверное, останется шрам. Его рука вдруг скользнула в низ живота и дальше, к джинсам, чем напрочь отвлекла меня от этой мысли. Это было рассеянное движение, возможно, вообще бездумное, но, черт возьми, оно обжигало. Он весь обжигал. Я вновь покраснела, так как в сознании всплыли более интимные воспоминания об этом сказочном теле.

Он перешел к последнему куплету, и Мэтт с Гриффином смолкли, так что остались только Келлан и Эван. Голос Келлана стал тише, слова — проникновеннее, и он встретился взглядом со мной. «Я знаю, что это не все... Я знаю, ты хочешь большего. Скажи мне — и это твое».

Как только он пропел это — тихо, с нажимом, Мэтт и Гриффин вступили вновь, и Келлан повысил голос, переведя взгляд на толпу своих обожателей. Украдкой я посмотрела на Кейт и Дженни, но те смеялись, танцевали и не заметили, что последние строки были адресованы исключительно мне. Какое-то время я думала о стихах. Может быть, отменить намеченное на ночь? Плохая мысль, ей же богу, особенно после того, как я налюбовалась его потрясающим телом на сцене. Я рассмеялась и закусила губу. Сестре бы приехать в эти выходные — ей бы понравилось. Я вдруг донельзя обрадовалась, что ее нет.

Песня кончилась, и Келлан слегка поклонился под гром оваций. Он рассмеялся и натянул футболку, но Гриффин свою надевать не стал. Толпа огорченно загудела при виде своего кумира снова одетым, и особенно расстроилась Рита позади меня, но Келлан издал очередной смешок и помотал головой. Кейт и Дженни хихикнули и вернулись к своим клиентам. Я еще недолго посмотрела на Келлана — достаточно, чтобы тот оглянулся на меня и обескураживающе улыбнулся, прежде чем спрыгнуть со сцены и оказаться в гуще фанаток. Когда я наконец принесла моим новоиспеченным влюбленным напитки, мое сердце билось в два раза чаще.

В конце смены я забрала из подсобки сумку и попрощалась с Дженни и Кейт, которые только входили в комнату. Вернувшись в главный зал, я отыскала взглядом Келлана: он оседлал стул и беседовал с Сэмом. Сердце метнулось к горлу. Я вдруг отчаянно занервничала при перспективе остаться наедине с этим неподражаемым мужчиной. Заметив меня, он поднял глаза и тепло улыбнулся. Его улыбка позволила мне расслабится, и я сумела спокойно подойти к столу.

— Готова? — спросил он небрежно, просияв при этом.

— Ага, — выдавила я.

Посмеиваясь, Келлан встал, повернулся и распрощался с Сэмом. Придерживая меня за талию, он устремился к выходу и помахал глупо ухмылявшейся Рите.

— Здорово выступил, Келлан, — заметила она искушающе.

Он благодарно кивнул, и я могла поклясться, что услышала, как та пробормотала: «Я буду думать о тебе».

Меня бросило в краску, но Келлан либо не расслышал, либо проигнорировал Риту. Снаружи, когда мы остались одни, он сжал мои пальцы и подвел меня к машине, напевая недавнюю песню. Его сольная версия была приятна на слух, но я насупилась.

Он посмотрел на меня и умолк, явив очаровательную улыбку.

— Что не так?

Я состроила свою коронную недовольную мину:

— Разве мы не обсуждали твою манеру выступать?

Келлан хохотнул, изображая невинность:

— А что с ней такое? — Он указал на бар. — Я был полностью одет почти весь вечер.

Он увернулся от моего локтя. Продолжая веселиться, он подскочил и подхватил меня. Я извивалась и отбивалась, но он держал крепко. Потом поставил на землю, но по-прежнему обнимал меня, пока мы шли через парковку.

— Старался для Пита, — со смехом сообщил он мне на ухо.

Я резко остановилась, удивленно повернувшись к нему, и он налетел на меня.

— Так вот оно что!..

Мне в голову не приходило, что Питу может понравиться наблюдать Келлана в таком виде.

Келлан на секунду смутился, затем встретил мой взгляд, сосредоточенный на нем, уронил руки и отступил, схватившись за живот от смеха.

— Господи, Кира! Я не это имел в виду. — Он вытер слезы и перевел дыхание. — Черт, мне не терпится рассказать об этом Гриффину.

Его вновь разобрал хохот.

Я стала красной как рак, чувствуя себя довольно глупо и несколько раздосадованно его восторгом по поводу того, что я ляпнула. Келлан заметил выражение моего лица и попытался собраться, однако взорвался опять.

— А-а-а... И после этого ты считаешь, что у *меня* грязные мысли.

Посмеиваясь, он обнял меня. Я насупилась, а он надул щеки и начал медленно выдыхать, чтобы унять смех.

Восстановив наконец способность говорить связно, Келлан сказал:

— Ты что, не видела реакцию? Завтра набьется вдвое больше народу. Питу придется заворачивать людей. Я сделал это, чтобы помочь ему, Кира.

Он пожал плечами и покачался со мной взад и вперед, не размыкая рук.

— Ах вот оно что... Тогда понятно. Ты привлекаешь людей, он зарабатывает больше, тебе — реклама и деньги, наверное, тоже...

— Примерно так, — ухмыльнулся Келлан.

Я ответила полуулыбкой, и теперь пресеклось уже его дыхание.

— Тогда мне, пожалуй, придется тебе разрешить.

Не думая, я поцеловала его в щеку, и Келлан немедленно отозвался тем же.

Я удивленно моргнула, но он лишь самодовольно скалился.

— Если ты нарушаешь правило, то и я нарушаю. — Он подмигнул и подтолкнул меня к машине.

— Очень уж ты нынче бойкий, — сказала я, когда мы уселись.

— Не каждую ночь выдается спать с красивой женщиной, — расплылся он в улыбке.

Я покраснела — как оттого, что он снова назвал меня красивой, так и от понимания легкости, с которой он мог подцепить полдесятка настоящих красавиц, наверное куда более доступных, нежели я. Что он делал, зачем тратил на меня время?

Келлан завел мотор, а затем заметил мое озадаченное лицо.

— Эй, я сказал «спать», а не тр...

— Келлан! — прервала я его, испепеляя взглядом.

Он поперхнулся словечком, поспешно измыслив новое:

— Я говорю — «пре...»! Пре... лю... бо... действовать?

Он пожал плечами, всем своим видом говоря: «Я не виноват, не сердись».

Я прыснула и устроилась поудобнее — под боком у него, положив голову ему на плечо. Мы помолчали, пока выруливали с парковки. Наконец я задала вопрос, уже давно меня мучивший:

— Так в кого влюбился Эван?

Келлан расхохотался с такой славной миной, что у меня захватило дух.

— Боже, да откуда мне знать? В кого угодно. — Он покосился на меня. — А откуда вопрос? Кто тебе сказал?

Я нахмурилась: похоже, он был не в теме.

— Дженни.

— Ну, я его порасспрошу. — Келлан обернулся на дорогу. — Ничего об этом не слышал.

Всю дорогу до дома я морщила лоб, обдумывая услышанное.

❖ ❖ ❖

В кровать к нему я забралась полностью одетой и даже натянула лишний свитер на всякий случай, что крайне развеселило Келлана. Он, тоже одетый, растянулся на простынях рядом. Затея казалась мне немного глупой. Было странно находиться в постели в одежде, а еще непривычнее — видеть Келлана лежащим поверх одеяла. Я собралась сказать, что он с тем же успехом может залезть внутрь, но он вдруг повернулся ко мне, небрежно закинул на меня ногу и положил руку мне на живот, и я решила, что чем больше между нами барьеров, тем лучше. Вот же дурная придумка.

Он потянулся через меня и погасил лампу на прикроватном столике. Мгновенная темнота подавляла, и атмосфера немедленно наэлектризовалась. Я слышала лишь наше тихое дыхание да бесстыдно громкое биение моего сердца и чувствовала, как Келлан устраивается на подушках близко ко мне, притягивая меня рукой и ногой, ложась головой почти вплотную и еле различимо дыша мне в ухо. Это было чересчур... Слишком интимно. Мне понадобилась пауза.

— Келлан...

— Да?

Он произнес это хрипло и низко прямо мне в ухо. По спине побежали мурашки.

Я сопротивлялась острому желанию повернуться к нему и найти его губы. Нет, плохая идея.

— Включи, пожалуйста, свет.

Я уловила смешок, но видеть Келлана не могла. Почувствовала, как он опять потянулся к лампе, и комната вдруг озарилась светом — слишком ярким, я заморгала. Все вернулось в привычное русло, и электричество между нами ушло, осталось лишь приятное тепло от близости Келлана.

— Так лучше? — шутливо осведомился он, вновь укладываясь на подушки и пододвигаясь ко мне.

Лежа на спине, я посмотрела на него: Келлан приподнялся на локте, чтобы видеть меня. В его глазах стояла теплая, умиротворяющая синева — в таких легко потеряться на многие часы. Я заставила себя сосредоточиться на чем-нибудь другом и выпалила первое, что пришло в голову:

— Кем была твоя первая?

— Что? Зачем тебе? — изумленно уставился он на меня.

Я подавила смущение и как можно спокойнее отозвалась:

— Ну, ты же спрашивал про нас с Денни. Так будет честно.

Улыбнувшись, Келлан потупился.

— Точно. — Он вновь обратил ко мне взгляд. — Извини... Это и правда было не моим делом.

— Просто ответь, — отозвалась я с улыбкой.

Хорошо, что он успел затронуть эту тему, — мне же на руку, и даже очень.

Он рассмеялся и ненадолго задумался. Я выгнула бровь: о чем тут думать? Он, видя мое лицо, снова развеселился.

— Ну... Она жила по соседству... Ей было лет шестнадцать, по-моему, очень симпатичная. Я вроде бы нравился ей... — Келлан улыбнулся и пожал плечами. — У нас и было-то всего пару раз, летом.

— Почему? Что случилось? — спросила я тихо.

Он запустил пальцы мне в волосы.

— Она залетела от меня, так что им с тетушкой пришлось переехать — надо же было рожать.

— Что? — Я перекатилась на бок лицом к нему.

Он расхохотался и приставил палец мне к носу.

— Шучу, Кира.

Я толкнула его на подушки и рыкнула:

— Это свинство.

Он снова оперся на локоть.

— Но ты же купилась. Выходит, так ты обо мне думаешь. — Он негромко вздохнул и долю секунды выглядел опечаленным. — Кира, я не чудовище.

Тон у него был серьезный.

Я тоже приподнялась на локте.

— Ты и не ангел, Кайл. — Я сухо улыбнулась, и он ответил тем же. — Так что случилось с той девушкой на самом деле?

— Ничего столь драматичного. Она отправилась в свою школу, я — в свою... — Он пожал плечами. — Разошлись дорожки...

Я смотрела непонимающе.

— Ты же сказал, что она была твоей соседкой. Почему вы учились в разных школах?

Он тупо уставился на меня:

— Мы были в разных классах.

Я попыталась осмыслить услышанное.

— Постой, ей было шестнадцать... Сколько же было тебе?

Келлан ответил странным взглядом.

— Не шестнадцать... — прошептал он.

— Но...

— Спала бы ты, Кира... Уже поздно.

Мне было практически слышно, как упала шторка, оборвавшая разговор, но в уме я продолжала подсчитывать. Если он не учился с ней в старших классах, то ему было самое большее четырнадцать. Мое сердце слегка заныло.

Я взяла Келлана за руку, и его теплая улыбка в конечном счете вернулась. Мы поудобнее устроились на подушках, он потянулся ко мне и привлек к своей груди. Довольно вздохнув, я прислушалась к его ровному, неспешному сердцебиению. Он вел себя прекрасно, — возможно, идея была не так уж дурна.

Келлан обнял меня обеими руками, одной поглаживая по голове, а другой — по спине. Было тепло и приятно. Я улыбнулась и устроилась у него на груди. Он поцеловал меня в затылок. Ладно — не страшно, сравнительно безопасно... и по-прежнему совершенно невинно. Я прошлась пальцами по его ране и после двинулась чуть выше, к груди. Даже сквозь футболку я ощущала очертания мышц. Также я почувствовала, как участилось его сердцебиение и он тихо вздохнул, прижав меня крепче.

Я вскинулась на него глаза: лицо Келлана оставалось безмятежным, и он любовно смотрел на меня.

— Келлан, может быть, нам не нужно...

— Со мной все хорошо, Кира... Спи, — шепнул он, не переставая нежно улыбаться.

Я снова улеглась на спину, но прикорнула не на его груди, а на плече. Взяв руку, которой он гладил меня по спине, я сплела наши пальцы, затем поднесла к щеке и положила на них голову. Он счастливо вздохнул и снова поцеловал меня в макушку.

— Келлан?..

— Кира, со мной правда все хорошо.

Я заглянула ему в лицо:

— Нет, мне просто интересно... Зачем тебе все это со мной? Я хочу сказать, что ты же знаешь — это ни к чему не приведет... Зачем тратить время зря?

Он подвинулся, чтобы лучше видеть меня.

— Кира, время с тобой не тратится зря. — Голос Келлана был тих, а мое имя он выговорил, будто лаская. — Если это все...

Он грустно улыбнулся и не договорил.

Я не могла отвести глаз от его умопомрачительно безукоризненного лица и начала вспоминать каждое его прикосновение, каждое слово... Если это было все, чем он мог довольствоваться со мной, то он готов был смириться. Правильно ли я поняла? Это разбило мне сердце. Он спрашивал меня, не делает ли он мне больно... Но не причиняла ли я боль ему? Он просто хотел меня или ухаживал за мной? Я расплела наши руки и потянулась погладить его по щеке. Он был таким печальным. Мне было невыносимо видеть его таким...

Он вдруг подался ко мне и поцеловал в самый уголок рта, чуть задев губу. Не отводя головы, он задышал мне в шею. Я была слишком шокирована, чтобы отреагировать, и все поглаживала пальцем его щеку. Я задержала дыхание. Келлан поцеловал меня в подбородок. Потом ниже. Рука скользнула под простыню и перешла мне на талию, притягивая меня ближе. Его дыхание участилось, он издал горловой звук и провел губами по моей шее. Рука стискивала и отпускала мою кожу, он поцеловал ямку между моими ключицами, а потом прислонился лбом к моей голове. Дыхание стало поверхностным, лицо было страдальческим — все это шло вразрез с моими правилами.

— Кира?..

Он постарался взять себя в руки.

Я застыла, обездвиженная выражением его лица и ощущением, оставленным его губами на моей коже. Сию секунду он давал мне шанс, но я могла только смотреть в его глаза, стремительно наполнявшиеся страстью, и на губы, быстро приближавшиеся к моим. Его взгляд метнулся к моим зрачкам, губам, затем снова к зрачкам. Он был само страдание, и это гипнотизировало меня.

Шевельнув рукой, лежавшей у него на щеке, я пробежалась пальцами по удивительно мягким, чуть приоткрытым губам. Он еле слышно застонал и закрыл глаза, дыша мелко и часто. Я задержала пальцы у него на губах, и он впился мне в рот, а пальцы разделяли нас, как если бы поцелуй не был поцелуем. Теперь мы перешли границу невинности. Мне нужно было покончить с этим: я должна была встать и уйти к себе. Идея была кошмарной...

Но я не могла шелохнуться. Мое дыхание ускорилось ему в унисон. Он нежно поцеловал мои пальцы, не открывая глаз и напряженно дыша. Я убедила себя, что еще несколько секунд дела не испортят. Мы и вправду не вытворяли ничего непотребного. Его рука перешла с моей талии на запястье. Он стал отводить мои пальцы от своих губ.

— Я хочу тебя чувствовать...

Он частично убрал их и полноценно приник к моей верхней губе. Тут я очнулась, оттолкнула его как можно дальше и выбралась из постели. Келлан сел, задыхаясь, и я осознала с испугом, что и со мной творилось то же самое.

— Кира, прости. Я не буду... — Он несколько раз сглотнул, пытаясь восстановить контроль над дыханием.

— Нет, Келлан... Это была дурацкая затея. Я ухожу к себе. — Я указала на него и уточнила: — Одна.

Он начал подниматься.

— Постой... Все нормально, дай мне минуту. Это пройдет...

Я вскинула руки:

— Нет... Пожалуйста, останься здесь. Я не могу... Не могу так. Это было чересчур, Келлан. Слишком остро.

Я попятилась к двери.

— Кира, подожди... Я исправлюсь. Не губи это...

Он смотрел так печально, что я помедлила.

— Сегодня мне нужно побыть одной. Поговорим завтра, ладно?

Келлан кивнул и больше ничего не сказал, а потому я повернулась и вышла. Мысленно я бранила себя — чего я ждала? Идиотская выходка... Вся, от начала и до конца. Прекрасно, приятно — да, однако несправедливо для всех троих.

Большую часть ночи я просмотрела в потолок, гадая, чем занимался и о чем думал Келлан, спал ли он, не вернуться ли мне к нему в постель, не следует ли мне... Когда я отключилась, он приснился мне в живейших, блистательных подробностях. Во сне я не покидала его кровати. Во сне мы не особенно спали.

Рано утром Келлан постучался ко мне и вошел, когда я ответила. Он сел на край кровати, переодевшийся и полностью готовый к новому дню.

— Доброе утро, — приветствовал он меня негромко. — Все еще злишься?

— Нет...

Он — да на моей кровати — это было слишком. При воспоминании о минувшем вечере и ярком сновидении я все еще испытывала слабость в ногах.

— Келлан, тебе здесь нечего делать. Это неуважение к Денни.

Он хохотнул и отвернулся:

— По-твоему, из всего, чем мы занимались, его особенно оскорбит то, что я сидел у него на кровати? — Келлан перехватил мой ледяной взгляд. — Извини... Хорошо. — Он вскинул руки, попятился к выходу и замер на пороге. — Так лучше?

Я села в постели, чувствуя себя дурой. Конечно, он был прав, но все же...

— Да, спасибо.

Келлан вздохнул, и я посмотрела на него, так и стоявшего в дверях.

— Я не могу говорить отсюда, — сказал он спокойно, протягивая мне руку.

Со вздохом я встала и подошла. Он улыбнулся и увлек меня вниз. По пути он негромко произнес:

— Извини за ночь. Ты была права, идея дурацкая. Но я хотя бы попробовал.

Он взглянул на меня с надеждой, как будто ждал награды за свою попытку.

— Келлан, это не игрушки, — посмотрев на него, снова вздохнула я.

Он остановился на нижней ступеньке и повернулся ко мне, стоявшей выше:

— Я знаю, Кира.

Его тон и взгляд посерьезнели.

Я обняла его за шею, и он расслабился.

— Тогда не заходи так далеко. — Но у меня не было воли прекратить это. — Все должно быть невинно, не забывай.

Он улыбнулся, подхватил меня и опустил у подножия лестницы рядом с собой.

— Точно, невинно. У меня получится.

Продолжая улыбаться, он взял меня за руку и повел в кухню. Про себя я вздохнула. План никуда не годился. Я была идиоткой.

ГЛАВА 14

ПЕРЕЛОМ

Мы решили провести свободную субботу вместе и съездить на север поездом компании «Амтрак». Я никогда не путешествовала по железной дороге и поначалу немного нервничала, покуда Келлан не взял меня за руку. Потом я расслабленно прижалась к нему на сиденье, и мы наблюдали, как мир проносится мимо нас под грохот колес. Это было захватывающее зрелище: заснеженные вершины далеких гор и вечная зелень хвойных лесов. Мне очень нравилось здесь. Прожив в этих краях всего несколько месяцев, я успела полюбить этот штат. Мы вышли в туристическом городке и принялись бродить рука об руку. Не опасаясь попасться на глаза знакомым, мы держались намного проще и беззаботнее, чем обычно.

Мы часто останавливались взглянуть через реку, струившуюся поодаль, и заходили в антикварные лавки. Келлан крепко прижимал меня к груди, а я утыкалась в него и приходила в восторг от его нежности и тепла. После ночи в его постели между нами опять что-то переменилось. Я точно не знала, в чем дело, — мы просто дольше любовались друг другом, а наши прикосновения, хотя он всячески соблюдал мои правила, стали немного интимнее. Границы расплывались. Это напрягало меня. И возбуждало.

Но вот мы отправились обратно на юг — мне было пора на работу. Я вздохнула, когда в поле зрения нарисовался Сиэтл. До чего же было здорово гулять с Келланом открыто, без страха быть застигнутыми врасплох. Наша маленькая вылазка понравилась мне, но я знала, что она вряд ли повторится в ближайшее время. Я посмотрела на лицо Келлана, глазевшего в окно. Его пухлые губы чуть искривились в унылой гримасе, и я задумалась, не размышлял ли он о том же. Солнечный свет играл в его глазах, сменяя глубокую синеву оттенком бледнее, и я улыбнулась, любуясь их причудливой красотой. Меня захлестнуло желание поцеловать его, и мне пришлось отвернуться и прикрыть глаза.

— Все нормально? — спросил Келлан.

— Укачало... Пройдет. Дай мне минуту.

Не знаю, зачем я соврала. Он понял бы, скажи я правду. Что ж, если честно, он понял бы слишком многое, а во мне не было уверенности, что с учетом последней ночи он не воспользуется преимуществом, вместо того чтобы дать мне больше свободы. А в тот момент я просто нуждалась в ней.

Я была вынуждена не открывать глаз, пока поезд не остановился полностью. Признаться, мое влечение к Келлану было непостижимым. Едва мы очутились на месте, он отвез меня прямо в «Пит» и оставался в баре со мной, пока не прибыли «Чудилы» и не начался их концерт. Келлан был прав насчет своего вчерашнего «перформанса»: помещение было набито битком, и я весь вечер порхала от клиента к клиенту. К концу я вымоталась. Домой я отправилась с Дженни, а не с Келланом, и, судя по хмурому взгляду, которым он наградил меня, когда я сообщила ему об этом, это слегка задело его чувства. Но Денни уже должен был вернуться, и пусть он спал — скорее всего, — я не хотела приезжать домой в обществе Келлана. После захватывающего уик-энда мне казалось, что все случившееся будет написано на наших лицах крупными буквами, и я не хотела рисковать. Я надеялась, что Келлан не сильно обиделся.

К моему приходу Денни был дома. Келлан еще не пришел, и я насупилась, поднимаясь по лестнице. Денни восседал в постели и смотрел телевизор, как будто ждал меня.

— Привет, солнышко, — сказал он тепло, с густым акцентом от усталости и распростер свои объятия.

Я оставила без внимания секундную боль при мысли о том, что наше совместное времяпрепровождение с Келланом завершилось (и где его носит?), подавила вздох и взгромоздилась на постель, чтобы свернуться калачиком в руках Денни. Он принялся гладить меня по спине и рассказывать о поездке. Я заснула у него на груди, полностью одетая, пока он разглагольствовал о своей конференции, работе и придурковатом боссе. Когда меня сморило, мне показалось, что он окликнул меня, но уик-энд совершенно подорвал мои силы, и я не стала сопротивляться сну. Я надеялась, что не обиделся и Денни.

Спустя пару дней нам с Келланом выпало пообщаться в промежутке между моими занятиями и сменой. Мы обосновались на траве, бок о бок, в укромном участке парка, который теперь считали «нашим». Мы часто встречались здесь между лекциями, а иногда и после них. Если шел дождь, мы прятались в машине и слушали радио, а если нет — забирали из багажника одеяло и сидели на траве. Сегодня было солнечно, но холодно, и парк большей частью пустовал. Мы с Келланом сидели рядышком на одеяле, расстеленном на подмерзшем газоне, кутались в куртки, только-только покончив с эспрессо, и наслаждались бодрящим днем и теплом обоюдного соседства.

Келлан с легкой улыбкой играл моими пальцами. Любопытство пересилило здравый смысл, и я тихо спросила:

— Послушай, а та песня в прошлые выходные, такая пронзительная... Она ведь не о женщине?

Он удивленно посмотрел на меня.

— Денни, — объяснила я. — Он рассказал мне, что произошло, когда он у вас гостил. Песня была о тебе, да? О тебе и твоем отце?

Келлан кивнул и, ни слова не говоря, окинул взглядом притихший парк.

— Может, обсудим? — спросила я робко.

По-прежнему не смотря на меня, он спокойно ответил:
— Нет.

У меня сжалось сердце при виде затравленного выражения в его глазах. Я ненавидела себя за то, что собиралась сказать, но мне отчаянно хотелось, чтобы он открылся.

— И все же?

Он фыркнул и уставился на траву. Затем подобрал нож и рассеянно покрутил его в пальцах. Затем Келлан медленно повернулся ко мне. Я напряглась — вдруг он разозлился. Однако стоило нашим взглядам встретиться, как я различила лишь груз многолетней печали.

— Нечего обсуждать, Кира. — Он говорил тихо, но пылко. — Если Денни рассказал тебе, что он видел, что сделал для меня, то тебе известно то же, что и любому другому.

— Но меньше, чем тебе самому, — возразила я, не желая сдаваться.

Келлан молча смотрел на меня, взглядом умоляя оставить расспросы. Но я, ненавидя себя, все гнула свое:

— Он часто тебя бил? — Не отводя глаз, он глотнул и кивнул. — Сильно?

«Как будто легче, если не очень», — подумала я, досадуя на свой вопрос. Келлан не двигался так долго, что я подумала — не ответит, но вот он снова слегка кивнул.

— С малых лет?

Очередной кивок, теперь его глаза заблестели.

Я проглотила комок, упрашивая себя не задавать болезненных вопросов, на которые он не хотел отвечать.

— А мама ни разу не пробовала его остановить... Помочь тебе?

Он отрицательно покачал головой, и по его щеке скатилась слеза.

Я тоже была готова расплакаться. «Пожалуйста, прекрати, — молила я себя. — Ему же больно».

— А когда Денни уехал, это закончилось? — прошептала я, ненавидя себя еще больше.

Он снова сглотнул и опять отрицательно покачал головой.

— Стало хуже... Намного хуже, — прошептал он наконец.

Он уронил еще одну слезу, сверкнувшую на солнце.

Не понимая, как отец мог так поступать с ребенком и почему это позволяла его мать, вместо того чтобы грудью встать на защиту единственного сына, я невольно шепнула:

— Почему?

— Спроси у них, — прошептал Келлан. Его взгляд омертвел.

Теперь у меня хлынули слезы, и он наблюдал, как они срывались с моих ресниц. Я обняла его за шею и притянула к себе.

— Как же я сочувствую тебе, Келлан, — шепнула я ему на ухо, когда он вяло обхватил меня руками.

— Да все нормально, Кира, — отозвался он удрученно. — Прошло много лет. Они уже давно меня не трогали.

Судя по его реакции, это не было правдой. Я крепко держала его, ощущая, как он дрожит всем телом. Когда я отстранилась, его щеки оказались мокрыми. Я вытерла их насухо и заключила лицо Келлана в ладони, глядя глаза в глаза и пытаясь нарисовать картину жуткого детства, вообразить его боль. Но у меня не получалось. Мое детство было счастливым и полным прекрасных воспоминаний. Да, родители тряслись надо мной, но были хорошими людьми и очень любили меня.

Келлан скорбно смотрел на меня. Он уронил очередную слезу, и та скатилась по его щеке. Я убрала ее поцелуем и стала отстраняться, но он повернулся ко мне, и наши губы соединились.

Изнемогая от сочувствия к его боли, отравленная его внезапной близостью, я не стала противиться. Мои ладони оставались на щеках Келлана, мы сидели на траве, вплотную друг к другу, слившись в поцелуе, но ни один из нас не шелохнулся. Я даже не уверена, что мы дышали. Должно быть, со стороны мы выглядели очень странно.

Наконец Келлан выдохнул, и наши губы чуть разлепились. Моя реакция была непроизвольной, инстинктивной и молниеносной — я поцеловала его. Приникнув к его рту, я ощущала тепло, податливость и дыхание Келлана.

Он не растерялся и мгновенно ответил трепетным поцелуем. Но вот его одолела страсть, и он привлек меня за шею ближе, чтобы поцеловать глубже. Язык единожды скользнул по моему. Это было так приятно, что я застонала, мне захотелось еще, но я заставила себя оттолкнуть Келлана. Я приказала себе не сердиться — сама начала.

Он немедленно рассыпался в извинениях.

— Прости. Пожалуйста, прости. Я решил... Мне показалось, ты передумала.

В его глазах плавал страх.

— Нет... Это я виновата.

Напряжение между нами нарастало, а границы стремительно размывались. Даже сейчас при взгляде на его встревоженное лицо мои губы горели, памятуя о поцелуе.

— Прости, Келлан. Все это никуда не годится.

Он подался ко мне, схватил за руку:

— Пожалуйста, нет. Я все исправлю, я буду сильнее. Прошу тебя, не прекращай. Пожалуйста, не бросай меня...

Я закусила губу, всем сердцем переживая боль сказанного и безумие на его лице.

— Келлан...

— Пожалуйста.

Он искал взглядом мое лицо. Меня подмывало поцеловать его вновь, сделать что угодно, лишь бы ему не было больно.

— Так нечестно. — По моей щеке скатилась слеза, и я удержала Келлана, собравшегося ее утереть. — Нечестно по отношению к Денни. И к тебе. — К горлу подступили рыдания. — Я жестока с тобой.

Он изменил позу: сел на колени и взял меня за руки.

— Нет... Ничего подобного. Ты даешь мне больше, чем... Только не переставай.

Я ошарашенно смотрела на него.

— Келлан, но что тебе в этом?

Он опустил взгляд и не ответил.

— Пожалуйста...

И я сдалась, впечатленная его голосом и лицом. Мне было невыносимо причинять ему боль.

— Ладно... Хорошо, Келлан.

Он поднял на меня глаза и чарующе улыбнулся. Я тоже села на колени, обняла его за шею и притянула к себе в надежде, что знаю, что делаю.

❖ ❖ ❖

Заступив на смену в «Пите», я выбросила из головы всякие мысли о парке. Ну, то есть о поцелуе, хотя губы по-прежнему приятно пощипывало, и это тревожило меня. Нет, я не собиралась раздумывать над этим.

Но так же мне было не избавиться от воспоминаний о нашей жуткой беседе. Моя эгоистичная потребность узнать о Келлане решительно все разбередила его старые раны. Всю смену я следила за ним, гадая, действительно ли с ним все в порядке. Казалось, что все хорошо: он веселился со своими ребятами и потягивал пиво, положив ногу на ногу. Все тот же непринужденный Келлан. Я хмурилась, не зная, насколько эта небрежность была реальной, а насколько являла собой реакцию на его полную боли жизнь.

Об этом я думала, когда Келлан направился к барной стойке потолковать с Сэмом. Он облокотился на нее, и Рита подтолкнула к нему очередное пиво. Он глянул на нее и с теплой улыбкой кивнул. Через минуту Сэм отчалил, а Келлан остался пить у бара. Он держался раскрепощенно и посмотрел на меня, когда я подошла передать Рите срочный заказ.

— Так что — куда поведем в субботу твою сестрицу?

Келлан оперся на локти, благодаря чему его грудь волшебно преобразилась, а на поясе обозначилась узенькая полоска голой кожи. Я испытала внезапное желание провести рукой по его футболке и ниже, коснувшись этого обнаженного участка. Рита, готовившая мне напитки, пожирала его глазами и явно мечтала о том же, судя по выражению ее лица, пережаренного ультрафиолетом. Я ненавидела этот взгляд.

Лицо Риты в сочетании с напоминанием о скором приезде сестры испортили мне все удовольствие от созерцания Келлана.

— Понятия не имею, — буркнула я.

Откровенно говоря, из головы моей вообще вылетел тот факт, что ее приезд уже на носу. В последнее время мне было... немного не до того.

Келлан рассмеялся над моей реакцией:

— Все будет нормально, Кира. Мы повеселимся, обещаю.

Я вскинула бровь и надулась.

— Ну, не так бурно, клянусь. — Он шаловливо улыбнулся.

Гриффин, нарисовавшийся вдруг за моей спиной, приобнял меня за талию. Я засадила ему локтем под ребра, и он взвыл, а Келлан хохотнул.

— Помилуй, Кира... А где же любовь? — негодующе спросил Гриффин.

Промолчав, я закатила глаза.

— Грифф, подскажи приличный клуб поблизости, — попросил Келлан.

Я тревожно взглянула на него. Скорее всего, у нас с Гриффином были разные представления о приличных клубах.

— О-о-о... Мы идем тусоваться?

Воодушевившись, Гриффин сел рядом с Келланом. Его светлые глаза буквально горели в предвкушении. Он откинул волосы за уши.

— В Ванкувере есть один стрип-клуб, там это делают с...

— Нет, нет, — к счастью, быстро прервал его Келлан. — Не для нас. — Он указал на себя и Гриффина, а затем махнул рукой в мою сторону. — Приезжает сестра Киры. Нам нужен танцевальный клуб.

Гриффин улыбнулся и одобрительно кивнул мне:

— Операция «Сестра»... Здорово!

— Грифф...

Тот повернулся к Келлану и лаконично бросил:

— «Шлепки».

Келлан, похоже, знал, о чем идет речь. Он кивнул и задумчиво посмотрел на меня:

— Да, этот годится. — Он потрепал Гриффина по плечу. — Спасибо.

Тот расплылся в улыбке до ушей:

— Когда идем?

Я вскинулась протестовать, но Келлан ровно улыбнулся и произнес:

— Пока, Гриффин.

Тот насупился, но ушел.

Мне стало не по себе при виде того, как Гриффин дошел до какой-то девицы и полез ей под блузку, чем заслужил хлопок по руке. Мне не хотелось идти никуда, где ему было бы весело. А в названии «Шлепки» я тем паче не находила ничего... забавного.

— «Шлепки»? Я в секс-клуб не пойду, — заявила я тихо и чуть покраснела под насмешливым взглядом Келлана.

Он рассмеялся и помотал головой:

— Обожаю твои скороспелые ляпы. — Он снова прыснул. — Это просто клуб. — Я настороженно изучала его, и он прижал руки к груди. — Даю слово.

Он продолжал смеяться, а я какое-то время могла лишь любоваться его улыбкой. Рита похлопала меня по руке, настойчиво требуя внимания:

— Держи... Твой заказ готов.

Она взглянула на Келлана, тогда как я вспыхнула, взяла поднос и поспешила вернуться к работе.

Он безбожно отвлекал меня от дел. Придется за этим следить.

❖ ❖ ❖

Несколько следующих дней после беседы в парке прошли спокойно, и обошлось, слава богу, без нарушений границ, но я не могла забыть губы Келлана. Мне хотелось не только чувствовать их, но и видеть. Это превращалось в форменный идиотизм. Какой же я была дурой. Мне следовало положить этому конец. Но он был таким... Я вздохнула. Нет, не сейчас. Происходящее слишком нравилось мне. Моя зависимость недопустимо окрепла.

На работе я, как обычно, старалась не смотреть на Келлана, но — тоже как обычно — не могла удержаться и украдкой поглядывала. Нынешним вечером он небрежно развалился на своем месте, вертя в руках бутылку. Мэтт что-то рассказывал ему, и Келлан отзывался смехом. Его непринужденная, беззаботная улыбка завораживала. Он в самом деле был до боли прекрасен. Женщины вокруг изнемогали от желания заговорить с ним, и я лениво гадала, кто это будет. Понравится ли ему это? Ответит ли он на флирт? Келлан и впрямь поумерился в кокетстве с девицами из бара с тех пор, как мы начали развлекаться. Это соображение немного встревожило меня. Он должен флиртовать. У него должно быть нечто больше той малости, что давала ему я. Но эта мысль разбивала мне сердце.

Я осознала, что хмурилась на него, в тот самый миг, когда он посмотрел на меня, и постаралась сделать нейтральное лицо, но Келлан уже заметил. Он медленно встал и направился к столу, который я протирала. Женщины, уже вполне готовые наконец сняться с места, имели в высшей степени разочарованный вид.

Бар был заполнен, и Келлан подступил вплотную:

— Салют.

Он положил руку на стол так, что наши пальцы соприкоснулись.

— Привет.

Я застенчиво посмотрела на него, мечтая обнять. Переступила ближе, чтобы коснуться его всем телом.

Он улыбнулся и легонько провел пальцем по моей ноге, упакованной в джинсы, так как я оказалась необычно близко.

— У тебя был такой вид, будто ты думала о чем-то неприятном. Хочешь что-то сказать?

Глаза Келлана вдруг стали почти печальными и едва ли не исполненными надежды. Это было странно, но я не понимала, в чем дело.

Я собралась ответить, но в этот момент Гриффин, отлепившийся от барной стойки, подошел к нам и хлопнул Келлана по плечу. Тот немедленно отодвинулся от меня.

— Чувак, зацени вон ту цыпочку в баре. — Гриффин куснул костяшку пальца. — Она меня хочет, вся извелась... Как по-твоему, присунуть ей в подсобке?

Какое-то время Гриффин обдумывал это, а я скривилась от отвращения и глянула на ту, о ком он говорил. Хорошенькая, правда, но пялилась больше на Келлана, чем на него.

Похоже было, что Гриффин тоже это заметил.

— Мать твою за ногу! Ты что, ее уже оприходовал? Меня достало подбирать за тобой объедки. Они только и знай твердят...

Он не успел объяснить, о чем твердят женщины, так как Келлан с силой толкнул его в грудь:

— Грифф!

— Чувак, ты чего? — Гриффин растерялся.

Келлан махнул в мою сторону. Я мигом расстроилась. Он что, якшался с этой особой? Затем мне стало стыдно. Мы были просто друзьями. Я не имела на него прав. Какое мне дело?

— А, Кира! Привет!

Гриффин сказал это, как будто не замечал меня до сих пор и не ляпнул ничего ни грубого, ни обидного; так оно и было, наверное, на его взгляд. Он снова хлопнул Келлана по плечу и направился к даме, так или иначе намереваясь сделать все, что мог.

Келлан выглядел дурак дураком. Ничего не добавив, он повернулся и пошел к своему столу.

Оставшуюся смену я гадала, было ли у Келлана что-нибудь с той девицей. Раздумывая, не была ли я просто еще одной в их веренице. Прикидывая, о чем таком не уставали твердить женщины. Удивляясь молчанию Келлана после ухода Гриффина. Недоумевая по поводу странного выражения его лица еще до появления басиста. Пытаясь решить, не станет ли продолжение наших с ним игрищ полным идиотизмом. Не понимая, отчего у меня весь вечер сосало под ложечкой. Не будучи в силах ответить, почему я тратила столько времени на размышления о Келлане...

Ощущая себя не в своей тарелке, я попросила Дженни подбросить меня до дома — ее, а не Келлана, который, конечно же, любезно изъявил готовность задержаться до конца моей смены. Но перед выходом из бара он пару раз зевнул, быстро глянув на меня с легкой улыбкой, и я заключила, что к моему приезду домой он уже будет спать, поэтому меня несказанно удивило, когда Келлан, стоило мне переступить порог, потянул меня к себе в комнату. Он явно дожидался моего возвращения.

Келлан спокойно притворил дверь и проказливо, единым плавным движением прислонил меня к ней. Затем, придерживая ее с обеих сторон от меня, он стал подаваться вперед, пока между нашими губами не пролегли считаные сантиметры. В этой позе он и застыл, чуть приоткрыв рот и тихо дыша мне в лицо.

— Прости за Гриффина, — шепнул Келлан. — Его иногда вроде как заносит.

Он выдал умопомрачительную улыбку.

Я не могла говорить. Не могла придумать, что ответить. Мне хотелось спросить о девушке, но томление сковало мое тело. Я даже не могла пошевелиться, чтобы оттолкнуть Келлана, и оказалась притиснутой к двери, удерживаемой на месте его чувственным телом, — мое же собственное выдохлось. Я ощущала передозировку своей же зависимостью. Он стоял слишком близко, нестерпимо близко. Мне нужна была пауза, ведь слов подобрать я не могла.

— О чем задумалась? — прошептал он рассеянно, по-прежнему в нескольких сантиметрах от моего лица.

Я попыталась заговорить, велеть ему отойти, освободить пространство, чтобы мысли вернулись ко мне, но продолжала стоять в безмолвном оцепенении. Он здесь, вплотную ко мне — и от него так хорошо пахло. Мое дыхание участилось, и он это заметил.

— Кира, о чем ты думаешь прямо сейчас? — Дыхание Келлана чуть тревожило мою кожу, вызывая дрожь. — А, Кира?

Он смерил меня взглядом и плотно прижался ко мне. Я судорожно глотнула воздуха, но слова так и не выговаривались. Его руки прошлись по моим плечам, достигли талии и застыли на бедрах. Губы разомкнулись, а дыхание участилось под действием нараставшей страсти, которая читалась в его глазах. Пытаясь замедлить свое, я приоткрыла рот. Нужно остановиться, я должна высказаться...

— Кира... Скажи что-нибудь.

Его слова эхом повторили мои мысли.

Казалось, что долю секунды его глаза боролись с чем-то. Затем он ткнулся в меня лбом, дыша приглушенно, однако с силой. Он втиснул колено промеж моих ног, устранив последние зазоры между нами. С моих губ сорвался стон, но слова так и не складывались. Издав горлом звук, Келлан закусил губу и запустил руки мне под блузку. Происходящее перестало быть безобидным флиртом. В этом не было ни грана невинности.

— Пожалуйста... Скажи что-нибудь. Ты хочешь, чтобы я?..

Он резко и грубо выдохнул и, чуть пригнув голову, провел языком по моей верхней губе, изнутри. Пальцы скользнули по лифчику, метнулись к шее. Я прерывисто вздохнула и закрыла глаза. Издав еще один глубинный звук, он поцеловал все ту же губу и проник языком в мой рот. Я вздрогнула и задохнулась, и вот он утратил всякий контроль. Притянув меня за шею, он поцеловал меня по-настоящему, взасос.

Его губы, впившиеся в мои, заставили мое сердце учащенно забиться. Наконец я обрела способность пошевелиться. Задыхаясь, я отстранила Келлана от себя. Это шло вразрез с моими правилами и перестало быть невинным занятием. Но было поздно. Как бы это теперь ни называлось, я хотела большего.

Келлан вскинул руки, как будто защищаясь от удара.

— Прости. Я решил... — прошептал он.

Шагнув к нему, я положила одну руку ему на грудь, другую на шею, привлекая его к себе. Он замолчал и перестал дышать. Он даже в смятении отступил на полшага, прежде чем я насильно вновь притянула его ближе. Тяжело выдохнув, я закусила губу. Я видела, как паника в его глазах сменилась смущением, а затем — огнем, набиравшим силу. Отлично, он хотел меня. Заметив, как приоткрылся его рот и как участилось дыхание, приходя в унисон с моим собственным, я ощутила свое могущество и поняла, что теперь могла толкнуть его на кровать и делать с ним все, что заблагорассудится.

Я провела руками по его напрягшейся груди и потянула за ременные петли на джинсах, пока наши бедра не соприкоснулись.

— Кира?.. — спросил он срывающимся голосом, бросив взгляд на мою комнату, где спал Денни.

Его руки оставались чуть поднятыми, как будто он сдавался на мою милость.

Вопросительные нотки поколебали мою решимость. Наш «невинный» флирт неуклонно набирал обороты, и я достигла переломной точки. Мне предстояло либо взять его сию секунду и предать Денни, спавшего буквально за стенкой, либо покончить навсегда со всей этой историей.

Я собрала последние остатки воли и хрипло выдохнула прямо ему в рот:

— Больше не прикасайся ко мне. Я не твоя.

Затем я с силой швырнула его на кровать и вылетела из комнаты, боясь передумать.

Денни потянулся ко мне, едва я забралась в нашу постель несколько минут спустя. Он сонно попытался привлечь меня к себе, а я окаменела и грубо отпрянула, не желая его близости — не желая ничьей близости. По крайней мере, я внушала себе именно это.

— Эй... Ты в порядке? — сбивчиво спросил он из темноты.

— Все нормально. — Я понадеялась, что ответила ровным голосом, хоть мне и показалось, что он дрожал.

— Ладно, — откликнулся Денни, нацелившийся поцеловать меня в шею.

Я снова застыла и отвернулась.

— Кира... — произнес он хрипло, касаясь пальцами моего тела, закидывая на меня ногу, придвигаясь губами к уху.

Я узнала этот тон, распознала движения. Мне было ясно, чего он хочет, но я просто не могла. В голове царил кавардак. Мысли о Келлане и о том, как близко мы подошли к... Насколько сильно я хотела его до сих пор... Нет, я никак не могла ответить Денни сию секунду. Не по нему тосковало мое тело.

— Денни, я страшно устала. Пожалуйста, засыпай.

Я старалась говорить мягко и сонно, не выдавая раздражения, которое испытывала в действительности.

Он вздохнул и замер. Его пальцы оставили мое тело в покое и легли мне на живот. Закрыв глаза, я понадеялась быстро заснуть, пока моя воля не истощилась и я не помчалась назад к Келлану.

Денни уютно сопел мне в шею, и я подумала, что он снова уснул, но вот он двусмысленно переместил свой вес и сунул руку мне под майку, придвигая к себе. Я дернулась, раздосадованная его настойчивостью.

— Денни, я серьезно... Не сегодня.

Он вздохнул и перекатился на спину.

— И где я уже это слышал? — раздраженно пробормотал он.

— Что? — недовольно вспылила я.

Денни взглянул на меня с новым вздохом:

— Ничего.

Все еще злая, я не позволила ему замять тему. Наверное, зря.

— Нет... Если хочешь что-то сказать — говори.

Я оперлась на локоть и уставилась на Денни.

Он стрельнул взглядом в ответ.

— Ничего... Просто... — Денни посмотрел в сторону. — Как по-твоему, сколько времени прошло с тех пор, как мы с тобой?..

Он снова взглянул на меня и глуповато пожал плечами.

Я подавила скороспелую злость и прикинула — а в самом деле, сколько? Мне не удавалось вспомнить...

Денни правильно истолковал мой пустой взгляд.

— Даже и не припомнишь, да? — Раздраженный, он опять отвернулся. — Это, Кира, было в душе. Обычно мы не ходим...

Он вернулся взглядом ко мне и не договорил, тогда как меня бросило в жар.

— Дело не в том, что с тех пор прошло довольно много времени. Бывало и дольше... Я это переживу. — Он пристально изучал мое лицо. — Дело в том, что тебе все равно. Ты как будто вообще не скучаешь по мне.

Денни уставился в потолок.

— Вернувшись из Портленда, я думал, что все пойдет иначе. Если честно, мне казалось, что ты набросишься на меня, как только я появлюсь. Но ты не набросилась. Ты была такой далекой... Я не знаю, как это назвать.

Раздражение покинуло его, и он посмотрел на меня с тоской, погладив мою руку кончиками пальцев.

— Я скучаю по тебе.

Акцент журчал, обволакивая слова.

Я мгновенно испытала угрызения совести и приткнулась ближе, стремясь поцеловать его, обнять, явить ему свою любовь, но он отстранил меня. От удивления я лишь тупо таращилась на него.

— Нет, — помотал он головой, вновь раздражаясь. — Мне не нужен секс, которым заглаживают вину. Я хочу, чтобы ты... — Он вновь изучил мое лицо. — Чтобы ты хотела меня.

— Денни, я хочу... Я просто...

Мне было невдомек, как объяснить ему мои чувства последнего времени. Я не осознавала, что мы уже давно не... что я охладела к Денни и отдалилась от него. Увлекшись другими мыслями, я не понимала, что он заметил, и не могла рассказать ему, в чем дело, не смея объяснить, вокруг кого вращались мои помыслы.

Опершись на вытянутую руку, я посмотрела на Денни сверху вниз:

— Прости.

Какое-то время он сверлил меня взглядом, затем вздохнул и улегся поудобнее. Я притулилась рядом и втя-

нула его насыщенный запах, пытаясь остудить рассудок
и сердце.

— Я люблю тебя, Кира, — прошептал Денни и поцеловал меня в голову.

Кивнув, я устроилась у него на груди, обвив его руками
и ногами. По носу скатилась и упала ему на футболку слеза.

— Я тоже тебя люблю, Денни.

Я стиснула его крепче, молясь, чтобы все между нами
наладилось. Хорошо, что я порвала с Келланом. Наконец-
то я сделала правильный выбор.

Но даже при этом — и, видимо, лишь с целью помо-
чить себя — той ночью я мечтала о Келлане. Когда меня,
всю в растрепанных чувствах, сморил сон, я грезила, будто осталась с ним, сорвала с него одежду, швырнула его на
кровать и взяла его. Это был восхитительный сон и в то же
время кошмарный.

Утром Келлан встретил меня на пороге кухни и не замедлил тронуть за руку.

— Кира, прости меня. Я перегнул палку. Этого больше не повторится.

Я стряхнула его руку. Надо было мне остаться в постели
с Денни, но я должна была покончить с этим делом. Пусть
Келлан знает и смирится с тем, что все останется в прошлом.

— Нет, Келлан. Мы давно зашли куда дальше, чем
флирт. Нам не вернуть того, что было. Теперь мы другие
люди. Дурацкая вышла попытка.

— Но... Пожалуйста, только не говори, что всему конец. — Келлан скривился, ища глазами мое лицо.

— Келлан, мне придется. Денни чувствует неладное.
Он вряд ли подозревает что-то... тебя... Но он знает, что я
витаю в облаках. — Я закусила губу и потупилась. — У нас
с Денни давно ничего не было, и он обижен. Я делаю ему
больно, — сказала я шепотом.

Келлан тоже глядел в пол.

— Ты не должна. Я никогда не просил тебя не быть
с ним. Я знаю, вы собираетесь... — Он неуютно поежил-
ся. — Сказано же — я все понимаю.

— Келлан, это ясно, но я до того увлеклась, до того за-циклилась на тебе... — Тяжелый вздох. — Я совсем забро-сила Денни.

Он моментально схватил меня за руки и притянул к се-бе, почти обезумев в попытке перехватить мой взгляд.

— Ты зациклилась на мне. О чем это говорит, Кира? Ты хочешь быть со мной. Ты хочешь, чтобы мы были не только друзьями. И какая-то часть тебя хочет меня.

Я закрыла глаза, чтобы не видеть его молящего лица.

— Пожалуйста, Келлан, ты разрываешь мне сердце. Я не могу, не могу больше этим заниматься.

Я старалась выровнять дыхание. Подавить уже подсту-пившие слезы. Держать веки плотно сомкнутыми — ина-че я бы увидела его прекрасное лицо и умоляющие глаза и непременно сдалась бы вновь.

— Кира, посмотри на меня... Пожалуйста.

К концу фразы его голос сорвался, и мне пришлось еще крепче зажмуриться.

— Нет. Я не могу, ясно? Все это ошибка, все эти чув-ства, и твои тоже. Пожалуйста, больше не прикасайся ко мне.

— Кира, я знаю, что на самом деле ты думаешь ина-че. — Он прижал меня к себе и хрипло зашептал в ухо: — Я знаю, кое-что ты чувствуешь...

Открыв глаза, я задержала взгляд на груди Келлана, с силой оттолкнув его. Пусть оставит меня в покое, и если для этого придется причинить ему боль, то ничего не по-делать.

— Нет. Я не хочу тебя. Я хочу быть с ним. И люб-лю его.

Я посмотрела в его глаза и моментально пожалела об этом. Он был ранен. Его взгляд наполнился болью. Я чуть не уступила, но мне нужно было покончить с этим, и я за-ставила себя произнести эти ненавистные мне слова...

— Меня тянет к тебе, Келлан... Но я не испытываю никаких чувств.

Он мгновенно уронил руки и молча вышел из комнаты.

❖ ❖ ❖

Весь день он не показывался. Я не видела его на работе. Не нашла, когда вернулась домой. Он не попадался мне на глаза вплоть до следующего утра. Когда я наконец встретила его, меня захлестнули облегчение и осознание своей вины. Легче стало потому, что он больше не прятался, а чувство вины было вызвано тем, что он испытал необходимость скрыться от меня.

Келлан сидел за столом и пил кофе, когда я вошла в кухню. Он выглядел измотанным. Безупречным, но усталым. Я села напротив, он посмотрел на меня, но ничего не сказал. Что, снова охладел, как было давным-давно?

— Привет, — произнесла я негромко.

Он чуть заметно улыбнулся краешком рта и прошептал:

— Привет.

Что ж, по крайней мере, он шел на контакт. Когда он поставил кружку, я с трудом преодолела желание погладить его по лицу. Мы были близки так долго, что мне естественнее было дотронуться до него, чем оставаться отстраненной. Он побарабанил пальцами по столу и сунул руку под столешницу. Я попыталась поймать его взгляд, гадая, не борется ли он с тем же искушением — коснуться меня.

В комнате вдруг повисло напряжение, вызванное нашими усилиями не касаться друг друга, и я выпалила:

— Завтра приезжает сестра. Утром мы с Денни заберем ее из аэропорта.

— О... Точно, — отозвался он спокойно. — Я могу уйти к Мэтту, пусть живет в моей комнате.

— Нет... Тебе не обязательно. Это ни к чему. — Меня затопила печаль. — Келлан, мне тошно от того, как мы распрощались.

Он склонил голову набок и тупо уставился в стол.

— Ага... И мне тоже.

Я вновь воспротивилась желанию дотронуться до него, погладить по щеке.

— Я не хочу этой неловкости... Не хочу, чтобы она висела между нами. Мы можем остаться друзьями? Просто друзьями, настоящими?

Он посмотрел на меня с глупой ухмылкой:

— Ты что, и правда завела эту песню — «останемся друзьями»?

— Да... Похоже на то, — усмехнулась я.

Келлан стал очень серьезным, и мой желудок болезненно сжался. Я вдруг потеряла желание услышать его ответ и перебила его, едва он открыл рот:

— Наверное, нужно предупредить тебя насчет моей сестры.

Он моргнул и посмотрел на меня смятенно, затем расслабился и мягко улыбнулся:

— Я помню... Красавчик. — Он указал на себя.

— Нет... То есть да, но я не это имела в виду.

— Да неужели?

Немного смутившись, я отвернулась.

— Она... Как бы выразиться... — Я вздохнула. — Она очень красивая.

А также разбитная, уверенная, соблазнительная...

— Я догадался, — просто ответил Келлан, и мой взгляд метнулся к нему. Он спокойно добавил: — Она ведь похожа на тебя?

Сравнение меня с сестрой было верхом нелепости, но он ее знать не знал. Я вздохнула. Серьезно: ему не стоит так на меня смотреть.

— Келлан...

— Знаю, — пробормотал он. — Друзья.

Выражение его лица наполнило меня состраданием.

— Ты все еще хочешь пойти с нами в клуб?

Он отвернулся.

— А ты еще хочешь, чтобы я пошел?

Я сцепила руки, чтобы не потянуться к нему.

— Да, конечно. Мы все равно друзья, Келлан, а сестра ждет... — Я предпочла умолкнуть.

Он снова посмотрел на меня и, похоже, понял, куда я вела.

— Да, нам ни к чему, чтобы она задавала опасные вопросы, — произнес он довольно резко.

— Келлан...

— Я приду, Кира.

Он допил кофе и встал.

— Спасибо, — прошептала я.

Когда он тронулся с места, меня вдруг захлестнула паника.

— Келлан! — Моему тихому голосу тоже было не занимать резкости, и он оглянулся с порога. — Помни, что ты обещал.

Я не сумела говорить бесстрастно.

Келлан с секунду задумчиво смотрел на меня, и я подумала, что он вот-вот взорвется. Однако его взгляд стал еще более усталым, и он ответил, качнув головой:

— Я ничего не забыл, Кира.

ГЛАВА 15

КЛУБНЫЕ ПОСИДЕЛКИ

— О... Черт меня побери! — пробормотал Гриффин и хлопнул по груди Мэтта, сидевшего за столом рядом. — Чувак, я влюблен. Ты глянь, какие булки!

Зная его вкусы, я тщательно игнорировала Гриффина, пока раздавала ребятам пиво. Все время я краем глаза поглядывала на Келлана. Он тоже посматривал на меня. Он выглядел так, будто сдался. Я беспокоилась, не зная, как Келлан поведет себя со мной после утреннего разговора на кухне. Но он, как обычно, подбросил меня до университета, а после забрал и отвез на работу: все выглядело нормально — разве что он больше молчал. Я сказала, что все это не обязательно, но он припечатал меня взглядом, в котором читалось: «Не глупи. Конечно, я отвезу тебя куда угодно, коль скоро мы просто друзья». Во всяком случае, я прочла именно это.

Я гадала, о чем он думал, когда заметила, что Гриффин глупо улыбнулся и чуть привстал со стула. Едва я заинтригованно уставилась на него, кто-то сзади прикрыл мне глаза.

— А ну, угадай!

Опустив руки, я развернулась:

— Анна!

Мы обнялись.

— Господи, мы же договорились встретить тебя завтра в аэропорту. Как ты здесь оказалась?

Она стрельнула в меня взглядом, а затем переключилась на Келлана, который непринужденно сидел подле нее за столом и смотрел на нас.

— Ждать не было мочи... Вылетела пораньше.

Игнорируя того, кто приковал ее внимание, а также нетерпеливое покашливание Гриффина — он явно желал быть представленным, — я отступила, чтобы получше ее рассмотреть. Моя полоумная, взбалмошная сестра совершенно не изменилась. У нас были почти одинаковые лица-«сердечки», с высокими скулами, и вздернутый мамин нос, однако на этом сходство заканчивалось. Она была высокой — едва ли не вровень с Денни — и подчеркивала рост элегантными черными лодочками на шпильках. Пышнее меня — я была скорее спортивной, — что тоже было обозначено посредством абсурдно тесного красного платья. Про себя я вздохнула: она как будто сошла не с самолета, а с подиума.

Я подняла прядь ярко-рыжих локонов. Что ж, кое-что в моей сестре изменилось.

— Что-то новенькое. Мне нравится, — улыбнулась я.

Она пожала плечами, не сводя глаз с Келлана, который несносным образом пялился на нее, но после повернулась ко мне с очаровательной улыбкой.

— Я подцепила парикмахера на часок, баш на баш.

До меня донесся похабный стон Гриффина.

Я снова вздохнула про себя. Сестра была авантюристкой, провокаторшей и сочетала в себе те качества, которых я была лишена. Именно о ней мои родители никогда не высказывались без восторженных эпитетов вроде «прекрасная», «блистательная» и «неподражаемая», хотя заканчивали обычно вопросом: «Что еще она натворила?» Анна была слишком привлекательной и полной соблазна, а мне предстояло знакомить ее с моим не менее симпатичным и соблазнительным соседом.

— Ребята, это моя сестра...

— Анна, — вмешалась та, сразу же протянув руку Келлану.

Сестрица была кем угодно, только не тихоней.

— Келлан, — учтиво отозвался тот, неприятно долго удерживая ее руку в своей.

Гриффин резко встал и завладел ею, оттеснив Келлана. Я мысленно поблагодарила его.

— Гриффин... Салют.

Сестра одарила его милым смешком и ответным приветствием.

Мэтт и Эван вежливо представились, тогда как я чувствовала себя несколько глупо, сознавая, что Анна не нуждалась в моем присутствии для наведения мостов. Она прекрасно справлялась сама. Я залилась краской, и Келлан с любопытством взглянул на меня. Анна улыбнулась и поздоровалась с Мэттом и Эваном, чувствуя себя как рыба в воде среди симпатичных ребят, с которыми едва познакомилась.

Гриффин чуть ли не выдернул стул из-под клиента-соседа и громыхнул им в конце стола, рядом с собой. Он похлопал по сиденью, и Анна с улыбкой поблагодарила его. Затем она перетащила стул так, чтобы сесть с Келланом. Мэтт и Эван негромко прыснули. Мы с Гриффином одинаково насупились, но сестра ничего не заметила. Все ее внимание было обращено на Келлана, и стул она придвинула впритык. Анна грациозно уселась и с милой улыбкой прильнула к нему. Тот ответил дразнящей ухмылкой.

Вся эта канитель была мне уже ненавистна. Анна появилась от силы несколько минут назад, а я уже хотела, чтобы она исчезла. Мне было немного совестно из-за этого. Я любила сестру. Мне просто не хотелось смотреть, как она окучивает Келлана. Мы, может быть, и покончили с флиртом, но все равно меня это бесило. Лучше бы ему помнить о своем обещании.

— Ну, мне пора работать. Принесу тебе выпить, Анна.

— Давай. — Она не смотрела на меня. — Ох, забыла: какой-то парень по имени Сэм отнес мои куртку и сумку в подсобку.

Я вздохнула: сестрица умела командовать мужчинами.

— Ладно. Я позвоню Денни. Он отвезет тебя домой.

Анна оглянулась и подмигнула:

— Думаю, я и сама справлюсь. — Она вновь посмотрела на Келлана. — Значит, ты поешь? — Она смерила его взглядом. — А что еще умеешь?

Келлан опять осклабился, и Анна издала смешок.

Я спешно удалилась. Нравилось ей это или нет, но я решила позвонить Денни, чтобы он забрал ее. Быстро связавшись с ним, я обрисовала ему ситуацию. Он посмеялся над расторопностью моей сестры и сказал, что сможет приехать через пару часов. Сначала придется закончить проект для Макса. Я была уверена, что под «проектом» подразумевалась какая-то ерунда, не имевшая никакой срочности в пятницу вечером. Работа с файлами или что-то такое.

Когда я принесла клюквенную водку, любимый напиток Келлана, тот был поглощена беседой с Анной. Они непринужденно болтали, а Гриффин старался встревать при любой возможности. Анна вскинула на меня глаза, поблагодарила и немедленно переключилась обратно на Келлана, я же надулась. Келлан украдкой взглянул на меня. Казалось, его веселило мое *невеселье*.

На протяжении смены я наблюдала, как Анна флиртовала с Келланом. Он вроде бы не побуждал ее и сам не делал встречных движений, но в то же время и не осаживал. По ходу разговора она убирала волосы с его лба, трогала его за плечо и как бы случайно задевала рукой его ногу. Она действовала тонко, но не всегда. Стоило ему сказать что-то смешное, и она хохотала, приникая к нему головой. Затем соблазнительно закусывала губу и, не прекращая смеяться, чуть проводила пальцем по его шее. Гриффин был раздосадован не меньше моего. Я никогда не думала, что на свете найдется нечто, насчет чего мы сойдемся во мнениях.

Когда чуть позже я пришла известить группу, что им пора на сцену, Анна бесстыдно лапала Келлана за бедро, а тот, похоже, был донельзя доволен.

— Келлан, пора на выход.

Вышло резко, и сестра посмотрела на меня озадаченно. Я изобразила сносную, как мне показалось, улыбку и объяснила:

— Им пора отправляться на сцену.

Келлан улыбнулся на мой принужденный тон, будучи в высшей степени позабавлен.

— О... Здорово! — просияла Анна, и я мысленно поторопила Денни — пусть уже заберет ее отсюда.

Едва «Чудилы» взобрались на сцену, моя сестрица энергично протолкнулась сквозь волновавшуюся толпу на пятачок аккурат против микрофона Келлана. Он раздражающе улыбнулся ей сверху вниз, покуда ребята настраивались. Я хмурилась, но дальше смотреть не могла, так как клиенты требовали моего внимания. Куда, черт возьми, запропастился Денни?

Тот наконец-то появился, когда отыграли половину концерта. На мой вкус, Анна восторгалась представлением чуть более бурно, чем следовало, а Келлан большую часть времени одаривал ее вместе с полудюжиной женщин, стоявших вокруг, своим взглядом для спален. И вот вошел Денни, а я пребывала не в лучшем настроении.

— Где ты был? — набросилась я.

Денни непонимающе взглянул на меня и пригладил свои темные волосы.

— Я же сказал: пришлось доделать работу. — Он взглянул на Анну, стремившуюся к Келлану, и Келлана, неприятнейшим образом тянувшегося к ней. — Так или иначе, ей хорошо.

Он хохотнул и глупо улыбнулся.

Я закрыла глаза, подавляя досаду. Распахнув их вновь, я обнаружила, что Денни с любопытством изучал меня.

— Чего ты ждешь? Ее вещи в подсобке.

Продолжая глядеть на меня озадаченно, Денни пожал плечами.

— Ладно. — Затем лицо Денни расслабилось, а руки сомкнулись на моей талии. — Я соскучился.

Глаза его вспыхнули, а на лице заиграла теплая улыбка. Меня тоже попустило, и я улыбнулась в ответ:

— И я скучала.

Я нежно поцеловала его. Он прижал меня крепче и принялся углублять поцелуй, но я отстранилась.

— Извини, здесь куча дел. Будь добр, забери ее домой! Она наверняка устала с дороги.

Неуклюже поеживившись, я высвободилась из его объятий.

Денни снова взглянул на сцену, перед которой в окружении девиц, вопивших что-то своему кумиру, прыгала Анна.

— Да... Определенно вымоталась. — Он осклабился, но я нахмурилась, и Денни вздохнул. — Хорошо. Отнесу ее сумки в машину, а потом отвезу ее домой.

Я просияла и вторично поцеловала его:

— Спасибо.

Он отправился в подсобку и забрал вещи, затем вернулся в бар и попытался пробиться сквозь сгустившуюся толпу. Он дошел до Анны и тронул ее за плечо. Сестра оглянулась, расплылась в улыбке и повисла на его шее. При виде выражения лица Денни я не сдержалась от усмешки. Он будто не был уверен, имеет ли право обнять в ответ красивую женщину, прилипшую к нему всем телом. Я улыбнулась его преданности, из-за которой, конечно, и нахмурилась, когда я взглянула на маячившего на сцене Келлана. Тот весело скалился, взирая на Анну и Денни. Внезапно наши взгляды встретились, и я угодила в капкан темно-синих глаз и томного голоса.

Захваченная его взором и не способная отвернуться, я вдруг ощутила, как кто-то тронул меня за плечо. Вздрогнув, я обнаружила Денни. Пока я была поглощена Келланом, он успел вернуться.

— Извини, но она не пошла.

Он пожал плечами, как будто был не особенно удивлен.

— Она — что?

Я сделала пару вдохов, чтобы успокоиться, и понадеялась, что Денни не догадался, какой объект столь долго владел моим вниманием.

— Хочет дослушать концерт. — Он повторил свой жест. — Мне остаться? Отвезти вас обеих?

Он завел мне за ухо прядь, выбившуюся из хвоста.

Я вздохнула одновременно и раздраженно, и облегченно:

— Да... Спасибо.

По крайней мере, она не поедет с Келланом.

Конечно, я позабыла, насколько упрямой бывала моя сестра, когда чего-то хотела... а она явно хотела Келлана. Ничуть не удивительно. Я была абсолютно уверена, что так и случится, как только Анна увидит его. Он был из тех, перед кем нелегко устоять. Увидев, как в завершение вечера она раскованно скользнула в его машину, я вздохнула. Денни хохотнул: он тоже заметил это. Я заканчивала работу и была слишком занята, чтобы не дать ей покинуть бар в компании с Келланом. Они как раз усаживались в автомобиль, когда мы с Денни наконец вышли на улицу. Чем они здесь занимались так долго? Едва их машина вырулила с парковки, во мне опять разожглось раздражение. Лучше бы Келлану отвезти ее прямо домой.

На его счастье, он так и сделал. «Шевелл» стоял на месте, когда мы затормозили рядом. Я быстро вошла в дом и обнаружила обоих сидящими на диване: они беседовали, склонившись друг к другу. О чем они так долго трепались? Оба взглянули на меня, когда я проследовала в гостиную. Мое раздражение вспыхнуло вновь, едва я увидела, что рука Анны так и покоится на бедре Келлана. Нет, серьезно — почему она не может держать свои руки при себе?

Денни вошел чуть позже и обнял меня сзади.

— Ну... — Анна призывно улыбнулась Келлану. — И где я сегодня ночую?

Келлан отозвался полуулыбочкой и собрался было ответить, но я вмешалась:

— Со мной, Анна. — Я посмотрела на Денни, тогда как Анна надулась, а Келлан подавил смешок. — Ты же не против поспать на диване?

— На диване? — понурился Денни и с тоской взглянул на потертый, бугристый диван. — Ты серьезно?

Отлично зная, что глаза мои холодны столь же, сколько и голос, я отозвалась:

— Ну, можешь лечь с Келланом, если тебе так больше нравится.

Мой тон подчеркивал, что это было единственной альтернативой. Анна ляжет со мной, дабы я не сомневалась, что она останется рядом на всю ночь.

Денни вскинул брови, а Келлан со смехом сказал:

— Предупреждаю: я ворочаюсь.

— Значит, диван, — проворчал Денни и поплелся наверх за одеялом.

Анна просветлела лицом:

— Знаешь, я могу спать с...

Я схватила ее за руку и потащила за собой вверх по лестнице, оставив позади вконец развеселившегося Келлана, следившего, как я гоню ее прочь от него.

В ту ночь я не сомкнула глаз. Сестра легла позже. Мне было ничем не оправдать коридорного бдения, где я торчала бы на манер докучливого папаши, озабоченного дочерней добродетелью, а потому я улеглась и стиснула зубы, прислушиваясь как можно внимательнее. Я могла поклясться, что в какой-то момент до моего слуха донесся смех Келлана, и мне пришлось приложить все силы, чтобы не сорваться вниз и не загнать ее в постель пинками.

В конце концов она вошла в темную спальню и уютно устроилась на стороне Денни, бодро пожелав мне спокойной ночи. Я не ответила, притворившись спящей. Не знаю почему. Нет нужды говорить, что заснуть было невозможно. Я ловила каждое движение Анны. Чем она занята: ворочается во сне или отодвигается, чтобы сойти с постели и отправиться к Келлану на тайное рандеву под покровом темноты? Всю ночь я сходила с ума и не знала, переживу ли следующую. Может быть, придется отправить Келлана к Мэтту.

Но утро наконец наступило. Услышав — благо что я бодрствовала, — как отворилась дверь комнаты Келлана, я в скором времени вышла и присоединилась к нему за кофе. На нижней ступеньке я задержалась, оценивая спавшего Денни. Он пребывал в глубокой отключке, но было очевидно, что ему крайне неудобно, и я почувствовала укол совести за то, что заставила его спать на диване. Ну да ладно, потом компенсирую.

Келлан, похоже, не удивился при виде меня, когда я вывернула из-за угла на кухню. Он наградил меня понимающей улыбкой и подлил в кофеварку воды.

— Доброе утро. Как спалось?

Игривость его вопроса была мне совершенно очевидна.

— Отлично. А тебе?

Включив кофеварку, он прислонился к стойке.

— Спал как младенец.

Я стиснула зубы и выдавила улыбку, присаживаясь за стол в ожидании кофе.

— Интересная у тебя сестра, — изрек Келлан через минуту.

Нахмурившись, я ничего не сказала, гадая, намерен ли он развивать эту тему. Нет, не стал. Я залилась краской, а он с любопытством следил за моей реакцией.

— Да... Она у меня такая.

Я тоже не собиралась распространяться.

Кофе сварился, и Келлан наполнил наши кружки. Мы сидели и пили его в молчании... не вполне уютном. То есть Келлану вроде как было неплохо, и он являл собою сногсшибательный идеал, но я пребывала на взводе... а также на взводе из-за того, что была на взводе. Кроме шуток: придется как-то постараться и успокоиться.

Допив кофе, я прислонилась к косяку двери и впала едва ли не в транс, наблюдая за спавшим на диване Денни. Из гипнотического состояния меня вывела Анна, вошедшая в кухню, имея на себе неприличную футболку от «Чудил», и ничего больше. Я мысленно возблагодарила судьбу за то, что Келлан скрылся в своей комнате вскоре после того, как покончил с кофе. Анна выглядела чересчур соблазнительно для человека, который только что проснулся.

— Где ты это взяла? — изумилась я.

У Келлана ушли недели на то, чтобы буквально снять такую же футболку с себя и подарить мне. И что же — ей стоило похлопать своими глупыми ресницами, как он разделся и для нее? К своему удивлению, я ощутила себя преданной.

— У Гриффина... После концерта. У него их целая коробка в фургоне. Хочешь такую? — Она мило улыбнулась, и мне мгновенно стало стыдно за мои мысли о ней.

— Нет... У меня есть. — Моя футболка хранила волшебный запах Келлана, а потому я ни разу ее не надела, однако говорить об этом Анне не собиралась. — Но лучше бы тебе приодеться. Денни скоро проснется.

На самом деле, таращась на чересчур откровенный прикид сестры, я беспокоилась вовсе не о Денни.

— Ой, прошу прощения, конечно. А что, Келлан уже встал? — осведомилась она почти застенчиво.

— Да. По-моему, он пошел к себе, — вздохнула я.

— Ага. — Она улыбнулась и посмотрела на потолок, в направлении его комнаты. — Обо мне что-нибудь говорил?

Мне стало тошно чувствовать себя свахой, но все же я сказала ей правду:

— Да, он нашел тебя интересной.

— Хм... — слегка нахмурилась Анна. — Не совсем то, что я привыкла слышать. Хотя могло быть и хуже. — Она улыбнулась и повернулась к лестнице, намереваясь подняться. — Пришпорю коней, всего и делов-то.

Подмигнув, Анна вышла.

Я тяжело опустилась за стол и снова вздохнула. Может быть, сегодня уже воскресенье?

❖ ❖ ❖

Анна хотела прошвырнуться по магазинам, а потому мы взяли машину Денни и сестра села за руль, куда лучше справляясь с ручной коробкой передач, нежели я. Мы доехали до торгового центра «Белвью-Сквер» и начали с «Мэйсис», где Анна отыскала крошечное черное платье и заявила, что опробует его вечером. Оно, конечно, ей очень шло. Обычное открытое платье на бретельках, но оно безупречно облегало каждый сантиметр ее тела... и было совсем, совсем коротким. Я бы в жизни так не оделась. Я слишком комплексовала, чтобы попробовать: не дай бог, весь мир узреет мое белье. Сестра же, вертясь в примерочной, чувствовала себя как рыба в воде. Легкая и воздушная, она могла запросто щеголять хоть в своих любимых уютных трениках.

По пути к кассе мы заглянули в парфюмерный отдел. Я остановилась, учуяв любимый аромат Денни, взяла пробник, сделала глубокий вдох — и моментально вызвала его в памяти. Сестра закатила глаза, но улыбнулась и тоже взялась за пробники, принюхиваясь к одному за другим.

— Каким одеколоном пользуется Келлан? — спросила Анна, задумчиво перебирая флаконы.

Я застыла при звуке его имени. Откуда мне знать, по ее мнению?

— Понятия не имею... С чего вдруг?

Но я и сама заинтересовалась.

Анна взглянула в мою сторону с широченной улыбкой:

— От него классно пахнет. Ты что, не замечала?

Я-то замечала.

— Нет.

Она фыркнула, что было ей очень к лицу.

— Кира, я знаю, что ты без ума от Денни. — Анна взглянула на меня сухо. — Но ради бога, во имя женского пола... Уж если очаровашка сам плывет тебе в руки... — Она вновь широко улыбнулась, подцепила флакон и сделала вдох. — Тогда нюхни.

Поставив пузырек на место, она рассмеялась и дьявольски осклабилась, до боли напомнив мне Келлана.

— А если нужно, то и лизни разок-другой.

Я скривилась. Знала бы она, сколько я уже переделала и того и другого.

Мы завершили шоппинг тем, что Анна купила вызывающие туфли на шпильках и изысканную серебряную цепочку. Про себя я вздохнула. Она собралась блистать... Да и уже блистала, ограничившись лишь джинсами и облегающей блузкой. У меня на тот момент не было денег, чтобы принарядиться, а потому мне предстояло перерыть свой гардероб, чтобы найти что-нибудь приличное. На самом деле это не имело значения. Я ей в подметки не годилась. И не должна была, напомнила я себе. Денни любил меня, и все остальное было не важно. Денни, а не...

Я даже не позволила себе додумать эту мысль.

Мы перекусили. Анна болтала всякую чепуху о парнях, с которыми «встречалась» после того, как отвесила довольно болезненного, как явствовало из ее слов, пинка Филу. Мне моментально стало жаль Фила. Скорее всего, она разбила ему сердце и даже не заметила этого. Я ощутила с ним странную родственную связь.

После обеда мы отоварились еще в нескольких магазинах, сестра накупила новых шмоток, и мы вернулись домой готовиться к нашей... вечерней вылазке.

Анна легко и быстро разобралась с новой одеждой и устремилась вниз, оставив меня рыться в поисках подходящего наряда. Денни лез с предложениями, пока я не пригвоздила его взглядом. Тогда он заткнулся и стал, качая головой, застегивать рубашку. Какое-то время я наблюдала за ним, немного раздраженная легкостью, с которой одевались парни. Рубашка была ему идеально впору, и он носил ее навыпуск, поверх любимых вытертых синих джинсов. Он выглядел классно. Будь я в ином настроении, я не дала бы ему застегнуться и сорвала бы рубашку вообще.

Но все обстояло не так: я была на взводе. Наконец я нашла кое-что более или менее сносное и скрепя сердце переоделась.

Через несколько секунд я сошла вниз и замерла на нижней ступеньке. Анна и Келлан устроились на диване. Келлан примостился на самом краю, упершись локтями в колени, а моя сестрица раскорячилась сзади — коленями в подушки, телом плотно прижавшись к нему. Ее вызывающее черное платьишко оказалось столь коротко, что бедра обнажились целиком, но ей, похоже, было наплевать. Келлану, судя по всему, тоже. Она играла его волосами, пока он лениво пялился в телевизор. Я пришла в негодование.

— Эгей! Ты классно выглядишь! — Анна взглянула на меня и улыбнулась.

Впечатленная ее красотой, я ощущала себя какой угодно, только не классной, в лучшем случае — сносной. Келлан тоже посмотрел в мою сторону и подарил мне легкую одобряющую улыбку.

— Ты красавица, — промурлыкал мне на ухо Денни, спустившийся и вставший позади меня.

Он поцеловал меня в шею, и я чуть расслабилась. Да, мне было приятно, что ему понравился мой наряд, который я выбирала с таким непомерным трудом. Зная, что с сестрой мне не тягаться, я решила в конце концов не заморачиваться и одеться с удобством, выбрав черные туфли на толстой подошве, низко сидевшие черные джинсы и красный облегающий топик с глубоким вырезом: в клубах не успеешь оглянуться, как станет жарко. Волосы у меня уже были собраны в низкий хвост. Будет горячо, и я приготовилась.

— Она ведь не собирается делать со мной то же самое? — спросил Денни, становясь рядом со мной и чуть насупленно наблюдая за Анной и Келланом.

Я наконец справилась с досадой, которую пробудили во мне их позы, и внимательнее присмотрелась к тому, чем они занимались. Анна не просто забавлялась с его волосами: она их укладывала.

Мы с Денни вошли в гостиную. Денни уселся на стул и похлопал себя по колену, приглашая меня. Быстро глянув на Келлана, я согласилась.

— Анна, что это ты делаешь? — осведомилась я, стараясь говорить безразлично.

— Правда, у него офигенная грива? — ослепительно улыбнулась она. — Неужели ты не хочешь?..

Она сграбастала прядь у другого виска и чуть дернула, заставив Келлана поморщиться, а затем ухмыльнуться.

— Ух! — искушающе рыкнула Анна.

Я густо покраснела, прекрасно зная, что она имела в виду, и ничего не ответила.

Анна продолжила расчесывать его шевелюру, а Келлан ласково улыбался и смотрел в пол.

— Он разрешил мне уложить их по-клубному. Он будет там круче всех. — Она посмотрела на Денни. — Без обид, ничего личного.

— Я не парюсь, Анна, — хохотнул Денни.

— Черт, — пробормотала я.

Мне казалось, что у Келлана сказочная прическа, пока за дело не взялась Анна. В ее руках она поразительным образом стала еще круче. Она выбирала длинные пряди и придавала им форму при помощи помады для волос, чтобы взбитые лохмы образовали остроконечные пучки, торчавшие во все стороны.

Результат поражал: Келлан выглядел сексуально как никогда. Как только он заметил мой взгляд, я стала пунцовой и была вынуждена отвернуться. Меня охватила ревность — Анна занималась таким интимным делом! — а затем подступило острое желание, которое мне пришлось подавить.

— Ну, как тебе? — осведомился Келлан.

— Круто, чувак, — откликнулся Денни, посмеиваясь.

— Да ну тебя, Денни, ты просто не понимаешь девчонок, — проворковала Анна. — Они от такого сходят с ума. Правильно я говорю, Кира?

Келлан негромко прыснул, а я покраснела еще гуще.

— Ага. Само собой. Он будет...

— Красавчиком? — закончил Келлан, в высшей степени развеселившись и не сводя с меня глаз.

— Оу!.. Обожаю! — взвизгнула Анна и обхватила его за шею: готово.

Она подобралась к нему так близко, что я рассвирепела.

— Ну, мы идем? — Вопрос прозвучал излишне серьезно.

Келлан кивнул и встал, а я наконец заметила, во что он одет. Он был с головы до ног в черном: ботинки, джинсы и приталенная футболка на пуговицах. В сочетании с его новой прической — донельзя сексуальной, стрелами — все это выглядело до того привлекательно, что мне пришлось закрыть глаза и перевести дух.

Вечер обещал быть занятным.

Мы добрались до клуба под названием «Шлепки», рекомендованного Гриффином. Зная Гриффина и его вкусы, я сильно сомневалась в этом месте. Келлан заверил нас, что это обычный клуб со странным названием, но там хорошая музыка. Келлана, ясное дело, лишь развлекло бы, сумей он уговорить нас завалиться в заведение «садомазо». Да и Анну, пожалуй. В каком-то смысле они прекрасно подходили друг другу. Эта мысль меня несколько опечалила.

Музыка звучала соблазнительно громко даже снаружи. Денни взял меня за руку и, улыбаясь, помог мне выбраться из машины. Келлан ехал на своей. Анна, естественно, нырнула к нему, я не успела помешать. Он ухитрился найти свободное место невдалеке от нас и тоже помог Анне выйти. Подобные супермоделям, они подошли к нам с Денни.

Сестра оправила свое немыслимо короткое платье, проверила, в порядке ли узкие туфли на шпильках, и только потом наспех обняла меня. Я не могла не ощутить укол ревности при виде ее красоты. Она снова накрасилась: ярко-алые губы, зеленые глаза, искусно подведенные и сияющие, блестящие волосы, безупречно подвитые в крупные локоны, которые эффектно покачивались при ходьбе и манили красной подцветкой ближе к корням. Если бы Келлан с его совершенством каким-то чудом преобразился в женщину, получилась бы моя сестра. Долю секунды я невольно думала, что у них с Келланом могли бы быть потрясающие дети. Эта мысль мгновенно взбесила меня.

Анна взяла Келлана за руку и повела ко входу. Он улыбнулся и приобнял ее за плечи. Денни сделал то же со мной, когда мы пошли через парковку. Я была благодарна ему за это. Мне вдруг сделалось очень холодно.

Громила, который заведовал канатом, перекрывавшим вход в переполненный клуб, лишь глянул на Келлана с Анной и моментально пропустил их. Еще бы. Красавцам не приходится томиться в очереди. Возле каната Келлан помедлил, дожидаясь нас с Денни — не таких красавцев, чтобы удостовериться, что мы пройдем внутрь.

Название «Шлепки» оказалось лишь хитроумной приманкой. Внутри, слава богу, обнаружился самый обычный клуб. Диваны там и тут, длинные столы с барными стульями, в меру занятная настенная роспись, барная стойка в дальнем конце помещения и, чуть за углом, толпа извивавшихся на танцполе тел, — площадка была внушительная. Музыка оглушала, и это радовало. Мне это нравилось, как и столпотворение. Я была готова затеряться там.

Мы с Анной и Денни отыскали свободное местечко за длинным столом, пока Келлан таранил толпу, осаждавшую бар в ожидании выпивки. Но он вернулся в рекордно короткий срок, и я не могла не заметить гнуснейших, непристойнейших взглядов, которые бросала на него барменша. Я пришла в раздражение.

Келлан вручил всем по порции чего-то. Понюхав, я мигом состроила гримасу. Вскинув глаза, я увидела его невинную улыбочку. Текила? Он что, принес нам текилы? Келлан выставил контейнер с лаймом, соль, а я смотрела на него и не верила. Остальные спокойно готовили себе шот — ни у кого не возникло проблем с выбором напитка. Я взяла себя в руки и сделала то же самое.

Келлан негромко рассмеялся — смешок, слава богу, потонул в окружающем шуме, и, кроме меня, никто ничего не заметил. Он обмакнул палец в текилу, чтобы смочить тыльную часть кисти, и память об этом действии в нашу первую совместную ночь вдруг обострилась во мне с такой силой, что мне пришлось смежить веки и сделать глубокий вдох.

— Все в порядке? — раздался над ухом голос Денни, подавшегося ближе.

Я открыла глаза и взглянула на его озабоченное лицо.

— Да... — Я посмотрела на Келлана. — Мне просто не очень нравится текила.

Келлан улыбнулся шире:

— Да что ты говоришь? Мне-то запомнилось, что ты из любителей.

Он вновь покатился со смеху, но тут вмешалась Анна, и я нахмурилась.

— Ну а я люблю... Ваше здоровье!

Келлан поднял бровь, а заодно и стакан, отсалютовал Анне, и они вместе выпили. Оба со смехом впились в свои лаймы. Денни воздел свою стопку, я нехотя — свою, и мы последовали их примеру. Испытывая легкое отвращение, я вынула лайм Денни из его рта, и мы слились в долгом поцелуе.

Целуя удивленного, но довольного Денни, я слышала сестринский вопль:

— У-у-у... Так держать, девонька моя!

Отстранившись, я рискнула взглянуть на Келлана. Он больше не веселился. Он стиснул зубы. Затем, играя призывной поуулыбкой, посмотрел на Анну и протянул ей руку:

— Идем?

Он указал на танцпол, и сестра энергично закивала в ответ. Они растворились в толпе, его рука на ее пояснице — в самом низу поясницы. Он оглянулся на меня, странно сверкнув глазами, и их поглотила людская масса.

Подавив гнев, я сосредоточилась на своем кавалере.

— Они хорошая пара, — заметил Денни, тоже проводивший их взглядом.

Я проглотила и это, с усилием отринув всякое раздражение и полностью расслабляясь впервые за целую, как мне мерещилось, вечность. Денни восторженно смотрел на меня с глуповатой улыбкой на красивом лице. Он кивнул в сторону танцпола, и я с готовностью согласилась.

«Танцы» — дурацкое слово для переполненного клуба. Это действо больше напоминало ритмичное колыхание в плотной среде. Денни взял меня за руку, чтобы нас не растащили, и мы продвинулись ближе к центру. Уже становилось жарко, и я хвалила себя за выбор наряда. Я не имела понятия, что за песня звучит, и мне было все равно. Ударник трудился вовсю и выколачивал любые мысли из моей дурной головы.

Денни держал меня за талию, и мы двигались вплотную друг к другу. Я смеялась и обвила руками его шею. Иногда я забывала, до чего симпатичным парнем он был. Он расстегнул несколько пуговиц на груди, и в проеме волнующе мелькала обнаженная кожа. Волосы были прекрасно уложены, и я пробежалась пальцами по короткой стрижке у его шеи, вызвав у Денни улыбку.

Женщины вокруг, конечно, его заметили. Пока мы шли на место, они, едва скользнув по мне взглядом, с нескрываемым интересом взирали на Денни. Тот не обращал на них внимания — как и всегда. Он смотрел только на меня. С сияющим взором он склонился ко мне, чтобы поцеловать. Я провела пальцем по линии замечательной светлой бородки, предоставляя музыке и его телу унести прочь мои треволнения.

Келлана с Анной мы больше так и не видели. Я заставила себя не гадать, куда они затесались и сколь рискованно притирались друг к дружке. Не думала я и о том, что они могли бросить нас и отправиться в местечко поукромнее. В конце концов мне удалось выкинуть все это из головы, воспринимая лишь громкую музыку, извивающиеся тела и утробный басовый ритм. И Денни, ко мне впритык. Казалось, мое блаженство растянулось на долгие часы.

В самой гуще толпы становилось все жарче. Расслышать что-либо в этом бедламе было немыслимо, и Денни сделал жест, намекнув на выпивку, — он был готов к новому раунду. Я шаловливо толкнула его и помотала головой, не в силах расстаться со своим музыкальным убежищем. Быстро чмокнув Денни, я указала в пол, давая понять, что не сойду с этого места.

Он устремился сквозь толпу, провожаемый женскими взглядами. Я вздохнула и покачала головой, когда он свернул за угол к бару. Да, мой мужчина был прекрасен и не имел об этом ни малейшего представления. Я закрыла глаза и сосредоточилась на музыке, счастливая и довольная. Беспечная.

Я застыла, когда знакомая сильная рука скользнула сзади мне под топик и дальше, вперед, остановившись на голом животе. Глаза мои распахнулись, но поворачиваться и смотреть было незачем. Я слишком хорошо знала это прикосновение и моментально ощутила памятный огонь, разгоревшийся в чреве. Растворившись в счастье, я почти позабыла, что Келлан никуда не делся. Он следил? В голове не укладывалось — неужели он отважился сунуться, когда мы свернули все отношения, а Денни с Анной находились поблизости? Он притянул меня спиной к себе, и мы непристойно раскачивались в такт музыке. То, что было забавно и невинно с Денни, теперь окрасилось совсем в иные тона. Я чувствовала себя голой.

Казалось, в помещении стало вдвое жарче. Между моих лопаток собралась капля пота, скатившаяся по обнаженной спине. Его свободная рука отвела с моей шеи несколько прядок, которые выбились из хвоста, и по хребту пробежал ток. Он склонился и медленно слизнул каплю, а затем прошелся языком по соленому следу вверх, до самого затылка, нежно, очень нежно покусывая мою кожу. Я сделала резкий вдох, и перед глазами все поплыло. Проклятье...

Очевидно, с того момента, как мы похоронили наши отношения, все невинные притязания пошли побоку. Плохо дело. Нужно с этим кончать.

Но я вопреки своей воле снова закрыла глаза и обмякла. Одна моя рука покоилась на его, лежавшей на моем животе, другую я завела за спину, прихватив его за бедро. Мое дыхание участилось, когда затылок уперся ему в грудь. Рука перешла с живота чуть ниже, большой палец лег на пуговицу джинсов. Этого хватило, чтобы я задохнулась, сплела наши пальцы и стиснула его кисть. Мне хотелось бежать, хотелось прорваться через толпу, отыскать Денни и вернуться в свое убежище, избавившись от жгучих ощущений, которые Келлан рассылал по всему моему телу. Но все это оставалось в уме. Тело дрожало, моя рука шарила по бедру Келлана, а голова медленно поворачивалась к нему.

Он взял меня за подбородок и резко потянул к себе, губами к губам. Я застонала, и звук затерялся в неистовой музыке. Недели флирта, все более рискованного, взаимное искушение соприкосновением тел и губ, но всякий раз без того, чтобы скатываться к обоюдному необузданному желанию, — все это породило во мне влечение большее, чем я осознавала. Я не могла как следует впиться в его губы, хотя мое тело горело желанием это сделать. Сейчас я не могла и помыслить о том, чтобы остановить Келлана.

Его губы разошлись, язык коснулся моего нёба. Во мне полыхнул огонь. Я окончательно потеряла контроль. Повернувшись в его руках, я встала к нему лицом и полностью отдалась на волю его объятий, не отрывая губ и не открывая глаз. Сердце колотилось в бешеном темпе. Я вскинула руки и сомкнула их у Келлана на затылке, в его густых волосах. Его руки прошлись по моей голой спине под топиком и притиснули меня ближе. Мы почти задыхались в короткие мгновения, когда размыкались губами.

Жара, пульсирующая музыка, сильные руки Келлана, его быстрое дыхание, запах, вкус, мягкие губы и пытливый язык — все это сводило меня с ума. Одна его рука скользнула по моей попе — и вот он притиснул меня за ляжку, чуть подтянув мою ногу вверх. Из этого положения было болезненно ясно, насколько хотел меня Келлан. Я застонала, сию же секунду возжелав его не менее остро. Открыв глаза и задыхаясь, я отлепилась от его губ и уткнулась головой в его лоб. Мои пальцы принялись машинально расстегивать его футболку, — я не имела привычки забывать, где нахожусь, но тут забыла. Глаза Келлана горели, пристально наблюдая за мной.

Некоторые женщины из ближнего окружения заметили Келлана и бросали на него похотливые взгляды. Но никому не было дела до того, сколь далеко мы зашли или собирались зайти. Он закрыл глаза и резко выдохнул, когда я уже наполовину разделалась с его застежкой. Келлан стиснул меня в объятиях и снова впился мне в губы. Больше мы так стоять не могли. Я была сама не своя, поглощенная его страстью, и не ведала ни как быть, ни как остановиться, чтобы происходящее не было столь очевидно для окружающих. Пусть он уведет меня куда-нибудь, куда угодно.

Остались две пуговицы, но вдруг он резко оттолкнул меня. Затем повернулся, намереваясь раствориться в толпе, — не в силах вздохнуть, но внешне бесстрастный. Я глотнула воздуха, смешалась и попыталась восстановить дыхание.

Именно в эту секунду я ощутила, что Денни держит меня за руку и тянет к себе. Я не заметила, как он вернулся. Видел он что-нибудь или нет? Не изменилась ли я, по его мнению? Я встретила его взгляд, но Денни был просто рад меня видеть. Одышку и пот он приписал, должно быть, моим неистовым пляскам.

Затем я отмочила номер, из-за которого долго мучилась впоследствии. Я прижалась к Денни, стиснула в ладонях его лицо и поцеловала что было сил. Дрожа от возбуждения, на месте Денни я представляла Келлана. Тот же на долю секунды удивился, после чего упоенно ответил на поцелуй. Чувствуя себя гадкой, я не могла остановиться и все целовала его, хотела его, нуждалась в нем, отлично зная, что отдавалась Денни телесно, но не душевно. Я чувствовала на себе обжигающий взгляд, исходивший откуда-то из глубин клуба.

— Забери меня домой, — простонала я на ухо Денни.

Позже, намного позже, я нагишом уселась в постели и посмотрела на Денни, спавшего рядом. Чувство вины затопило меня. Знал бы он, что я натворила, кем мысленно заменила его... Я попыталась сглотнуть, но в горле пересохло. Внезапно испытав сильнейшую жажду, я схватила первую попавшуюся одежду и встала, чтобы надеть ее. В руках у меня оказалась футболка Денни, хранившая его восхитительный запах.

Мечтая о чистой прохладной воде из холодильника, я направилась к лестнице и лишь на долю секунды задержалась возле двери Келлана. Малая часть меня надеялась, что он каким-то чудом ничего не слышал. Я не могла вообразить, о чем он думал, прислушиваясь к нам с Денни, ведь я не особенно сдерживалась. Образ Келлана, стоявший перед глазами, лишил меня всякого самоконтроля. Мне не понравилась эта мысль, и я нахмурилась.

Я добралась до кухни, думая о Келлане — о том, что случилось в клубе, как это было мощно, насколько сильно я хотела его, насколько сильно он хотел меня. Наши отношения принимали опасный оборот. Я не знала, что делать.

Глянув в окно, я застыла. Его машины не было. Келлан до сих пор не вернулся? Я пошла в гостиную. Что, Анны тоже нет? О черт, они все еще где-то шлялись наедине друг с другом. Мне в голову мгновенно пришло полдесятка мест, а также поз, в которых они могли пребывать. При мысли об этом мне стало дурно, а затем я снова испытала чувство вины. Но предпочтительнее было рассвирепеть. Что бы ни происходило между нами с Келланом, он обещал — обещал! — не спать с Анной.

Уже не чувствуя жажды, я развернулась и отправилась спать.

ГЛАВА 16

ДОЖДЬ

Близилось время обеда, когда я услышала, как Келлан подъехал к дому. Мотор не заглох: дверца распахнулась, захлопнулась, и машина вновь тронулась с места. Через несколько секунд вошла Анна, одетая как накануне вечером. Она выглядела крайне довольной.

Я подавила злость, едва она присела рядом со мной на диван. Не ее вина, что она подпала под обаяние Келлана. Нет, мой гнев целиком был адресован ему... Он обещал.

— Хорошо прошло? — осведомилась я тускло.

Она откинулась на диване и, улыбаясь во весь рот, положила голову на подушки.

— О... Боже, ты даже не представляешь.

На самом деле я представляла хорошо.

— Мы с Келланом поехали к Мэтту и Гриффину и...

Мне совершенно не хотелось это выслушивать.

— Фу, пожалуйста, не рассказывай.

Она насупилась и покосилась на меня: ей нравились смачные эротические истории.

— Ладно. — Анна опять усмехнулась и подалась ко мне. — Вы с Денни стремительно убежали. — Она непристойно вскинула бровь. — Келлан сказал, что вам надо побыть наедине.

Анна хихикнула.

— А у тебя как прошло?

Во мне боролись чувство вины, злость и стыд. Значит, Келлан ей выдал, что нам было нужно побыть наедине?

— Об этом, Анна, я тоже не хочу говорить, — ответила я негромко.

Надувшись, она раскинулась на подушках.

— Хорошо. — Анна взглянула на меня. — Слушай, ну вот только одно расскажу...

— Нет!

— Ладно... — шумно вздохнула она. Какое-то время мы обе молчали. — У тебя все в порядке, сестренка?

Опустившись на подушку, я попыталась смягчить лицо.

— Ну да... Просто устала, не выспалась. — Я моментально пожалела о сказанном.

— Ого-го! Узнаю мою девоньку! — понимающе ухмыльнулась она.

Денни приготовил обед на троих, и Анна одобрительно посмотрела на него. По-моему, он вырос в ее глазах благодаря своим кулинарным талантам. Во время еды она несколько раз закусывала губу, и я понимала, что Анна старается не выдать свою историю, которую до смерти хотела поведать мне. Я молилась, чтобы она держала рот на замке: я ничего не хотела слышать. Было абсолютно очевидно, что это меня убьет. Мне было достаточно умозрительного репортажа с места событий.

Вместо этого я смотрела на Денни и ела салат с курицей и орешками кешью, им приготовленный. Очень вкусный, — Денни и вправду был отличным кулинаром. Он тепло улыбался мне, и в его темно-карих глазах царили мир и спокойствие. Минувшая наша ночь выдалась бурной. Я мысленно поморщилась, зная, что помню не то, что он. Для него это стало всего лишь воссоединением после затянувшейся разлуки. Для меня же все было не так просто.

Анна и Денни обеспечивали девяносто процентов беседы, я же помалкивала, глядя на них. Мои мысли были слишком противоречивы, чтобы изложить их связно. День растянулся в наблюдении за этой парой, непринужденно болтавшей, — хотела бы и я в той же манере общаться с моей милой сестрой, — но вот настало время упаковать ее вещи и отвезти Анну в аэропорт.

Она сердечно обняла меня на прощание:

— Спасибо, что наконец пустила меня к себе. — Анна жеманно улыбнулась. — Было забавно.

Про себя я скривилась, но изобразила улыбку.

— В следующий раз побудем вдвоем подольше, только ты и я... Хорошо?

Она сияла, и я обняла ее снова:

— Конечно, Анна.

Она отстранилась и пытливо посмотрела на меня. Затем быстро проговорила:

— Пожалуйста, поблагодари от меня Келлана. — Схватив мою руку, она возбужденно затараторила дальше, не давая остановить себя: — Я знаю, ты не хочешь об этом слышать, но, боже мой, ночь получилась неожиданно потрясная! Круче и не бывало. — Анна ослепительно улыбнулась.

— О, — только и сумела выдавить я.

— О да. — Она прыснула и закусила губу. — По сорок раз сразу, если ты понимаешь, о чем речь.

Я понимала... Лучше бы — нет.

Она вздохнула:

— Черт, хотела бы я остаться...

Господи, скорей бы она убралась.

Объявили посадку, и Анна посмотрела в сторону терминала, а затем перевела взгляд на меня:

— Я буду скучать. — Она в очередной раз обняла меня, отстранилась и улыбнулась. — Скоро вернусь.

Анна чмокнула меня в щеку.

— Люблю тебя.

— Я тебя тоже...

Анна подошла к Денни, стоявшему чуть поодаль, чтобы мы могли свободно общаться. Она обвила руками его шею и тоже поцеловала в щеку.

— И по тебе буду скучать. — Прежде чем отойти, она прихватила его ниже пояса. — Жеребец, — пробормотала Анна, вгоняя в краску и Денни, и меня.

И вот моя полоумная, вздорная сестра улетела домой в Огайо, пребывая в неведении насчет того, что оставила мой мир чуть более запутанным, чем встретила.

❖ ❖ ❖

Когда мы вернулись из аэропорта, Келлана еще не было. Он не попадался мне на глаза до позднего вечера следующего дня, когда «Чудилы» завалились в бар в мою смену. Когда он вошел, я осторожно глянула в его сторону. Неизвестно, чего от него ожидать. После памятного вечера в клубе Келлан переоделся и пришел в тонкой серой футболке, соблазнительно облегавшей мускулы, черной кожаной куртке и своих любимых вытертых джинсах. Он принимал душ: его волосы уже не торчали сногсшибательными шипами — стало быть, в какой-то момент он все-таки побывал дома. Он посмотрел в мою сторону и одарил меня слабой улыбкой и кивком. Что ж, значит, не игнорировал.

Однако мне было неясно, игнорирую ли его я сама, ведь этот козел давал слово! Чем больше я размышляла об этом, тем ярче оживали в моем сознании ужасные картины и тем усерднее я старалась не обращать на него внимания. Я редко приближалась к их столу. Эван в конце концов поманил меня, и я, не спрашивая, что им нужно, принесла пиво. Все равно они больше ничего не заказывали. Бокалы я поставила молча. Ставя их, я ни к чему не прислушивалась и прилагала все усилия, чтобы разлучить сознание и тело. Я не хотела иметь дел с Келланом.

Он был настроен иначе. Понаблюдав за моим безмолвным обслуживанием, он подкараулил меня в коридоре, когда я возвращалась из туалета. Увидев его в конце прохода, я захотела укрыться в подсобке, но быстро отвергла эту идею, так как дверной замок был сломан и Келлан, если он правда хотел со мной потолковать — а так оно, похоже, и было, — спокойно вошел бы следом. Именно этого я как раз избегала — уединения с ним. Я попыталась проскользнуть мимо, но он грубо схватил меня за локоть:

— Кира...

Прищурившись, я заглянула в его прекрасное лицо. От этого глаза мои сузились еще больше. О, это идиотски совершенное лицо с пугающе нечеловеческими темно-синими глазами, под взглядом которых слетало белье... в том числе и мое. Оно сводило меня с ума! Я вырвала руку и ничего не ответила.

— Нам нужно поговорить...

— Мне не о чем с тобой говорить, Келлан, — отрезала я.

— Не согласен, — отозвался он тихо, чуть искривив губы.

— Что ж... Тебе, очевидно, можно делать что вздумается. — Я даже не пыталась скрыть насмешку.

— Что это значит? — Он сузил глаза, и его тон стал резче.

— То и значит, что нам не о чем говорить, — ответила я, просочилась мимо него и устремилась прочь.

Я завершила работу позднее, чем рассчитывала: в голове у меня весь вечер клубилась бестолковая злоба. Найти кого-то, чтобы меня подбросили до дома, я не позаботилась. К тому моменту, когда я об этом задумалась, ушли уже почти все. У Дженни был выходной. Кейт уехала со своим парнем. Сэм и Рита отчалили вскоре после нее, пока я вызывала такси для перебравшего клиента. Эван как раз выкатывался прочь с симпатичной блондинкой. Мэтт ушел несколько часов назад. А Келлан — не то чтобы я рассматривала его кандидатуру — с веселой физиономией навалился на стол и наблюдал, как я ищу попутку. Когда Эван вышел за дверь, я успела заметить, что по тротуару стучит небольшой дождь. Плохо дело. Может быть, позвонить Денни? Нет, слишком поздно. Может, какой-нибудь завсегдатай?

Я заметила, что Гриффин все еще торчал в баре и нынче оказался без компании. Что, если... Тьфу ты, хорошего тоже мало... Но лучше, чем Келлан, и лучше, чем плестись под дождем. Я подошла к нему полная надежды. Мой выбор вызвал у Келлана широкую ухмылку.

— Салют, Гриффин, — произнесла я небрежно.

Он насторожился. Обычно я не была с ним любезна и не вела себя так.

— Ну и? Чего ты хочешь?

Вообразив нечто, чего я никак не хотела знать, он изогнул белесую бровь и выдал улыбочку, от которой я покрылась мурашками.

Глухая к своему чутью, я приветливо спросила:

— Не прокатишь до дома?

— Ну и ну, Кира... — ухмыльнулся он. — Никогда не думал, что ты сподобишься. — Гриффин смерил меня взглядом. — С удовольствием прокачу... Весь этот долгий путь.

Глупо улыбаясь, я ответила ровным голосом:

— Гриффин, я имела в виду — прокатить на машине в буквальном смысле, домой.

— Никакого секса? — надулся он.

— Никакого, — ответила я, энергично помотав головой.

— Ну, раз так... — засопел Гриффин. — Тогда нет. Без секса поезжай с Кайлом.

С этими словами он повернулся и вышел. Теперь Келлан тихо посмеивался. Я огляделась, но все разошлись. Пит еще торчал в офисе — может, он...

— Подвезти? — мягко осведомился Келлан.

Гневно покачав головой при виде его безупречного лица, я поспешила к выходу. Скрестив на груди руки и пригнувшись, я шагнула под дождь. Келлан не последовал за мной, и у меня возникло смешанное чувство — печаль в сочетании с облегчением и злостью. Дождь шел не очень сильно, но было холодно. Спеша убраться подальше от Келлана, я забыла сумку и куртку. Теперь я пожалела об этом, так как после нескольких шагов через пустую стоянку меня уже трясло, а по лицу стекали капли. Вздохнув, я прикинула, не вернуться ли за вещами, но отказалась от этой мысли, упрямо решив не встречаться с Келланом, — достаточно на сегодня. Из-за них с сестрой я была в ярости: этот подлец обещал!

В квартале от бара дождь, набиравший силу, меня достал. Я принялась подсчитывать, сколько кварталов осталось до дома. На колесах казалось недалеко... Но пешком? Дрожа без передышки, я решила отыскать телефон и позвонить Денни. Я озиралась в поисках будки или открытого магазина, когда заметила медленно приближавшийся ко мне автомобиль. Во мне зародилась паника. Район был не самый благополучный. Я вдруг ощутила себя вконец беззащитной — глубокой ночью, на улице, промокшей до нитки.

Машина подъехала и покатилась рядом, пока я шла по тротуару и выравнивала шаг. При взгляде на знакомый черный «шевелл» мне стало еще неуютнее. Конечно, он пустился меня искать. Келлан перегнулся через сиденье и опустил стекло. Скептически глядя на меня, он мотнул головой:

— Кира, садись в машину.

Я уставилась на него:

— Нет, Келлан.

Соседство в замкнутом пространстве казалось не лучшей идеей после напряженного эпизода в клубе, особенно с учетом моей злости.

Келлан вздохнул и посмотрел в потолок салона. Вернувшись взглядом ко мне, он с вымученным терпением произнес:

— Льет же. Залезай в машину.

— Нет. — Упершись, я снова уставилась на него.

— Ну, тогда я так и поеду следом до самого дома. — Келлан вскинул брови и самодовольно ухмыльнулся.

Я остановилась:

— Поезжай домой, Келлан. Со мной все будет в порядке.

Он тоже затормозил:

— Нет, одна ты домой не пойдешь. Это опасно.

«Безопаснее, чем ехать с тобой», — подумала я раздраженно и тронулась с места.

— Все будет хорошо.

Театрально вздохнув, он тронулся и свернул за угол. Я решила, что тем и кончится, но Келлан остановился. Увидев, что он выбирается из машины, я вновь замерла. «Проклятье... Почему он не оставит меня в покое?»

Он натянул свою кожаную куртку, однако, пока дошел до места, где я так и стояла столбом, совсем промок. Дождь пропитал его шевелюру, и темные волосы прилипли к его лицу, вокруг глаз, оттеняя торчавшую светлую футболку. Внезапно я вспомнила душ, который он не так давно принял одетым. Он был так красив, что я задохнулась. Беда, сущее наваждение. Мое раздражение возросло. Сию секунду я не нуждалась в нем.

— Кира, полезай в чертову машину. — Келлан тоже начинал свирепеть.

— Нет! — Я оттолкнула его, чтобы катился куда подальше.

Он схватил меня за руку и начал тянуть в салон.

— Нет, Келлан... Прекрати!

Я попыталась высвободиться, но он был сильнее и дотащил меня до пассажирского места. Капли дождя, стекавшие по его шее, заставили меня содрогнуться не только от холода — и я взбесилась. Мне не было нужно это — я не хотела хотеть его! Впадая в ярость, я выдернула руку, едва он отворил дверцу. Зашагала прочь, но он догнал меня и схватил. Я извивалась, брыкалась, однако он держал крепко. Поставив меня у распахнутой дверцы, он отрезал мне своим корпусом пути к отступлению.

— Кира, прекрати — садись в эту чертову машину!

Тело Келлана, мокрое и притиснутое ко мне, сорвало мне крышу. Внутри меня бушевала злость на него за клуб, за мою сестру, за Денни, за все, чему он меня подверг... за то, что он вообще жил на свете. Однако возбудилась я не менее сильно. Свирепо вцепившись в его мокрую шевелюру, я дернула Келлана на себя так, что мои губы оказались на волоске от его. Мои глаза метали молнии, дыхание вырывалось яростными толчками, пока я удерживала наши лица почти впритык. Я жадно впилась в его губы, прохладные от дождя.

Он резко толкнул меня на холодный автомобиль. Кипя от ярости, я едва ощущала озноб. На миг лицо Келлана оставалось шокированным, затем наши взгляды слились.

Отлично, он тоже обезумел. Я слышала, как вокруг нас стучал дождь, разбивавшийся о железную крышу и заливавший кожаные сиденья. Келлан ухватил меня за талию и пригнул, вталкивая в машину. Я видела лишь его гневные, страстные глаза — синие, но потемневшие почти до черноты.

Я ощутила под собой край сиденья, но Келлан пропихнул меня к центру и втиснулся следом. Он ослабил хватку, намереваясь повернуться и захлопнуть дверь. Свободная от его пристального взора, я принялась карабкаться через сиденье, рассудив, что попаду таким образом на другую сторону и снова сбегу. Он развернулся ко мне, стащил за ноги и притянул ближе. Затем он надвинулся на меня, вынудив лечь. Я злобно толкнула его в грудь, но Келлан не отступил.

— Слезь с меня, — выдавила я, пока он сверлил меня взглядом.

— Нет.

В его глазах плавали бешенство и смятение.

Противореча себе, я схватила его за шею, с силой привлекла к себе и проревела:

— Ненавижу тебя.

Он с силой раздвинул мне ноги, оказавшись между, и вжался в меня, прежде чем я успела отреагировать. Я задохнулась и задышала тяжело, ощущая даже сквозь джинсы силу его натиска и возбуждения.

— То, что ты чувствуешь, не ненависть...

Голос Келлана звенел от напряжения. Вне себя от ярости, я уставилась на него ледяным взором. Он коварно осклабился — ни тени веселья в глазах — и тоже тяжело задышал.

— И никакая не дружба...

— Прекрати...

Я дернулась под ним, пытаясь выскользнуть, но он схватил меня за бедра и удержал на месте. Затем повторил движение, подтянувшись на мне, чтобы обрести устойчивость. Застонав, я начала запрокидывать голову. Он положил руку мне на щеку и заставил смотреть в глаза.

— Келлан, все должно было остаться безобидным! — вырвалось у меня.

— Это никогда не было безобидным, Кира. Откуда такая наивность? — бросил он в унисон, дернувшись вновь.

— Господи, я ненавижу тебя... — прошептала я.

Слезы ярости застилали мне взор.

Рассвирепев не меньше, Келлан ответил мне тем же взглядом.

— Нет, ничего подобного...

Снова толчок — уже расторопнее. Закусив губу, он издал стон, от которого по мне пробежал разряд. Я едва переводила дыхание. Вода стекала с его волос на мои мокрые щеки, аромат дождя пьянил, смешиваясь с его запахом. По моей щеке скатилась слеза, слившаяся с водой, натекшей с гривы Келлана.

— Да... Я ненавижу тебя... — повторила я шепотом между вдохами.

Со стоном он толкнулся опять, кривясь от напряжения. В его глазах полыхало пламя.

— Нет... Ты хочешь меня... — выдохнул Келлан, сужая глаза. — Я видел тебя. Я чувствовал, в клубе ты хотела меня.

Его губы зависли над моими, почти касаясь их, тяжелое дыхание обдавало меня. Это было безумием. Он был всем, что я могла видеть, чувствовать, а теперь и вдыхать. Я возбуждалась и одновременно разъярялась.

— Господи, Кира... Ты раздевала меня. — Келлан порочно улыбнулся. — Ты хотела меня у всех на глазах. — Он провел языком по моей щеке до уха. — Черт возьми, я тоже тебя хотел...

Я вцепилась в его мокрые волосы, рванула от себя. Он сделал резкий вдох, но отозвался лишь новым толчком.

— Нет, я выбрала Денни. — Он повторил движение, и я закатила глаза. — Я пошла домой с ним...

Мой взгляд вернулся к Келлану, гнев затопил меня.

— А ты кого выбрал?

На миг он перестал двигать тазом и сурово уставился на меня.

— Что? — спросил он тупо.

— Моя сестра, придурок! Как ты посмел с ней спать? Ты дал мне слово! — Я с силой ударила его в грудь.

Глаза Келлана опасно сощурились.

— Ты не имеешь права упрекать меня в этом. Ты уехала трахаться с ним! — Он ухмыльнулся, искушающе провел руками по моим бедрам. — А она была согласна на все. Взять ее было проще простого... Взять и войти в нее, — шепнул он, распираемый от напряжения.

Я ощерилась и попыталась двинуть ему, чтобы он отлип, но он припечатывал меня крепко.

— Сукин сын.

Он ответил злобным оскалом.

— Кого я поимел, я знаю, а вот ты мне скажи... — Едва способный говорить, задыхаясь от ярости, он пригнулся к моему уху и зашипел: — Скажи-ка мне, с кем трахалась той ночью ты?

Произнеся это, он с силой втолкнулся внутрь. Мощь его движения и грубость вопроса воспламенили меня, заставили застонать и быстро втянуть воздух сквозь зубы.

— Он был лучше меня? — Келлан заглянул мне в глаза, чуть тронул мои губы своими и быстро провел языком по губе. — Настоящее ничем не заменишь. Я буду еще круче...

— Я ненавижу то, что ты со мной делаешь.

Он знал, что я сделала Денни, и я ненавидела его знание. Он был прав: я ненавидела его правоту, ведь происходящее было намного лучше всего, что у меня было с Денни. Я знала, что он прав, и ненавидела за это себя — была бы я с ним...

Келлан пытливо смотрел мне в глаза.

— То, что я с тобой делаю, тебе нравится.

Он провел языком по моему горлу, снимая капли дождя со все еще влажной кожи. Я содрогнулась.

— Ты жаждешь этого, — прошептал он и упрямо добавил: — Это меня тебе хочется, а не его.

Новый толчок, и я запустила пальцы в волосы Келлана. Я потянула к нему губы. Для нас обоих все стало острее, и он застонал точно так же и аккурат тогда же, когда и я.

От нашего тяжелого дыхания запотели стекла. Боже, я ненавидела его. И — господи! — его же хотела.

Я стянула с его плеч куртку, внушая себе, что хочу лишь сделать его таким же, как я сама, озябшим и жалким. Он сорвал ее полностью, сделавшись одержимым, и отшвырнул на заднее сиденье. Его грудь оказалась так близко, что меня ожгло пламенем. Злым огнем, подобным раскаленной лаве.

Я попыталась притянуть его к себе, но он отпрянул, и я вконец обезумела. Он не дал мне дотронуться языком до его приоткрытого рта, и это взбесило меня. Я с силой прошлась ногтями по его спине. Келлан издал странный звук — смесь боли и возбуждения — и уронил голову мне на плечо, еще жестче притиснувшись тазом. Я взвыла и вцепилась в задние карманы его джинсов, прижимая Келлана к себе и обхватив ногами его бедра.

— Нет, я хочу его... — простонала я, удерживая Келлана.

— Нет, ты хочешь меня, — промычал он мне в шею.

— Нет, он бы никогда не тронул мою сестру, — окрысилась я. — Ты обещал, Келлан, ты обещал!

Мой гнев возобновился, и я опять попробовала его отпихнуть, выскользнуть из-под него.

— Что сделано, то сделано. Ничего не изменишь.

Он схватил меня за руки и уложил их по обе стороны от моей головы, снова толкнув бедрами. Я задохнулась, издав глубинный горловой звук.

— Но это... Хватит дергаться, Кира. Просто скажи, что хочешь этого. Скажи, что хочешь меня, как я тебя. — Он придвинулся ртом, сверкая глазами. — Я и так знаю, что хочешь...

Наконец он поцеловал меня...

Мой стон исторгся ему в губы, и я самозабвенно впилась в них. Келлан отпустил мои руки, и я опять занялась его гривой. Он поцеловал меня глубоко, страстно. Его пальцы шарили в моих волосах, стягивая с них ленту. Бедра так и вминались в мои.

— Нет... — Я провела руками по его спине. — Ненавижу... — я схватила его за бедра и потянула к себе, — тебя.

Мы упоенно целовались целую вечность. Между вдохами я продолжала говорить о том, как ненавижу его. Не удаляясь от моих губ, Келлан все так же настаивал, что это неправда.

— Это ошибка, — стонала я, забираясь к нему под футболку, чтобы ощутить сказочно крепкое тело.

Он шарил по мне везде и всюду: трогал волосы, лицо, груди, бедра.

— Знаю... — выдохнул Келлан. — Но как же здорово, черт побери...

Наши ласки продолжались, набирая силу. Я либо нуждалась в большем, либо должна была все это прекратить. Тогда, словно прочитав мои мысли, Келлан покончил с поцелуями и отпрянул. Задыхаясь от желания, он взялся за мои джинсы. «Нет... да... нет», — подумала я, обезумев, не будучи в силах отследить мои стремительно менявшиеся чувства. Келлан начал расстегивать пуговицы, взирая на меня пристально и зло — точь-в-точь как смотрела на него я. Обстановка так накалилась, что я всерьез подумала, что мы готовы воспламениться.

На последней пуговице из четырех я вцепилась в запястья Келлана и уложила его руки за своей головой, у двери, продолжая удерживать его на себе. Наши пальцы туго переплелись, и он застонал, когда наши тела слились заново.

— Хватит, Кира, — прорычал Келлан. — Ты нужна мне. Дай мне волю, и я заставлю тебя забыть о нем. Я могу сделать так, что ты забудешь саму себя.

Понимая, что он абсолютно прав, я содрогнулась.

Он высвободил руку из моей ослабевшей хватки и провел по моей груди, снова к джинсам, одновременно покрывая мою шею неистовыми поцелуями.

— Господи, я хочу войти в тебя... — пророкотал он мне в ухо.

Меня пронзило током, ибо все мое тело откликнулось на его слова — оно отчаянно хотело того же. Из головы, однако, не шла картина утех Келлана с моей сестрой.

— Келлан, остановись! — прошипела я.

— Почему? — огрызнулся он, порождая во мне озноб своими губами. — Ты же хочешь этого... Молишь об этом!

Рыча все это, он сунул руку мне в джинсы, поверх белья. Сближение стало избыточным. Его прикосновение сулило невообразимое наслаждение. Я громко застонала и закрыла глаза. Быстро вновь распахнув их, я обхватила его за шею и придвинула лицом к себе. До чего же я была зла... Его тяжелое дыхание звучало прерывисто, он втягивал воздух сквозь зубы, со стоном. Черт, он был на взводе не меньше моего.

— Нет... Я не хочу.

Мои губы говорили «нет», но его палец путешествовал по кромке моих трусиков, по бедру, и мой голос пресекся. Прозвучало что угодно — только не отказ. Я отняла руку от шеи Келлана в попытке убрать его пальцы, понимая, что стоит ему до меня дотронуться — и конец игре, но он был сильнее, и те оставались в искушающем соседстве.

— Теперь мне ясно, Кира, как сильно ты меня хочешь.

В его глазах горело глубинное, жаркое желание. Я видела, как ему трудно, насколько большего он хотел. Он тяжко застонал, и на его лице отразилась болезненная страсть, смешанная с непреходящим гневом. Ничего круче я в жизни не видела.

— Я хочу тебя сейчас. Я больше не могу ждать, — произнес Келлан, задыхаясь, и высвободил другую руку, которую я все держала, чтобы взяться за джинсы обеими. Он начал быстро стягивать промокшую ткань. — Боже, Кира, мне нужно это...

— Подожди! Келлан... Стой! Дай мне минуту. Пожалуйста... Мне нужна только минута...

Похоже, его страсть пресеклась, когда он услышал нашу старую кодовую фразу насчет того, что нужно сбавить обороты. Его руки замерли. Он сверлил меня тлеющим взором, и у меня захватило дух от его красоты. С великим усилием я заставила себя повторить:

— Дай мне минуту.

Слова вылетали отрывисто.

Келлан поглядел на меня чуть дольше.

— Дерьмо! — вдруг выкрикнул он.

Я вздрогнула, но промолчала. Мне все равно было не вымолвить ни слова.

Келлан сел, все еще сжигаемый страстью, и пригладил влажные волосы. С усилием сглотнув, дыша тяжело и неровно, он уставился на меня.

— Дерьмо! — повторил он и злобно стукнул по дверце позади себя.

Настороженно глядя на него, я застегнула джинсы и села, стараясь успокоить дыхание и сердцебиение.

— Ты...

Он мгновенно заткнулся и покачал головой. Не успела я ответить, как он распахнул дверцу и вышел под проливной ледяной дождь. Я уставилась в проем, чувствуя себя дурой и совершенно не понимая, что делать.

— Твою мать! — заорал Келлан, пиная покрышку.

Дождь уже лил стеной, и по его телу стекали струи, стремительно пропитывая его волосы, сбегая по спине. Келлан еще несколько раз пнул покрышку, матерясь на чем свет стоит. Я таращилась на его истерику. Наконец он отошел от машины и, сжав кулаки, завопил на всю улицу. Ругательство было односложным, зато протяжным.

Задыхаясь от ярости и страсти, он утопил лицо в ладонях, затем быстро пробежался пальцами по волосам. Взъерошив их, он запрокинул голову к небу и закрыл глаза, предоставляя дождю пропитать себя полностью и остудить. Постепенно его дыхание чуть выровнялось, и Келлан уронил руки ладонями наружу, приветствуя ливень.

Он простоял так невыносимо долго. Я наблюдала за ним с места сравнительно теплого и сухого. Он был ошеломляюще прекрасен: мокрые волосы, расслабленное запрокинутое лицо, прикрытые веки, разомкнутые губы.

С каждым вздохом от него разлетались капли воды: дождь заливал его лицо, вода струилась по голым рукам к развернутым ладоням, футболка облепила каждую мышцу великолепного тела. Его тоже начало трясти от холода.

— Келлан! — позвала я, силясь перекричать дождь.

Он не ответил. И не шелохнулся — разве что вскинул палец: одну минуту.

— Холодно... Пожалуйста, иди в машину, — взмолилась я.

Он медленно помотал головой: нет.

Я не понимала, чем он занят, но была уверена, что он собрался замерзнуть насмерть.

— Прости меня. Пожалуйста, вернись.

Он стиснул зубы и вновь отрицательно покачал головой. Значит, все еще злится.

Я вздохнула. Пробормотав: «Да пошло оно все», — я съежилась и сунулась в ливень.

Келлан открыл глаза и, сдвинув брови, смотрел, как я приближалась. Он злился, и очень сильно.

— Кира, вернись в машину.

Он чеканил каждое слово. Страсть в его глазах сменилась стужей не меньшей, чем нагонял дождь.

— Садись в машину, черт возьми! Хотя бы раз послушай меня! — заорал Келлан.

Я попятилась, устрашенная этой вспышкой, а затем разожглась сама:

— Нет! Говори со мной. Не прячься тут, говори со мной! — Теперь я тоже промокла до нитки под ледяными потоками, но мне было наплевать.

Келлан агрессивно шагнул ко мне.

— Что ты хочешь услышать? — выкрикнул он.

— Почему ты не оставишь меня в покое? Отвечай! Тебе же сказано, что все кончено, я хотела Денни. Но ты все равно меня мучаешь... — Мой голос срывался от гнева.

— Я тебя мучаю? Нет, это ты... — Он умолк и отвернулся.

— Я — что? — проорала я в ответ.

Не надо было его трогать. Не надо было прикасаться к пуговицам...

Он резко уставился на меня. Глаза сверкали от ярости, улыбка была холодной.

— Уверена, что хочешь знать, о чем я сейчас думаю? — Он сделал еще один шаг, и я невольно отступила. — Я думаю, что ты гребаная динамщица, и надо было мне просто трахнуть тебя — и делу конец!

Вся бледная, я таращилась на него, а он шагнул снова и остановился передо мной.

— Надо бы трахнуть тебя прямо сейчас, как шлюху, ведь ты и есть...

Он не договорил — я съездила ему по роже. Всякое сострадание к нему моментально испарилось. Все нежные чувства, которые я испытывала в его адрес, мгновенно улетучились. Дружеского настроя тоже как не бывало. Я хотела, чтобы он убрался. Перед глазами все затуманилось от слез.

Взбешенный уже всерьез, он хамски толкнул меня к машине.

— Ты это начала. Все это твоя работа! К чему, по-твоему, катился наш «невинный» флирт? Как долго ты собиралась морочить мне голову? — Он грубо схватил меня за руку. — Что же, я до сих пор тебя мучаю? Все еще хочешь меня?

Слезы, хлынувшие из моих глаз, мешались с потоками дождевой воды.

— Нет... — проскулила я. — Теперь я тебя по-настоящему ненавижу!

— Отлично! Тогда полезай в гребаную машину! — взревел он и втолкнул меня внутрь.

Я кое-как нашарила сиденье, начиная плакать, и Келлан захлопнул за мной дверцу. От резкого звука я вздрогнула. Мне хотелось домой, к уютному и безобидному Денни. Я больше не хотела видеть Келлана.

Он долго прохаживался снаружи — не иначе хотел успокоиться, а я рыдала внутри, смотрела на него и хотела оказаться где-нибудь далеко. Затем он уселся за руль, шваркнув дверью.

— К черту! — сказал вдруг Келлан, ударяя по рулевому колесу. — К черту, Кира, к черту, к черту!

Он лупил и лупил, и я отодвинулась.

Уронив голову на руль, он так и остался сидеть.

— К черту, нельзя было здесь оставаться... — пробормотал Келлан.

Подняв голову, он забарабанил пальцами по переносице. Я вымокла до нитки, он тоже промок насквозь, вода сочилась отовсюду. Он фыркнул, и его передернуло от холода: его губы стали чуть ли не синими, а лицо было очень бледным.

Я отвернулась от него и продолжала рыдать, когда он наконец завел мотор и включил печку. Мы ждали в неуклюжей тишине. Прошло совсем немного времени, и он шмыгнул носом и спокойно произнес:

— Прости, Кира. Я не должен был так говорить. Этого не должно было случиться.

В ответ я могла только плакать.

Он вздохнул, потянулся за спину и взял с заднего сиденья мою куртку. Я оглянулась и увидела там же сумку: Келлан забрал и то и другое. Он без слов подал мне куртку, я проглотила комок и натянула ее — благодарная, но все равно не нарушая молчания. Он тоже ничего не сказал и направил машину к дому.

Въехав на подъездную дорожку и заглушив двигатель, Келлан немедленно вышел под дождь, который все не кончался, и скрылся в доме, оставив меня одну глазеть ему вслед. Сглотнув опять, я вошла и поднялась по лестнице. У его двери я задержалась. Он был у себя — я заметила мокрые следы на ковре. Я ненавидела его. Посмотрев на свою дверь, за которой меня ждал Денни — скорее всего, спавший, — я вновь бросила взгляд на дверь Келлана. Мне захотелось вернуться с Денни в Огайо, к мирному родительскому очагу. Затем в тишине до меня донесся звук, которого я никак — никогда — не рассчитывала услышать.

Я набрала в грудь воздуха, отворила дверь в комнату Келлана и бесшумно прикрыла ее за собой.

Келлан сидел посреди кровати, разнеся воду повсюду, грязь с обуви пропитала простыни. Руками он крепко обхватил ноги, головой уткнулся в колени. Его трясло, но не от холода. Он плакал и дрожал при этом.

Он ничего не сказал, когда я присела рядом с ним, содрогавшимся, не взглянул на меня и не перестал плакать. Меня захлестнул шквал эмоций: ненависть, вина, скорбь, даже желание. Я предпочла сочувствие и обняла его за плечи. У него вырвался всхлип, и Келлан, припав ко мне, обнял меня за талию и положил голову мне на колени. Совсем обезумев, он цеплялся за меня, будто я готова была исчезнуть в любой момент. Он до того захлебывался рыданиями, что едва мог вздохнуть.

Я склонилась над ним, гладя его по волосам и по спине, и на глаза мои вновь навернулись слезы. При виде его страданий всякая обида на сказанное улетучилась. Мне стало совестно, до чего же я его довела. Он был прав — в грубом, вульгарном смысле. Я и была динамщицей. Провоцировала его. Постоянно увлекала его на грань, а затем уходила к другому. Причинила ему горе. Я *причиняла* ему горе. Он взорвался, что я в известном роде и заслужила, и он же ненавидел себя за это.

Он сотрясался, не в силах уняться. Промозглость передалась и мне, — отчасти он все же наверняка дрожал потому, что промок. Я завела руку за спину, и Келлан вцепился крепче, как будто боялся, что я уйду. Сграбастав край одеяла, почти свалившегося с разоренной постели, я подтянула его и укрыла нас обоих. Прислонившись к спине Келлана, я обвила его руками. Мое тело начало наконец согреваться и, в свою очередь, сообщало тепло ему. Озноб стал стихать.

Прошла, казалось, целая вечность, пока его рыдания сменились тихими всхлипываниями, а после успокоились и они. Я продолжала молча прижимать его к себе и с удивлением осознала, что слегка баюкала его, как ребенка. Чуть позже его хватка ослабла, дыхание выровнялось, и я поняла, что он — опять же подобно младенцу — уснул у меня на руках.

Мое сердце томилось от массы эмоций. Я не могла выделить все и старалась забыть наш ужасный вечер, но тот начал сам собой проигрываться в моей памяти. Встряхнув головой в попытке отогнать неприятные воспоминания, я легонько поцеловала волосы Келлана и погладила его по спине. Со всей осторожностью я выскользнула из-под него. Он пошевелился, но не проснулся. Когда я отодвинулась, он инстинктивно потянулся ко мне, вновь обхватил мои ноги и крепко держал их, все продолжая спать. Сердцебиение, проглатывание комка — все заново. Я аккуратно высвободилась. Келлан скривился, пробормотал: «Нет», — и я ненадолго решила, что он пробудился, и понаблюдала за ним еще минуту, но он больше не шелохнулся и ничего не сказал.

Я вздохнула и провела рукой по его волосам. Слезы брызнули в который уж раз, и я испытала отчаянное желание уйти. Подоткнув одеяло так, чтобы Келлан оставался в тепле, я выскользнула из его комнаты и ушла в свою.

ГЛАВА 17

ВСЕ ПУТЕМ

Утром Келлан спустился в кухню после меня. Он не переоделся и зачесал назад высохшие за ночь волосы. Его глаза были неимоверно усталыми и все еще покрасневшими. Он вдоволь наплакался. Я неуверенно взглянула на него. Келлан остановился в дверях и помедлил, смотря на меня с тем же выражением. Наконец он вздохнул и направился к кофеварке, которую я караулила.

— Мир? — вскинул он руки.

— Мир, — медленно кивнула я.

Келлан облокотился на стойку и прислонил к ней ладони.

— Спасибо, что побыла со мной ночью, — прошептал он, глядя в пол.

— Келлан...

Он перебил меня:

— Я не должен был говорить таких вещей, ты совсем другая. Прости, если напугал. Я был страшно зол, но ни за что бы тебя не обидел, Кира... Это не нарочно. — Он встретился со мной взглядом. Его голос оставался ровным, но в глазах плавало беспокойство. — Меня занесло. Нельзя было ставить тебя в такое положение. Ты не... Ты ни в коем случае не... — Келлан отвернулся, мучимый стыдом. — Не шлюха, — договорил он тихо.

— Келлан...

Он вновь перебил:

— Я никогда... — Вздохнув, он чуть слышно прошептал: — Я не стал бы тебя заставлять, Кира. Это не... Я не...

Он застыл и умолк, снова глядя себе под ноги.

— Я знаю, что не стал бы.

Внезапно я растерялась — что еще сказать? Я в той же мере была в ответе за случившееся, и мне было ужасно стыдно за мою долю.

— Прости. Ты был прав. Это я... Я тебя спровоцировала.

Тронув его за щеку, я заставила его развернуться ко мне лицом. Он был прекрасен и при этом в той же мере опечален и полон мук совести.

— Прости за все, что я натворила, Келлан.

Его страдальческий взгляд разбивал мне сердце.

Он озадаченно посмотрел на меня.

— Нет... Я просто спятил. Это я был неправ. Ты ни в чем не виновата. Тебе не за что извиняться...

Я оборвала его:

— Нет, есть за что. — Мне пришлось понизить голос, хоть я и без того говорила тихо. — Нам обоим известно, что я сделала не меньше твоего. Я зашла так же далеко, как и ты.

— Ты же четко мне говорила, постоянно, — чуть нахмурился Келлан. — А я не слушал... Тоже постоянно. — Он снова вздохнул и отвел мою руку от щеки. — Я был просто чудовищем. Это я зашел далеко, вообще вышел за грань.

Он провел рукой по лицу.

— Я ужасно виноват.

— Нет, Келлан... Я вела себя не пойми как. Показывала тебе то одно, то другое.

В моих словах звучал отказ, но тело явно твердило ему о другом. Мог ли он быть в ответе за это?

Голос Келлана исполнился пыла.

— «Нет» — вполне понятное слово, Кира. И «прекрати» — тоже.

— Ты не чудовище, Келлан. Ты бы никогда...

И снова он встрял:

— Но я и не ангел, Кира... Не забывай! А ты понятия не имела, на что я способен, — закончил он тихо, опасливо глядя на меня.

Я не знала, что он имел в виду, но отказывалась поверить, будто он собирался... будто он мог меня изнасиловать.

— Келлан, мы оба наломали дров, — сказала я, опять дотронувшись до его щеки. — Но ты никогда бы не применил ко мне силу.

Он страдальчески смотрел на меня — и наконец притянул к своей груди для крепкого объятия. Я обвила руками его шею и на какой-то миг позволила себе уверовать, будто перенеслась на несколько месяцев в прошлое и мы — всего лишь товарищи, делающие приятное друг другу. Но это было не так. Наша дружба переросла в страсть, и это пламя, единожды возгоревшееся, уже было не погасить.

— Ты была права. Нам нужно покончить с этим, Кира.

Он смахнул с моей щеки слезу, потом вторую — я даже не сознавала, что плачу. Затем он заключил мое лицо в свои ладони, поглаживая мою щеку большим пальцем. Жест был настолько ласковый, что сердце мое забилось, но я знала, что он прав, и поняла это не сегодня.

— Знаю.

Я закрыла глаза, и по щекам скатилось еще несколько слезинок. Келлан мягко скользнул губами по моим губам. Всхлипнув, я притянула его плотнее. Он поцеловал меня, но не так, как я ожидала. Поцелуй оказался иным, заботливым и нежным, — такого еще никогда не было. Палец Келлана продолжал скользить по моей щеке.

Келлан целовал меня еще с минуту, а затем со вздохом отстранился. Отняв руку от моей щеки, он пробежался пальцами по моим волосам и ниже, по спине.

— Ты была права. Ты сделала свой выбор. — Он привлек меня ближе, почти касаясь моих губ. — Я все равно хочу тебя, — прорычал он, но его голос тут же смягчился, и он снова отстранил меня. — Но только не пока ты с ним. Не так, как вышло прошлой ночью.

Он произнес это с тоскливым желанием, и взгляд его сделался еще более усталым.

— С этим... — Келлан провел пальцем по моим губам, и по щекам заструились новые слезы. — С этим покончено.

Он тяжко выдохнул, и его глаза тоже заблестели.

— Не очень-то я рад с тобой расставаться. — Келлан убрал руку с моих губ и сглотнул. — Эта ночь не повторится. Я больше пальцем тебя не трону. На этот раз даю слово.

В его тоне обозначилась окончательная решимость.

Затем он с печальной улыбкой повернулся, чтобы уйти. В дверях он задержался и вновь обратился лицом ко мне.

— Вы с Денни прекрасная пара. Ты должна оставаться с ним. — Келлан опустил глаза, пару раз стукнул по косяку, а после, кивнув, посмотрел на меня, и по его щеке скатилась слеза. — Я все улажу. Все будет путем.

Затем он ушел. Я провожала его взглядом — сконфуженная, в слезах. Когда шаги Келлана затихли, я вздохнула и опустила голову на руки. Разве не этого я хотела? Откуда же такая печаль, как будто я неожиданно лишилась всего, что у меня было?

Келлан остался верен сказанному: он больше не подкатывал ко мне и держался пристойно. По сути, он старался вообще до меня не дотрагиваться. В помещении он будто бы ненароком устраивался подальше. Он делал все, чтобы мы не соприкасались даже рукавами, и моментально извинялся, случись нам нечаянно друг друга задеть. Однако он по-прежнему следил за каждым моим движением. Я постоянно ощущала на себе его пристальное внимание. В известном смысле я предпочла бы лучше соударяться, чем выдерживать эти взгляды.

Я старалась сосредоточиться на учебе, но погружалась только наполовину. Лекции, все такие же интересные и побуждающие к раздумьям, захватывали меня не так, как раньше, и я систематически отвлекалась. Я силилась больше думать о Денни. После клуба он несколько воспрянул духом, из-за чего я чувствовала себя ужасно виноватой, но на работе он так и продолжал влачить жалкое существование. Он прожужжал мне все уши своими жалобами на Макса и его бессмысленные поручения, но я готова искренне признаться, что на самом деле не слышала ни слова. Я постоянно уносилась далеко в своих мыслях. Я пыталась сосредоточиться на Дженни и Кейт, сдружившись с ними крепче. Иногда мы встречались выпить кофе перед работой, и они болтали о своих кавалерах. Не зная, чем поддержать такие беседы, я слушала вполуха, улетая думами к Келлану.

Я даже попробовала сконцентрироваться на семье и стала чаще звонить домой. Мама уловила мое настроение и немедленно стала приглашать меня приехать. Папа обвинил Денни в том, что тот разбил мне сердце, когда покинул меня, но я заверила его, что он ошибается. Это я разбила ему сердце, если уж на то пошло, когда списала со счетов за расставание со мной, хотя он вовсе не собирался этого делать. А сестра... Пока я не могла с ней разговаривать. Нет, я не злилась на нее, ничего такого. Мысленно я даже простила Келлана, хоть и негодовала. Ну, может быть, не простила, но загнала воспоминания об этом на самые задворки своего сознания. Но с Анной так не выходило. Мне был невыносим самый звук его имени, слетавший с ее губ. Не сейчас... А может, и никогда.

Дни летели, и я обнаружила, что мне не хватает Келлана — его прикосновений, наших мирных бесед за кофе, его смеха при пересказе какой-нибудь байки, пока он вез меня через город. Я начала задумываться, не попытаться ли заново.

— Келлан, — сказала я негромко однажды утром, когда спустилась на кухню. — Пожалуйста, не уходи. Нам надо научиться общению наедине.

Он помедлил и посмотрел на меня, в синих глазах стояла печаль.

— Лучше бы нам этого не делать, Кира. Так безопаснее.

— Безопаснее? — нахмурилась я. — Можно подумать, мы бомбы с часовым механизмом.

— А разве нет? — улыбнулся краешком рта Келлан, вскидывая брови. Улыбка померкла, и он вдруг показался до крайности утомленным. — Смотри, что получилось. Я никогда не прощу себя за те слова.

Я вспыхнула, обожженная ужасным воспоминанием, и опустила глаза.

— Перестань. Ты был прав. Чудовищно груб, но прав. — Я посмотрела на него исподлобья.

— Кира, ты не... — поморщился он и шагнул ко мне.

Я перебила его, не желая возобновлять тот жуткий разговор:

— Разве нельзя немножко восстановить нашу дружбу? Общаться? — Я направилась к нему, и между нами остался лишь шаг. — Дотрагиваться?

Келлан немедленно отступил назад, сглотнул и замотал головой:

— Нет, Кира. Ты была права. Мы к этому не вернемся. Глупо даже пробовать.

К глазам подступили слезы. Я вконец истосковалась по былому.

— Но я хочу. Трогать тебя, обнимать... и ничего больше.

У меня была ломка сродни наркотической. Я хотела очутиться в кольце его теплых рук, положить голову ему на плечо — и все.

Усталые глаза Келлана закрылись, и он глубоко вздохнул, прежде чем открыть их снова.

— Нет, нельзя. Обнимай Денни. Он хороший парень и подходит тебе по всем статьям... А я — нет.

— Ты тоже хороший.

Я не могла не вспоминать, как он всхлипывал у меня на руках. Никогда не видела, чтобы кто-нибудь так мучился.

— Это вовсе не так, — прошептал Келлан, выходя из комнаты.

Его слова эхом отдавались в моей голове, когда я сидела с Денни, пока тот собирался на работу. Денни бодро поцеловал меня, надевая рубашку. Мне захотелось отпрянуть, а потом стало стыдно за это желание. В моем несчастном положении не было вины Денни. Помимо того, сколько времени он отдавал работе (а я постоянно напоминала себе, что он и в этом не виноват), с тех пор как Денни вернулся, он вел себя безупречно. Он был сердечен, мил, весел, обаятелен и неизменно старался сделать меня счастливой. Его настроение оставалось практически ровным, а любовь и верность ни разу не пошатнулись. Я пребывала в прочной уверенности насчет его чувств ко мне... С Келланом было не так. Так почему я так переживала его потерю? И можно ли потерять нечто, тебе никогда не принадлежавшее? Я обдумывала это, когда Денни присел рядом и ласково поцеловал меня.

— Эй, я прикидывал...

Я вздрогнула, осознав, что он обращался ко мне.

— Что? — переспросила я, заставляя себя вернуться в настоящее.

— Еще не проснулась? — усмехнулся Денни. Он покачал головой, надевая ботинки. — Это не к спеху, ложись, поспи еще.

Он глянул на меня и тепло улыбнулся.

— Ты же не обязана вставать со мной каждое утро. Я знаю, ты поздно приходишь. — Он потянулся и снова поцеловал меня. — Спать-то нужно.

Я горько усмехнулась, зная, что просыпалась с утра пораньше вовсе не из-за Денни. В стремлении отогнать болезненные мысли, которым вообще не положено было меня посещать, я вернула Денни на прежние рельсы:

— Нет, продолжай, я проснулась... Что ты там прикидывал?

Он зашнуровал ботинки и уперся локтями в колени. Затем посмотрел на меня, имея вид несколько дурацкий, провел рукой по лицу. Мне вдруг стало интересно, с чего это он замялся и о чем узнал, если так смотрит.

— Что? — нерешительно повторила я.

Не замечая вымученности вопроса, Денни ответил:

— Ты думала, чем займешься на зимних каникулах, в следующем месяце?

Я моментально расслабилась.

— Да не особенно. Хотела в канун Рождества поехать домой и остаться там на выходные. — Я озадаченно посмотрела на него. — Тебе не вырваться?

Денни расплылся в улыбке:

— Наоборот — я вытребовал целую неделю отпуска.

Я настороженно изучала его. Денни был не из тех, кто требует.

— Вытребовал?

Мое недоверие развеселило его.

— Ладно... Ясно, что контора закроется на это время. Никто не собирается работать... Даже Макс. — Он снова застенчиво осклабился. — Так что я и вправду гуляю целую неделю... и... — Денни опустил глаза и сцепил пальцы. — Буду рад отвезти тебя домой.

В смятении я моргнула. Разве не об этом я только что говорила?

— Хорошо, я так и думала...

Он посмотрел снова, на сей раз серьезно:

— Ко мне домой, Кира... В Австралию. Я хочу познакомить тебя с родителями.

— О, — только и выговорила я, удивленно потупившись.

Мне всегда хотелось с ними встретиться, пусть даже эта мысль ужасала. Но в последнее время так много всего изменилось. Они догадаются. Родительское шестое чувство подскажет им, и они с первого взгляда объявят меня шлюхой и разоблачат перед Денни. Я знала это — и точка. Лететь было нельзя. Но Денни этого не поймет.

— Денни, но как же Рождество? Я всегда встречала его с родителями, не пропустила ни одного. — Я потерянно вздохнула, удрученная недавним соображением и перспективой не увидеться в праздники с близкими. — А в другой раз нельзя?

Он вздохнул, и я посмотрела на него, изучавшего свои руки.

— Не знаю, Кира, удастся ли. Бог весть, когда я еще от-делаюсь от Макса? — снова вздохнув, он пригладил воло-сы и повернулся ко мне. — Давай ты хотя бы подумаешь?

Я могла только кивнуть. Классно, одной заботой боль-ше. Как будто голова и без того не забита. Денни задумчи-во взглянул на меня, потом встал и закончил сборы. Я все еще сидела на кровати, размышляя, когда он поцеловал меня на прощание.

Значительная часть меня тревожилась насчет мнения его родителей, однако наблюдение за Келланом в ходе ве-черней смены вызвало к жизни иное потрясение. Я буду от-чаянно скучать по нему. Глядя на него, сидевшего с друзь-ями за столом и следившего за мной, я подумала, что сто-ило, быть может, просто обсудить с ним случившееся. Но я не сделала этого. Мне было ясно, что в любом случае он ответит: поезжай с Денни, нам полезно побыть врозь, ты будешь с ним, он твой парень и так далее и тому подоб-ное. Большую часть перечисленного рассудок уже подска-зывал мне, но сердце? С выходными отпуск Денни мог растянуться почти на две недели — вдали от жгучих синих глаз Келлана... Что ж, одна только мысль об этом вывела мою ломку на новый виток.

❖ ❖ ❖

Через пару дней после предложения Денни я очнулась от глубокого сна в полном смятении. Чувство было стран-ное, и я не понимала, в чем дело. Должно быть, мне снова привиделся сон. Всю неделю мне снился наш с Келланом последний мучительный поцелуй. Наш несказанно неж-ный поцелуй, который не хотелось прерывать. Но после в его глазах осталась печаль, была горькая слеза, скатившая-ся по щеке, когда он вышел, были зловещие прощальные слова. Я тихо вздохнула, переживая борьбу многих чувств.

По волосам и спине пробежались легкие пальцы, и я чуть поморщилась. Меня всегда мучила совесть, когда Денни трогал меня, а я думала о Келлане, а в последнее время я только о Келлане и думала. Мне все еще было непонятно, лететь с Денни или нет. Даже если мы не отправимся в Австралию, то поедем к моим родителям, а там будет Анна. Ситуация была почти патовая. Мне предстояло либо лететь в другую страну знакомиться с людьми, которые обязательно вскроют мое предательство по отношению к их сыну, либо столкнуться с Анной, которая всю неделю будет трещать о своем кошмарном приключении с Келланом. Круг замкнулся: мне в любом случае придется на время с ним расстаться. Господи боже — я буду скучать, пусть даже между нами все кончено...

— Доброе утро, — знакомый голос, лишенный акцента, поразил меня в самое сердце.

Мгновенно отвлекшись от дум, я развернулась и оказалась лицом к лицу с потрясающе сексуальным и очень довольным Келланом, который вперил в меня свой взор. Теперь я лучше сориентировалась в окружающей обстановке. Глянула вниз, на чужую простыню, чуть прикрывавшую мою грудь, она же лежала чуть выше обнаженной талии Келлана. Я окинула взглядом комнату — его комнату. Сердце бешено забилось, когда я увидела свет позднего утра, проникавший в окно.

— Господи... — прошептала я, когда Келлан небрежно погладил мою щеку рукой и потянул к себе для поцелуя.

Он рассмеялся — насыщенно, с чувством — и съязвил, целуя меня:

— Нет... Это всего лишь я.

Я оттолкнула его, чересчур явственно ощутив подушечками пальцев его голую грудь и слишком остро сознавая, что обнаженное тело Келлана находилось в считаных сантиметрах от меня.

— Что случилось? Я ничего не помню. Почему мы... Мы что, занимались?..

Отлично, мне перестали удаваться законченные мысли. Келлан смятенно отодвинулся дальше.

— Ты в порядке? — Он непристойно улыбнулся. — Не спорю, утро выдалось жаркое, но разве я вывел тебя из строя?

Он подмигнул, готовясь к новому поцелую.

Меня захлестнула паника.

— Боже! Значит, занимались. Келлан, мы же с этим покончили. Мы не... Мы не можем...

— Кира, я начинаю тревожиться. — Он озабоченно сдвинул брови.

— Лучше объясни, что происходит! — Мой голос оказался слишком тонким и громким. С великим усилием я приглушила его. — Где Денни?

— Кира, он на работе. Мы всегда занимаемся этим, когда он там. — Келлан оперся на локоть и нахмурился. — Ты что, и правда не помнишь?

— Нет... — прошептала я. — Как это — «всегда»?

Он склонился надо мной, пальцем поглаживая щеку.

— Кира, Денни идет на работу, мы приходим сюда, у нас происходит... — он закусил губу и соблазнительно улыбнулся, — ошалелый, крутейший секс перед твоими занятиями.

Он пробежался пальцами по моим волосам.

— Иногда, как сегодня, ты прогуливаешь и чуть не весь день лежишь со мной. — Келлан поцеловал меня ласково и нежно. — Мы занимались этим неделями. Как можно забыть?

Я таращилась на него, пребывая в шоке.

— Но... но нет. После той ссоры в машине мы все прекратили. Ты сам прекратил. Ты пообещал...

— Но я сказал и о том, что мне не очень-то удается держать дистанцию, — сухо улыбнулся он. — Мы предназначены друг для друга, Кира. Мы нужны друг другу. Разлука оказалась невозможной. Когда мы сдались, стало намного лучше. — Он снова поцеловал меня — медленно и даже еще нежнее. — Я покажу тебе...

Я так растерялась, что оледенела. Ни о чем таком я не помнила, за исключением последнего болезненного объятия на кухне. Спи я с ним ежедневно — разве я не запомнила бы? Может быть, он чем-то накачал меня?

Больше я не могла размышлять: Келлан целовал меня, придерживая за щеку. Он надвинулся на меня, протолкнувшись коленом между моих ног. Он впился в мои губы, и поцелуй стал крепче. Я задохнулась, захваченная ощущениями, которые наполнили мое тело, но не знала, как это остановить, и не имела понятия, должна ли останавливать. Через мгновение я подумала, что нужно сложить оружие и уступить тому, чему я и так, по всей очевидности, нередко уступала, но в этот момент распахнулась дверь.

На пороге стоял Денни, в ужасе и ярости глядевший на нас.

— Кира?

Я быстро села и спихнула с себя чрезвычайно спокойного Келлана.

— Денни... Подожди, я все объясню. — Но я не имела ни малейшего представления, как объяснить хоть самую малость.

Пылая бешенством, Денни устремился к постели:

— Объяснишь? — Он навис надо мной. — Тебе незачем объяснять, какая ты шлюха! Я и сам отлично вижу!

Я начала всхлипывать. Келлан медленно сел в постели и весело взглянул на меня.

Денни схватил меня за руку и потряс:

— Кира?

Голос был заботливый и ласковый, но глаза еще полнились яростью. Он повторил, и я в смятении хапнула воздух. Его мягкий тон никак не сочетался с негодующим лицом.

Я резко проснулась. Стояла ночь. Я была в пижаме. В своей комнате... и Денни спокойно лежал рядом, слегка потряхивая меня за руку.

— Тебе приснился кошмар, все хорошо.

Акцент звучал тепло и уютно.

Я сморгнула слезы. Слава тебе господи... просто сон. Слезы вдруг вернулись — теперь уже слезы печали, и я моргнула опять. Всего-навсего сон...

— Может, расскажешь? — сонно осведомился Денни.

— Я не помню, — помотала я головой. Со всей осторожностью я посмотрела на него. — Что-нибудь говорила?

— Нет... Просто всхлипывала, тряслась. Точно испугалась.

Нахлынуло облегчение.

— Ох. — Я села в постели, и Денни начал приподниматься за компанию. — Нет, лежи. Просто хочу попить.

Он кивнул и повалился назад, закрывая глаза. Нагнувшись, я поцеловала его в лоб — он улыбнулся, — встала и тихо вышла за дверь. Ну и сон, черт бы его побрал. Я даже не посмела взглянуть на дверь Келлана, когда проходила мимо. Откуда такое наваждение? Ответа на этот вопрос я не знала, и это меня тревожило...

Я тихо вошла в кухню, все еще обдумывая сновидение, и замерла на пороге. Там был Келлан — что удивительно, не один. Он прижимал к холодильнику высокую брюнетку. Мне была видна голая женская нога, обвившаяся вокруг него, рука же Келлана гуляла под короткой юбкой. Они упоенно целовались, и эта особа вконец потеряла голову от счастья быть с ним. Он лучше осознавал обстановку и посмотрел на меня, когда я появилась в дверях.

Секунду на лице у него держался шок, а женщина тем временем переключилась на шею Келлана, его щеку и ухо. Ее рука скользнула вниз по груди до кромки его джинсов. Потом уверенно задержалась ниже, дернулась вверх, и женщина застонала. Мой желудок взбунтовался, и мне захотелось уйти, но я не могла оторваться от этого зрелища.

К Келлану вернулось самообладание, и он повернулся к женщине. Она попыталась поцеловать его, но он ловко увернулся.

— Солнышко, — проворковал он, и та ответила восторженным взглядом, закусывая губу. — Подожди меня наверху, а? Мне надо поговорить с соседкой.

Она даже не посмотрела на меня. Не сводя с него глаз, она кивнула и задохнулась, когда он склонился, чтобы еще раз поцеловать ее взасос. Она была готова вновь раствориться в нем, но Келлан отстранился и решительно проводил ее к выходу.

— Правая дверь. Буду через секунду, — пропел он снова.

Барышня хихикнула и буквально выпорхнула из кухни — прямиком к нему в койку.

«Сейчас меня вырвет», — подумала я. Мне захотелось согнуться над раковиной — пусть вывернет здесь, зачем куда-то идти. Келлан задержался в дверях, стоя спиной ко мне. Оттуда он небрежно бросил через плечо:

— Как по-твоему, если она ошибется дверью, что будет с Денни — возбудится или расстроится?

Я потеряла дар речи. Он повернулся ко мне лицом, и долю секунды в глазах его сохранялось озадаченное выражение, сменившееся спокойствием. Келлан сделал несколько шагов в мою сторону. Готовая отступить, я удержалась на месте.

— Ты говорила, что хочешь знать, когда я буду с кем-то встречаться. Ну вот, пожалуй, я встречаюсь.

Я все еще не находила слов, и он продолжил:

— У меня намечается секс. Я обещал не делать из этого тайны, так что... — Он помедлил, сделав глубокий вдох. — Сейчас я пойду наверх и...

Мое лицо исказилось в гримасе отвращения и ужаса, при виде которой Келлан немедленно прекратил растолковывать свои намерения. Я и так представляла их предельно живо.

— Но было же обещано: не скрывать. Я и не скрываю. Полная откровенность, правильно?

Я расстроилась. Когда мы договаривались, мне вовсе не хотелось, чтобы он приводил домой незнакомок, а я бы слушала их через наши тонюсенькие стены. Скорее, я воображала, что ему понравится кто-то, они будут гулять за ручку месяцами и только потом, может быть, отправятся в гостиничный номер, куда-нибудь подальше от меня, и я пойму. Пожалуй, сценарий получился несколько надуманным.

— Ты хоть знаешь, как ее зовут? — спросила я гневно. С секунду он тупо смотрел на меня.

— Нет, Кира, мне это ни к чему, — прошептал он, и я смерила его ледяным взглядом. Келлан ответил тем же и огрызнулся: — Не суди, и не судима будешь.

С этими словами он повернулся и вышел вон.

Моя жажда прошла, и я почти опрометью взлетела наверх, как только обрела способность двигаться. Оставшуюся часть ночи меня корежило от смеха и постыдных звуков, доносившихся из комнаты Келлана...

❖ ❖ ❖

На следующее утро я не стала вставать спозаранку и ждала, когда проснется Денни. В моем воображении неотступно стояла картина: женские руки шарят по джинсам Келлана, гуляют взад и вперед, — а несносные звуки так и отдавались в ушах. При воспоминании о подслушанном я проглотила слезы, — эта особа вела себя шумно. Я слышала, как посреди ночи она ушла (ночевки, видимо, не поощрялись), но этим утром у меня не было желания оставаться с Келланом тет-а-тет. Неизвестно, что оказалось более сюрреалистичным: мой дикий сон или обнаружение его в компании с этой бабой. Так он и представлял себе свидания?

Денни проснулся немного позже и улыбнулся, когда увидел, что я так и лежу рядом: в моих привычках было смыться, пока он спал. Он потянулся ко мне и принялся целовать в шею, но я застыла, и он со вздохом прекратил. Не то у меня было настроение. Я терпеливо дождалась, пока он сядет, потянется, встанет, и только потом подошла к нему с лучшей улыбкой, какую смогла из себя выдавить.

— Все в порядке? У тебя усталый вид, — заметил Денни, приятно взъерошивая мне волосы.

Я кивнула и попыталась улыбнуться ярче:

— Просто не выспалась... Все хорошо.

Мы оделись и приготовились встретить день. Я провозилась подольше — сколько могла, чтобы Денни не опоздал, и он наблюдал за мной с доброй улыбкой, неизменно терпеливый, всегда готовый уделить мне хоть малую толику времени, если была такая возможность. При мысли об этом я проглотила комок и взяла его за руку. Мы вместе спустились на кухню. Келлан, конечно, не спал и смотрел телевизор в гостиной. Заслышав нас, он вырубил ящик и перебрался за стол. Денни улыбнулся, тогда как я закатила глаза и подавила вздох.

Поздоровавшись, Келлан спросил у Денни, странно поглядывая на меня:

— Я хотел пригласить пару друзей вечером. Вы, ребята, не против?

Денни ответил за двоих:

— О чем разговор, старина... Это же твой дом.

Улыбнувшись, Денни хлопнул его по плечу и направился к холодильнику, чтобы наскоро приготовить нам завтрак.

Келлан глянул в мою сторону, я же молча стояла возле стола.

— А ты как — стерпишь предстоящее?

Залившись краской, я потупилась, уловив паузу в вопросе и осознав его истинный смысл.

— Конечно да... Делай что хочешь.

Оглядываясь назад, я думаю, что лучше мне было, наверное, остаться честной и сказать «нет».

Весь оставшийся день я была как в тумане. И на занятиях, и в ходе рабочей смены я постоянно металась мыслями между последним ласковым поцелуем в кухне, пригрезившейся мне во сне интрижкой и длинноногой брюнеткой, притиснутой к холодильнику.

Смена была в разгаре, когда ввалились «Чудилы», но Келлана с ними не оказалось. Он, вероятно, уже развлекался дома. Если он не позвал своих парней, то одному богу было известно, кого я там обнаружу, когда вернусь. От тяжких предчувствий у меня засосало под ложечкой. Я правда не знала, чего ожидать, и представления не имела, что Келлан подразумевал под «парой друзей».

Я принесла группе пиво, и Эван заметил, что я витаю в облаках.

— Кира, с тобой все нормально? — учтиво осведомился он. — Ты вроде как не в себе.

Гриффин был не так вежлив:

— Точно-точно — небось, месячные?

Мэтт толкнул его в грудь, настолько напомнив мне Келлана, что я сглотнула комок.

— Нет, все в порядке... Просто устала. — С секунду задумчиво на них посмотрев, я выпалила: — А вы собираетесь к нам домой — к Келлану на пирушку?

Мэтт удивленно взглянул поверх Гриффина:

— У Келлана пирушка?

— Разве он вам не сказал? — нахмурилась я.

Гриффин выглядел оскорбленным.

— Нам, знаешь ли, есть чем заняться и без Келлана Кайла.

Я зарделась, и Эван быстро ответил:

— Нет, я в любом случае не иду. У меня свидание.

Он подмигнул мне, сверкая теплыми карими глазами в предвкушении новой интрижки.

Мэтт тоже помотал головой, пригладив вздыбленные волосы.

— Нет, я нынче не в настроении зависать с фанатками Келлана. — Он посмотрел на Гриффина. — А ты?

Тот, к моему удивлению, осерчал:

— Да к черту! В гробу я видел Келлана с его тупыми посиделками.

— Чувак, ты еще не остыл? — расхохотался Мэтт. — Это было сто лет назад.

Тот скрестил руки на груди.

— Я четко сказал, кого застолбил.

— Гриффин, живого человека не застолбишь, — вздохнул Эван.

Тот стрельнул в него взглядом, а я залилась краской, поняв, о чем они говорили.

— Да застолбишь, еще как... И я застолбил, а он меня услышал. Он даже сказал: «Пофиг, Гриффин», — то есть полностью согласился. Ну и кого этот муфлон поволок потом в свою комнату? — Гриффин озлобленно указал на себя. — Мою цыпу!

— С каких это пор «пофиг» означает полное согласие? — снова прыснул Мэтт.

Он еще пуще развеселился, и Эван присоединился к нему.

Гриффин хлебнул пива, которое я ему только-только вручила.

— Чувак, чужое хапать нехорошо. Больше я на его поле не играю. — Он сгорбился на стуле под истерический хохот Мэтта.

— Все правильно... — с усмешкой произнес Эван. — Поэтому она и досталась Келлану. На своем поле всегда проще.

Гриффин шумно выдохнул и разозлился на обоих:

— Заглохните, дебилы.

Сказав это, он присосался к своему пиву.

Сожалея о том, что я вообще затронула эту тему, я поспешила прочь от стола. Теперь я по-настоящему боялась идти домой.

❖ ❖ ❖

После смены меня подбросила Дженни.

— Не зайдешь? — спросила я вдруг, когда она вырулила на забитую машинами улицу к подъездной дорожке. — У Келлана... мероприятие.

Меня передернуло. Пусть ей было невдомек, но мне, похоже, понадобится нынче ее поддержка.

— О... Конечно, я могу заглянуть ненадолго. — Она улыбнулась и ухитрилась втиснуться позади автомобиля Денни.

Мы вышли и направились к входной двери.

Я затаила дыхание, когда отворяла ее. Первым делом я заметила Денни и Келлана, раскованно и весело трепавшихся на диване. Пройдя дальше, я поставила сумку и повесила куртку, чувствуя, что меня отпускает. Было здорово снова видеть их вместе, веселыми и счастливыми. Казалось, что миновали века с тех пор, как они толком общались. Но настроение вдруг изменилось, стоило мне направиться к ним. Темноволосая, смуглая, возмутительно красивая девица плюхнулась прямо на колени Келлану и поцеловала его. Он рассмеялся и ответил тем же. Денни улыбнулся, отвернулся от них и посмотрел на меня. Он просиял и помахал мне рукой, но затем нахмурился. Я осознала, что гневно таращусь на Келлана с его девкой, и попыталась сменить выражение.

— Ух ты... Ты всех их знаешь? — спросила Дженни, нарисовавшись позади меня.

Лишь теперь до меня дошло, что в гостиной собрался добрый десяток людей, а голоса остальных доносились из кухни. «Пара друзей, значит?»

— Нет, — отозвалась я.

Она помахала Денни, сидевшему на диване.

— Ну, Келлан-то знаком со всеми.

Я недовольно оглянулась на Келлана, который продолжал целоваться, прихватывая девицу за бедра, и отвернулась от этого зрелища, испытывая тошноту и жар во всем теле при виде того, как он наяривал языком у нее во рту. Мой взгляд устремился к Денни, взиравшему на меня с прежним любопытством. Он встал и подошел к нам, едва мы переступили порог.

— Привет, Дженни, — вежливо поздоровался он и повернулся ко мне. — Все хорошо? Здесь толпа, понимаю. Келлан сказал, что нам достаточно лишь намекнуть — и он всех вышвырнет.

Он улыбнулся и заключил меня в объятия.

Ответив тем же, я вымучила слабую улыбку. Поверх его плеча мне был виден Келлан. Он перестал лизаться и теперь шуровал пальцами в темных локонах своей подруги, одновременно беседуя с соломенной блондинкой, занявшей место Денни. К моему удивлению, он подался вперед и поцеловал ее, а первой было на это решительно наплевать.

— Нет... Все замечательно. Но мне нужно выпить.

Я надеялась, что мой голос не полнился ядом. Во мне медленно закипал гнев, и я не вполне понимала почему.

— Конечно, давай.

Он увлек меня в толпу, а Дженни последовала за нами.

Денни выдернул пиво из распечатанной упаковки на стойке и протянул мне. Поблагодарив, я быстро откупорила бутылку и сделала солидный глоток. Мне в самом деле нужно было расслабиться. Что с того, если Келлан распускал руки? Невелика беда. Я уже знала, что это в его духе.

Велев себе выдержать пару следующих часов без позорных и подозрительных сцен, я села на свободный стул за столом и сосредоточилась на светской беседе с Денни и Дженни. Вокруг тусовалось с полдюжины незнакомцев. Меня все равно слегка удивляло, что остальные участники группы здесь так и не появились. Разве им не по нраву такие сборища? Но компания, девяносто процентов которой составляли женщины, изобиловала незнакомыми мне людьми. Хотя теперь, когда я присмотрелась внимательнее, пара из них мне смутно припоминалась... Может, это были фанатки?

Я слушала разговор Денни с одним из немногих парней и наблюдала за толпой, когда мое внимание привлекла компания в гостиной. Тела образовали брешь, в которую мне было видно Келлана. Он танцевал с соломенной блондинкой, а темноволосая особа следила за ними с дивана. В привычном удивлении я разинула рот. Келлан танцевал точно так же, как делал это со мной в клубе. Он стоял позади нее, обвив руками ее талию, прихватывая спереди за джинсы и притягивая к себе. Оба двигались так, что я покраснела. Улыбаясь, Келлан пригнулся к ее уху и что-то шепнул, от чего партнерша закусила губу и обмякла. Я до странности разъярилась при виде того, как он применял к другой наши интимные ухищрения.

Продолжая улыбаться, он вскинул глаза и впервые за все время перехватил мой взгляд. На полсекунды его улыбка увяла, и он посмотрел на меня непонятным, почти печальным взором. Затем он снова разулыбался и потеплел глазами. Он вежливо кивнул мне и переключился на темненькую подругу, которая зашла к нему сзади и прижалась к спине. Он широко ухмыльнулся ей и, подавшись назад, поцеловал ее взасос. Меня замутило, и я отвернулась.

Это заметила Дженни, наблюдавшая за моей слежкой.

— Что с тобой? — Она глянула на Келлана, танцевавшего с двумя оторвами, и вернулась ко мне. — Тебя это беспокоит?

Ударившись в панику, я не знала, как объяснить свою злость. Помотав головой, я уставилась на бутылку.

— Да нет, конечно. Просто... Это уж через край. — Я изобразила оскорбленное целомудрие. — Сразу с двумя? Он прямо нарывается на проблемы.

Дженни хохотнула и посмотрела на Келлана:

— Ага... Думаю, так и есть. — Она встряхнула головой, как будто в действительности ей было плевать. — Ну, он твердит, что ведет себя осторожно, поэтому пусть резвится!

— Ты что же, спрашивала его об этом? — слегка удивилась я.

— Не-е-ет... — снова прыснула она. — Я не готова обсуждать с ним его интимную жизнь. — Дженни опять усмехнулась при виде моего сконфуженного лица. — Это Эван однажды спросил, а я подслушала. Эван вечно печется о Келлане. — При этой мысли она улыбнулась.

— Вот оно как, — сказала я тихо.

Мне невольно пришли на память наши с Келланом похождения. Он вовсе не был осторожен. В первый раз мы слишком напились, чтобы предохраняться. Во второй нас чересчур накрыло. Оба раза все вышло так бурно, что все предосторожности пошли побоку. Меня немного уязвило то, что обо мне он не позаботился. И гнев мой мгновенно усилился, когда я подумала о множестве девиц, с которыми он вел себя «осторожно».

Понурив голову, я весь оставшийся вечер избегала смотреть в направлении гостиной. Довольно скоро публика потянулась на выход: для буднего дня час был поздний. Дженни обняла меня на прощание и обещала позвонить завтра, затем обняла Денни и, заглянув в гостиную, улыбнулась и помахала Келлану. Я подавила желание проверить, убрались ли его шлюхи. Наконец разошлись все.

Когда кухня опустела, Денни зевнул и посмотрел на меня:

— Ложишься?

— Ага, — потянулась я.

Инстинктивно качнувшись в сторону, я заглянула в гостиную и застыла. Девицы никуда не делись. Они были единственной «парой друзей», оставшихся с Келланом. Обе сидели на диване справа и слева от него, руки обеих лежали у него на груди. Та, что с темными волосами, целовала Келлана в шею, а блондинка занималась его губами. Задохнувшись, она отпрянула, и Келлан улыбнулся второй. Брюнетка оставила его шею в покое и посмотрела на блондинку, затем перекинулась через Келлана и поцеловала ее, а тот закусил губу, пожирая их взглядом.

Я заставила себя отвернуться и посмотреть на Денни. Внутри все горело. Денни лыбился на них, как дебил, и только пуще разозлил меня.

— Идем.

Схватив его за руку, я грубо поволокла его через кухню наверх. Он расхохотался при виде моей реакции и, когда мы добрались до постели, полез целоваться. Я мрачно оттолкнула его и переоделась ко сну. Мысль о происходящем внизу распалила меня вконец.

Денни уловил мой настрой.

— В чем дело, Кира?

— Ни в чем, — огрызнулась я.

— Эй... Ты что, сердишься на меня?

Я резко повернулась к нему лицом:

— Сама не знаю. Тебе это зрелище искренне понравилось. Ну так давай позовем девушек сюда, когда Келлан закончит с ними, к нам в постель!

Я понимала, что Денни не заинтересовался бы ни одной из них, но разозлилась всерьез, и мне нужно было выпустить пар.

— Нет, солнышко, — побледнел он. — Я до них пальцем не дотронусь. Ты же знаешь, это не по моей части.

— Да ну? А чем ты занимался в ходе этой маленькой оргии, пока меня не было? Скажешь, не приволок сюда парочку наскоро перепихнуться?

Он смотрел на меня, шокированный вконец.

— Я сидел на диване и разговаривал с Келланом. Это все, Кира. — Он несколько рассердился. — Я ничем не занимался.

— Да наплевать. — Оттолкнув его, я злобно залезла в постель и закуталась в одеяло. — У меня болит голова. Я хочу спать, и больше ничего.

— Кира... — вздохнул он.

— Спокойной ночи, Денни.

Он перекатился на свою половину, разделся и забрался ко мне под одеяло.

— Ладно... Спокойной ночи.

Он ласково поцеловал меня в макушку, и я чуть отодвинулась. Я понимала, что зря на него разозлилась. Денни ни в чем не провинился, но гнев мой не убывал, а, напротив, только разгорался. Воображение неистовствовало, живописуя Келлана с его шлюхами. Денни снова вздохнул и повернулся на бок.

Долго я лежала, вся дымясь и прислушиваясь к звукам внизу. Дыхание Денни наконец замедлилось и выровнялось... Он уснул. Чуть погодя послышался слабый смех, и три пары ног протопотали наверх. Дверь в комнату Келлана аккуратно притворилась, и заиграла музыка.

Я села. Этого мне было не вынести. Я не могла это слушать. Действуя как можно тише, я выскользнула из комнаты и спустилась по лестнице. Мне хотелось убраться отсюда подальше, но я не представляла ни куда пойти, ни как потом объяснить это Денни. Взамен я отправилась в кухню, налила стакан воды и выпила ее залпом, навалившись на стойку и умоляя тело утихомириться. Келлан имел полное право...

Упершись руками в стойку и понурив голову, я стояла и чувствовала, как на глаза наворачиваются слезы, когда ощутила чье-то присутствие. Я не могла обернуться и посмотреть. Так или иначе, я была в западне. Денни не поймет, из-за чего я так сильно расстроилась. Келлан... Он так меня разозлил, что я не хотела его видеть.

— Кира? — Голос Келлана прорвался сквозь мои тягостные мысли.

Ну разумеется. Конечно же, это он.

— Что, Келлан?

— Все хорошо?

Он говорил заботливо и мягко.

Злая донельзя, я развернулась к нему лицом — и замерла, уставившись на него. Он был наполовину обнажен: голый торс, джинсы расстегнуты. Волосы возбуждающе растрепались — с ними недавно играли. Я проглотила комок, увидев, настолько он был красив, и поняв, ради кого он разделся.

— Что ты здесь делаешь? Тебя же развлечения ждут?

Глаза мне застилали слезы. Я молилась, чтобы они не хлынули потоком.

— Девочки попросили... — застенчиво улыбнулся Келлан.

Он указал на холодильник, открыл дверцу и вынул банку взбитых сливок. Пожав плечами, он не стал договаривать.

Закрыв глаза, я шумно выдохнула. Конечно, эти твари намеревались напакостить мне по полной программе, и тут я взмолилась — пусть он оставит меня в покое и уберется в свое порношоу.

— Кира... — Он произнес мое имя так нежно, что я подняла веки, и Келлан печально улыбнулся. — Да, я такой. Пока ты не появилась... Это я.

Он указал наверх, где спал Денни.

— А ты — вон там. Вот как должно быть...

Келлан подался ко мне, как будто собирался обнять или поцеловать в лоб, но в последний момент передумал, обернулся и пошел прочь. В дверях он оглянулся и негромко сказал:

— Спокойной ночи, Кира.

Он вышел, не дожидаясь ответа, и слезы наконец потекли. Я провела ночь на диване, включив телевизор и прибавив звук ровно настолько, чтобы не разбудить Денни.

ГЛАВА 18
ПОТАСКУН

Прошло несколько бессонных ночей, и однажды утром я спустилась по лестнице в обществе Денни. В последнее время я всегда пила кофе после того, как Денни собирался на работу. Он уговаривал меня поспать еще, твердя, что мне незачем вставать вместе с ним, но мой обычай на протяжении нескольких недель подниматься пораньше, чтобы немного побыть с Келланом, сформировал привычку, от которой я не могла просто так отделаться.

Тот факт, что Келлан нарушил мою физиологию, раздражал, но еще больше бесило его присутствие в кухне, когда я входила с Денни. Дело было не в его по-идиотски прекрасных синих глазах, взиравших на нас, едва мы появлялись, не в по-идиотски прекрасной взъерошенной шевелюре, не в по-идиотски прекрасном точеном торсе и не в по-идиотски прекрасной кривой улыбочке, которой он нас приветствовал. Дело было в его дурацкой футболке!

Келлан расслабленно томился у стойки, дожидаясь, когда сварится кофе — руки за спину, грудь колесом, — и жирные буквы на красной ткани выпирали еще нагляднее. Текст был примитивнейший: «Поём за секс». На Келлане эта футболка смотрелась дико. Такое больше годилось Гриффину, и во мне зародилось подозрение насчет того, где он ее раздобыл. Это было вульгарно. Грубо. Это сводило меня с ума!

Рассмотрев ее, Денни ухмыльнулся:

— Братан! А еще у тебя...

Я немедленно осадила его:

— Попробуй только попросить такую же — месяц будешь спать на диване.

Мой тон был несколько жестче, чем заслуживала хамская футболка, но я ничего не могла с этим поделать.

Денни, однако, счел мою реакцию забавной. Он глупо ухмыльнулся и склонил голову набок:

— Да я и не собирался, солнышко.

Он чмокнул меня в щеку, направился к Келлану и хлопнул его по плечу, прежде чем достать из буфета кружки для моего кофе и своего чая. Оглянувшись на меня, так и глазевшую на него, он со смешком напомнил:

— Ты в курсе, что я в любом случае не пою?

Келлана, с веселой ухмылкой следившего за этим диалогом, распирало от хохота, но он держался.

Обозлившись теперь на обоих, я насупилась и ледяным тоном произнесла:

— Я буду наверху, когда кофе сварится.

Повернувшись, я вылетела вон, преследуемая их смехом, которому уже ничто не препятствовало. Мужики!

❖ ❖ ❖

Через несколько часов я была на работе и все еще сердилась по поводу утра, когда сладкий голос вторгся в мои мысли:

— Кира, ты опять.

Дженни улыбалась мне, подавшись через стол.

— Что? — встрепенулась я, чуть тряхнув головой, чтобы выйти из транса.

Мне было трудно сосредоточиться. Келлан занимался вещами, которых никогда не делал за все время нашего совместного с ним проживания. Он, по его выражению, «встречался». Каждую ночь он являлся с новой девицей, и каждую ночь мне приходилось прослушивать его «свидания» сквозь тонкую стену. Я была вынуждена использовать слово «свидания» в широком смысле, так как женщины эти, похоже, очень мало интересовались Келланом как личностью. Они бывали больше очарованы его малой толикой славы и, конечно, безупречным сложением. Одна и та же девушка никогда не переступала порог нашего дома дважды, и все эти особы выстроились в бесконечную череду. Мне было дурно. Спать стало невозможно. В конце концов я начала вырубаться от изнеможения. Но эти переживания вкупе со злым огнем, пылавшим внутри меня, делали свое черное дело.

— Ты опять глазеешь на Келлана. Вы с ним ссоритесь или что? — Дженни рассматривала меня с любопытством.

Я вздрогнула, поняв, что далеко улетела в своих мыслях и последние несколько минут открыто пялилась на него. Оставалось надеяться, что больше никто не заметил. Я же постаралась изобразить искреннюю улыбку:

— Нет, у нас все отлично... Идеально.

— Ты ведь уже не злишься на тех женщин с вечеринки?

Меня обожгло, едва она возродила это жуткое воспоминание. Мне хотелось согнуться, держась за живот, — до того он болел. Но я осталась стоять, проглотив сказанное и силясь сохранить фальшивую улыбку.

— Понимаешь, он такой. Всегда таким был и всегда будет. — Дженни пожала плечами.

— Нет же... Мне все равно, что он делает. — Я выделила «что» сильнее, чем требовало небрежное высказывание, и Дженни обратила на это внимание. Она хотела продолжить, и я, чтобы остановить ее, выпалила первое, что пришло в голову: — А у тебя с Келланом когда-нибудь...

Я прикусила язык, сообразив, куда мог завести мой вопрос. Я совершенно не хотела этого знать.

Однако она поняла, хмыкнула и покачала головой:

— Нет, ни в коем случае.

Она посмотрела на Келлана, сидевшего за своим столом. Он уже усадил на край какую-то симпатичную азиаточку и что-то нашептывал ей, не забывая, к ее вящему восторгу, покусывать ее за ухо. Келлан явился в бар одетым в ту самую чертову футболку, и это сработало. Еще раньше он собрал вокруг себя стайку восхищенных девиц и обязал их выслушать пару-другую куплетов. Похоже, он сократил свой выбор до одной. Я вспыхнула, зная, что впоследствии увижу ее — или услышу.

Дженни оглянулась на меня, не прекращая улыбаться:

— Но только не потому, что он не пытался.

Я удивленно моргнула, а затем поняла, что напрасно. Дженни была красивой.

— Он что, приставал к тебе?

Она кивнула, встала и обогнула стол, чтобы пристроиться рядом.

— Ммм... Постоянно — всю первую неделю на этом месте. — Дженни скрестила на груди руки и стояла впритык ко мне, наблюдая за Келланом и его кралей.

— Однажды мне пришлось сказать ему прямо: нет, но мы можем дружить, если он прекратит попытки залезть мне в трусы. — Она рассмеялась. — Он нашел это крайне забавным и отстал, и с тех пор у нас с ним все замечательно.

Мне было сложно не показать свое удивление. Она заворачивала его снова и снова? Я потерпела в этом столь сокрушительное фиаско, что мне представлялась чудом чья-то способность добиться успеха.

— А почему ты не?..

Дженни задумчиво посмотрела на меня:

— Я знала, что он за фрукт, с самого начала. Меня не интересует разовый секс, а я не думаю, что он способен на большее. — Она покачала головой. — По крайней мере, не сейчас. Может быть, настанет день, и он повзрослеет, но... — Дженни вновь пожала плечами. — Игра не стоила свеч.

Я зарделась и отвернулась, чувствуя себя конченой дурой. Она была права. Келлан таким и был — соблазнителем. Но он не годился для серьезных отношений. Никогда не был готов к ним и никогда не будет. Я горестно наблюдала, как он ворковал со своей барышней. Дженни с интересом уставилась на меня.

— Кира, а почему ты спрашиваешь?

У меня не было никакой причины заваливать ее вопросами о Келлане.

— Просто так. Обычное любопытство.

Какое-то время она пристально изучала меня, а я прикидывала, как бы ускользнуть, при этом ее не обидев.

— Он клеился к тебе?

Я побледнела и постаралась удержать себя в руках.

— Да нет, конечно.

Это была правда... Ну, может, полуправда.

Дженни не купилась на это.

— Кира, если тебе нужно выговориться, то я всегда выслушаю. Я все пойму.

Я кивнула и хмыкнула, как будто мне было все равно:

— Знаю. Спасибо, Дженни. Пойду-ка я лучше работать, а то людей одолела жажда. — Я попыталась издать смешок, но тот получился безжизненным и фальшивым.

Дженни смотрела мне вслед, явно терзаясь подозрениями, после чего не менее настороженно переключилась на Келлана. Черт, они же друзья... Вдруг она скажет ему? Вдруг он чем-то поделится?

❖ ❖ ❖

Если на первых порах Келлан ограничивался флиртом и даже в этом умерился, покуда мы развлекались, то теперь я наблюдала намного большее, чем хотела. Неприятности подкарауливали повсюду. Мне было не уклониться. Если у меня случался выходной, он приводил девушку домой, и мне приходилось слушать, как они целуются в кухне, прежде чем скрыться наверху. Когда же я работала, то к моему возвращению и подъему по лестнице он уже оказывался глубоко погруженным в очередную «встречу». Всем этим особам было глубоко наплевать на то, что у Келлана были соседи за стенкой. Я думаю, им не было дела и до соседей по улице. Быть может, они исходили из ложной посылки насчет того, что Келлан выплачивал премии за самое громкое исполнение, за больший энтузиазм, за самое впечатляющее «о боже». Опять же — нельзя исключить, что этот козел и впрямь раздавал призы. Мне становилось тошно и тяжко, когда я слышала, как выкрикивали его имя. Серьезно — будто он не знал, как его зовут. На самом деле единственным именем, которое он помнил, наверное, и было его собственное.

Не удавалось скрыться и на работе. Келлан вечно ошивался где-то поблизости, вылизывая своим языком очередное горло. Однажды я даже видела, как он пытался учить какую-то девчонку игре на бильярде, что возбудило во мне самодовольный смех, благо я знала, что он никудышный игрок. Но вид того, как он перегибает через стол другую... Да, это было немного неприятно. А наблюдать за тем, как они вчистую мажут на пару и девчонка немедленно разворачивается к нему, буквально готовая поиметь его тут же, было неприятно уже всерьез.

К моменту, когда он всего за неделю добрался до пятой в очереди, я наконец не выдержала. Злобно ворочаясь в постели, я пыталась не обращать внимания на смех и звуки любовной возни, долетавшие из коридора.

— Денни! — гаркнула я.

Денни повернулся ко мне, оторвавшись от телевизора, которым, прибавив громкость, увлекся с избыточной сосредоточенностью.

— Что?

— Это уже не смешно! — уставилась на него я. — Сделай что-нибудь! Мне надо, черт побери, хоть немного поспать!

И чтобы Келлан не был потаскуном! Наш последний поцелуй был потрясающе нежным, однако теперь он казался фальшивым в сравнении со страстными звуками, доносившимися из соседней комнаты.

— Что же мне сделать? — встревожился и немного смутился Денни. — Постучаться и попросить угомониться?

Да! Именно этого я и хотела, — может быть, он сумеет и вышвырнуть эту тварь!

— Не знаю... Сделай что-нибудь!

— Ну, он же нас терпит, — хохотнул Денни. — Может быть, это его отыгрыш.

Я отвернулась, боясь, что меня выдаст вдруг ставший раненым взгляд. Денни был прав, он просто не о том подумал.

Он же прикинул в уме.

— Все это немного странно. У Келлана никогда не бывало проблем с женщинами, но, когда мы въехали, он явно переживал застойный период. — Денни встряхнул головой. — Ну, значит, все пришло в норму.

— Нет, я ему не потакаю, — глупо уставился он на меня. — Но дело в том, что... Келлан есть Келлан. — Денни пожал плечами.

Рассвирепев от этого сильнее, чем следовало, я рыкнула на Денни:

— Что значит — «никогда не было проблем с женщинами»? Ты знал его всего лишь год, когда сам учился в школе. А он кем был? Учился на первом курсе? Или на втором? Какой у него мог быть опыт?

Денни снова пожал плечами, слегка озадаченный моей реакцией:

— Ну, скажем так — Келлан рано начал. — Он рассмеялся, вспоминая. — Однажды, когда родителей не было дома, он приволок близняшек...

Он не закончил — я пригвоздила его взглядом.

— Не для меня. Они скрылись в его комнате. Я ничего не видел. Я к ним не прикасался... Честное слово.

Денни просиял своей дурацкой улыбкой и смолк.

Мой взор ничуть не смягчился. Я и не думала, что он к ним прикасался. Не это меня взбесило. На что же я так разозлилась? Получалось, что Келлан всегда был кобелем. Не стала же сюрпризом его манера вести себя с женщинами? Он не принадлежал мне, а я — ему. Переживать на этот счет явно не следовало...

Я подавила вдруг навернувшиеся слезы и сделала отчаянную попытку говорить ровно.

— Пожалуйста, потолкуй с ним, вот и все.

Денни пристально посмотрел на меня и наконец отозвался:

— Нет.

Мои глаза стали ледяными, и я уставилась на него:

— Почему?

Продолжая задумчиво изучать меня, он спокойно ответил:

— Извини, но ты раздуваешь из мухи слона.

Я оперлась на локти, начиная раздражаться. Обычно он мне ни в чем не отказывал.

— Из мухи слона?

Денни тоже сел прямее.

— Кира, ты и сама понимаешь, что мне неприятно это говорить, но... Это его дом, и если ему хочется развлечься ночью, то он точно имеет на это право. Он позволяет нам жить здесь почти даром. Ничего лучше нам пока не найти. Прости, но тебе придется потерпеть и по возможности не обращать внимания.

Его тон, несмотря на милый акцент, не допускал возражений. Денни не собирался ничего обсуждать. Это был не тот тон, к которому я привыкла. Он мне не понравился.

— Отлично, — сказала я, распалившись, и повалилась на подушки.

Денни оперся на локоть и склонил голову набок, наблюдая за мной, а затем искушающе провел пальцами по моей руке.

— Знаешь что... А давай их заглушим?

Находясь абсолютно не в том настроении, я ударила его в грудь подушкой и плюхнулась на свою половину, подальше от Денни. Он раздосадованно вздохнул и отвернулся назад к телевизору, чуть прибавив и без того слишком громкий звук, так как стоны и вздохи волшебным образом набрали силу.

— Хорошо... Тогда можно я досмотрю передачу?

— Делай что хочешь. — Я закусила губу и взмолилась, чтобы меня одолел сон.

❖ ❖ ❖

Прошло несколько дней, и ничего не изменилось. Денни определенно не собирался говорить с Келланом о вещах, которые считал не нашим делом. Я возражала, но не могла внятно объяснить причину. Мое раздражение зашкаливало. С Келланом «поговорю» я — и буду далеко не таким дипломатом, как Денни.

Чмокнув Денни на прощание в щеку — безделица, ради которой я не потрудилась вылезти из постели и которая пусть и любовно, но говорила: «Паршиво же мне с тобою, дружок», я оделась и отправилась в ванную приводить себя в порядок. Видок у меня был жуткий. Под глазами — круги от недосыпа, прическа — воронье гнездо, из-за того что я ворочалась всю ночь. Мода, взятая Келланом, грозила отправить меня прямиком в дурдом. Я принялась остервенело расчесывать волосы, живописуя в уме незамутненный лик Келлана на каждой свалявшейся пряди.

Его же реальное лицо я узрела скорее, чем хотелось... Оно было лучше, чем в моем воображении, и это глубоко возмутило меня.

— Доброе утро.

Я промолчала, мгновенно взбешенная его лучистыми глазами, миленьким приветствием и дикой, всклокоченной шевелюрой. Мысленно я поклялась не обмолвиться с ним нынче ни словом. Раз уже мне приходилось слышать его в избытке, то он мог не слушать меня вообще.

— Кира?

Я упрямо схватила кофейную кружку и принялась наполнять ее, игнорируя его сладкий голос и потрясающий запах, различимый даже издалека.

— Ты злишься на меня?

Казалось, его забавляла эта мысль.

Нарушив обет молчания, я глянула на Келлана:

— Нет.

Что ж, ненадолго меня хватило.

— Прекрасно, потому что не за что. — Его улыбка подрагивала, пока он вещал.

— Вот я и не злюсь... — Я знала, что говорю вызывающе, но ничего не могла с этим поделать. Коль скоро с утра была его очередь слушать, я как минимум постараюсь, чтобы сказанное звучало неприятно. — С какой стати?

— Мы оба покончили с прошлым, когда дела вышли из-под контроля. — Он склонил голову набок и прищурился.

— Я знаю. Я там была.

В моем голосе безошибочно обозначился лед, и Келлан нахмурился:

— Я делаю только то, о чем ты просила. Ты же хотела быть в курсе, если я буду с кем-то встречаться.

Теперь он тоже набрался дерзости. Мой утренний настрой пришелся ему не по нраву.

Это меня вполне устраивало. Мне было не по нраву его поведение.

— Я не хотела никаких секретов друг от друга, но... — Я гневно покачала головой, не сводя с Келлана глаз. — Я не хотела этого лицезреть!

Его глаза похолодели и сузились еще больше.

— А где же мне?.. — Он умолк и сделал вдох, успокаиваясь. — Я вынужден это видеть, слышать... Ты тоже не тихоня. По-твоему, мне приятно? Было приятно когда-нибудь?

Келлан вновь глубоко вздохнул и встал, тогда как я пылала от стыда.

— Я стараюсь и все понимаю. И тебе не мешало бы.

Не взглянув на меня, он вышел вон.

Я отправилась на занятия на автобусе, как поступала с момента, когда Келлан начал устраивать свои «свидания». Вот, значит, как? Я должна проявить понимание? Мне следует смириться с его обслуживанием всего города? Да, он слышал мои выкрутасы с моим парнем, но... Я не знала, имеет ли это отношение к делу, однако то, что происходило — происходит — между нами с Денни, разительно отличалось от траха ради траха. Это было тошнотворно. Я ненавидела каждую секунду каждого прожитого дня.

Вздыхая, я дошла через кампус до аудитории. Морозный воздух гнал прочих студентов мимо меня, в тепло. Вдобавок ко всему я ежедневно скучала по Келлану. Мне не хватало его даже теперь. Моя ломка не стала менее болезненной лишь оттого, что я была зла на него. Если на то пошло, она даже усугубилась по той причине, что мне подыскали замену. Со вздохом я вошла в корпус, где мне предстояла лекция по литературе, и мгновенно застыла. Знакомые рыжие кудряшки прямо по курсу. Те самые, от которых я держалась подальше: сию минуту они вышагивали навстречу мне, взвинченные настолько, что видно было издалека.

Кэнди замерла прямо передо мной, едва я попыталась выскользнуть из дверей.

— Ты подружка Келлана?

Однако резко. Ни тебе здрасьте, ни чего еще. Нас ведь даже не познакомили.

Я вздохнула и обошла ее, направившись к аудитории. Она двинулась рядом, пламенея кудрями не меньше, чем настроем.

— Нет... Я уже сказала твоим шпионкам несколько месяцев назад. Он просто мой сосед.

— А люди твердят мне, что вы на пару бродите по кампусу неразлейвода.

Тон у нее был отвратный. Под людьми она, очевидно, разумела двух своих подружек. Я покраснела, зная, что мы держались несколько беспечно на территории университета, хотя вряд ли нас можно было назвать «неразлейвода». В надежде скрыться от нее в помещении я ускорила шаг. Она без труда подстроилась и сверлила меня ледяным взглядом, явно дожидаясь объяснений.

— Не знаю, что тебе сказать. У меня есть парень, и это не Келлан.

Парень, которому я решила быть верной. Парень, который не снимал трусы перед каждой оголодавшей встречной. Придя в бешенство, я ляпнула лишнее:

— Если тебе так неймется с ним перепихнуться, приходи в бар «У Пита». Он постоянно там торчит.

Она прекратила преследование, едва я дошла до двери в мое убежище.

— Может, я так и сделаю, — отозвалась она довольно спесиво, когда я пересекала порог.

Что ж, тушите свет...

Как будто желая приумножить гадости этого дерьмового дня, дурацкий автобус сломался на обратном пути. Мне пришлось ждать следующего. Нас даже не выпустили, чтобы мы могли пойти пешком при желании. Похоже, у водителя выдался день не лучше моего, и он демонстрировал свою власть над нами, беспомощными созданиями. Конечно, нашлись боевые люди, которые просто вырвались из автобуса, но я была не настолько отважна и побаивалась водителя, а потому осталась сидеть и ворчать в салоне.

Я и так задержалась в университете — готовилась к занятиям и, если не врать себе, не торопилась домой, и вот теперь я всерьез опаздывала на работу. Надо было ехать прямо туда, но я собиралась заскочить домой и принять душ. День вышел долгим и изматывающим.

Машина Келлана стояла у дома, и я пролетела мимо нее к двери. Я отчаянно не хотела просить его о чем бы то ни было и уж точно не стремилась пережить очередную тягостную поездку, но вдруг он выручит меня и отвезет в «Пит»? Смена начиналась через десять минут. Если снова автобусом, я опоздаю вконец...

Я быстро поднялась к себе и бросила сумку. Стянув блузку, я схватила с пола форменную футболку — швырнула ее туда накануне после работы. Быстро надев ее, я заметалась по комнате в поисках резинки для волос. Отыскав одну между кроватью и столиком, я наспех собрала волосы в хвост. Затем я снова влезла в куртку, подхватила сумку и выскочила в коридор.

Стоило мне задаться вопросом, куда подевался Келлан, как я услышала негромкую музыку и обнаружила, что дверь в его комнату приоткрыта. Думая лишь о том, что я безнадежно опаздываю и нуждаюсь в его помощи, я автоматически взялась за нее и отворила чуть шире. Заглянув в щель, я потрясенно застыла. Желудок свело, к горлу подступила тошнота. Рассудок отказывался осмыслить увиденное.

Келлан сидел на краю постели. Он опустил голову, закрыл глаза, покусывал губу и вцепился одной рукой в простыни. Мозг противился, но вскоре вся картинка обрела фокус. Белокурая женщина с распущенными волосами стояла перед ним на коленях, уткнувшись лицом ему ниже пояса. Зрелище не оставляло сомнений в том, чем она занималась.

Полностью поглощенные своим приятнейшим делом, они вряд ли видели в дверном проеме меня. Больше всего на свете мне хотелось бежать от них сломя голову, пока меня не стошнило на месте. Но я не могла ни пошевелиться, ни отвести взгляд от ужасного зрелища.

Должно быть, женщина наконец осознала, что в комнате кто-то есть. Она начала отстраняться. Келлан был не таким бдительным — а может, просто не парился. Приоткрыв рот, задышав ощутимо чаще и чуть покривившись лицом, он машинально притянул ее назад. Женщине сорвало крышу, ей это чрезвычайно понравилось, но у меня во рту стало кисло — содержимое желудка запросилось на выход.

Восстановив способность двигаться, я вылетела из комнаты и кубарем скатилась по лестнице. Думая лишь о бегстве и целиком отдавшись во власть реакции «бей или беги», я спешно прихватила ключи от машины Келлана, валявшиеся на столике у входа. Хлопнула дверью, — если ему было невдомек, что я находилась дома, то теперь будет знать!

Перебирая на бегу ключи, я выбрала нужный. Келлан никогда не запирал свою *крошку*, поэтому я распахнула дверцу, юркнула внутрь и немедленно завела двигатель. Когда тот ожил, меня охватил издевательский восторг при мысли, что Келлан услышит и мигом поймет, что я сделала. С полсекунды я наблюдала за входом, но он не выскочил. Я врубила заднюю передачу и вырулила, горя нетерпением убраться подальше. Дом замаячил в зеркале заднего вида, однако никто так и не появился. Наверное, Келлан слишком увлекся своим «свиданием», чтобы переживать за тачку.

Желая поспеть на работу к началу смены, я нарушила полдюжины правил, однако приехала вовремя. Припарковавшись у «Пита», я улыбнулась. Езда получилась классной, и я чувствовала приятный холодок, воображая, как взбесится Келлан, когда обнаружит пропажу своей драгоценной машины. Отлично. Не мне одной свирепеть в этом доме. Злобно улыбаясь, я включила радио, нашла какую-то польку и вывернула звук на полную, прежде чем захлопнуть за собой дверцу. Детская выходка, дело ясное, но мне стало лучше, и я ухмылялась во весь рот, пока шла через стоянку.

— Эй, ты сегодня бодрячком, — воскликнула Дженни, едва я появилась на пороге, еще немного на взводе после угона.

— Серьезно? Да вроде не с чего...

Я широко улыбнулась ей, заталкивая ключи в передний карман джинсов.

Однако в ходе работы мое приподнятое настроение сошло на нет, сменившись печалью по поводу сцены, свидетельницей которой я нечаянно стала. Слушать, как развлекается Келлан, было одно, а увидеть — совсем другое. Я впала в нешуточное уныние, когда часом позже дверь бара распахнулась от ожесточенного пинка.

Поморщившись, я оглянулась на звук. Келлан пробирался ко мне с видом куда более собранным, чем совсем недавно. Он был в ярости. Неистовые синие глаза мгновенно впились в мои. Мэтт, очутившийся сзади, попытался положить ему на плечо руку. Келлан порывисто оглянулся, отпрянул и сказал что-то резкое. Мэтт моментально вскинул руки, явно идя на попятную.

Мое сердце учащенно забилось, я запаниковала и попятилась. Не надо было брать его машину. Что на меня нашло? Может, просто швырнуть ему ключи и удрать? Раздражение вспыхнуло во мне с новой силой, и я сделала глубокий вдох. Нет! Он меня пальцем не тронет. Если этому козлу понадобились ключи, пусть подойдет и возьмет их.

Келлан спешил ко мне. Люди, стоявшие между нами, немедленно расступались при виде его лица. Горящие глаза злобно сощурились, губы сжались в ниточку, руки стиснулись в кулаки, грудь вздымалась и опадала — в гневе он был поразительно красив.

Дойдя до меня, он лишь протянул руку.

— Что? — заносчиво осведомилась я, ожидая реакции более бурной.

— Ключи, — проскрежетал он.

— Какие ключи?

Не знаю, зачем я его распаляла. Может быть, недавнее зрелище наконец развязало мне руки?

Он сделал глубокий вдох, желая вернуть самообладание.

— Кира... Вон там стоит моя машина. — Он указал в сторону парковки. — Я слышал, как ты ее забрала...

— Раз слышал, то почему не остановил? — съязвила я.

— Я...

Я нацелилась пальцем ему в грудь и перебила:

— Ты, — я пошевелила пальцами в воздухе, изображая кавычки, — был на свидании.

Он заметно побледнел. Он явно не догадывался, что я все видела. Но вот гневный румянец вернулся.

— И что с того? Поэтому ты вправе украсть мою машину?

Конечно, он был прав, но я не собиралась это признавать и надменно ответила:

— Я ее позаимствовала. Чисто по-дружески, разве это не принято?

Келлан сделал очередной глубокий вдох и сунул руку в передний карман моих джинсов.

— Эй! — Я попыталась отпихнуть его, но он уже взял, что хотел.

Покачивая ключами передо мной, Келлан прошелестел:

— Мы не друзья, Кира. И никогда ими не были.

С этими словами он повернулся и вышел из бара.

Я вспыхнула от обиды и бросилась в коридор, оттуда — в туалет. Там я сползла по стене, тяжело дыша ртом и стараясь не разреветься. Белая как снег, я была близка к обмороку. Сердце разрывалось на куски.

Усиленно вдыхая и выдыхая, я услышала, как открылась дверь.

— Кира?.. — позвала Дженни.

Не в силах ответить, я могла лишь тупо смотреть на нее. Она подошла и опустилась на колени рядом.

— Что случилось? Тебе плохо?

Я обессиленно покачала головой. Затем принялась извергать прерывистые, вымученные рыдания. Дженни немедленно села подле меня, бережно приобняв меня за плечи.

— Кира, в чем дело?

Мне удалось выдавить между всхлипами:

— Я совершила чудовищную ошибку...

Она погладила меня по голове и притянула к себе.

— Что стряслось?

Мне вдруг не захотелось ограничиваться машиной — меня подмывало выложить ей все. Я задохнулась: но как? Она возненавидит меня, она не поймет...

Дженни не сводила с меня глаз.

— Кира, мне можно рассказать. Я ничего не скажу Денни, если ты не хочешь, чтобы он знал.

Мои рыдания облегчились, я удивленно моргнула. Она уже знала? Признание вырвалось прежде, чем я успела сдержаться.

— Я спала с Келланом.

Шокированная своими словами, я задержала дыхание.

— Этого я и боялась, — вздохнула Дженни. Она обняла меня обеими руками. — Все образуется. Рассказывай, что произошло.

Я же была настолько потрясена, что лишь спросила:

— Ты знала?

Дженни прислонилась к стене, положив руку на бедро.

— Подозревала. — С секунду она молча изучала свою руку, вертя кольцо. — Я не слепая, Кира. Твои взгляды, когда тебе казалось, будто никто не видит. Его улыбочки. Я замечала, как он тебя лапал — украдкой, словно не хотел засветиться. Видела твое лицо, когда он поет. Твою реакцию на вечеринке... У меня давно возникали вопросы.

Я закрыла глаза. Она и вправду отследила слишком многое. А кто еще?

— Когда это случилось? — спросила она тихо.

Рыдания возобновились, и вот, стараясь их перебороть, я раскрылась и рассказала ей все. Какое же это было облегчение — с кем-то поговорить. Она слушала молча, время от времени кивая, улыбаясь или выражая сочувствие. Я поведала ей о первых невинных прикосновениях. О первом разе по пьяни, когда не было Денни. О его холодности впоследствии. О моей панике, когда он едва не уехал, что повлекло за собой второй эпизод. О нашем якобы безобидном флирте. О клубе, хотя мне и пришлось умолчать о том, как я поступила с Денни, и о поступке Келлана с моей сестрой — я просто еще не могла говорить об этом. О поединке в машине — тут Дженни задохнулась: «Он что же, так и сказал?» О моей ревности к его женщинам... последняя из которых до сих пор выжигала мне мозг. О его сегодняшней оскорбительной реплике...

Дженни крепко прижала меня к себе, обвила руками:

— Господи, Кира... Как я тебе сочувствую. Я знала, что он такой. Может, надо было предупредить тебя заранее? Он именно такого сорта.

Я обмякла, приникнув к ней, утомленная безумным вечером, и Дженни держала меня, пока мои стенания не прекратились.

— Что будешь делать? — спросила она, отстраняясь.

— Разве что убить его? — Я сама не знала, шучу или нет. — Не знаю... А что я могу? Я люблю Денни. Я не хочу, чтобы он знал, не хочу его ранить. Но Келлан... Я не вынесу этих женщин, они меня прикончат... Я чувствую...

— Ты любишь Келлана?

— Нет!

— Ты уверена, Кира? Представь, что ты не злишься, — что бы сказала тогда?

Я не ответила. Я не могла, не знала. Иногда я нечто испытывала к нему.

Дверь в туалет без предупреждения распахнулась. На пороге стояла Кейт, мы же так и сидели на полу.

— А, вот вы где... Слушайте, там становится жарко. Давайте-ка вы вернетесь... Пожалуйста.

— Уже идем, дай нам еще пару минут, — пропела Дженни.

Кейт глянула на меня сочувственно, заметив слезинки, скатившиеся по моим щекам, и я поспешно смахнула их.

— Ладно... Не вопрос. — Она дружески улыбнулась мне и вышла.

— Спасибо, Дженни. — Я посмотрела на нее, благодарная за то, что она выслушала меня и не осудила.

Дженни утерла мне слезы — они потекли вновь.

— Все наладится, Кира. Ты только верь.

Я успокоилась достаточно, чтобы доработать смену, и погрузилась в решение незатейливых проблем моих клиентов. Это помогло. К моменту закрытия я, по крайней мере, прекратила плакать. Мне все еще не хотелось домой. Я не была уверена, насытился ли Келлан свиданиями на сегодня. Откуда мне знать — может, у него кончилось молоко и он пошел в магазин лишь с тем, чтобы подцепить там очередную цыпочку. Я полагала, что для красавцев вроде него такая публика была сложена в штабеля между мясными деликатесами и свежим хлебом. Да-да, мне полкило ветчины и пышную брюнетку.

Вздохнув, я подошла к барной стойке, где Кейт и Дженни беседовали с Ритой. Пит убежал рано. Обычно он уходил последним — быть может, спустя несколько часов после нас, но сегодня он сгреб свою куртку перед закрытием и поручил Рите запереть заведение. Она воспользовалась плюсами его отсутствия и наливала нам выпивку. Мне она выставила что-то темное, едва я остановилась рядом с Дженни. По крайней мере, это была не текила.

— Ладно, дамочки, — она подняла стакан, — на посошок.

Мы подняли наши, чокнулись и залпом осушили их. Кейт и Дженни прыснули, когда меня перекосило. Что бы там ни было налито, оно жгло огнем. Рита осталась индифферентной и налила нам по новой.

— Так, повторим.

Кейт и Дженни обменялись гримасами, но возражать не стали. Мне было все равно — за руль не садиться, а день выдался еще тот. Я глянула на Дженни, которая успокаивающе улыбалась, сияя мне светло-голубыми глазами. Вот золотой человек. Она ежедневно предлагала меня подбросить, и пусть мне было неудобно, но она не терпела отказа, когда поблизости не оказывалось никого, кто мог бы ее заменить. Она твердила, что все равно едет мимо, ей по пути и вовсе не сложно. Это немного меняло дело, и я смирялась.

Рита разлила по второй и оглядела нас с гадкой полуулыбкой.

— Если бы вы могли переспать с любым мужиком — без подлянок, без осложнений... Кто бы это был? — Она многозначительно взглянула на меня. — Своего парня выбирать нельзя.

Дженни и Кейт снова развеселились, а Рита поочередно смотрела на нас. Я начала краснеть, обдумывая ответ, хотя на самом деле не хотела его озвучивать.

— Ладно, — вздохнула Рита, — со мной все просто... Келлан. — Она воспарила в мечтах, а я побледнела. — Черт, я повторю с ним, оглянуться не успеете...

Кейт хохотнула и озадаченно глянула на меня. Долю секунды я гадала, подозревает ли она то же, что заподозрила Дженни, и побелела еще сильнее. Кейт элегантно качнула головой и пожала плечами:

— Келлан... Определенно.

Они с Ритой обменялись понимающими взглядами и в ожидании ответа повернулись ко мне. В горле пересохло, мне стало дурно. Я пробовала думать о ком-то другом, безобидном... Но в голове было пусто, и все во мне выкрикивало лишь одно имя — то, которое я не смела произнести, только не здесь.

Рядом подсуетилась Дженни.

— Денни, — заявила она бодро.

Кейт и Рита синхронно повернулись, уставились на нее, потом на меня, затем опять на Дженни, как будто она только что сделала то, о чем говорила. Я была готова расцеловать ее. Одним простым словом она вывела из-под обстрела меня с моим дурацким ответом, которым был, конечно, тоже Келлан. Они таращились на нее, не веря ушам — во всяком случае, Кейт. Рита скорее развеселилась и, может быть, впечатлилась, когда я прикинулась возмущенной.

— Будем, — бросила Дженни все тем же жизнерадостным тоном, и мы выпили по второй, после чего все забыли, что я так и не ответила на идиотский вопрос Риты.

— Поехали, Кира? — невозмутимо спросила Дженни.

— Ага, — буркнула я, хотя на деле хотела стиснуть ее в объятиях.

Рита засмеялась, Кейт наскоро обняла меня в утешение. За дверью, вне зоны слышимости, я рассыпалась в благодарностях перед Дженни.

❖ ❖ ❖

Утром я сошла вниз на несколько секунд раньше Денни. Ночью в доме было тихо. Келлану, видно, все же хватило одного раза. Что ж, по крайней мере, и у него имелся предел. Но тишина не уняла моей сердечной боли. Я насупилась при виде того, как он сидит за столом, опершись на локоть и запустив пальцы в свои волосы. Он уставился в стол и пребывал в глубокой задумчивости. Заметив, как я вошла, он открыл было рот, намереваясь что-то сказать, но сразу захлопнул его при виде Денни, который нарисовался почти следом.

В моем мозгу засело его последнее обидное замечание, и я, хотя мне было немного противно перед самой собой, повернулась к Денни.

— Я понимаю, что ты уже оделся, — я провела рукой по его футболке и задержалась на ремне, — но, может, поднимемся и примем душ по-быстрому?

Я встала так, чтобы Келлану было видно, как я соблазнительно выгибаю брови и закусываю губу.

Денни хохотнул, и я зыркнула на Келлана. Тот не обрадовался и с излишней сосредоточенностью изучал столешницу. Очень хорошо.

Денни любовно поцеловал меня.

— Я бы рад, солнышко, но тогда я опоздаю. Скоро праздники, и Макс бушует.

— Ох. — Мое разочарование было преувеличенно. — Да ладно тебе, всего пять минут?

Вновь закусив губу, я опять покосилась на Келлана. Тот стиснул зубы, и я подавила желание расплыться в улыбке.

Денни осклабился шире:

— Я правда не могу. Давай вечерком?

Последние два слова он произнес шепотом, но я была абсолютно уверена, что Келлан услышал.

Я поцеловала Денни взасос, ощупав каждый квадратный сантиметр его тела. Он был несколько удивлен моим пылом, но отзывался охотно. Краем глаза я следила за Келланом. Тот встал, не глядя на меня, фыркнул и убрался в гостиную. Я отстранилась от Денни, солнечно улыбнувшись, когда дверь Келлана громко захлопнулась. Под улыбкой скрывалось отмщение. В эту игру можно было играть вдвоем.

ГЛАВА 19
ТЫ МОЙ

День благодарения наступил и прошел. Денни приготовил волшебный обед, а Келлан сбежал со словами «приятного аппетита», даже не подумав присоединиться к нам. Весь оставшийся вечер мы его не видели. Денни сделал небольшую индейку в глазури, фаршированную клюквой, рецепт которой узнал из какого-то кулинарного шоу, и дополнил ее картофельным пюре. Я приготовила салат... Больше он мне ничего не доверил. Но все время, пока он готовил, я сидела на стойке и составляла ему компанию. Денни много улыбался, осыпал меня поцелуями и выглядел абсолютно счастливым. Я старалась соответствовать его приподнятому настроению, пытаясь не думать о Келлане и не гадать, куда и с кем тот отправился.

Пока Денни мыл посуду после обеда (все-таки каким классным парнем он был!), я позвонила домой и пожелала родителям всего наилучшего, всячески избегая напрямую общаться с сестрой. Мне все еще было трудно обсуждать случившееся. Когда-нибудь я с ней заговорю, но не сейчас, не в разгар этих непоняток между Келланом и мной. Родители волновались, приеду ли я на Рождество. Они уже купили нам билеты — намек! — и приготовили мою комнату для двоих. Это немало меня удивило. Раньше они никогда не разрешали нам ночевать под одной крышей. Должно быть, здорово соскучились. С тяжелым сердцем я ответила, что Денни пригласил меня к себе, а я пока не решила. Денни же был таков, что тоже наверняка приобрел билеты просто на всякий случай.

Родители откровенно расстроились, и, хотя беседа переключилась на другие темы, я знала, что обсуждение моих слов растянется на несколько дней. Мне было больно, когда я положила трубку. Я не ответила и Денни насчет его планов, и он уже несколько раз при удобном случае интересовался моим решением. Но я так и не определилась, понятия не имея, куда поехать, кого обидеть... Терпеть не могла такого рода выбор. Куда ни кинь, все клин: кого-то ранить придется — либо родителей, либо Денни. Да еще и Келлан... Хотя его хамство значительно облегчило расставание с ним, сердце по-прежнему ныло и по нему.

Мое негодование росло не менее исправно, чем развивался наш флирт во времена не столь отдаленные. Лишь несколько недель назад мы с Келланом были почти неразлучны, однако теперь он стал таким едва ли не с половиной Сиэтла. Да еще и Кэнди. Она поймала меня на дурацком предложении и вскоре после Дня благодарения заявилась в «Пит». Узнав ее и послав мне взгляд, красноречиво говоривший: «Я в курсе, что и ты ее знаешь», — Келлан прилип к ней на весь вечер. А под «всем вечером» я понимаю *весь* вечер. Сквозь тонкую стену мне выпало снова и снова прислушиваться к ее «положительным отзывам» о талантах Келлана.

Доконал же меня, наверное, ее самодовольный видок в понедельник с утра, когда я натолкнулась на нее в коридорах университета. На лице ее четко читалось: «Я только что разжилась тем, чего тебе втайне хочется, — и мне, будь я проклята, понравилась каждая секунда».

Это меня добило. Вечером я сломалась.

В тот день Пит решил устроить в баре «женский вечер» с двухдолларовой выпивкой до полуночи, и я подозреваю, что на эту идею его натолкнул либо Гриффин, либо Келлан. В итоге бар оказался битком набит девушками студенческого возраста, которых с каждой минутой развозило все больше. Группа, конечно, была на месте — рада-радешенька своему разросшемуся хмельному гарему.

Келлан превзошел себя. Какая-то шлюха-растрепа уселась к нему на колени и присосалась к шее. Он был на седьмом небе от счастья, лапая ее за бедро. Остальные ребята не обращали на них внимания, им хватало и своих женщин. Девица многозначительно указала на подсобку. Келлан улыбнулся и помотал головой. Ясное дело — нет. Зачем сейчас жаться по углам, когда можно забрать ее домой, подняться наверх и ночь напролет сводить меня с ума? Эта мысль привела меня в ярость. Какое мне дело?

Я злобно надраивала чистый стол, когда заметила, что Келлан идет ко мне. Было слишком поздно, и слова вырвались сами собой:

— Не хочешь придержать шланг, Кайл?

Келлан прошел мимо и удалился на несколько шагов, прежде чем до него дошел смысл моей идиотской реплики. Он обернулся, и его глаза вдруг зажглись злостью.

— Ну ты даешь, — хохотнул он, на мой взгляд, довольно надменно.

— Что? — тупо спросила я.

Он приблизился к пустому столу, возле которого я стояла, и навалился на меня, прижимая всем телом. Перехватив мою руку, он с силой притянул меня к себе. Мое сердце заколотилось от его прикосновения. Он не трогал меня давно, и я задохнулась от неожиданности.

Келлан придвинулся еще ближе и зашептал мне в ухо:

— Стало быть, женщина, которая живет с парнем, женщина, с которой я сам занимался сексом не меньше двух раз, — эта самая женщина учит меня воздержанию?

Мое лицо гневно вспыхнуло. Я метала в него молнии и пыталась высвободиться, но Келлан крепко держал меня за руку, а стол за спиной не позволял удрать. Его внезапная злоба еще не улеглась, и он буквально вложил свои губы мне в ухо:

— А дашь, если замуж за него выйдешь?

Дальнейшее вошло в историю как «плюха на весь бар».

Рука сама по себе размахнулась и влепила ему на редкость внушительную затрещину — в десять раз круче, чем когда бы то ни было. Он чуть отшатнулся и сделал порывистый вдох. Красные отметины проступили мгновенно. Он был полностью ошеломлен.

— Ну ты и сволочь! — заорала я на него, на миг позабыв, что мы находились в баре, битком набитом свидетелями.

Руке было отчаянно больно, но мне, невзирая на это, было приятно разрядиться: я слишком долго терпела. Я замахнулась для следующего удара, но Келлан схватил меня за запястье и больно вывернул руку. Его глаза впились в мои, наполненные злостью для полной гармонии со мной. Я сопротивлялась болезненной крепкой хватке, от всей души желая врезать еще раз, стереть его в порошок.

— Какого черта, Кира? — взвыл он. — Какого, мать твою, дьявола?

Келлан схватил меня за другую руку, чтобы я не ударила ею, и я пустила в ход колено в надежде свалить его. Однако он отследил движение и швырнул меня в сторону. Рука запульсировала — кровь наконец прихлынула обратно. Мой гнев, давно искавший выхода, преступил грань разумного: я не замедлила метнуться назад и снова наброситься на Келлана.

— Кира, успокойся. — В туман ожесточения пробился деликатный голос Эвана.

Он придержал меня сзади и потащил прочь от Келлана, тому же положил руку на грудь Сэм. Келлан кипел от ярости, буравя меня ненавидящим взглядом. Мэтт и Гриффин встали позади него. Мэтт был встревожен, а Гриффин пребывал в щенячьем восторге. Дженни встала между мной и Келланом, раскинув руки, как будто ее миниатюрное тело могло послужить барьером, рванись мы снова друг к другу. Если не считать смешков Гриффина, в баре воцарилась мертвая тишина. Сэм явно не знал, что делать. В ином случае он бы просто вышвырнул буянов, но мы здесь работали и были друзьями.

В итоге именно Дженни, оглянувшаяся на толпу зевак, схватила за руку сначала Келлана, а потом и меня. Сдвинув брови и не глядя на нас, она пробормотала: «Пошли» — и увлекла обоих в подсобку. Мы с Келланом старательно игнорировали друг друга, как и толпу, покуда Дженни тащила нас прочь. Я заметила, как Эван кивнул Мэтту, который ответил тем же и вынудил крайне недовольного Гриффина стоять на месте. Затем Эван последовал за нами по пятам.

В коридоре он обогнал наше печальное трио и распахнул боковую дверь. Оглядевшись в последний раз, Эван притворил ее за нами и встал перед ней, удерживая нас в помещении, а также охраняя от любопытной клиентуры. Он скрестил на груди татуированные руки, перекрыв дверь со все еще неисправным замком, и нарисованные факелы грациозно взметнулись на его предплечьях. Мое настроение было сродни этим факелам.

— Так, — сказала Дженни, выпустив наши руки. — В чем дело?

— Она...

— Он...

Мы с Келланом заговорили одновременно, и Дженни, так и стоявшая между нами, вскинула руки:

— По очереди.

— Дженни, нам не нужен посредник, — буркнул Келлан, обращая взгляд на нее.

Ничуть не испуганная его грозным видом, Дженни спокойно отозвалась:

— Не нужен? Увы, я думаю иначе. — Она указала в сторону бара. — И половина людей там со мной согласна.

Дженни настороженно оглядела его с ног до головы.

— Так получилось, что я кое-что знаю о ваших стычках. Я не оставлю тебя с ней наедине.

Келлан уставился на нее, а затем посмотрел через плечо на меня:

— Ты рассказала ей... Она знает?

Я пожала плечами и покосилась на Эвана. Тот оставался сконфуженным и встревоженным.

— Все? — потрясенно спросил Келлан.

Я повторила свой жест.

Келлан хрюкнул и запустил руку в волосы:

— Ну... Разве не блеск? А я-то думал, что мы об этом помалкиваем. — Он посмотрел на Эвана. — Ладно, раз

Легкомысленные ❖ 409

шило вылезло из мешка, то почему бы не привести все к единому знаменателю?

Он театрально простер ко мне руки, одновременно не сводя с Эвана глаз.

— Я трахнул Киру... Хоть ты и предупреждал не делать этого. Затем, для ровного счета, еще разок!

Каждый выпалил свое. Дженни взвилась на Келлана за его выражения, Эван выругался, а я заорала, приказывая Келлану заткнуться. Он же всех оглядел и добавил:

— Ах да! Еще шлюхой ее назвал!

— Ну и урод же ты! — бросила я, отворачиваясь.

От ярости у меня хлынули слезы, лицо пылало от стыда. Эван ничего не знал — и не должен был.

Келлан, когда я снова взглянула на него, вконец обезумел:

— Урод? Это я-то урод? — Он злобно шагнул ко мне, и Дженни выставила руку, преграждая ему путь. — Это ты меня ударила! — Он указал на лицо, где еще багровели отметины. — Опять!

Вмешался Эван — ему, похоже, надоел этот спектакль.

— Черт побери, чувак, — о чем ты думал? Или не думал вообще?

Озлобленный взгляд Келлана метнулся к нему.

— Она умоляла меня, я живой человек.

Я оскорбленно буркнула что-то, не будучи в силах говорить связно. Что же, пускай весь мир узнает эти интимные подробности? Поразительно, кем он меня выставлял... Он был невинной овечкой, а я его соблазнила. Ну да, как же иначе!

Келлан полыхнул на меня глазами:

— Ты умоляла меня, Кира! Оба раза — забыла? — Он дернулся ко мне, и Дженни оттащила его. — Я делал то, о чем ты просила. Я вообще не делал ничего, кроме того, о чем ты просила!

Он гневно размахивал руками.

Злость в сочетании со стыдом развязали мне язык. Келлан редко делал вещи, о которых я «просила». В уме я держала длинный список, однако на первый план вышло слово, которое он выдал минутой раньше.

— Я не просила называть меня шлюхой!

Он шагнул ко мне, и Дженни уперлась ему в грудь уже обеими руками.

— А я не просил меня бить! Прекрати меня бить, мать твою!

— Язык придержи, — встряла Дженни, но Келлан проигнорировал ее.

Эван призвал его «остыть», что Келлан также проигнорировал.

— Нет, просил, урод ты этакий! — Ни одна женщина не стерпела бы вещей, которые он мне наговорил. Он, в сущности, сам напросился, на лбу написав приглашение. — Раз уж мы делимся сокровенным, — я гневно подчеркнула эти слова, — то почему бы тебе не рассказать им то, что ты говорил мне?

Я шагнула к нему, и Дженни положила руку мне на плечо. Мы не сцепились с Келланом лишь потому, что между нами стояла хрупкая белокурая девочка.

— Если бы ты дала мне пару секунд, я бы успел извиниться, как и хотел. Но знаешь... теперь уже нет. — Келлан передернул плечами и помотал головой. — Я не жалею, что сказал это.

Он агрессивно нацелил на меня палец.

— Ты вылетела из обоймы! Тебе просто не нравится, что я встречаюсь, что у меня свидания!

— Встречаешься? — бешено сверкнула я глазами. — Свидания? Трахать все, что шевелится, — это не свидания, Келлан! Ты даже не спрашиваешь, как их зовут. Так не годится! — Я покачала головой и прорычала: — Кобель!

Эван вмешался вновь, не успел Келлан ответить:

— Келлан, она говорит дело.

— Что? — Мы с Келланом оба уставились на него. — Ты что-то имеешь сказать, Эван?

Келлан отшатнулся от Дженни, которая убрала руку с его груди.

Лицо Эвана, обычно лучезарное, потемнело.

— Может быть. Возможно, она права. И может быть — я подчеркиваю: может быть, — ты это знаешь.

Келлан побледнел, но смолчал.

— Почему бы тебе не объяснить ей, с какой такой радости ты так разгулялся? Глядишь, она и поймет.

— Да что ты знаешь, твою мать! — окончательно взбеленился Келлан и шагнул к Эвану.

Эван вдруг преисполнился сочувствия и негромко ответил:

— Больше, чем ты думаешь, Келлан.

Тот остановился, лицо у него побелело.

— Заглохни, Эван... Это не просьба. Заглохни, черт тебя побери. — Он говорил тихо, но в голосе обозначилась стужа: он вовсе не шутил.

— Келлан... Выражения, — вновь упрекнула его Дженни.

Одновременно с ней я брякнула:

— О чем вы говорите?

Их путаная беседа в высшей степени взбесила меня.

Келлан не обратил на нас внимания и наградил Эвана ледяным взглядом. Эван посмотрел на него так же пристально, а затем сдался:

— Как знаешь, чувак... Тебе выбирать.

— Вот именно, — фыркнул Келлан и указал на всех нас. — Не ваше дело, с кем и как я встречаюсь. Если я захочу трахнуть весь этот бар, то вам...

— Да ты уже! — крикнула я, перебивая его.

— Нет! Я трахнул тебя! — проорал он в ответ, и во внезапной тишине после этого заявления мне стало слышно, как снова выругался Эван и тихо вздохнула Дженни. — А тебе хреново, из-за того что ты обманула Денни. — Келлан перегнулся через голову Дженни, и та опять толкнула его в грудь. — Закрутила роман, тебя заела совесть, но ты...

Я перебила его:

— Нет у нас никакого романа! Мы совершили ошибку, дважды — больше ничего!

— Да ладно, Кира! — выдохнул он в ажиотаже. — Ну и наивная ты, черт возьми. Секс-то был дважды, а все остальное? Это, по-твоему, не роман?

— Бред! — завопила я.

— Да неужели? Тогда почему ты так отчаянно скрывала это от Денни? Если все так невинно и безобидно, то почему бы нам не объявить всем и каждому о наших отношениях? — Келлан указал на дверь, намекая на внешний мир.

Он был прав. Мы только приоткрылись окружающим, не показав, насколько сблизились в действительности. У меня не было ответа.

— Я... я...

— Почему нам нельзя даже прикоснуться друг к другу?

Я замерла: мне не понравился ни вопрос, ни хриплость голоса Келлана.

— Что с тобой бывает, Кира, когда я тебя трогаю?

Его тон, без малого утробный рык, был непристоен, как и слова, и Дженни отступила от него, вновь уронив руку.

Келлан провел пальцами по своей футболке, отвечая на собственный вопрос:

— У тебя скачет пульс, учащается дыхание. — Он закусил губу и начал изображать тяжелые вздохи, не отводя от меня взгляда. — Твое тело трепещет, губы размыкаются, глаза горят.

Смежив веки, он издал тихий стон, затем посмотрел на меня снова и сладко втянул воздух сквозь зубы. Нарочно напрягая голос, он стал истязать меня дальше:

— Твое тело томится и ноет во всех местах.

Келлан опять закрыл глаза и точно воспроизвел низкий стон, который я не раз издавала. Он запустил пальцы в волосы на затылке, как делала временами и я, другой же рукой погладил себя по груди — еще один жест, прекрасно мне знакомый. Выражение его лица стало тем же, что и в минуты интимнейшей близости, а общий эффект до того поражал эротизмом, что я покраснела густейшим образом. Келлан сглотнул и выдал безумно возбуждающий звук, распахнув рот, как если бы задыхался.

— О... боже... пожалуйста... — Он изобразил стон, продолжая шарить руками по телу все ниже, ближе к джинсам...

— Хватит! — гаркнула я и посмотрела на Дженни, готовая провалиться сквозь землю.

Та была настолько же бледна, насколько я — красна. Она ответила мне взглядом и больше не придерживала рукой, скорее, сочувственно сжимая мое плечо. Эван, маявшийся у двери, пробормотал:

— Черт побери, Келлан.

Тот распахнул злые глаза и выпалил:

— Вот о чем я думал! По-вашему, это сплошная невинность? — Он оглядел комнату. — Кто так считает — ты? Или ты?

Келлан посмотрел на меня.

— Ты сделала выбор, помнишь? Денни. Мы покончили со всем, что было. — Он указал на себя и на меня. — Ты не питаешь ко мне никаких чувств. Ты не захотела быть со мной, но теперь не хочешь, чтобы со мной был вообще кто-то. — Он покачал головой. — Тебе этого надо? Чтобы я был один-одинешенек?

В конце фразы его голос гневно пресекся.

Лицо мое, все еще пунцовое от стыда, пылало от бешенства.

— Я никогда этого не говорила. Я сказала, что, если у тебя кто-то появится, я пойму... Но, господи, Келлан, Эван же прав — сбавь обороты!

Повисло молчание, и все переглянулись. Наконец мое терпение вышло.

— Ты хочешь обидеть меня? Пытаешься доказать что-то?

— Тебе?.. — Келлан смерил меня взглядом. — Нет... Ничего!

Он чуть отошел от Дженни, и я налетела на нее, рванувшись вперед. Она вцепилась мне в плечи, удерживая на месте.

— Значит, ты не нарочно меня оскорбляешь? — прорычала я.

— Нет. — Он опять взъерошил волосы и помотал головой.

Все заволокло красной пеленой — до того я рассвирепела. Конечно же нарочно! Зачем иначе окучивать целый город? Зачем еще нарушать свое слово?

— А как насчет моей сестры?

— Господи, только не начинай снова, — застонал он и закатил глаза.

Эван шагнул, намереваясь помочь Дженни, которая уже с трудом меня сдерживала: я пришла в неистовство и пыталась прорваться к Келлану. Дженни глянула поверх меня на Эвана и молча замотала головой. Он остался у двери.

— Да! Начинаю! Снова! Ты обещал! — взвыла я, тыча в него пальцем.

— Значит, я соврал, Кира, что тут непонятного? — заорал он в ответ. — Со мной такое случается, если ты не заметила! И что такого? Она хотела меня, а ты — нет. Какое тебе дело, если я...

— Потому что ты мой! — возопила я совершенно не умышленно. Конечно, он никак не был моим...

Тишина, обрушившаяся после моих слов, оглушила. Келлан побледнел, а затем пришел в сильную, чрезвычайную ярость.

— Нет, не твой! В ЭТОМ ВСЕ ГРЕБАНОЕ ДЕЛО!

— Келлан! — вскинулась Дженни, и он в итоге уставился на нее.

Казалось, что дальше некуда, но после бездумного заявления лицо мое запылало еще жарче.

— Так вот почему ты это сделал? Поэтому переспал с ней, сукин ты сын? Хотел доказать? — Мой голос срывался от гнева.

— Он этого не делал, Кира, — негромко проговорила Дженни, решившая наконец вмешаться.

— Дженни! — послал ей ледяной взгляд Келлан.

Не обращая на него внимания, она очень спокойно продолжила:

— Это не Келлан с ней спал.

Он угрожающе шагнул к Дженни, а Эван — к нему, и Келлан, посмотрев в его сторону, остановился.

— Тебя это не касается, Дженни, не лезь!

Она, слегка рассердившись, холодно выдержала его взгляд.

— Теперь касается! Келлан, зачем ты ей врешь? Скажи правду! Хоть раз скажи ей правду.

Он захлопнул рот, стиснул зубы. Эван сердито взглянул на него, а Дженни нахмурилась. Я больше не могла этого вынести и закричала:

— Пожалуйста, кто-нибудь, скажите же мне хоть что-то!

Дженни обернулась и мягко осведомилась:

— Ты вообще слушаешь, что говорит Гриффин?

Келлан досадливо произнес:

— Нет, она его сторонится, как огня. — Он тише добавил: — На то и был расчет.

В смятении я сдвинула брови:

— Погодите... Гриффин? Сестра спала с Гриффином?

Дженни кивнула, закатывая глаза:

— Кира, он только об этом и твердит. Поет на каждом углу — «лучшая дырка в моей жизни»! — Она скривилась от отвращения.

Келлан вновь сжал зубы, а потом сказал:

— Ну хватит, Дженни.

Я таращилась на нее, не веря ушам, потом посмотрела на Эвана. Тот пожал плечами, кивнул и с любопытством уставился на Келлана. Дженни сделала то же. А после и я.

— Ты мне соврал? — прошептала я.

Келлан повел плечами, не соглашаясь:

— Ты так подумала. Я просто не стал тебя разубеждать.

Я взвилась от ярости:

— Ты мне соврал!

— Сказано же тебе: со мной случается, — огрызнулся он.

— Но зачем?

Келлан отвернулся от нас и промолчал.

— Ответь ей, Келлан, — проговорила Дженни.

Он глянул на нее, и она подняла брови. Келлан насупился, но продолжал молчать.

Меня затопили воспоминания.

— Эта стычка в машине в дождь... Все началось потому, что я рассвирепела на вас с нею. Зачем ты предоставил мне думать...

Он впился в меня взглядом:

— А почему ты сразу решила...

— Она мне сама сказала. Ну, это так прозвучало, будто...

Я закрыла глаза. Мне самой не хотелось выслушивать ее до конца. Я так и не дала ей объяснить, что произошло той ночью. О Келлане она сказала лишь то, что хочет поблагодарить его за все, что он для нее сделал. Я решила, что она передает ему спасибо за это самое. Она же, быть может, имела в виду вечер вообще, бесконечные танцы с ней, доставку ее к Гриффину, поездку домой или — господи, да это могло быть что угодно!

Вновь открыв глаза, я посмотрела на Келлана и смягчила и голос, и взгляд:

— Прости, что я так подумала... Но почему ты так долго не говорил правду?

Он тоже смягчился:

— Хотел, чтобы ты страдала...

— Почему? — прошептала я и шагнула к нему.

Дженни, видя, что мы успокоились, дала мне пройти. Келлан отвернулся и не ответил. Я подошла к нему и положила ладонь ему на щеку. Он закрыл глаза.

— Почему, Келлан?

Он прошептал, не размыкая век:

— Потому что ты тоже заставляла меня страдать... Много-много раз. Я хотел отомстить.

Мой гнев улетучился. Келлан, также больше ни капли не злой, медленно открыл глаза, всем видом выражая душевную боль. Он молча ответил взглядом на взгляд. Где-то на задворках моего сознания отложилось, что Дженни подошла к Эвану и предложила оставить нас наедине ненадолго. Затем я услышала звук отворяемой и запираемой двери — и мы с Келланом оказались одни.

— Я никогда не хотела тебя ранить, Келлан... Никого из вас.

Мне ответила мертвая тишина, и я опустилась на колени посреди комнаты. Вознесшись на пик эмоций, я полетела вниз, и сказалось все: вина, возбуждение, боль, страх неизвестности и гнев. Я едва могла вспомнить, как замечательно все начиналось и длилось, пока я не разрушила все.

Келлан опустился рядом и взял меня за руки:

— Теперь уже не важно, Кира. Все идет своим чередом. Ты с Денни, а я... я... — Он сглотнул.

Мне так не хватало былого, наших трепетных отношений, длившихся до того, как Келлан охладел, потом распалился, а затем стал таким, как сейчас. Я не успела подумать, слова вырвались сами.

— Я скучаю по тебе, — прошептала я.

Он замер, и я услыхала, как он сглотнул.

— Кира...

Подступили слезы, и мне хотелось одного: вернуть себе друга. Удивительно, но Келлан обнял меня, как делал давным-давно. Я прижалась к нему, нуждаясь в его близости. Он принялся гладить меня по спине, когда я начала всхлипывать, уткнувшись ему в плечо. Я отчаянно хотела освободиться от бремени многих чувств. Голова шла кругом от вины, злости, пыла и боли.

Келлан пробормотал что-то сильно похожее на «прости, малышка». Мое сердце бешено забилось при мысли об этих нежных словах, слетевших с его уст.

Он опустился на пятки, по-прежнему крепко прижимая меня к себе, так что я сидела на его бедрах, расставив колени. Он стал гладить меня по голове, и я начала обмякать. Он долго продержал меня так. Я постепенно перестала плакать и повернулась взглянуть на него.

Странно — его глаза были закрыты, голова опущена. Келлан пребывал в печали. Я попыталась отстраниться, но он, не размыкая век, притянул меня ближе и прошептал:

— Нет, пожалуйста... Останься.

Я моментально смекнула, в каком опасном положении мы оказались. Но ради всего святого — до чего же здесь было тихо, как крепко он меня обнимал и как же давно мы не сливались в таких объятиях. Он медленно открыл глаза, и я поняла, что он тоже осознает риск. Его губы разомкнулись, дыхание участилось. Я видела, что он до боли хочет меня. Келлан был прав: у нас имелась причина не прикасаться друг к другу.

Думая лишь о том, как мне сказать ему, что я не могу больше так поступать с Денни, я шепнула:

— Мне страшно тебя не хватает.

Это было совершенно не то, что я хотела произнести. Что со мной стряслось?

Келлан закрыл глаза и ткнулся в меня лбом. Я отчетливо видела, до чего ему трудно со мной, — мне искренне не хотелось, чтобы так было...

— Кира, я не могу... — Он снова глотнул. — Это ошибка, ты не моя.

Я затрепетала при слове «моя», сорвавшемся с его губ, и себя же за это возненавидела. Мысленно соглашаясь с ним, я прошептала:

— Нет, я твоя.

И снова стоп, я же не это хотела сказать...

Келлан издал странный звук и прерывисто вздохнул:

— Так ли это?..

Он прошептал это настолько тихо, что я едва расслышала. Он посмотрел на меня, и в его глазах снова горела страсть.

— Я очень хочу тебя...

Мне было отчаянно жаль нашей прежней непринужденной дружбы и невыносимо совестно того, что я постоянно изменяла Денни, но до боли хотелось ощущать на себе руки Келлана, и последнее побеждало. Я так по нему скучала, и вот он со мной — мне вдруг не захотелось терять его снова.

— Я тоже тебя хочу, — прошептала я, впервые за все это время сказав то, что и собиралась.

Тогда он перекатился так, что я улеглась на пол, а он вдавился в меня. Едва дыша, Келлан помедлил, почти касаясь моих губ. Он сохранял выдержку, и мне было видно, какая в нем шла борьба. Он сомневался, что мне действительно хотелось этого.

Не зная, что́ говорю, я выпалила все разом:

— Я страшно по тебе истосковалась. Мне так давно хотелось к тебе прикоснуться. Обнять тебя. Я хотела тебя безумно долго. Ты нужен мне, Келлан... И всегда был нужен.

Он все еще сдерживался, неистовым взором шаря по моему лицу в поисках лжи.

— Я не... Ты больше не проведешь меня, Кира. Я лучше покончу с этим, чем снова попадусь в твой капкан. Я не могу...

Допытываясь до истины, я тоже покопалась в себе, однако нашла лишь болезненную телесную тоску по Келлану. Мне было не вынести еще одного вечера, когда он остался бы с очередной женщиной. Я не могла допустить, чтобы его губы хотя бы секунду касались кого-то помимо меня, но даже не задумывалась над тем, что это значило для нас с Денни. Во мне пульсировала единственная мысль: Келлан должен быть моим, и только моим.

Я осторожно заключила его лицо в ладони.

— Не бросай меня. Ты мой, а я твоя. Я хочу тебя... И ты можешь брать меня. Только прекрати бывать со всеми этими...

— Нет, — отпрянул он. — Я не буду с тобой, ты ревнива.

Снова притянув его ближе, я позаимствовала один из его жестов, давным-давно сведший меня с ума. Я чуть провела языком по его верхней губе изнутри. На Келлана это оказало тот же эффект. Он закрыл глаза и задрожал, делая быстрый вдох.

— Кира... нет. Не повторяй этого со мной...

Я помедлила.

— Келлан, я и не собираюсь. Прости, что я тебя оттолкнула, но больше я не скажу тебе «нет».

Мой язык вновь занялся его пленительной кожей. Я добралась только до половины губы, когда он впился в меня. Поцеловав меня, он сделал паузу и отпрянул, дыша неглубоко и часто. Он пристально смотрел на меня и явно разнервничался.

— Я влюбился в тебя, — прошептал он, ища мои глаза.

Он был очень бледен, страшно напуган и немного обнадежен.

— Келлан, я...

Не зная, что сказать, я снова была готова расплакаться.

Он не позволил мне даже попытаться закончить — погладил меня по щеке и поцеловал опять, но нежно, ласково, бесконечно чувственно.

— Я так люблю тебя, Кира. Нет слов, как я по тебе скучал. Я страшно виноват. Прости за жуткие вещи, которые я наговорил. Прости, что врал тебе про сестру... Я ее и пальцем не тронул. Я обещал, что не буду. Я не мог тебе признаться, насколько я тебя обожаю... как сильно ты меня ранила.

Высказавшись о своих истинных чувствах, он словно дал волю всем прочим сдерживаемым эмоциям и теперь не мог остановиться.

Он говорил быстро, в паузах между поцелуями.

— Я люблю тебя. Прости. Пожалуйста, прости. Эти женщины... Я страшно боялся до тебя дотронуться. Ты не хотела меня... Я не мог терпеть эту боль. Я пытался переболеть тобой. Когда я был с ними, передо мной всегда была ты. Я так виноват... Я люблю тебя.

Я внимала ему в потрясенном молчании, и слезы текли по моим щекам. Его искренние слова и мягкие губы лишали меня сил, заставляя мое сердце отчаянно колотиться.

Он без устали смыкал наши губы, а речь продолжала струиться.

— Прости и забудь, пожалуйста... Я пытался выкинуть тебя из головы. Не вышло... Я только хотел тебя сильнее и сильнее. Господи, я тосковал по тебе. Мне так жаль, что я тебя оскорбил. Я никого не хотел так, как тебя. Я дико хочу тебя. Хочу навсегда. Прости меня... Я очень тебя люблю.

Я все еще не могла осмыслить его слова и затравленный взгляд, в котором читалась и надежда. Но от всего сказанного он был мне еще больше желанен. Мое дыхание отяжелело и стало прерывистым. В ответ поцелуи Келлана становились все неистовее.

— Боже, я люблю тебя. Ты нужна мне. Прости меня. Останься со мной. Скажи, что я тоже нужен тебе... Скажи, что ты тоже хочешь меня. Пожалуйста, будь моей...

Он мгновенно прекратил меня целовать и застыл, цепенея от ужаса, как будто только сейчас осознал, о чем говорил.

— Кира?..

Голос его дрожал. Глаза влажно блестели, ловя мой взгляд.

До меня дошло, что я уже давно не произносила ни слова. Он изливал мне душу, а я молчала. Конечно, он не давал мне возможности говорить, но, судя по его страху, даже не понимал этого. Он знал одно: я молчала и плакала.

Мое горло перехватило от избытка чувств, и я закрыла глаза, давая себе минуту на то, чтобы все вобрать. Он любит меня? Обожает? Любит? Хочет... навсегда? Любит меня? Хочет, чтобы я была с ним? Любит? Чувства, которые я испытывала к нему и в то же время яростно отвергала, вернулись и затопили все мое существо. Мне вспомнилась каждая мелочь — все горести, радости, ревности, — неужели он всегда любил меня?

Я отстранила его и осознала, что продолжаю лежать молча, с закрытыми глазами. Открыв их, я увидела его печальное, испуганное лицо. Я схватила Келлана за руку, не позволяя отдалиться. Он поймал мой взгляд, и по его щеке скатилась слеза. Я стерла ее большим пальцем и придержала Келлана. Притянула ближе, нежно поцеловала.

— Кира... — пролепетал он, чуть отшатнувшись.

Я проглотила комок.

— Ты всегда был прав: мы не друзья. Мы намного больше, чем друзья. Я хочу быть с *тобой*, Келлан. Хочу быть твоей. Я и так твоя.

Все это вырвалось в мгновение ока — ничего другого я не могла придумать. В ту секунду на нем сошелся клином весь свет. Ничего не было, кроме него, и я больше не хотела ему противиться. Я устала от этой войны и хотела принадлежать ему во всех смыслах.

Келлан перекатился и вновь очутился поверх меня. Наши губы встретились. Он тихо выдохнул и поцеловал меня взасос, как будто мы не делали этого много лет. Страсть, исходившая от него, накрывала с головой, он сотрясался всем телом. Келлан сменил точку опоры и толкнулся в меня, издав глубокий горловой звук, который заставил меня трепетать.

Я провела руками по его спине, и он задрожал. Нащупав подол его футболки, я потянула ее вверх и погладила голую кожу. Секунду я любовалась потрясающим совершенством его тела, и затем мы опять слились в поцелуе.

Он снова переместил центр тяжести и медленно провел руками по моей шее, груди, потом скользнул ими под блузку. Они тряслись, когда он задрал ее и стянул. Дрожало и тело, пока он целовал меня. Я поняла, что он сдерживался, заставляя себя действовать медленно и сохранить контроль, на случай если я передумаю. При мысли о том, как сильно он хотел меня и до чего был во мне не уверен, я вся загорелась.

Я водила руками по его голой спине, ощущая каждую мышцу, каждую выемку. Он чуть застонал, когда я дотронулась до его груди и провела пальцами по тонкому рубцу на ребрах — шраму, который он заработал из-за меня, потому что любил меня. Его губы не оставляли в покое моих, руки гуляли по плечам, шее, поверх лифчика, спускались к животу. Я вздохнула — до того было сладко вновь ощущать его прикосновения, я так давно их не знала. Он снова сдвинулся и дрожащими руками потянулся к моим джинсам. Пальцы начали поигрывать ремнем, как будто прикидывая, надо ли...

Я отпрянула от его губ и прошептала на ухо:

— Я твоя... Не останавливайся.

И с этими словами искушающе поерзала под ним.

Выдохнув и расслабившись, Келлан послушал меня и не остановился. Он принялся расстегивать мне джинсы, и я, кусая губу, потянулась расстегнуть его. Он отпрянул, пристально изучая меня. Дрожь прошла. Я разделалась с его джинсами, а он начал стаскивать мои. Глядя на меня с невыразимой любовью, он тихо произнес:

— Я люблю тебя, Кира, — и снова стал целовать.

Его лицо и признание настолько потрясли меня, что я перестала дышать. Внезапно все показалось неправильным, грязным. Происходящее не сочеталось с его нежными словами, и я не могла отпустить тормоза.

— Келлан, подожди... — сказала я робко. — Всего мину...

— Кира... — Он оставил мои джинсы в покое и тяжко застонал, навалился всем телом, положил голову мне на плечо. — О... мой... бог. Ты серьезно? — Он стал кататься головой по моему плечу. — Пожалуйста, не делай этого снова. Я не вынесу!

— Нет, я не буду... Но...

— Но? — Келлан привстал, чтобы видеть меня. Он был не в силах дышать, его синие глаза горели желанием, но уже и досадой. — Ты понимаешь, что если ты продолжишь так обращаться с моим телом, то у меня никогда не будет детей?

Меня рассмешила его неумышленно забавная реплика. Он отодвинулся дальше и нахмурился.

— Рад, что тебя это веселит...

Продолжая посмеиваться, я провела пальцем по его щеке, пока не заставила наконец улыбнуться.

— Если мы собираемся это сделать... Если я буду с тобой... — Я оглянулась на грязный пол, где мы лежали. — Это случится не на полу в подсобке Пита.

Он нахмурился, но сразу пошел на попятную, ласково поцеловал меня и шепнул:

— Теперь тебя, значит, не устраивает грязный пол?

Я вновь рассмеялась — он намекал на нашу свиданку в кофейной будке, вдобавок меня обрадовало, что чувство юмора вернулось к нему. Я давно не слышала от него шуток.

Келлан поцеловал меня в сотый раз, после чего, подавшись назад, изобразил недовольство.

— Неужели ты заставила меня изливаться только затем, чтобы снова раздеть? — Он чарующе выгнул бровь.

Я прыснула и бережно заключила его лицо в ладони.

— Господи, я скучала. Мне не хватало этого.

— Чего именно? — осведомился он тихо, отражая мой взгляд и осторожно поглаживая меня по голому животу.

— Тебя... Твоих шуток, улыбки, прикосновений, твоего... всего. — Мой взор лучился теплом.

— Как же я тосковал по тебе, Кира, — посерьезнел он.

Я кивнула, проглотив застрявшие в горле чувства, и он поцеловал меня снова. Внезапно Келлан отодвинулся дальше, созерцая меня полуголую, распростершуюся под ним, закусил губу и выгнул бровь.

— Знаешь... Здесь масса возможностей, помимо пола.

— Да неужели? — вторила я, радуясь его живости.

— Ага... — Улыбаясь, он огляделся. — Стол... стул... полка...

Келлан глянул на меня сверху вниз, и его ухмылка вдруг стала дьявольской.

— Стена?

Я рассмеялась и погладила его по груди, дивясь своей переменчивости по отношению к Келлану. Мы только что были готовы вцепиться друг другу в глотки — и вот уже перебрасывались нескромными шуточками. Я мотнула головой:

— Просто поцелуй.

— Да, мэм. — Он улыбнулся и принялся упоенно целовать меня. — Динамщица, — пробормотал он, принимаясь за шею.

— Кобель, — отозвалась я, ухмыляясь и покрывая поцелуями щеку, по которой не столь давно лупила его без устали.

Келлан хрипло рассмеялся и перешел к ямке между ключицами.

По комнате разнесся настойчивый стук в дверь, но мы с Келланом оставили его без внимания.

— Мм... — Я закрыла глаза, когда Келлан слегка провел языком по моей шее. Боже, я была без ума от этого.

Он обхаживал мой подбородок, когда докучливый стук, который мы игнорировали, преобразовался в распахнутую дверь. Я глотнула воздух и вскинула голову, сердце бешено колотилось. Келлан повернулся к двери.

— Черт бы тебя подрал, Эван... Напугал так, что я чуть не обделался! — сказал он со смехом.

Мне же было не до смеха. Я была не в том виде, чтобы показываться кому-то. Эван, к его чести, прикрыл глаза. Он немедленно затворил за собой дверь и отвернулся.

— Извини, старина. Я знаю, вы тут... Келлан, надо поговорить.

Эван стоял вконец смущенный, но до меня ему было далеко. Келлан лежал на мне, скрывая меня от Эвана, пусть тот и не смотрел в нашу сторону.

— Умеешь ты вовремя, дружище, — нахмурился Келлан.

Эван нечаянно глянул на нас и быстро вновь отвернулся. Я крепче вцепилась в Келлана, желая оказаться где угодно, только подальше отсюда.

— Извини... Но через десять секунд ты скажешь мне спасибо за это «вовремя».

Келлан улыбнулся во весь рот:

— Да брось, Эван, как будто нельзя подождать те же десять... — Я ткнула его под ребра, и он взглянул на меня, а потом снова на Эвана. — Двадцать минут?

Я прыснула.

— Денни здесь, — сообщил Эван.

Перестав хихикать, я тихо спросила:

— Что?

Келлан уселся на мне верхом.

— Вот дерьмо.

Он протянул мне блузку, и я быстро оделась. Он так и сидел на мне, размышляя.

Эван наконец смог безбоязненно смотреть на нас.

— Если не хотите, чтобы здесь стало еще веселее, то Кире нужно уйти, а тебе — остаться, и мы потолкуем.

Келлан усиленно закивал, нащупал свою футболку и надел ее.

— Спасибо. — Он оглянулся на Эвана.

— Я же говорил, спасибо скажешь, — криво усмехнулся тот.

Я ощутила ледяной холод, когда Келлан наконец слез с меня и помог мне встать. Мы привели себя в порядок, и я опять начала задыхаться. Келлан положил руку мне на плечо:

— Все хорошо... Все будет в порядке.

Меня же охватила паника.

— Но целый бар... Они все видели, будут говорить. Он что-нибудь да узнает.

Келлан замотал головой:

— Узнает, что мы подрались... Вот и все.

Он посмотрел на Эвана, которому явно не терпелось, чтобы я ушла.

— Иди, пока он не явился сюда.

— Ладно...

— Кира... — Он поймал меня за руку, когда я развернулась к выходу, и притянул к себе для долгого прощального поцелуя.

Задыхаясь, я шагнула в коридор.

ГЛАВА 20

ПРИЗНАНИЯ

На счастье, в коридоре было пусто. Я быстро заскочила в женский туалет, где тоже оказалось безлюдно. Паника отступила, я сползла на пол и уперлась подбородком в ладони. Беда подошла слишком близко. Пришел бы не Эван, а Денни — и что тогда? Внутри у меня все сжалось от этой мысли. Если я собиралась бросить Денни, то это не означало, что он должен был становиться свидетелем подобных сцен.

В самом ли деле я вздумала променять Денни на Келлана? Я любила Денни и не хотела его потерять, но как же приятно мне было вновь ощутить на себе руки Келлана. Больше я не смогу ему отказать: я слишком сильно нуждалась в нем. Может, выгорит с обоими? Я улыбнулась и поднесла пальцы к губам, вспоминая нежный поцелуй Келлана. Любил ли он меня всерьез? Любила ли его я? Эта мысль захватывала и ужасала меня. Справлюсь ли я с откровенным романом? А Келлан? А Денни?

Отворив дверь, я выглянула в коридор. Так никого и нет. Хорошо. Посмотрев в зеркало, я решила: по мне не скажешь, что я чуть не трахнулась с Келланом в очередной раз... Вздохнув, я повернулась и вышла из закутка.

Как только я вернулась в бар, мои глаза автоматически обратились к столу, за которым гуляла рок-группа. Я нахмурилась. Келлана не было. До сих пор сидел в подсобке с Эваном? Мне стало не до того: на меня волками смотрели клиенты, которых ничуть не обрадовало мое длительное отсутствие. Да и Денни уже приближался ко мне несколько настороженно.

Совсем недолго я надеялась, что Денни до сих пор никто ничего не сказал, но низкое жужжание голосов перекрылось воплем Гриффина:

— О, вот и Кира — королева удара!

Мэтт с силой толкнул его в грудь, и Гриффин буркнул:

— А что? Этот козел, небось, заслужил.

Я закрыла глаза и про себя выругала этого тупого, горластого дебила. Серьезно — что в нем нашла сестра?

— Кира? — Мягкий акцент Денни заставил меня разомкнуть веки. — Все в порядке? Весь бар гудит о том, как ты врезала Келлану.

Его брови обеспокоенно сдвинулись, в глазах читалось то же чувство.

Пройдя мимо, я подцепила его за руку и увлекла к барной стойке, затягивая момент. Что мне ему сказать? Келлан не научил меня, что говорить. Мое свежее недовольство Гриффином подкинуло идею, и я, недолго думая, брякнула:

— Этот козел переспал с Анной, когда она приезжала, и больше ни разу не позвонил... Разбил ей сердце.

Денни остановился — я тоже... И дышать перестала.

— О. — Других слов он не нашел.

Но брови его не разошлись, и я не знала, поверил он мне или нет.

— Я не стерпела, что он так ее использовал, да и все эти бабы, которых он таскает домой. Это просто хамство по отношению к ней. А сегодня ему устроили буквально танец на коленях[1], и я сорвалась. В каком-то смысле я защитила ее честь.

— О, — повторил Денни, на сей раз смягчившись и улыбнувшись. — Что же ты мне раньше не сказала? Я бы с ним побеседовал.

Расслабившись, я вновь задышала ровно.

— Я обещала ей никому не говорить.

---

[1] *Танец на коленях* — танец со стриптизом, исполняется на коленях у посетителя.

— Серьезно? — Он вдруг заинтересовался. — Она так на нем висела, что я думал, история будет написана на стенах. Твою сестру не поймешь. — Денни пожал плечами и поцеловал меня в щеку. — Можно, отныне драться буду я?

Я нервно хихикнула и стиснула его руку. Он что, и вправду купился?

— Да не вопрос. — Я наскоро чмокнула его. — Клиенты, похоже, рассердились. Мне пора работать.

— Им, наверное, понравился обед с представлением, — рассмеялся Денни. — Кстати, насчет обеда... Я помираю с голода. Надо бы что-то перехватить. — Он снова хохотнул и привлек меня к себе. — Кира, я тебя люблю.

Продолжая посмеиваться, он стал пробираться к столу, за которым сидела группа.

Меня чуть не стошнило.

❖ ❖ ❖

Не знаю, о чем Эван говорил с Келланом в подсобке, но они проторчали там около часа. Когда они наконец вышли, Келлан имел понурый вид и убрался из бара бочком, по стеночке. На меня он даже не взглянул. Сперва я оскорбилась, но, уловив вокруг возню и тихие пересуды, решила, что раз уж между нами, как полагали клиенты, произошла крупная ссора — а так оно и было в известном смысле, — то Келлан повел себя мудро.

Весь оставшийся вечер он больше не появлялся. Денни, к счастью, поверил в мою версию событий и не расспрашивал ребят. Позднее, когда я подала ему обед, они оживленно болтали о каком-то матче. Денни улыбнулся мне и полез целоваться, на что я немедленно согласилась. При этом я не могла не взглянуть на Эвана, все еще живо помня, в каком рискованном положении он очутился. Он, разумеется, помнил не хуже. Ответив мне взглядом, он чуть зарумянился. Я постаралась больше не смотреть на него.

Отобедав, Денни вскоре ушел, а мне пришлось еще несколько часов терпеть приглушенный шепот, который быстро смолкал при моем приближении. Я надеялась, что никому не удастся толком сложить два и два. Совершенно незачем, чтобы кто-то проговорился Денни.

Дженни предложила подбросить меня домой. Я поблагодарила ее за неизменную готовность это сделать, равно как и за помощь в истории с Келланом. Мы шли через парковку к ее машине, когда я вдруг резко остановилась. Душа ушла в пятки. Дженни заметила это и посмотрела, желая узнать, что приковало мое внимание. Машина Келлана стояла через дорогу, а сам он маячил снаружи — прислонился к дверце, скрестив на груди руки. Увидев, что мы его заметили, он широко улыбнулся.

При виде Келлана мое сердцебиение участилось вдвое. Дженни вздохнула, и я умоляюще посмотрела на нее.

— Ладно... Ступай. Если кто спросит, я скажу, что мы пошли выпить кофе и забыли про все на свете.

— Спасибо, Дженни, — ухмыльнувшись, я стиснула ее в объятиях.

Она схватила меня за руку, едва я собралась уходить.

— Кира, я делаю это в первый и последний раз. — Дженни покачала головой и чуть прищурилась. — Я не собираюсь покрывать интрижку.

— Прости. Не нужно было втягивать тебя в это, — кивнула я, сглотнув, чувствуя себя чудовищно виноватой.

Задумчиво посмотрев на меня, она выпустила мою руку.

— Придется выбрать одного, Кира. Одного выбери, другого отпусти. С двумя никак.

Кивнув опять, я снова сглотнула болезненный комок, образовавшийся при мысли об этом. Секунду я смотрела, как Дженни коротко машет Келлану и шагает к своей машине. Затем я чуть ли не бегом устремилась к нему.

Он тепло улыбнулся мне, когда я приблизилась, взял меня за руку и повел вокруг автомобиля, а затем любезно помог мне усесться. Мне было отрадно видеть, что его уход из бара оказался лишь постановкой и мое общество ничуть не тяготило его. Глядя, как он обходит машину спереди, я восстановила в памяти наш дикий поединок, и часть его никак не отпускала меня.

Когда Келлан скользнул в салон и аккуратно притворил за собой дверцу, я заставила себя нахмуриться. Он с любопытством вгляделся в меня.

— В чем дело? Я оставил тебя на несколько часов. — Келлан сухо улыбнулся. — И что я такое натворил? — промурлыкал он.

Храня неодобрительный вид, я отозвалась:

— Мне не дает покоя кое-что другое. То, что ты сделал как раз несколько часов назад.

Он мило склонил голову набок:

— Чего я только не сделал... Поточнее нельзя?

Уголки моего рта поползли вверх, а затем я надулась, испытав неподдельное раздражение.

— О боже... Я тебя умоляю. — Я шлепнула его по руке. — Как ты посмел высмеивать меня перед Эваном и Дженни? — Еще один шлепок. — Позорище какое!

Келлан увернулся и покатился со смеху:

— Ой! Прости, — коварно осклабился он. — Я излагал свою точку зрения.

Я шлепнула его в последний раз.

— Изложил, ничего не скажешь, козел этакий!

Он снова рассмеялся:

— Похоже, я плохо на тебя влияю. Ты уже ругаешься не меньше моего.

Глупо хмыкнув, я приютилась у него под боком. Келлан скосил на меня глаза:

— При случае можешь изобразить и меня.

Похоже, эта перспектива несказанно воодушевила его, и я не могла не развеселиться. Залившись краской, я вспомнила его демарш.

— А у тебя здорово получилось.

— Так не впервой, — усмехнулся Келлан.

Не веря ушам, я задохнулась, и он хохотнул при виде выражения моего лица. Затем вдруг в его глазах возник странный блеск. Мое сердце заколотилось.

— Хм... — Склонив голову на плечо, он криво улыбнулся. — Твоя правда... Вышло не совсем честно.

Он усмехнулся во весь рот, и мое сердце пропустило удар.

— Что ж, теперь я изображу себя...

Я собралась возразить, что выйдет совсем не то — мы заперты в машине и, кроме меня, его никто не слышит, — и в ту же секунду Келлан обвил меня руками и крепко прижал к себе, приникнув губами к моему уху.

Мои доводы отступили. Рассудок покинул меня.

Все чаще дыша мне в ухо, Келлан слабо застонал. Я закрыла глаза, мое дыхание тоже участилось. Теплый воздух, вырывавшийся изо рта Келлана, щекотал мне шею, а мягкие губы касались ушной раковины, порождая во мне волны трепета.

— О-о, — протянул он возбуждающе, а затем сделал шумный вдох.

Меня шокировала реакция моего тела: его мгновенно скрутило, словно от разряда тока.

— Боже... — Он напряг голос и провел рукой по моему бедру.

Я дернулась на сиденье, дыша возмутительно часто.

— Да... — шепнул он с придыханием, от которого я растеряла остатки контроля.

Развернувшись к нему лицом, я притянула его к себе за шею, неистово целуя. Наш поцелуй углубился, наполнив меня удивлением и возбуждением. От него так потрясающе пахло... Он был настолько хорош на вкус... так приятен на ощупь... Может быть, машина окажется лучше грязного пола?

Келлан резко отпрянул.

— Сделаем кое-что? — спросил он спокойно, но в глазах плясали чертики.

— Да... — буквально промычала я. Боже, он мог делать со мной все, что хотел...

— Минуту дать? — Он отодвинулся чуть дальше и ухмыльнулся.

Улыбка стала отчасти самодовольной, и он расхохотался, когда я вновь залепила ему по руке.

Он тронул машину с места, когда я насупилась. Мое лицо постыдно пылало. Черт, он был хорош.

— Что ты задумал? — осведомилась я слегка ворчливо.

Келлан развеселился при виде моего лица и чуть встряхнул головой:

— Прости, не хотел тебя завести. — Я вскинула бровь, и он повторил смешок. — Ладно, может быть, и хотел.

Он подмигнул, и я зарделась еще пуще.

— Но прямо сейчас я хочу тебе кое-что показать.

Он улыбнулся так, что у меня захватило дух, и я смогла лишь кивнуть, пока мы съезжали с улицы.

Согласно вздохнув, я расслабилась, приникнув к нему, он же крепко придерживал меня за плечо. Я заглядывала в его потрясающие глаза и смотрела, как сменялись огни светофоров, когда заметила, что мы движемся к «Сиэтл-Центру».

— Куда ты меня везешь? — спросила я с интересом.

— Я же обещал тебе подняться на «Космическую иглу».

— Келлан... Сейчас два часа ночи, все закрыто.

Он улыбнулся и подмигнул:

— Все схвачено... У меня есть знакомые.

Мы припарковались, и Келлан, как и в первый раз, взял меня за руку. Нас встретил и пропустил человек, судя по всему из местных сотрудников. Я подняла взгляд на Келлана, сгорая от любопытства. Этот мужчина ждал нас. Что за вечер затеял Келлан? Он протянул мужчине несколько крупных купюр, и тот с улыбкой отвел нас к лифтам «Иглы». Когда перед нами сомкнулись двери, я подалась к Келлану и шепотом спросила:

— Сколько ты ему дал?

Он улыбнулся и тоже шепотом ответил:

— Не парься об этом. Родители оставили мне не только дом.

Келлан подмигнул, и я собралась задать следующий вопрос, но лифт устремился вверх. Через стекло дверей мне было видно, как город быстро уходит у меня из-под ног. Я задохнулась и прижалась к дальней стенке. Высоту я не жаловала, и лифт вдруг показался мне хрупким и крошечным.

Заметив мою бледность, Келлан повернул меня за подбородок так, чтобы я смотрела на него.

— Кира, ты в полной безопасности.

Он ласково поцеловал меня, и я выкинула из головы свои опасения по поводу лифта.

Мы прибыли наверх в тот самый момент, когда мои руки потянулись к его волосам, а он сомкнул свои на моей пояснице: теперь мы упоенно целовались. Знакомый Келлана звучно кашлянул, и мы посмотрели в его сторону. Я стала пунцовой, а Келлан прыснул.

— Похоже, приехали, — усмехнулся он, выводя меня из лифта.

Келлан похлопал мужчину по спине и, взяв меня за обе руки, попятился на край внутренней обсерватории с видом на город. В здании было темно в такой поздний час. Горела лишь пара аварийных фонарей, которые почти не давали света. Но тот, казалось, весь очутился снаружи, и город под нами переливался огнями.

— О, Келлан... Как здорово, — произнесла я тихо, остановившись полюбоваться мерцанием.

— Да, — отозвался он так же негромко, но сам стоял спиной к панораме, прислонившись к ограде и глядя не на город, а на меня. — Иди сюда. — Он простер ко мне руки.

Мы находились внутри «Иглы» на безопасном расстоянии от края, а потому мне не составило большого труда подойти, утонуть в объятиях Келлана и вместе с ним навалиться на ограждение. Он повернул голову, чтобы глянуть на город, но я уже не видела ничего, кроме Келлана. В полумраке я изучала его черты: он завораживал сильнее панорамы. Я не могла понять, чем прельстила это совершенное создание, и прошептала:

— Почему я?

Он вновь повернулся ко мне, и от его улыбки мое дыхание, как и следовало ожидать, пресеклось.

— Ты даже не представляешь, как я любуюсь тобой. Мне нравится. — Он склонил голову набок, наблюдая, как мои щеки заливаются краской. Подумав секунду, он тихо добавил: — Дело было в вас с Денни... В ваших отношениях.

Я пробежалась пальцами по его волосам выше уха и нахмурилась.

— Что ты имеешь в виду?

Он снова взглянул на город, но ничего не сказал. Положив руку на его щеку, я развернула его к себе и повторила:

— Что ты имеешь в виду, Келлан?

— Не знаю, как объяснить тебе, если не растолковать того, что сказал Эван, — вздохнул он и потупился.

Я снова надулась и мысленно возвратилась к нашей стычке. С тех пор изменилось столь многое, что пролетела, казалось, целая жизнь.

— Это когда ты велел ему заглохнуть — довольно грубо, между прочим?

Ему, похоже, не хотелось продолжать разговор.

— Да.

— Не понимаю, какое отношение это имеет ко мне?

— Никакого... — улыбнулся Келлан и покачал головой. — И непосредственное.

— Но ты, надеюсь, все-таки объяснишь мне толком? — криво усмехнулась я.

Он издал смешок и вновь посмотрел на город.

— Да... Только подожди минуту.

Я крепко обхватила его и положила голову ему на плечо. Может думать хоть целую вечность, лишь бы не уходил. Городские огни околдовывали, и я, уткнувшись носом в кожаную куртку, вдохнула его пьянящий аромат.

Келлан обнял меня так же крепко, одной рукой поглаживая по спине, а другой придерживая за голову. Наконец он медленно произнес:

— Вы с Эваном были правы насчет женщин. Я использовал их годами.

Я чуть отстранилась, чтобы взглянуть на него.

— Годами? Не только из-за меня? — К своему удивлению, я была уязвлена.

Он заправил мне за ухо прядь волос.

— Нет... Тем хуже, конечно.

Я нахмурилась, испытывая некоторую неловкость от этого разговора.

— Людей, Келлан, использовать нельзя... Ни по какой причине.

Он вскинул брови и улыбнулся:

— Не ты ли использовала меня в первый раз, когда хотела выкинуть из головы Денни?

Я отвернулась. Разумеется, я использовала его. Он взял меня за подбородок и заставил смотреть на себя.

— Да все в порядке, Кира. Я так и думал. — Он вздохнул и глянул на залив по другую сторону. — Но это не лишило меня надежды. Я целый день болтался по городу, прикидывая, как сказать тебе... что я тебя очень люблю. И не выставить себя при этом идиотом.

— Келлан... — Я чуть с ума не сошла, гадая, где его носило тогда.

Он вернулся взглядом ко мне.

— Боже... Когда ты мигом вернулась к нему, как будто ничего и не было, меня это просто убило. Я знал... — Он чуть ли не злобно встряхнул головой. — В ту самую минуту, когда я вошел и услышал вас наверху, я уже знал, что нам ничего не светит.

— Ты слышал нас? — удивленно моргнула я.

Мне стало неловко. Келлан пришел домой намного позднее... и пьянее.

Он смотрел в пол, как будто выложил нечто, о чем говорить не хотел.

— О да... Я вернулся и услышал, как вы воссоединяетесь у себя. Мне стало довольно хреново. Я взял бутылку, отправился к Сэму. Ну, дальше ты знаешь, чем кончилось.

Меня охватило не до конца понятное чувство вины.

— Господи, Келлан, прости! Я не знала.

Он вновь посмотрел мне в лицо:

— Кира, ты не сделала ничего плохого... — Келлан на секунду отвернулся. — Потом я держался с тобой как последняя сволочь. — Он робко улыбнулся, и я поморщилась, вспомнив, каким он был козлом. — Прости. Когда я зол, меня несет, тормоза отказывают... А разозлить меня сильнее, чем ты, не может никто.

Он выдавил виноватую улыбку.

— Я заметила, — критически усмехнулась я и подумала о наших живописных ссорах, а Келлан негромко рассмеялся, и во мне заговорила совесть. — Но ты всегда был прав. В каком-то смысле я заслужила твою грубость.

Он перестал смеяться и положил мне на щеку ладонь.

— Нет, не заслужила. Только не то, что я тебе наговорил.

— Я ужасно заморочила тебе голову.

— Но ты же не знала, что я люблю тебя, — ответил он мягко, гладя меня по щеке.

Я заглянула в его любящие синие глаза и поняла, что не заслуживала его доброты.

— Я знала, что ты ко мне неравнодушен. И была черствой.

Улыбнувшись краешком рта, Келлан поцеловал меня.

— Не без того, — шепнул он. — Но мы сбились с темы.

Тепло улыбнувшись, он направил беседу в другое русло:

— По-моему, мы говорили о моей искалеченной психике...

Я рассмеялась и глянула ему через плечо, отгоняя хандру:

— Правильно, о твоем... распутстве.

Келлан хохотнул.

Я, тоже смеясь, провела рукой по его груди, пока он пристально меня изучал.

— Наверное, надо начать с полноценной лекции о моем загубленном детстве.

— Мы это уже обсудили, незачем ворошить. — Я посмотрела на него печально, не желая бередить старую рану.

— Кира... Мы только сковырнули болячку с очень глубокой язвы, — возразил он негромко. — Я очень о многом не рассказываю никому.

— Келлан, мне тоже не обязательно. Я не хочу причинять тебе страдания...

Затравленным взглядом он уставился через мое плечо:

— Но я, как ни странно, хочу... Мне нужно, чтобы ты поняла. Чтобы познала меня.

Келлана захлестнуло уныние, и я, ощутив это, перехватила его взгляд и порочно вскинула брови.

Он рассмеялся и дурашливо пробормотал:

— Не только... в библейском смысле.

Я накрутила на пальцы волосы, щекотавшие его шею.

— Ладно, если тебе так хочется... Я выслушаю все, что угодно, и с уважением отнесусь ко всему, что ты мне скажешь.

В надежде, что Келлан не раскиснет вконец, я ободряюще улыбнулась.

Но он, к моему удивлению, отозвался смехом.

— Тебя это позабавит.

Я застыла и уставилась на него. В том, что он успел поведать мне о своем детстве, не было ничего забавного.

— Не представляю, как это возможно, — прошептала я, пытаясь заглянуть ему в глаза.

— Ну ладно, может быть, не забавное... — Келлан издал вздох. — Пусть будет несуразное. — Он выдал грустную полуулыбку, когда я недоуменно поморщилась. — Похоже, моя матушка крутила роман с папашиным лучшим другом.

Я побледнела: несуразнее некуда. Улыбнувшись моей реакции, Келлан продолжил:

— И вот дорогому папане случилось на несколько месяцев уехать из города по какому-то срочному семейному делу на восточном побережье. — Келлан встряхнул головой. — Можешь представить его удивление, когда он вернулся домой и обнаружил, что его смущенная молодая женушка беременна.

У меня отвисла челюсть, и Келлан саркастически усмехнулся:

— «Сюрприз тебе, золотце».

— Что он сделал? — спросила я тихо.

— Ха. — Келлан кивнул, глядя в сторону, и улыбка стерлась с его лица. — Что ж, в этот момент матушка показала, на что способна.

Он посмотрел на меня, поймав мой взгляд и снова смутившись, после чего предельно серьезно и спокойно проговорил:

— Она заявила, что ее изнасиловали, пока его не было... И он поверил.

Мне казалось, что в моем лице не осталось ни кровинки. Я таращилась на Келлана, не доверяя его абсолютно правдивому рассказу. Кем надо быть, чтобы на такое пойти?

Келлан, тоже бледный, негромко сказал:

— Он считал меня дьявольским отродьем с самого первого дня. Я еще не родился, а он уже меня ненавидел.

Глаза Келлана увлажнились, но слез не было. Я поцеловала его в щеку, мечтая сделать больше.

— Я ужасно тебе сочувствую.

Он кивнул, продолжая задумчиво смотреть на меня.

— Зачем твоя мама так поступила?

— Думаю, не хотела всего лишиться, — пожал плечами Келлан и издал невеселый смешок. — Но, сделав ход, она уже не могла пойти на попятную. Где-то имеется даже полицейский отчет, в котором во всем обвиняют абстрактного белого мужчину. — Смешок повторился. — В моем свидетельстве о рождении в графе «Отец» даже написано Джон Доу[1]. Папаша меня не признал. — Последние слова Келлан произнес шепотом.

— Боже, Келлан... — По моей щеке скатилась слеза. — И они все это тебе рассказывали?

---

[1] *Джон Доу* — условное имя, используемое в юридических документах для обозначения неизвестного или неустановленного мужчины или если его имя требуется сохранить в тайне.

Он посмотрел на воду.

— Постоянно. Практически как сказку на ночь. «Спокойной ночи, малыш... Ты, между прочим, разрушил нам жизнь».

Скатилась новая слеза.

— Откуда ты узнал про лучшего друга?

Келлан вернулся взглядом ко мне и вздохнул:

— От мамы. Она сказала мне правду. — Он стер слезу с моей щеки. — Я думаю, мой настоящий папаша, донор спермы, свалил, как только она сообщила ему, что беременна. Больше она его не видела. Это разбило ей сердце... И она ненавидела за это меня. — Келлан склонил голову набок при виде ужаса на моем лице. — По-моему, даже больше, чем папаша.

Я со слезами обняла его и снова поцеловала в щеку. Он вяло ответил тем же.

— И ты не сказал отцу правду? Может быть, он тогда...

— Кира, — прервал меня Келлан, — он никогда не поверил бы моему слову против ее. Он ненавидел меня и просто избил бы, а я старался в общем и целом этого избегать.

Я отступила, чтобы взглянуть на него, и убрала ему со лба волосы, а он говорил дальше:

— Он и без того знал, наверное.

— Как это? — удивленно моргнула я.

Еще одна печальная полуулыбка.

— Я точная копия этого его лучшего друга... Кто знает — может быть, он ненавидел меня именно за это. И мама тоже.

Во мне вскипел гнев на этих людей, растивших его столь безжалостно.

— Ты не был ни в чем виноват. Это не твоя вина.

Во мне все кипело, и я не могла этого скрыть.

Келлан провел обеими руками по моим волосам, щекам.

— Я знаю, Кира. — Он поцеловал меня. — Я никому об этом раньше не рассказывал. Ни Эвану, ни Денни... Никому.

Я была тронута тем, что он доверил мне столь сокровенный секрет, но искренне не понимала, какое это имело отношение к его женщинам и ко мне самой.

— Почему же ты поделился со мной? — спросила я тихо, в надежде, что это не прозвучит грубо.

Но Келлан лишь отозвался теплой улыбкой:

— Я хочу, чтобы ты поняла. — Он опустил глаза и спокойно произнес: — Ты представляешь, что значит расти в такой немилости?

С печальной улыбкой он взглянул на меня и снова провел по моей щеке пальцем.

— Нет, мне сдается, что тебя окружала любовь...

Не будучи в силах вынести его болезненную улыбку, я подалась к нему, чтобы поцеловать. Он любовно улыбнулся в ответ, а затем расправил плечи и взял меня за руку:

— Идем.

Он кивнул на ограждение, и мы пошли вдоль него, любуясь открывавшимися видами. Но я смотрела все больше на Келлана, он же безразлично заглядывал в окна и явно продолжал пребывать в задумчивости. Он хотел поделиться чем-то еще.

Через несколько шагов, совершенных в молчании, Келлан наконец продолжил:

— Я был тихим ребенком. Все держал в себе. У меня не было друзей, с кем можно было бы поговорить. — Он сухо улыбнулся. — Единственной моей подругой была гитара. — Келлан покачал головой и хмыкнул. — Черт, ну и жалок я был.

Я сжала его руку и остановилась, дотронулась до его щеки, заставила посмотреть на меня.

— Келлан, ты не был...

— Да был, Кира, — перебил меня он и поцеловал мою руку, отведя ее от щеки.

Вновь тронувшись, Келлан произнес:

— Дай объяснить... Я испытывал чудовищное одиночество. — Он улыбнулся, взглянув на меня сверху, когда я нахмурилась. — А потом... Клянусь тебе, совершенно случайно с моей стороны... — Он задумчиво смотрел в окна, теперь почти целиком являвшие панораму ночного залива. — Я обнаружил нечто, позволившее мне впервые в жизни ощутить себя желанным, небезразличным... почти любимым.

Последние слова он выговорил еле слышно.

— Ты о сексе? — прошептала я.

— Мм... — Келлан согласно кивнул. — Да, о нем. Мне было мало лет, когда в первый раз... — Он усмехнулся и встряхнул головой. — Думаю, ты уже вычислила.

Я чуть зарделась, вспомнив разговор в его комнате.

— Может быть, даже слишком мало, но я не знал, что это не было нормально. Ощущение было такое, будто кому-то наконец появилось до меня дело. Я стал... — Он отвернулся. — Стал повторять как можно чаще... Даже тогда мне это давалось поразительно легко. Всегда находился кто-то — мне было все равно кто, — кому хотелось быть со мной. У меня развилась своего рода одержимость этим... ощущением этой связи. Как знать, может, я до сих пор...

Келлан остановился и оглянулся на меня, на его лице вдруг отразилась тревога.

— Я упал в твоих глазах?

Мне было непонятно, как он мог обвинять себя в поисках любви при той жизни, которую вел. Я коснулась его руки:

— Келлан, ты не можешь упасть ниже.

Он негромко рассмеялся, а я поняла, как плохо это прозвучало.

— Ты чистое золото.

— Сколько тебе было лет? — спросила я, в основном чтобы скрыть смущение.

Он вздохнул и признался:

— Двенадцать. В ее оправдание скажу, что соврал ей, будто мне четырнадцать. Она купилась. Впрочем, думаю, ей было наплевать.

Челюсть моя снова отвисла. Я принудила себя закрыть рот и улыбнулась. При мысли о том, сколь отчаянно нуждался он в ласке, мне захотелось расплакаться. Он поискал мой взгляд, с некоторой тревогой вскинув брови. В стремлении утешить Келлана я быстро поцеловала его. Он улыбнулся, расслабился и некоторое время смотрел на меня молча.

— Значит, ты используешь женщин, чтобы ощутить... любовь? — спросила я тихо.

Смутившись снова, он опустил взгляд:

— Тогда я этого не понимал. До тебя я вообще об этом не думал. Не знаю, почему с тобой получилось совершенно иначе. Теперь я знаю, что так нельзя... — Он посмотрел на меня. — Но это было хоть что-то. Я чувствовал себя менее одиноким.

При этих словах я уронила очередную слезу, и Келлан стер ее.

— Так или иначе, похоже, никому не приходит в голову, что и меня используют. Им нет до меня дела.

Мы снова тронулись с места, и Келлан взглянул на сверкающий город, который снова показался через залив.

Я смотрела на его задумчивое лицо и не могла не мучиться угрызениями совести за то, что однажды тоже его использовала. Но, конечно, не все его женщины оказывались пустышками.

— Ты никогда никого не любил? — спросила я робко.

Он посмотрел на меня с полуулыбкой, которая заставила мое сердце забиться в два раза чаще.

— До тебя никого. И меня никто не любил.

Продолжая следить за ним, пока мы шли в тишине, я пыталась понять, как было возможно, чтобы этот сказочный красавец ни разу не испытал настоящей любви. Это казалось бредом. Конечно же, этот красивый, одаренный, веселый, пленительный и просто потрясающий мужчина познал любовь.

— Какая-нибудь девушка наверняка...

— Нет, — оборвал он меня. — Только секс, и никакой любви.

— Школьная симпатия?

— Нет. Я старался иметь дело с женщинами постарше. Они не искали любви.

Келлан сухо улыбнулся, и я сомневалась, что мне хотелось знать, что он имел в виду.

— Может быть, наивная официанточка?

— Опять-таки до тебя — нет, я никому не был нужен, — улыбнулся он.

— Ох... Ну, тогда кто-нибудь из фанаток, — сказала я кротко, по опыту зная, как сильно «любила» его эта публика.

— Эти уж точно нет, самая лживая порода, — искренне расхохотался Келлан. — Им и вовсе не важно, кто я такой. Они не со мной, даже когда со мной. Им нужен рок-идол, но это не про меня. Хорошо, пусть про меня, но я не весь в этом.

Я улыбнулась и нежно поцеловала его в щеку. Нет, он был намного большим...

Отстранившись, я нерешительно осведомилась:

— Соседки по квартире?

Я отлично знала, что я была не единственной, кого он затащил в постель. Мне не слишком хотелось выслушивать о его отношениях с Джоуи, но было любопытно.

Келлан глянул на меня краем глаза и застенчиво улыбнулся:

— Хоть бы Гриффин не разевал варежку, честное слово. Ты, должно быть, решила, что я чудовище. Иногда я не понимаю, как ты вообще отважилась ко мне прикоснуться. — Я нахмурилась и хотела помотать головой, но он со вздохом пустился объяснять. — Нет, между нами с Джоуи не было ничего, кроме секса.

Он вскинул глаза, будто прикидывал, как это лучше преподнести.

— Джоуи нравилось, чтобы перед ней преклонялись. Но она понимала, что ее тело не было моим единственным храмом. Ну и к тому же она слишком любила устраивать драмы. — Он скривился, и его передернуло. — Она в ярости сбежала со своим парнем-игрушкой под номером, по-моему, три.

Келлан снова остановился, повернулся ко мне и взял меня за руки.

— Я понимаю, что переборщил с женщинами, но я ни к кому не испытывал ничего похожего на чувства к тебе. И мне никто не давал того, что даешь мне ты, — прошептал он.

Во мне вскипели эмоции, я сглотнула и снова поцеловала Келлана. Отпрянув, я посмотрела в его глаза, полные любви.

— Так что насчет нас с Денни... Наших отношений?

Задав вопрос, я начала тонуть в синих глубинах.

— Ах да.

Мы пошли дальше вдоль ограждения, и Келлан чуть взмахнул рукой, восстановив ход мысли.

— Ну, сперва я, наверное, был просто заинтригован. Никогда не видел ничего подобного. Такие теплые и настоящие чувства. И то, что ты пересекла с ним всю страну... Не представляю, чтобы кто-то решился на это ради меня. У людей, которых я знаю, таких отношений нет, а у родителей не было и подавно...

— Верно... — пробормотала я, и Келлан на миг потемнел лицом.

Он закусил губу и глянул на панораму.

— Живя с тобой бок о бок, наблюдая за вами с Денни изо дня в день, я постепенно захотел того же, что было у вас. Я перестал, — он усмехнулся, — распутничать, как ты выражаешься.

Я улыбнулась, и он издал смешок, затем нахмурился:

— Но ты, к несчастью, стала небезразлична мне. Сначала я этого не понял. Я только знал, что о тебе нельзя думать ничего такого. Ты была с Денни, сомневаться не приходилось. Отношения не всегда имели для меня значение, но Денни мне очень важен. Год, когда он жил с нами, был лучшим в моей жизни. — Келлан тепло улыбнулся мне и прошептал: — Ну, может быть, не считая нынешнего.

Я ответила улыбкой и поцеловала его чуть ниже уха. Это породило во мне легкий трепет восторга. Было здорово свободно целовать его когда вздумается. Стиснув руку Келлана, я приютилась у него под боком, глядя на горизонт.

— Когда я влюбился в тебя, это оказалось ни на что не похоже. Все случилось почти мгновенно. Я думаю, что начал влюбляться с момента, когда ты пожала мне руку.

Хмыкнув при этом воспоминании, он игриво толкнул меня в плечо, а я зарумянилась.

— Мощнейшее чувство. Я знал, что нельзя, но это затягивало. — Келлан остановился и резко отвернул меня от себя, а затем быстро притянул назад, обнял за талию и крепко прижал. — Я буквально подсел.

Он осторожно поцеловал меня. Затем улыбнулся, излучая любовь.

— Иногда складывалось впечатление, что и ты неравнодушна ко мне, и мир расцветал красками. — Келлан свел брови. — Но чаще ты хотела его, и какая-то часть меня желала умереть.

Он помедлил, отмечая мой испуг.

— Я всячески старался держаться подальше от тебя, но продолжал находить лазейки, чтобы прикоснуться к тебе, обнять. — Келлан с напускной скромностью улыбнулся и уставился в сторону. — И чуть не поцеловал тебя, когда мы смотрели порнушку. Черт, тебе невдомек, до чего было трудно от тебя оторваться.

Я стыдливо прыснула, вспоминая.

Келлан закрыл глаза и покачал головой:

— В тот первый раз, когда все закончилось, я обнимал тебя еще несколько часов, только чтобы чувствовать твое тепло, дыхание на коже. — Он поднял веки и взглянул на мое снова испуганное лицо. — Во сне ты произнесла мое имя. И мне стало почти так же хорошо, как от секса.

Он осклабился в дьявольской улыбке, и я рассмеялась, пылая лицом. Келлан вздохнул и отвернулся.

— Мне хотелось быть достаточно сильным, чтобы остаться — но, увы, я испугался. Я не мог сказать тебе того, что понял, — он тоскливо посмотрел на меня, — что отчаянно люблю тебя.

Я намотала на пальцы его волосы, желая сказать что-нибудь веское.

— Келлан... Я...

Он продолжил, не позволяя мне выразить мысль, которой у меня все равно не было.

— Когда ты вернулась к нему, я захотел уехать. Обладать тобой и после видеть тебя с ним было очень тяжело. Смотреть, как ты любишь его любовью, которой я хотел для себя. Я себе места не находил от злости. Я страшно виноват.

Мои глаза наполнились слезами, едва я вспомнила то время, и мне пришлось крепко прижаться к нему. Я ничего не знала, считая себя всего лишь очередной его победой, и глубоко ранила его.

— Это я страшно виновата, Келлан... — Мой голос сорвался.

Он вздохнул и с улыбкой взглянул на меня сверху:

— И вот, когда я наконец нашел в себе силы уехать... Ты попросила меня остаться, и мои надежды ожили. Я начал верить, что, может быть, был хоть каплю небезразличен тебе. — Секунду он искоса изучал меня. — Мне показалось, ты искренне хотела, чтобы я остался.

Меня бросило в жар от смущения перед тем, насколько мне не то что искренне — отчаянно хотелось этого. На миг улыбнувшись моей реакции, Келлан опять посерьезнел.

— Наверное, ты не слышала, но той ночью я сказал, что люблю тебя. У меня просто вырвалось это.

— Келлан, я...

Он перебил меня:

— А потом ты устроила плач по Денни, и мне опять захотелось умереть.

По моим щекам текли слезы: я снова, снова его обидела. Келлан задумчиво смотрел, как я плачу.

— Та ночь перевернула меня. Я страшно хотел удержать тебя, но ты так расстроилась, на тебе лица не было. — Он проглотил комок. — Это все я натворил. Ты ненавидела меня за случившееся, а мне это было крайне важно.

Почти полностью отвернувшись, он косился на меня краем глаза.

— После этого я возненавидел тебя, — прошептал он.

Слезы струились, я чуть всхлипнула. Келлан вздохнул и отвернулся вовсе.

— Той ночью я чуть не уехал. Я хотел...

Он развернулся ко мне и бережно заключил мое лицо в ладони. Его взгляд смягчился, Келлан смотрел на меня с обожанием, и мои слезы высохли при виде его безупречного лица, обращенного ко мне.

— Я не мог тебя покинуть. Я помнил, как ты смотрела, когда я сказал, что уезжаю. Никто никогда не глядел на меня так. Никто не плакал обо мне. Никто не просил остаться, ни одна живая душа. Я убедил себя, что ты ко мне неравнодушна. — Келлан встряхнул головой и улыбнулся. — Тогда я понял, что останусь с тобой, даже если это убьет меня.

Он притянул меня к себе для глубокого поцелуя. Я пылко ответила, стремясь хоть чем-то загладить муки, которые ему причинила. Когда я была готова задохнуться, он отпустил меня, взял за руку, и мы пошли дальше.

Он не сводил с меня глаз, пока мы шагали на высоте многих и многих этажей над мирным городом.

— Прости, что я так влюбился... У меня и в мыслях не было сделать тебе больно. Я просто хотел тебя. — Келлан криво улыбнулся, и я сбилась с шага. Он рассмеялся и продолжил: — Когда ты просила, я старался сдержаться... Но ты же где-то в подсознании знала, что между нами не было ничего невинного?

Он вскинул брови, и я недовольно кивнула.

— Но я пытался сделать так, чтобы все смотрелось не столь греховным.

Взглянув на меня сверху, он добавил:

— Ты крайне затруднила это дело.

— Я?

Он был сама чувственность, и мне было неловко.

Келлан шутливо преувеличенно покачал головой.

— Да, ты. Если бы ты не провоцировала меня — не одевалась, как ты имела обыкновение, не набрасывалась, не издавала, — он непристойно ухмыльнулся, — крайне провокационных звуков...

Заставив меня покраснеть, он прыснул.

— Не делай ты всего этого, то была бы слишком божественной, чтобы противостоять. — Он снова уставился на меня пристальным взглядом. — В конце концов, я только человек.

Я покачала головой. Ничего подобного я не делала... Ну, кроме звуков, увы.

— Что за чушь ты городишь, Келлан!

Я закатила глаза, а он рассмеялся чарующим смехом.

— Вот опять... Ты просто не понимаешь, как сильно меня к тебе тянет. — Келлан лукаво улыбнулся и пробормотал: — Мне-то казалось, что после всего случившегося это совершенно очевидно.

В шутку я пихнула его локтем, а он хохотнул и произнес уже серьезнее:

— Прости, что я зашел так далеко.

Мы шли, и я заглядывала в его вдруг снова погрустневшие глаза.

— Я должен был позволить тебе все прекратить. Ты была права, когда захотела этого. Все, что стряслось потом, — моя вина. Мне нужно было тебя отпустить. Я просто не сумел...

— Келлан, нет...

Но он опять меня перебил:

— В клубе было жарко. Я ужас как тебя хотел, и ты меня тоже. Мне пришло в голову затащить тебя в туалет и отыметь прямо там. Может, ты даже не стала бы возражать?

Келлан покосился на меня, и я смогла лишь безмолвно кивнуть: он мог увести меня куда заблагорассудится. Он начал было расплываться в улыбке, однако взамен посуровел.

— Я увидел, что Денни на подходе. И не смог этого сделать. Я оттолкнул тебя, отчаянно молясь, чтобы ты сказала ему, что хочешь меня. Что уйдешь от него. А ты не сказала и не ушла, и это меня убило.

Я вновь остановилась, а он сделал еще один шаг и медленно развернулся ко мне лицом. Ему опять стало больно. Я подступила и положила ладонь ему на щеку, чувствуя себя ужасно за то, что заставляла его страдать.

Келлан смотрел на меня, погруженный в воспоминания.

— Я даже не смог вернуться домой. Отвез твою сестрицу к Гриффину. По-моему, я ее утомил. Какое уж тут веселье — я всю ночь хандрил и дулся на диване. В конце концов она оставила меня в покое и переключилась на Гриффина. — Он пожал плечами. — Ну, чем это кончилось, ты и сама знаешь.

Я вымученно сглотнула, понимая, что напридумывала себе множество небылиц.

— Я был... Я *до сих пор* совершенно убит тем, что произошло в машине, — тихо проговорил Келлан. — Тем, что я сказал. И сделал. До того момента я понятия не имел, что ты думала, будто я спал с Анной, и был так зол на тебя за Денни, что позволил тебе поверить. Я приукрасил события. — Он потупился, сгорая от стыда. — Злость чуть не заставила меня хотеть тебя еще сильнее.

Мне пришлось сглотнуть раза три, прежде чем я смогла говорить.

— Келлан... Ты и представить себе не можешь, как мне было трудно. Как тяжко было просить тебя остановиться, когда все тело молило не делать этого.

Испытывая желание поцеловать его, я погладила его по щеке. Кадык Келлана дернулся.

— А ты понятия не имеешь, как было трудно остановиться. Я не врал насчет того, что думал.

Я шумно глотнула, глядя на него и вспоминая слова, сказанные по глупости. Он пытливо следил за моим лицом.

— Теперь ты думаешь обо мне хуже?

Я упрямо помотала головой, и он со вздохом отвернулся:

— Прости, Кира, что я наорал на тебя.

Глаза Келлана влажно блеснули, как только он вновь обратился взором ко мне, и я пробежалась рукой по его волосам. В очередной раз гулко сглотнув, я обрела способность говорить.

— Я знаю, что ты сожалеешь... Я помню.

— А, ну да... Реветь, как малое дитя... Не лучшее мое выступление.

Он собрался отвернуться опять, но я придержала его за щеку и заставила смотреть мне в глаза.

— Я не согласна. Иначе я не увидела бы, что ты сожалел, и больше, наверное, никогда бы не заговорила с тобой.

— Я не просто сожалел. Мне было жутко оттого, что я так с тобой разговаривал... Но главное — я был уверен, что взял и разрушил единственную любовь, которая у меня была. Я знал, что потерял тебя. Мне было ясно, что ты тогда целиком и полностью вернулась к Денни. Я прочел это в твоих глазах и понимал, что мне больше нечего ловить — никогда.

Слеза наконец скатилась по его щеке, и я смахнула ее большим пальцем.

— Я никогда не думал, что мне будет... хорошо с тобой. Ни с кем этого не было, никогда. Ты не знаешь, как много это для меня значило.

Келлан с новым усилием сглотнул, и я опять захотела поцеловать его, но он чуть отодвинулся и сверлил меня взглядом.

— После этого мне было страшно к тебе приближаться. Я разрешил себе последнее «прости» на кухне, но больше не хотел до тебя дотрагиваться. — Он заглядывал в мои глаза, как будто искал в них прощения. — Прости, что сделал тебе больно, но мне нужно было отвлечься и убедиться, что впредь я такого не допущу.

Он отвел мою руку от щеки и отвернулся, снова взирая на город. В его все еще влажных глазах искрились огни.

— Прости меня, Кира, за всех этих женщин. Я не должен был так поступать с тобой. Я и не хотел... Ну, может быть, какая-то часть меня хотела. Я просто...

— Не надо... — перебила его я. — Келлан, ты уже извинился за это.

— Знаю. — Он был готов уронить очередную слезу. — Просто я наломал дров. Но ты не хотела меня так, как хотел тебя я, а мне было уже невозможно с тобой расстаться. Чтобы заглушить боль, я сделал единственную вещь, которую умел, — Келлан покаянно покачал головой, и слеза все-таки упала, — чтобы ощутить себя желанным.

— Женщины, — заключила я, наблюдая, как черты его искажаются болью.

— Ну да. — Келлан был бледен и потерян, как будто только что признался во многих убийствах, а не был лишь одиноким парнем, который спал со всеми охочими до него женщинами подряд.

— Толпы и толпы женщин, — добавила я не без сарказма в надежде приподнять ему настроение.

— Да... Прости.

Он попытался изобразить улыбку.

— Все в порядке. Ну, не совсем в порядке, людей использовать все же нельзя... Но я, пожалуй, понимаю.

Он посмотрел на меня исподлобья, восторженно обнадеженный. Я больше не могла сдерживаться, встала на цыпочки и поцеловала его.

— Итак?.. — спросил Келлан, отстранившись слишком поспешно.

— Что?

Я смутилась и пришла в легкое раздражение: я еще не кончила его целовать. Мне казалось, что никогда и не кончу.

Он явил чарующую полуулыбку.

— Я был прав? Ты использовала меня?

— Келлан...

Испытав угрызения совести, я отвернулась.

Улыбка слетела с лица Келлана, и он очень серьезно сказал:

— Если да, то ничего страшного, Кира. Мне просто хотелось бы знать.

— К тебе я всегда испытывала что-то, но... — вздохнула я. — Да, в самый первый раз я использовала тебя, и мне очень жаль. Это было непростительно. Если бы я знала, что ты любишь меня, я никогда бы...

— Кира, все нормально.

— Нет, не нормально, — прошептала я и тихо добавила: — Во второй раз было не так. То, что произошло, не имело никакого отношения к Денни. Это касалось только нас. Все было по-настоящему. И каждое прикосновение после этого стало настоящим.

— Ужасно приятно это слышать, — шепнул он в ответ, не глядя на меня, но мягко улыбаясь, а затем вдруг нахмурился опять. — Ты должна быть с Денни, а не со мной. Он хороший человек.

— Ты тоже хороший человек, — отозвалась я, изучая его прекрасное, но все еще насупленное лицо.

Келлан помотал головой, а я взъерошила ему волосы и снова вздохнула:

— Не надо считать себя плохим из-за того, что произошло между нами. Мы с тобой сложные.

— Сложные... — повторил он, кладя мне на щеку ладонь и поглаживая пальцем скулу. — Наверное, да.

Он уронил руку.

— Это моя вина...

— Перестань, Келлан. Я виновата не меньше. Я наделала ошибок...

— Но... — начал он.

— Нет, Келлан, мы оба все испортили. Всегда, знаешь ли, виноваты двое... Я хотела тебя так же сильно, как ты меня. И нуждалась в тебе, как ты нуждался во мне. И хотела быть рядом с тобой, как и ты. И точно так же хотела к тебе прикасаться. Ты мне небезразличен...

Я не сумела закончить мысль, и фраза повисла незавершенной.

На глаза Келлану вновь навернулись слезы.

— Я никогда не был до конца откровенен с тобой. Может быть, мне сразу следовало сказать, что я люблю тебя?

Я страшно раскаиваюсь, Кира. Я столько раз тебя ранил. Знала бы ты, как многое мне хочется изменить... Я...

Мне пришлось заткнуть ему рот крепким поцелуем. Теперь я понимала лучше. Боль не ушла, но я видела, какой удар я нанесла ему сама. Он сделал единственную вещь, какую умел, чтобы унять страдания. Плохо ли, хорошо ли — другое было ему неведомо. Келлан снова коснулся моей щеки и вернул поцелуй, мы слились, на миг позабыв о нашей напряженной беседе.

По прошествии вечности, показавшейся мне слишком короткой, он отступил и тихо произнес:

— Нам пора идти.

— Погоди, ты приволок меня на самую верхотуру, в такое романтичное... уединенное... место, чтобы только поговорить? — Я искушающе вскинула брови.

Он ухмыльнулся и покачал головой:

— Ну и ну — смотри, как я тебя развратил.

Самодовольно просияв, я рассмеялась.

— Идем, пора ехать домой. — Он увлек меня к лифтам, я же надулась, и он сказал, заметив мое выражение: — Кира, уже поздно, то есть рано, а тебе нельзя задерживаться на балу. — Келлан свел брови. — А то в тыкву превратится не карета.

Я закатила глаза при этом сравнении, но он был прав: пора домой. К своему удивлению, я расстроилась, но отбросила досаду. Я вроде как ожидала... Покраснев, я не стала додумывать мысль.

Мы завершили нашу круговую прогулку, дойдя до лифтов, и я бросила последний взгляд на эффектный город внизу и эффектного мужчину, стоявшего рядом. Он утопил кнопку, я улыбнулась, и мы стали ждать, когда двери откроются.

— Отлично. Но тебе незачет. — Я втянула Келлана за футболку в кабину и поддразнила: — Мне было обещано потрясение.

Он хулигански ухмыльнулся и привлек меня для долгого поцелуя, едва двери сомкнулись и мы устремились вниз.

На обратном пути, пока мы шли от «Иглы», Келлан поглядывал на меня мрачно, а я озадаченно вскидывала брови, испытывая сладкое томление. Возле машины он остановился и склонил голову набок, изучая меня.

— Я хотел поговорить еще кое о чем.

Бабочки, порхавшие у меня в животе, затеяли делать сальто.

— О чем? — спросила я так тихо, что вышел даже не шепот.

Угрюмость Келлана резко сменилась сухой ухмылкой вкупе с изогнутой бровью.

— Поверить не могу, что ты украла мою тачку... Что, серьезно?

Я рассмеялась, припомнив мою развеселую езду, а после и ее причину, при воспоминании о которой я состроила гримасу.

— Ты вроде как заслужил. — Я ткнула его в грудь. — Тебе повезло, что она вернулась к тебе целой, а не по частям.

Келлан надулся, но распахнул мне дверь:

— Хмм... На будущее: нельзя ли врезать мне лишний раз, а мою крошку оставить в покое?

Я взяла его за подбородок, поставив ногу на подножку:

— Хмм... На будущее: нельзя ли больше не шляться по «свиданиям»?

Он снова помрачнел, но усмехнулся и чмокнул меня в щеку.

— Да, мэм.

Когда я села, он покачал головой, а я улыбалась про себя, покуда он огибал машину и устраивался на водительском месте.

Я притиснулась к нему, и мы молча поехали к дому. Уютная тишина была такой же осязаемой, как тепло его кожи, когда Келлан держал меня за руку. Только сейчас, свободно к нему прикасаясь и беспрепятственно доверяясь ему, я поняла, насколько мне его не хватало и как сильно я к нему привязалась, и мысленно улыбнулась, вспомнив, как он признался, что подсел на меня. Я испытывала бесконечную радость: нас одинаково влекло друг к другу, хотя я до сих пор не понимала, что он во мне нашел.

И даже после того, как машина остановилась на подъездной дорожке и Келлан заглушил двигатель, мы остались сидеть: моя голова — у него на плече, его рука — на моей талии. Никто из нас не хотел соприкасаться с холодной реальностью вне уютного салона.

Келлан поцеловал меня в висок и нарушил наше мирное молчание:

— Иногда я мечтаю о тебе... О том, что было бы, если бы Денни не вернулся и ты была бы моей. Держать тебя за руку, идти с тобой в бар... ничего не скрывая. Объявляя миру, что я тебя люблю.

Я посмотрела на него с улыбкой:

— Ты говорил, что я однажды тебе приснилась. А сон так и не рассказал. — Я поцеловала его в щеку и опять улыбнулась. — Ты мне тоже, бывает, снишься.

Я вмиг залилась краской, припомнив некоторые сны из тех, что погорячее.

— Серьезно? Да у нас душераздирающая история, а? — Келлан рассмеялся, но при виде моего смущения любовно улыбнулся. — И о чем они, твои сны?

— Если честно, то в основном о том, как мы спим, — глупо хихикнула я.

Он добрую минуту хохотал, а я краснела как свекла и вторила ему.

— Черт... Неужели тебе больше ничего от меня не нужно? — поддразнил Келлан, беря меня за руку и сплетая наши пальцы.

Я перестала смеяться и пристально взглянула на него:

— Нет... Нет же, намного больше.

Мой тон стал серьезным. Келлан кивнул, тоже без смеха:

— Это хорошо, потому что ты значишь для меня все.

Меня затопили нежные чувства к нему, я придвинулась плотнее и крепко стиснула его руку. Так бы и сидела в этой машине. И чтобы он не уходил. Но я понимала, что все это закончится.

Келлан вторгся в мои мысли вопросом, которого я не хотела слышать:

— Что ты сказала Денни?

Я чуть поморщилась, зная, что он мог соврать удачнее моего. А мысль о том, что он был лжецом куда лучшим, меня нисколько не грела.

— Что ты переспал с моей сестрицей и разбил ей сердце. Это правдоподобно. Все видели, что в баре вы были вместе. Денни, похоже, купился.

Келлан разглядывал меня, сдвинув брови.

— Не пойдет, Кира, — сказал он медленно.

Сердце пустилось вскачь.

— Пойдет. Я поговорю с Анной, она меня прикроет. Мне тоже случалось соврать для нее. Конечно, я не скажу ей зачем... Да и Денни, небось, никогда у нее не спросит.

— Проблема не в твоей сестре, — помотал головой Келлан, не переставая хмуриться.

Я уставилась на него, не понимая, пока вдруг до меня не дошло.

— О, черт... Гриффин.

— Ага... — насупился еще больше Келлан и кивнул. — Гриффин. Он же на каждом шагу об этом болтает. — Его лицо расслабилось, и он весело посмотрел на меня. — Не пойму, как ты не заметила. Ты здорово научилась от него отключаться.

Он веселился недолго и вновь посуровел.

— Если Денни узнает, что это неправда...

— Но, Келлан, что мне было ему сказать? Мне пришлось что-то придумать. — Я уставилась на свои руки. — А может, сказать, что вы оба...

— Нет.

Я наткнулась на его теплую улыбку.

— Это невозможно. — Он опять помрачнел. — Гриффин весьма избирателен в том, что рассказывает на людях. Дело не только в том, что он с ней переспал. Дело в том, что он переспал с ней, а я — нет, и он вроде как увел ее у меня. Он помешался на соперничестве...

— Я заметила, — перебила его я, вздохнув и откинувшись на сиденье. — Черт, я даже не подумала об этом.

— Я ничего не гарантирую, — тоже вздохнул Келлан, — но могу с ним потолковать. Может быть, он изменит историю. Возможно, мне придется пригрозить, что я вышвырну его из группы. Вообще-то, это можно сделать в любом случае.

— Нет! — воскликнула я чуть громче, чем собиралась, прикрыла рот и опасливо посмотрела на дверь.

— Хочешь, чтобы я его оставил? — непонимающе взглянул на меня Келлан.

Я сухо смотрела на него, играя слабой улыбкой, пока не вспомнила, в чем, собственно, заключалось мое возражение.

— Нет, я не хочу, чтобы он знал, — ни за что! Он не станет молчать. Он расскажет всем и каждому, в жутких подробностях. И Денни скажет! Пожалуйста, даже не думай...

— Ладно. — Келлан взял меня за плечи, так как я начала паниковать. — Хорошо. Кира, он ничего не узнает.

Я выдохнула, и он в очередной раз вздохнул:

— Все равно это неважно. Он уже рассказал слишком многим. — Печально глядя на меня, он заправил мне за ухо выбившуюся прядь. — Прости, но Денни узнает, что ты ему соврала, и заинтересуется почему.

Обмирая, я таращилась на него, а потом глухо спросила:

— И что тогда? Сколько мы протянем?

— Как скоро Денни выяснит, что мы переспали? — Келлан взял меня за руку, сплел наши пальцы. — Я думаю, к утру, если ты проторчишь здесь со мной всю ночь.

Издав смешок, он прижался щекой к моей голове и сказал:

— Не знаю, Кира. Может быть, несколько часов? Максимум — пару дней.

— Часов? — в ужасе отстранилась я. — Но... У него нет никаких доказательств. Ему в голову не придет...

— Кира... — Келлан выпустил мою руку и погладил по щеке. — Все у него есть, прямо здесь.

Он снова заправил мои волосы за ухо.

— Что мы делаем, Келлан? — прошептала я, вдруг испугавшись, что Денни мог как-то услышать нас, пусть даже мы были далеко и в машине.

Какое-то время он размышлял.

— Я могу завести мотор, и мы окажемся в Орегоне еще до рассвета.

Бежать? Он хочет бежать со мной? Я вся напряглась, представив, как убегаю с ним в ночь, без оглядки. Бросить учебу, работу, друзей, все — лишь бы уйти от Денни. Меня пронзила острая боль, и я испугалась, что меня стошнит прямо в машине. Мысль о том, что я больше не увижу Денни, его теплых карих глаз, сверкающих при виде меня...

— Эй. — Келлан погладил меня по голове. — Дыши, Кира, все в порядке... Дыши.

Он придержал меня за щеку, пока я пыталась понять, о чем речь.

— Смотри на меня. Дыши.

Я таращилась в его глубокие синие глаза, сосредоточившись только на дыхании, и не заметила, как раздышалась до гипервентиляции. Встряхнув головой, я уронила первые слезы.

— Нет, так нельзя. Мы с ним слишком срослись. Мне нужно время. Я не могу пока об этом говорить.

Он кивнул, и его глаза заблестели влагой.

— Прости меня, Келлан.

— Не надо... — шепнул он. — Не извиняйся за то, что любишь.

Он притянул меня к плечу и поцеловал в макушку.

— Не волнуйся, Кира. Я что-нибудь придумаю. Даю слово, я все улажу.

ГЛАВА 21
Я ЛЮБЛЮ ТЕБЯ

Он держал меня за руки в промерзшей машине. Изо рта у нас вырывались облачка пара, но никому не хотелось покидать безопасное, укромное пространство салона. И вот небеса озарились первыми лучами утреннего солнца. По мостовой стелился туман, и мир представал зыбким и призрачным. Я хотела, чтобы все оказалось сном, от которого мне никогда не проснуться, но эти золотые лучи привнесли в мое существование не только свет, но и действительность.

— Ты должна идти в дом, — прошептал он, сжимая меня в объятиях.

Я отодвинулась и посмотрела на него:

— А ты? Разве ты не пойдешь? — Я постаралась не выдать паники.

Он ответил ровным взглядом.

— Мне нужно сначала кое-что сделать.

— Что?

Он улыбнулся, но не ответил.

— Ступай... Все будет хорошо.

Он запечатлел на моих губах нежный поцелуй и перегнулся через меня, чтобы открыть дверцу. Когда я вышла, он прошептал: «Я люблю тебя». Затем перебрался на мое место и вскинул голову в ожидании ответного поцелуя.

Я кивнула и припала губами к его рту, не будучи в силах говорить из-за комка в горле. Наконец он отпустил меня, завел машину и укатил. Я смахнула пару слезинок.

Когда я вошла в комнату, Денни спал. Насквозь виноватая, я взяла смену одежды и отправилась в ванную освежиться. Покончив с этим, я посмотрела на дверь Келлана и испытала странное желание полежать на его постели. Я не стала этого делать. Если Денни проснется и найдет меня там, будет немного трудно все объяснить. Спустившись сварить кофе, я села за стол, обдумывая события последних часов. Удивительно, сколь многое может измениться за один-единственный день. Я пила кофе и смотрела на пустой стул, на котором обычно сидел Келлан. Где он? Почему не захотел провести день со мной?

Денни, чуть позже спустившийся в кухню, поцеловал меня на прощание — он уже полностью собрался на работу. Когда его губы коснулись моих, я снова испытала угрызения совести. Во мне возникло странное ощущение измены — но не ему с Келланом, а Келлану с ним. Я и раньше мучилась виной, но не настолько сильной, какой было чистое предательство. Это чувство явилось полной неожиданностью, но я твердо подавила его, так как еще не могла об этом думать. В настоящую секунду моим парнем был Денни, но и Келлан, пожалуй, тоже.

«Что я творю?» Этот вопрос вдруг перевесил второй, теперь показавшийся простым: где провести зимние каникулы. Не лучше ли позаботиться о последнем?

Я легла на диван, чтобы обдумать это, и проспала до момента, когда пора было идти на автобус, чтобы ехать в бар. Ох, мне столько надо было сделать по учебе. Придется быть аккуратнее, иначе моя драгоценная стипендия пропадет. К счастью, моя успеваемость была на высоте даже при слабой посещаемости.

Чуть погодя, когда я вошла в «Пит», Дженни отвела меня в сторону.

— Ну так в итоге — что у тебя с Келланом?..

Я улыбнулась и смахнула непрошеную слезу. Он не вернулся вовремя, чтобы отвезти меня на работу, и я уже скучала по нему.

— Дженни, он влюблен в меня по уши.

До глубины души, да. На уровне «я никогда ни к кому не испытывал ничего подобного». Это было слишком трудно осмыслить.

Она заключила меня в объятия.

— Здорово, что он признался, ты должна знать правду. Вам нужно все знать, чтобы принять решение.

Я отпрянула и в ужасе уставилась на нее:

— Что я творю? Я люблю Денни и не посмею его ранить. И Келлана не посмею. Я не знаю, что делать.

Дженни вздохнула и потрепала меня по руке.

— Этого, Кира, я не скажу. Тебе придется решать самой. — Она оглянулась на клиентов из ее зоны и шагнула к ним, однако остановилась и снова взглянула на меня. — Но ты должна выбрать, деваться некуда.

Она успокаивающе улыбнулась, хлопнула меня по спине и отошла.

❖ ❖ ❖

Этим вечером Келлан так и не появился. Он не пришел и ночевать. Именно после этого во мне зародилась тревога. Когда на следующий день ничего не изменилось, она переросла в панику. На третьем круге появилось отчаяние.

Четыре болезненно долгих дня прошли без единой весточки от него...

Каждое утро я спускалась на кухню, рассчитывая увидеть там Келлана, сидящего за столом, — безукоризненного, потягивающего кофе, приветствующего меня сексуальной полуулыбкой и словами «Доброе утро». Но всякий раз его там не оказывалось, и мои глаза наполнялись слезами. Перед уходом в университет я брала его фирменную футболку (которую по-прежнему не носила) и прижимала к лицу, вдыхая его запах и гадая, где он и чем занимается. На работе же я из вечера в вечер ждала появления группы, и регулярно заходили Мэтт и Гриффин, пререкавшиеся о чем-то, но только не Келлан. Ночью, стоило Денни заснуть, я вставала и ложилась в его пустую постель, уткнувшись в подушку.

Во мне бушевала паника. Он все же уехал? Было ли это его решением — просто покинуть город и сбежать без меня? Я даже не могла спросить у ребят, куда он подевался.

В их присутствии мне не удавалось связать и двух слов, а они никогда не говорили о нем, ни разу. Мне было пусто без него.

С каждым днем я все глубже погружалась в депрессию. Я охладела к Денни. Он пытался взбодрить меня, но тщетно. Он пробовал вызвать меня на разговор, однако и это не удавалось. Порывался целоваться — и я отворачивалась, ограничившись лишь дежурным чмоком. Мое настроение постепенно передалось и ему, и он прекратил попытки доставить мне удовольствие. Все равно в этом не было смысла. Меня ничего не радовало. Но Денни никогда напрямую не спрашивал, в чем дело, ни единым словом, почти как если бы боялся поинтересоваться этим, и слава богу, потому что я страшилась его вопросов.

Стояло унылое пятничное утро, и я сумрачно поцеловала Денни, уходившего на работу. Поцелуй был машинальным и не заключал в себе никаких чувств. Денни печально взглянул на меня. Я напряглась в ожидании вопросов, которые вскроют правду.

— Кира... я... тебя люблю.

Он нежно провел пальцем по моей щеке, и я заметила в его глазах влажный блеск. Я знала, что он чувствовал возникший между нами холод, и тоже ощущала дистанцию.

— Я тебя тоже, Денни, — шепнула я, моля себя не расплакаться.

Он склонился, поцеловал меня и погладил по голове.

Я провела ладонями по его лицу, пытаясь проигнорировать досаду на то, что Денни предпочитал щетину и не был гладким, как Келлан. Зарылась в его волосы, стараясь не думать, что у него они короче и мне не намотать их на пальцы, как пряди Келлана. Я впилась в него крепче, мечтая, чтобы дыхание мое участилось, чтобы губы Денни, столь не похожие на губы Келлана, зажгли во мне огонь, чтобы наша прежняя страсть вспыхнула с новой силой. Но ничего не произошло.

В следующую секунду он отпустил меня, дыша так же медленно и спокойно, как и я сама.

— Мне пора... Извини.

Еще секунду он грустно изучал меня, затем повернулся и вышел. Я не сдержалась, и несколько слезинок стекло по моим щекам. Неужели все кончено?

Келлана не было так долго, моя потребность в нем до того возросла, а печаль достигла таких глубин, что мне казалось, будто во мне проделали дыру. Я знала, что это неправильно, и понимала, что это выбивает жизнь из наших с Денни отношений, но не ведала, как это остановить. Он взял и уехал... Исчез. У меня не было времени ни подготовиться, ни окончательно проститься... Финал остался открытым, и это убивало.

Я потерянно побрела наверх в ванную — скоро пора отправляться на занятия. Мой мир катился в тартарары, но жизнь монотонно тянулась дальше. Я оделась. Причесалась. Накрасилась. Сделала все, что подобало обычной студентке в обычный учебный день, который я ненавидела до последней секунды. Мне хотелось свернуться калачиком и плакать часами. По Келлану, которого нет. По тому, что случилось с нами с Денни. Я шумно выдохнула и проглотила подступившие слезы.

Да, он ушел. «С тем и живи», — выругала я себя. Он правильно сделал. В итоге все упростится. Может быть, Денни никогда и не спросит, если Келлан никогда не вернется.

С этой болезненной мыслью я медленно отворила дверь и перестала дышать. Келлан, глядевший в пол, как раз одолел верхнюю ступеньку. Он поднял глаза на скрип и медленно улыбнулся своей ошеломляющей полуулыбкой. Он поражал взгляд. Без малого неделя разлуки заставила меня слегка подзабыть, насколько он был привлекателен. Волосы, волнистые и всклокоченные, просто взывали к моим пальцам: заройтесь! Футболка с длинными рукавами липла к телу до того возбуждающим образом, что откровенно просила их повторить каждый волшебный изгиб. Сильный гладкий подбородок открыто приглашал к поцелуям, а пухлые губы, изогнутые в улыбке, вынуждали меня оставаться бездыханной. Но главным были его непостижимо глубокие синие глаза, светившиеся любовью ко мне.

— Доброе утро, — сказал он негромко в своей типичной манере.

Я метнулась к нему, не успел он тронуться с места, и распростерла свои объятия. Зарывшись лицом в изгиб его шеи, я дала волю слезам, которые сдерживала до того.

— Я думала, ты уехал, — сумела я выговорить между всхлипами, пока Келлан крепко прижимал меня к себе. — Я решила, что больше никогда тебя не увижу.

Я плакала, а он гладил меня по спине и шепотом утешал:

— Прости, Кира. Я не хотел тебя расстроить. Мне нужно было кое-что уладить.

Отпрянув, я ударила его в грудь:

— Не смей так делать!

Улыбнувшись, Келлан положил руку мне на щеку.

— Не смей так меня бросать... — Я потеряла нить, натолкнувшись на его неожиданно болезненный взгляд.

— Не буду, Кира. Я просто так не исчезну, — ответил он, гладя меня по щеке.

Не думая о последствиях, я выпалила то, что так долго держала в себе:

— Я люблю тебя.

Его глаза мгновенно увлажнились. Он прикрыл их, и по щекам скатились две слезинки. Я смахнула их кончиками пальцев. Ему, наверное, никто никогда не говорил этого искренне. А я сказала. Каждым уголком своей души я чувствовала это.

— Я очень, очень... люблю тебя.

Келлан открыл глаза, уронив новые слезы.

— Спасибо. Ты не знаешь, как я хотел... Сколько я ждал...

Он не сумел закончить мысль: я подалась к нему и поцеловала упоенно и нежно. Он не замедлил вернуть поцелуй, придержав меня за щеку другой рукой. Не отнимая губ, я потянула его за шею в спальню. Почти не отлипая друг от друга, мы молча разделись. Когда я осталась перед ним обнаженная, он отстранился, чтобы взглянуть на меня, лучась теплом и любовью.

— Ты такая красивая, — прошептал Келлан, гладя мои волосы.

Я улыбнулась, а он снова приник к моим губам и бережно опустил на постель. Мы неспешно исследовали друг друга, как будто делали это в первый раз. Между нами не было ни стен, ни барьеров. Каждый из нас наконец знал, что чувствовал другой. Теперь мы оба знали: это была любовь.

Мы никуда не спешили, дразнясь и шаря губами и пальцами, открывая новые возможности взаимных прикосновений. Я слушала его стоны, когда целовала нежное место под его ухом, а пальцы скользили по шраму на его ребрах. Он восторженно вскрикнул, когда я провела языком по глубокому треугольнику, образованному мышцами его живота. Келлан же слушал меня, когда целовал мне ключицы и бережно покусывал за сосок. Я тоже вскрикнула, когда он вторгся языком в сокровенное место, пробуя на вкус то, что хотел взять.

Как только мы изнемогли и потеряли терпение, он взвился надо мной и медленно улегся бедром к бедру. Взгляд его шарил по моей коже, следуя линиям и изгибам, а за ним бралась за дело рука. Когда наши глаза снова встретились, Келлан взглянул на меня с такой любовью и страстью, что я до боли прикусила губу. Не потому, что хотела его, хотя желание, конечно, переполняло меня, но ради того, чтобы убедиться в реальности происходящего. В том, что это совершенство действительно находилось здесь и было моим.

Не отводя от меня восхищенного взгляда, Келлан вошел в меня почти болезненно медленно. Мы оба смежили веки, переполненные эмоциями и чувствами от долгожданной близости. Я первой открыла глаза и чуть потеребила его щеку.

— Я люблю тебя, — шепнула я.

Он тоже открыл глаза и прошептал в ответ:

— Я безумно тебя люблю.

А затем мы сделали то, чем никогда не занимались прежде — чего, возможно, не знал и Келлан: предались любви. Это не было пьяной авантюрой. Не было ни жаркой страстью, ни жгучей потребностью — нет, это было намного большим. Он держал меня за руку все время, пока мы познавали нечто дивное и насыщенное. Когда эмоции чуть отступали и мы могли говорить, Келлан нашептывал, как сильно он любит меня. Я всякий раз шептала ему то же самое. Не было ни сомнений, ни страха, ни вины. Наши бедра сходились и расходились в безупречном согласии, синхронно ускоряясь и замедляясь, как будто мы были единым существом. И пусть он даже, насколько я поняла, созрел раньше меня, его хватило на то, чтобы повременить с разрядкой, пока мы не кончим вместе. Когда это случилось, момент был ослепителен и ошеломил нас. Келлан выкрикнул мое имя, а я поймала себя на том, что отвечаю тем же и произношу его.

После он прижал меня к груди, содрогаясь всем телом. Я слушала, как его сердцебиение замедлялось в унисон с моим, и по щеке у меня скатились слезы, на сей раз вызванные не чувством вины, а восхищением моей неизбывной любовью к нему, к которому примешивалось сожаление насчет того, что нам отведено лишь несколько драгоценных минут единства. Он тоже это знал. Глядя на его лицо, я видела ту же смесь горя и радости, отражавшихся в повлажневших глазах.

— Я люблю тебя, — тихо сказал Келлан.

— Я тоже тебя люблю, — мгновенно отозвалась я, целуя его.

Он закрыл глаза и уронил слезу. Я смахнула ее и робко спросила:

— О чем ты думаешь?

— Ни о чем, — ответил он, не поднимая век.

Я приподняла голову, чтобы лучше видеть его. Он открыл глаза и выдержал мой взгляд.

— Я стараюсь ни о чем не думать, — сказал он мягко. — Иначе слишком больно...

Закусив губу, я кивнула, отчаянно жалея, что спросила.

— Я люблю тебя, — повторила я.

Он тоже печально кивнул:

— Просто не настолько, чтобы бросить его?

Прикрыв глаза, я подавила всхлип. У меня оставалась надежда, что он не спросит, никогда не спросит меня об этом. Келлан провел рукой по моим волосам:

— Ладно, Кира. Напрасно я это сказал.

— Келлан, мне ужасно жаль... — начала было я, но он приложил мне палец к губам.

— Не сегодня. — Он тепло улыбнулся и притянул меня для поцелуя. — Только не сегодня... Хорошо?

Я кивнула и тоже поцеловала его, затем на секунду отодвинулась.

— Как ты думаешь, если бы мы никогда... если бы не было первого раза — остались бы мы близкими друзьями все втроем?

Келлан улыбнулся, пытаясь проникнуть в ход моих мыслей.

— То есть если бы мы с тобой не напились и не затеяли секс, жили бы мы счастливо до сего дня?

Я кивнула, и он на секунду задумался, заправив мне за ухо прядь.

— Нет... Мы с тобой всегда были больше, чем просто друзьями. — Келлан любовно погладил меня по щеке. — Мы так или иначе закончили бы здесь.

Кивнув, я бросила взгляд на его грудь. Какое-то время Келлан гладил меня по руке, а потом тихо спросил:

— Ты жалеешь?

Я посмотрела в его страдальческие глаза:

— Жалею о том, что ужасно поступаю с Денни.

Он кивнул и отвернулся. Я положила руку ему на щеку и заставила смотреть на меня.

— Мне не жаль ни секунды, проведенной с тобой. — Я криво улыбнулась. — Ни один миг с тобой не был напрасным.

Он улыбнулся, так как я повторила его собственные слова, и привлек меня для поцелуя, который начал быстро становиться глубже и глубже.

❖ ❖ ❖

В тот день я не пошла в университет. Я так и не вылезла из его постели — не могла, ибо не нуждалась ни в чем другом.

Келлан простился со мной за час до прихода Денни. Глаза немедленно наполнились слезами, он заключил мое лицо в ладони и покрыл поцелуями веки.

— Вечером буду в «Пите». Там и увидимся, хорошо?

Я безмолвно кивнула, и он поцеловал меня в последний раз, прежде чем выйти за дверь. Сердце ныло, пока я смотрела, как он уходил. Наш день был неописуем. И оно разрывалось сильнее, чем когда бы то ни было. Я вспомнила слова Дженни: «Придется выбрать одного. С двумя никак». Но я не знала, как отпустить другого.

Денни вернулся чуть раньше обычного страшно усталый. Он подошел к дивану, где я сидела, тупо уставившись в телевизор, сел рядом, и я взглянула на его печальное красивое лицо. Мгновенно нахлынуло чувство вины. Оно оказалось невыносимым, и я разразилась рыданиями.

Денни обвил меня руками:

— Иди сюда.

Он растянулся на диване, я — тоже, мы лежали друг к другу лицом, и Денни крепко прижимал меня к себе. Положив голову ему на грудь, вцепившись в его рубашку, я всхлипывала, пока не обрела мало-мальскую способность дышать.

— Все хорошо, Кира. В чем бы ни было дело, все хорошо.

Его голос дрожал, акцент обозначился резче от полноты чувств, и я знала, что Денни тоже готов расплакаться. Задыхаясь, он шептал:

— Солнышко... Ты мое сердце.

Мои рыдания усилились. Я знала, что делала ему больно, но не могла остановиться, и слезы лились рекой.

Но вот они отступили, и я задремала, пока Денни гладил меня по спине. Он отодвинулся и заглянул в мои полуприкрытые усталые глаза:

— Кира?..

Я вмиг очнулась, подстегнутая страхом и паникой. Что такое? Никак он собрался спросить меня о Келлане? У меня не было сил отозваться.

— Ты... — Он замолчал и отвернулся, а потом заговорил снова, выглядя уязвленным. — Отвезти тебя на работу? Ты опоздаешь.

Теперь он снова смотрел на меня, и я расслабилась.

Но говорить все равно не могла и только кивнула.

— Хорошо. — Денни встал и протянул мне руку. — Тогда поехали.

Всю дорогу мы молчали. Денни не спрашивал о моем срыве, а я не хотела ничего объяснять. Мне все равно было нечем с ним поделиться. Теперь, после того как между нами возникло столько недоговоренностей, я едва вспоминала время, когда все было просто и мы были влюблены чистой щенячьей любовью. Наверно, всякая любовь в итоге спускается с небес на землю.

Денни решил немного посидеть в баре. Он не спускал с меня глаз, как будто ожидая новой истерики. Моя реакция пробудила в нем опекуна, и я быстро смекнула, что он вознамеривался присматривать за мной весь вечер в присутствии Келлана. Со вздохом я приступила к своим обязанностям. Мне следовало придержать печаль. Денни не должен был этого видеть. Ему это ни к чему, ведь я не могла объяснить, почему вдруг пошла вразнос. Держать его в неведении было жестоко. Когда Келлан отсутствовал, я опять же была с ним безжалостна, постоянно отталкивая и прячась в скорлупу одиночества.

Келлан явился чуть раньше остальных ребят, и Денни встретил его в дверях. Тот наскоро приобнял его, и оба направились к обычному столу, непринужденно болтая. Но я перехватила взгляд, брошенный на меня Келланом, когда Денни отвернулся на шум в другом конце бара. Голодная страсть, стоявшая в глазах Келлана и уместившаяся в этом мгновении, едва не заставила меня метнуться к нему в объятия через весь зал. Но я этого не сделала. Хотя бы на это у меня еще хватало воли.

Усевшись бок о бок, они как будто погрузились в серьезную беседу. О чем? Я немного разволновалась. Затем Келлан кивнул, а Денни хлопнул его по плечу. Я поняла: Денни объяснялся с ним насчет моей сестры. При мысли об этом мое сердце согрелось. Келлан не тронул ее. Он был верен мне. Ну, не совсем верен — он все-таки оприходовал половину Сиэтла, пытаясь «преодолеть влечение ко мне», однако насчет сестры давал мне слово, которое сдержал, и это меня грело.

Мне было немного странно видеть их беседующими весь вечер. Не потому, что Келлан был так беспечен в общении с человеком, подругу которого только что в очередной раз уложил в постель. Дело было в том, что их дружба, казалось, ничуть не пострадала после нашей с Келланом стычки — того эпизода с затрещиной. Я не сомневалась, что Денни распек его за это, и в равной степени была убеждена, что тот воспринял разнос стоически и полностью подтвердил мою версию. Но никому из них, похоже, не приходило в голову разорвать отношения из-за этой истории. Я сглотнула слюну, понимая, что им наверняка придется на это пойти, когда я сделаю выбор, о необходимости которого справедливо говорила Дженни. Именно мне предстояло их разлучить. Эта мысль представлялась убийственной.

Но вот появились остальные участники группы, и Келлан весь вечер искуснейшим образом удерживал Гриффина подальше от Денни. Они, два товарища, пили пиво, чуток играли на бильярде и трепались с Мэттом. Эван чувствовал себя несколько скованно в их обществе и главным образом флиртовал со стайкой фанаток. Келлан и Денни не расставались, пока ребята не потянулись на сцену.

Остаток смены я получала тоскливые взгляды от Келлана и тревожные — от Денни, который явно боялся повторного срыва. Неужели я оставалась печальной? Денни дождался конца моей смены и исправно довез меня до дома. Когда мы уходили, Келлан все еще торчал в баре и довольно оживленно болтал с Дженни. Я понадеялась на ее снисходительность.

Поднимаясь по лестнице, я не могла не думать о страстных и тоскливых взглядах Келлана. Раздеваясь, я вспоминала тепло его рук. Натягивая пижаму, я грезила о его крепком теле. Чистя зубы — думала о его пьянящем запахе. Скользнув под одеяло бок о бок с Денни, я полнилась мыслями о его фантастических волосах, пряди которых наматывала на пальцы. Однако заснуть мне не давали его губы, вновь и вновь твердившие о любви, — они повергали меня в тревожное томление.

Я оставалась в спальне намного дольше, чем сумело бы на моем месте большинство женщин — во всяком случае, я убедила себя в этом, — однако в итоге влечение победило, и я выбралась из постели. Денни не шелохнулся. Он спал крепким сном, когда я притворила дверь. Затем я проскользнула к Келлану, и он приподнялся на локтях, услышав звук. В окно лился лунный свет, и мне было видно его озадаченное безупречное лицо. В чистых синих глазах не было ни тени усталости. Он тоже не мог заснуть.

Это открытие захватило меня и придало смелости. Я юркнула к нему и сразу оплела его ногами. Навалившись всей тяжестью ему на грудь, я опрокинула его на подушки.

— Это сон? — успел шепнуть Келлан, пока мои губы не приблизились.

Он провел руками по моей спине и зарылся пальцами в волосы. Прижав меня крепче, он углубил наш поцелуй.

— Я соскучился, — пробормотал он, не отпуская меня.

— Я тоже, — пролепетала я, — очень.

Я целовала его без устали, пока дыхание не участилось сверх меры, — тогда я отстранилась и сорвала топик. Он бережно провел рукой по моей груди, поедая меня глазами. Вздохнув тяжело и мучительно, он спросил:

— Кира, что ты делаешь?

Прижавшись к нему, я ответила нежным поцелуем в шею. Он бросил взгляд на дверь.

— Кира, Денни прямо...

— Я люблю тебя, — перебила его я, — и соскучилась по тебе. Люби меня.

Не сводя влюбленного взора с его прекрасного лица, я сбросила оставшуюся одежду.

— Кира...

Я снова поцеловала его и вжалась в него своим обнаженным телом. Он тихо застонал и пылко отреагировал всем существом. Я пробежала руками по его торсу и принялась стаскивать с него трусы, продолжая нашептывать ему на ухо:

— Я люблю тебя... Люби меня.

Дыхание Келлана стало чаще, в глазах горела страсть. Он снова глянул на дверь, потом на меня:

— Ты уверена...

— Уверена, — перебила я, задыхаясь, и жадно впилась в него губами.

Наш поцелуй становился все глубже, но Келлан вдруг оторвался от меня.

— Постой... — В его взгляде были томление и тоска. — Я не могу.

Удивленная, я отозвалась:

— О... Зато я могу...

Моя рука опасливо скользнула ему в трусы. Все было в порядке — даже более чем в порядке.

— Ай, — застонал он, — ты убиваешь меня, Кира.

Он отвел мою руку, издав тихий смешок.

— Я не об этом. Конечно, я могу, но... — Келлан пристально посмотрел мне в лицо. — Я имел в виду другое. Мне кажется, что мы не должны.

— А как же днем? Это было... Разве ты не... Ты что, не хочешь меня?

Я спрашивала путано и немного оскорбленно.

— Конечно, конечно хочу. — Келлан изучил меня, затем многозначительно взглянул на себя, а потом снова обратился взором ко мне. — Тебе ли не знать.

Я покраснела, и он продолжил:

— Днем было в высшей степени... У меня никогда не было ничего подобного. Я даже не знал, что такое бывает, а я очень искушен в этом.

Он застенчиво ухмыльнулся, и я улыбнулась, погладила его по щеке и спросила:

— Ты больше не хочешь этого?

— Больше всего на свете, — шепнул он хрипло.

— Тогда возьми меня... — Затаив дыхание, я поцеловала его.

— Господи, Кира, — тихо застонал Келлан. — Почему ты все делаешь так...

— Жестко? — прошептала я и снова зарделась, когда он рассмеялся. — Я люблю тебя, Келлан. Я чувствую, как убегает время. Мне не хочется терять ни минуты.

Он еле слышно вздохнул, и я улыбнулась, зная, что победила.

— Но для протокола: это плохая идея...

Я расплылась в улыбке еще шире и поцеловала его, как только он перекатился и оказался сверху.

— Ты погубишь меня, — пролепетал он, когда я наконец сняла его одежду.

Любить Келлана бесшумно было крайне трудно. Приходилось впиваться друг другу в кожу, и мы делали это с такой силой, что я была уверена в неизбежности синяков, кроме того, в нужные мгновения мы ловко сливались в поцелуе, чтобы не выдать ни звука. В какой-то момент, уже ближе к финалу, Келлан был вынужден зажать мне рот. Неспешность и скованность, необходимые для наших осознанных попыток соблюдать тишину, делали переживания еще ярче, и все продолжалось намного дольше, чем я считала возможным. Меня это устраивало. Вот бы все длилось вечно...

Потом мы лежали впритирку, глядя друг другу в лицо. Во мне отзывался каждый вздох Келлана, а всякий мой резонировал в нем. Мы не разговаривали. Мы просто смотрели. Он гладил мои волосы и время от времени целовал меня. Я водила пальцем по его щеке, подбородку, губам, теряясь в безмятежных синих глазах. Мы почти не шевелились, не издавали ни звука, раскрывшись душами, пока Келлан наконец не вздохнул.

— Ты должна вернуться к себе, — шепнул он.

— Нет.

Мне было тепло с ним, и я не хотела никуда уходить.

— Кира, уже почти утро.

Я глянула на часы и вздрогнула, увидев, что он прав и на дворе без малого рассвело. Заартачившись, я вцепилась в него крепче.

Он поцеловал меня.

— Полежишь часок, потом спускайся, и будем пить кофе, как обычно.

Он снова поцеловал меня, затем осторожно отстранил. Я надулась, едва он начал совать мне одежду. Когда я отказалась пошевелить и пальцем, он стал, качая головой, одевать меня сам. Покончив с этим, он усадил меня, затем поставил на ноги.

— Кира... — Келлан погладил меня по щеке. — Тебе нужно идти, пока не поздно. Нам повезло, не перегибай палку.

Он чмокнул меня в нос, и я со вздохом сдалась, проигнорировав эту двусмысленность.

— Ладно, договорились. Увидимся через час.

Я не могла отказаться от последнего цепкого взгляда на его обнаженное тело и, снова вздохнув, вышла из комнаты.

Воровато прокравшись к себе, я притворила за собой дверь. Денни и ухом не повел: он все еще крепко спал в обычной позе — на боку, повернувшись ко мне спиной. Понаблюдав, как он спит в мирном забвении, я забралась в постель. Повернувшись на бок к нему лицом, я смотрела, как вздымается и опадает с каждым ровным вдохом его футболка. Вопреки прежнему, мне не хотелось плакать. Вина еще ощущалась, но далеко не так остро. Все упрощалось... и мне было тошно от этого. Я чуть коснулась пальцами волосков на его шее, и Денни довольно вздохнул. Проглотив внезапно образовавшийся в горле комок, я обвила его руками и плотно уткнулась ему в спину. Он шевельнулся, переплел наши пальцы и снова заснул. Я поцеловала его в шею и устроила голову у него на плече. И вот слезы все-таки хлынули.

Так стало легче, но не легко.

ГЛАВА 22
ВЫБОР

Когда я спустилась в кухню, Келлан успел измениться. Не в физическом смысле. Физически он оставался до боли безукоризненным. Разве что его глубокие синие глаза были чуть более усталыми, чем обычно, но мы оба не спали всю ночь. Нет, он изменился эмоционально. Когда я вошла, он не взглянул на меня. Не поприветствовал бодро — лишь тупо пялился в кофейную кружку, как будто пребывая в тяжелой задумчивости.

Я подошла к нему, забрала у него непочатую чашку, поставила ее на стойку и тем нарушила его фокус. Он повернул голову и тоскливо посмотрел на меня. Затем легко поцеловал и обнял за талию. Я обвила его шею руками, прижала к себе и положила голову ему на плечо.

— Не могу поверить, что говорю это, — прошептал Келлан, и я невольно напряглась. — Эта ночь не может повториться, Кира.

Я отпрянула — уязвленно, сконфуженно и немного испуганно.

Он глянул на выражение моего лица и вздохнул.

— Я люблю тебя, а ты понимаешь, что для меня значат эти слова. Я не произношу их ни для кого никогда. — Аккуратно сняв мою руку с шеи, он сплел наши пальцы. — Было время, когда я не стал бы париться насчет этого. Забрал бы все, что ты пожелала бы мне дать, и придумал, как справиться с остальным...

Он провел нашими сцепленными пальцами по моей щеке. Мое выражение смягчилось от его слов, но испуг и непонимание остались. Келлан издал очередной вздох:

— Я хочу быть достойным тебя.

Я дернулась было прервать его, но Келлан приложил наши пальцы к моим губам.

— Я хочу заслужить...

— Но так и есть, — вмешалась я, отстраняя наши руки. — Ты хороший человек, Келлан.

— Кира, я хочу быть лучше, но не выходит. — Он зыркнул наверх, где спал Денни, и вернулся взглядом ко мне. — Ночью, Кира, я повел себя недостойно... Нельзя так поступать под носом у Денни.

Я насупилась, и на мои глаза навернулись слезы стыда и вины. Келлан мгновенно смекнул, в чем дело.

— Нет... Я не это хотел сказать, ты не... Я и не думал тебя оскорбить, Кира. — Он прижал меня к груди, и я уронила пару слезинок.

— Тогда о чем же ты говоришь, Келлан?

Он прикрыл веки и сделал глубокий вдох.

— Я хочу, чтобы ты ушла от него и была со мной.

Он медленно открыл глаза. В них неожиданно объявился страх.

Я разинула рот, лишившись дара речи. Он выдвигал мне ультиматум? Хотел заставить меня принять окончательное решение?

— Прости. Я собирался держаться и ничего не говорить, пока ты будешь хотеть меня, но вот возникла любовь... А у меня никогда, ни разу не было ничего подобного, и я попросту не могу вернуться в прошлое и стать тем, кем был. Я хочу тебя, и только тебя, и мне невыносима мысль о том, чтобы с кем-нибудь тобою делиться. Извини. — Келлан печально потупился. — Я хочу быть с тобой как положено — в открытую. Хочу приходить к «Питу» с тобой под руку. Целовать тебя когда вздумается и не думать о том, кто увидит. Я хочу любить тебя и не бояться, что это вскроется. Засыпать с тобой в объятиях каждую ночь. Я не хочу мучиться угрызениями совести из-за вещей, которые делают меня таким цельным. Прости, Кира, но я прошу тебя сделать выбор.

Я продолжала стоять с разинутым ртом, а по щекам текли слезы. Он нарисовал замечательную картину, и я могла это увидеть — будущее с ним, жизнь с ним. Часть меня — значительная часть — хотела этого. Однако перед другой предстали теплые, лучистые карие глаза и дурацкая улыбка.

— Келлан, ты просишь меня уничтожить его.

Он закрыл глаза и сглотнул.

— Знаю, — прошептал он, и, когда поднял веки, его глаза заблестели. — Я знаю. Просто... Я не могу тобой делиться. Мысль о том, что ты с ним, убивает меня теперь сильнее, чем когда-либо прежде. Ты нужна мне вся целиком.

Меня охватила паника, едва я представила, что лишусь одного из них.

— Келлан, а что, если я выберу не тебя? Что ты сделаешь?

Он отвернулся, уронив слезу.

— Уеду, Кира. Я уеду, и вы с Денни заживете припеваючи. Тебе даже не придется рассказывать ему обо мне. В итоге вы... — Его голос надломился, и по щеке скатилась новая слеза. — Вы поженитесь, нарожаете детей и будете счастливы.

Я подавила всхлип:

— А ты? Что делаешь ты в этом сценарии?

— Я худо-бедно перебиваюсь. И каждый день тоскую по тебе, — прошептал Келлан.

Рыдания все же прорвались, и я, желая удостовериться, что он еще здесь и ужас, им нарисованный, пока не воплотился в реальность, схватила его лицо и принялась исступленно целовать его. Он ответил с тем же пылом, и его слезы капнули мне на кожу. Мы расцепились, задохнувшись, и сдвинули лбы, продолжая плакать.

— Кира... Из нас получится потрясающая пара, — шепнул он.

— Мне нужно еще время, Келлан... Пожалуйста, — прошептала я в ответ.

— Хорошо, — нежно поцеловал он меня. — Я дам тебе время, но это не может длиться бесконечно.

Когда он повторил поцелуй, я наконец ощутила, что сердцебиение улеглось, а холод в животе начал рассеиваться.

— Сегодня я не хочу оставаться с ним под одной крышей. Отправлюсь к Эвану.

Я приникла к нему, снова не находя себе места. Уловив мою панику, Келлан успокаивающе сказал:

— Увидимся в «Пите». Я буду там.

Поцеловав меня, он стал отступать.

— Постой... Сейчас? Ты уходишь прямо сейчас? — Я чуть не взвыла.

Он пригладил мне волосы и заключил мое лицо в ладони.

— Побудь с Денни. Подумай над тем, что я сказал. Может быть, ты сумеешь...

Решить? Решить, чье сердце я разобью? Я не представляла, как это сделать.

Келлан не закончил мысль. Он просто придвинулся губами и целовал меня, как мне казалось, на протяжении многих часов, которые обратились в секунды, когда он отступил. Тоскливо улыбнувшись, он вышел из кухни, а вскоре и вовсе из дома. Я уставилась на его нетронутую кружку с кофе, оставшуюся на стойке, и гадала, что делать дальше.

В конце концов я улеглась на диван и всхлипывала, пока меня не одолел сон.

❖ ❖ ❖

Спустя несколько часов я проснулась вконец разбитая. Слова Келлана вертелись в голове, пока я разогревала кофе, который он приготовил перед поспешным уходом.

Переливая кофе в свою кружку, я услышала шаги Денни. При виде его лица мое сердце забилось вдвое чаще. Такого выражения я никогда у него не наблюдала. Он был убит: измучен и сломлен. Карие глаза, обычно лучистые, померкли и омертвели. Он полностью оделся, принял душ, но не выглядел ни здоровым, ни отдохнувшим. Могло показаться, что он не спал несколько недель. Но вот Денни прикрыл глаза, сделал глубокий вдох и с сердечной улыбкой шагнул в кухню.

Я замерла у стойки, следя за ним. Что его так расстроило? Знал ли он, что меня не было с ним этой ночью? Может быть, мы с Келланом вели себя не так тихо, как я надеялась? В комнате воцарилась странная атмосфера. Он подошел ко мне и уже было потянулся, но замер. Я совсем извелась, и мое дыхание начало учащаться. Мне было ясно, что покажется странным, если я не спрошу Денни, в чем дело: его сокрушенный вид никогда не оставался без вопросов, но мне не хватало воздуха, чтобы заговорить. И я боялась спросить.

И вот заговорил он.

— Ты сбежала от меня, — прошептал он.

Сердце прибавило скорости втрое, перед глазами все поплыло. О черт, сейчас я грохнусь в обморок прямо перед ним.

— Что? — пискнула я.

— С утра. — Денни кивнул на диван. — Я спустился раньше, а ты спала тут. Не хотел тебя будить...

Сердцебиение начало успокаиваться.

— О...

Убитый вид Денни вернулся, едва он взял меня за руку.

— Кира... Я в чем-то провинился?

Я немедленно замотала головой и дважды сглотнула, прежде чем смогла издать звук.

— Нет... Нет, конечно же нет.

— Честно? Мне кажется, что между нами стена. Мы всегда разговаривали, и я знал все твои мысли, а теперь понятия не имею, о чем ты думаешь.

Я вновь проглотила слезы.

— Может, расскажешь?

С секунду его печальные карие глаза шарили по моему лицу, затем Денни осторожно потянул меня за руку в гостиную. Я умоляла себя не разреветься, как накануне.

Мы сели на диван вплотную друг к другу. Денни уперся локтями в колени, потом чуть пригладил волосы и посмотрел на меня:

— Тебе здесь хорошо?

Акцент был силен: Денни сдерживал чувства.

Я покачала головой отрицательно, но ответила утвердительно. Это прозвучало странно, и Денни смутился не меньше меня.

— Дело в Келлане? — шепнул он, и мой желудок свело, как будто бы подкатывала тошнота.

Значит, вот оно? Я знала, что побелела, как призрак, и готова была задохнуться в любую секунду.

— Тебя достало его поведение? Больше не хочешь с ним жить?

Меня отпустило. Он спрашивал не о романе — всего лишь о девицах Келлана. Для Денни затрещина в баре была последней причиной моего огорчения, но с тех пор очень многое изменилось. Келлан любил меня, любил всем сердцем. А я...

— Нет, он замечательный. Да мы с ним почти и не видимся, — ответила я тихо, все еще путаясь в мыслях.

— Так он и не появлялся в последнее время.

Эти слова прозвучали озадаченно, и я поморщилась, недовольная тем, что вложила ему в голову свершившийся факт. Я ждала следующего вопроса — единственного разумного: не потому ли ты ходишь всю неделю как в воду опущенная, что он уехал? А давеча вернулся, и ты сорвалась? Потому что занималась с ним любовью, а после терзалась в моих объятиях?

Однако вопрос, который он задал, ударил больнее, чем все те, что я себе вообразила.

— Значит, дело во мне? Тебе плохо со мной? — спросил он так тихо, что я еле разобрала.

Обхватив его руками, я попыталась придержать всхлип.

— Нет, я люблю тебя. — Голос все же подвел меня, дрогнув. — Мне хорошо с тобой.

«Не спрашивай больше ни о чем. Не выведывай, что я натворила. Не покидай меня...»

Денни тоже обнял меня и притиснул к себе, как будто я вырывалась, а не прижималась.

— Тогда переезжай ко мне в Брисбен.

Я отшатнулась и ошеломленно уставилась в его по-прежнему пустые глаза.

— Что?

— Когда закончишь учебу... Поезжай со мной в Австралию.

Он чуть ли не маниакально изучал мое лицо, пытаясь определить мою реакцию.

Не веря ушам, я моргнула. Мы никогда не говорили о переезде на его родину — лишь о поездке на зимних каникулах.

— Но почему?

— Я кое-кому позвонил. Там мне в любой момент светит по-настоящему классная работа. Мы можем перебраться туда. Это неподалеку от моих родителей. Они будут рады, что мы под боком.

Акцент Денни начал усиливаться, как только он повел речь о родителях.

— Но это такая даль, Денни... — Он не мог увезти меня от Келлана дальше. — А как же моя семья?

— Будем ездить к ним сколько захочешь, Кира. На праздники. В отпуск. Как пожелаешь и когда заблагорассудится. — Он нежно погладил меня по щеке.

Я улавливала в его тоне нотки отчаяния. Он действительно желал этого.

— В Австралию? Я не знала, что ты хочешь вернуться.

— Это грандиозное предложение... — Денни взглянул себе под ноги, потом на меня и прошептал: — Там можем и пожениться.

Мое сердце застучало подобно молоту. Мы никогда не заговаривали о свадьбе. Мне было нечего сказать. В голове моментально пронесся миллион мыслей о жизни в Сиэтле с Келланом и о жизни за тысячи миль отсюда с Денни. Последний чуть взъерошил мне волосы, и я взглянула на его красивое опечаленное лицо.

— Мы будем счастливы там. — Денни дернул кадыком. — Я буду идеальным мужем. Может, когда-нибудь и отцом...

Голос его сорвался, а мои глаза уже были на мокром месте. Я тоже видела грядущее, которое он живописал, и эта картина была не менее замечательной, чем та, что нарисовал Келлан. И я понятия не имела, как сделать выбор. Денни снова погладил меня по щеке, привлек к себе и ласково поцеловал. Я закрыла глаза, тая в его объятиях и обдумывая его предложение — оба предложения.

Он взял мое лицо в ладони и поцеловал глубже, а я ответила тем же. Он резко встал, нагнулся и подхватил меня. Ноша его ничуть не тяготила — Денни был очень силен, — и всю дорогу наверх он продолжал меня целовать. Когда мы шли мимо двери Келлана, я нарочно прикрыла глаза.

Впервые за время наших отношений мне было странно с Денни. Мы любили друг друга неистово и отчаянно, как никогда раньше. Это и тешило сердце, и разрывало его. То был предельный восторг, сочетавшийся с сокрушительной скорбью. Любовь воистину расцветала и воистину умирала. Казалось, что мы пытаемся удержать нечто, утекавшее сквозь пальцы, и мы не понимали почему. Конечно, я знала больше, но едва ли намного. Моему рассудку оставалось недоступно уразуметь, как я могла отбиться от столь теплой, чуткой и заботливой души.

Потом он гладил мои волосы, а я прикорнула у него на плече, чувствуя себя бесконечно виноватой. Это убьет Келлана. С утра перед уходом он не мог не знать, что оставалась хотя бы возможность того, что Денни захочется...

От этой мысли стало еще хуже. Затем я испытала угрызения совести из-за того, что обращалась с Денни не вполне любовно, и гневно смахнула слезу. Меня утомило чувство вины. Келлан был прав: мне так или иначе придется выбирать.

— Кира, с тобой все хорошо?

Я напряглась и закрыла глаза — неужели все-таки спросит?

— Да.

Он поцеловал меня в затылок.

— Ты была такой грустной, а вчера выглядела такой...

Я вздохнула. Он все-таки собирался спросить.

— Просто паршивый день — невелика беда.

— Ах так. — По тону я поняла, что Денни мне не поверил. — Может, расскажешь?

Акцент усилился: обычно такое бывало, когда Денни сердился. Этой беседе следовало положить конец.

— Нет... Я хочу с тобой в Австралию.

Я прокляла себя, произнеся это, но мне нужно было еще какое-то время.

Он расплылся в улыбке и поцеловал меня, напрочь позабыв о нашем разговоре.

❖ ❖ ❖

Денни отвез меня на работу и решил остаться в баре. Он пришел в необычайно приподнятое настроение, от которого мне стало только хуже. Я внушила ему надежду, возможно ложную. Мне пока не было ясно.

Я выставила для Денни кое-какую закуску и пиво, тогда как сама уже напряглась, предвидя его тесное общение с Келланом. Не успела я и глазом моргнуть, как группа уже вкатилась в бар. Эван и Мэтт вошли вместе. Эван приметил Денни и с любопытством взглянул в мою сторону, а я потупилась и залилась румянцем. Как пришел Гриффин, я не видела — зато услышала. Он заорал с порога:

— А вот и жеребец — праздник начинается!

Закатив глаза, я посмотрела на Келлана, который как раз нарисовался в дверях. Дух захватило — он все еще поражал мое сердце своим совершенством. Рука его вторглась в растрепанную гриву, непостижимо синие глаза впились в меня. Я беззвучно выговорила: «Привет», — он соблазнительно осклабился, кивнул и начал приближаться ко мне, пока я не качнула головой. Смешавшись, он проследил за моим взглядом до стола и все понял. Улыбка увяла, глаза потемнели. Тоскливо оглянувшись на меня, Келлан присоединился к остальной компании.

Весь вечер я украдкой следила за ним. Дело оказалось нелегким. Мне хотелось подойти, обнять его, поцеловать, свернуться калачиком у него на коленях... Но я не могла. Это было невозможно, даже если бы напротив него не сидел Денни. Не те у нас были отношения, а он хотел именно таких. Он больше не желал прятаться. Я тоже, но... Мое внимание переключилось на Денни. Я не хотела и не могла его ранить. Я и его любила.

Денни сиял, счастливый, каким не был сто лет. Моя хандра в период отсутствия Келлана задела его сильнее, чем мне казалось. Теперь перед нами открылось будущее, и он ликовал. Поскольку он беседовал с Мэттом, я снова обратилась взором к Келлану.

Тот перехватил мой взгляд лишь на долю секунды и выразительно посмотрел в направлении коридора, тоже мельком. Со стороны создалось впечатление, будто он просто изучал помещение. Но мне было лучше знать — он хотел поговорить. Спокойно прикончив пиво, Келлан встал и устремился в коридор. Денни рассеянно засек его уход и вернулся к разговору с Мэттом.

Я быстро подошла к Дженни. Времени было мало.

— Дженни, ты можешь...

Та глянула на знаменитый стол и, заметив отсутствие Келлана, немедленно отозвалась:

— Кира, я не буду тебя прикрывать.

— Нет, я и не прошу, — замотала я головой. — Просто... Найди меня, если Денни о чем-нибудь спросит.

— Ладно... — Дженни со вздохом сдалась. — Давай поживее.

— Спасибо, — глупо улыбнулась я.

Она кивнула и вернулась к работе. Крадучись, чтобы никто — особенно Денни — не заметил меня, я последовала за Келланом в коридор. Мое сердце отчаянно забилось, когда я его увидела. Он стоял прислонившись к стене между двумя туалетами: нога упиралась в противоположную стену, руки были засунуты в карманы, а голова повернута в мою сторону. При виде меня он мягко улыбнулся, я тоже. Когда я приблизилась, он протянул мне руку, другой отворив дверь женского туалета. На ней красовалась табличка «Не работает», позаимствованная из подсобки.

— Твоя работа? — указала я на нее.

Келлан улыбнулся и препроводил меня внутрь. Там его веселость увяла.

— Едешь с Денни в Австралию? — осведомился он, как только закрыл дверь.

У меня заныло под ложечкой.

— Что? С чего ты взял?

— Кира... Денни рассказывает об этом всем и каждому. Что ты ему сказала? — Его синие глаза впились в меня.

Я прикрыла веки и прислонилась к стене.

— Прости. Он задавал неприятные вопросы. Мне пришлось выгадывать время. — Я открыла глаза, чувствуя себя крайне глупо.

— И ты сказала ему, что уедешь с ним из страны? Черт побери, Кира! — Он взъерошил себе волосы, ущипнул нос. — Неужели нельзя остановиться и подумать, а уж потом болтать!

— Я понимаю, получилось глупо, но в тот момент мне показалось, что так будет лучше, — пролепетала я.

— Господи, Кира... Ты и замуж за него обещала выйти? — спросил он саркастически.

Я не ответила, но мое внезапное молчание говорило само за себя. Келлан вскинул брови, едва тишина навалилась на нас.

— Он предложил тебе?

— Я не сказала «да», — прошептала я.

— Но не сказала и «нет», — шепнул он, уронив руку с лица.

Видя его боль, я попыталась объяснить:

— На самом деле он не просил об этом. Просто заявил, что там мы могли бы... то есть вообще, через несколько лет...

Келлан тяжко сглотнул и пристально посмотрел на меня:

— И ты подумываешь об этом?

Я шагнула к нему:

— Келлан, мне нужно время.

— Ты спала с ним? — прошептал он.

Я остановилась и быстро моргнула несколько раз.

— Келлан... Не спрашивай об этом.

Он мрачно кивнул и отвернулся.

— Так что у нас будет, пока ты не решишь? Может быть, нам с Денни составить график? — Он посмотрел на меня, вдруг распалившись. — Мне достанутся будни, а ему выходные или мы будем просто чередовать недели? А может, нам трахаться всем скопом? Ты этого хочешь?

Я спокойно приблизилась и положил руку ему на щеку.

— Келлан... фильтруй.

Он моргнул, затем глупо улыбнулся:

— Да... Извини. Я просто... Мне это не по нутру, Кира.

Я нежно поцеловала его, и по моей щеке скатилась слеза.

— Мне тоже, Келлан. Я больше не хочу так. Не хочу быть виноватой. Не хочу лгать. Обижать людей. Я просто не знаю, как выбрать.

Келлан сверлил меня взглядом мучительно долго, потом прошептал:

— Могу я походатайствовать в свою пользу?

Он бережно заключил мое лицо в ладони и запечатлел на губах умопомрачительный поцелуй.

Сквозь дверь мы расслышали тихий стук.

— Ребята? Это я... Дженни.

Мы проигнорировали ее, так как «ходатайство» Келлана становилось все жарче. Дженни медленно отворила дверь, а мы все целовались. Келлан даже перевел дух и впился в меня еще крепче.

Голос Дженни звучал немного неловко.

— Мм... Кира, прости, но ты вроде просила тебя разыскать?

Я кивнула, не отрываясь от губ Келлана, и запустила пальцы в его шевелюру, а он улыбался между поцелуями.

Теперь Дженни заговорила чуть раздраженно:

— Так, ладно... Может быть, прекратите?

— Нет, — промычал Келлан, а я прыснула, и смешок затерялся у него во рту.

— Что ж, хорошо. Тогда два маленьких сообщения. Первое: тебе, Келлан, пора на сцену.

Келлан выставил большой палец, продолжая жадно целовать меня. Я не сомневалась, что его язык был виден Дженни больше, чем ей хотелось, так как, стоило мне рассмеяться над его жестом, он провел им по нёбу, прежде чем снова слиться со мной в поцелуе.

Дженни издала очередной вздох.

— Второе: Денни поговорил с Гриффином.

Мы с Келланом синхронно отшатнулись друг от друга и уставились на нее.

— Что? — выдохнули мы хором, и от нашего недолгого доброго настроения не осталось следа.

Дженни с виноватым видом пожала плечами:

— Я пыталась оттеснить Гриффина, но Денни начал распространяться о том, как тебе тяжело в разлуке с семьей. — Она смерила меня ледяным взглядом, явно не одобряя моего поступка. — Денни вскользь упомянул Анну, и Гриффин, естественно, расписал свое с ней общение в мельчайших подробностях.

Дженни состроила гримасу отвращения, как будто заново выслушала эти детали. Я побледнела.

— Денни, конечно, заговорил об Анне и Келлане, да еще о вашей драке в баре. — Она покачала головой. — Гриффин прямо с цепи сорвался. Он начал яростно отрицать, что Келлан с ней переспал. Заявил, что буквально выдернул Анну из-под Келлана, и сказал...

Дженни взглянула на Келлана, который был бледен не меньше моего.

— Назвал его уродом за то, что тот хотел... я передаю дословно: «потырить его очки». — Дженни выдала очередную гримасу и посмотрела на меня сочувственно. — Ты уж прости, Кира... Но Денни знает, что ты соврала.

Я вцепилась в Келлана, не желая слушать дальше.

— Спасибо, Дженни, — спокойно сказал Келлан.

— Ага... Сочувствую вам.

Она печально улыбнулась и вышла, оставив нас наедине.

Я тяжело задышала, сжимая его плечи.

— Что нам делать? — Я заглядывала ему в лицо в надежде обрести там ответ, но Келлан молча смотрел на меня, и мой разум принялся придумывать новые уловки. — Ладно... Все не так плохо. Скажу ему просто, что ты мне солгал... и Анна тоже... и...

Отвернувшись, я обдумывала разнообразные небылицы для Денни.

— Кира... Это не поможет. Его подозрения лишь укрепятся, если ты будешь твердить, будто все вокруг лгут. С ложью не выйдет, малышка.

Я вскинула глаза, когда он назвал меня так, и чуть улыбнулась, немного воспрянув духом от этого ласкового слова. Но ненадолго. Очень скоро я помрачнела.

— Тогда как же нам быть?

Келлан вздохнул и провел пальцем по моей щеке.

— Мы можем сделать только одно. Я пойду на сцену, а ты иди работать.

— Келлан...

Это ничего не решало.

— Все будет хорошо, Кира. Я должен идти. Мне нужно до начала переговорить с Эваном.

Он мягко поцеловал меня в лоб и оставил стоять в одиночестве. Голова моя так и шла кругом. Все начинало рушиться вокруг меня. Я положила руку на живот и постаралась выровнять дыхание.

Когда я вернулась в зал, Келлан стоял у сцены и был глубоко погружен в разговор с Эваном. Тому явно не нравилось услышанное. Эван зыркнул в мою сторону, затем угрюмо посмотрел на Келлана, который и не думал поворачиваться ко мне лицом. В конце концов Келлан произнес нечто, похожее, судя по его жестам, на приказ. Эван как будто смирился, быстро глянул на Денни и запрыгнул на сцену.

Вскоре подтянулись и остальные. Келлан взъерошил волосы и, посмотрев на Денни, который в этот момент тоже взирал на него со странным выражением на лице, присоединился к товарищам. Толпа взбесилась при виде своих кумиров, но я уже не слушала, слишком занятая размышлениями об увиденном.

Направляясь к своим клиентам, я встретилась взглядом с Денни. Тот все еще сидел за столом, за которым уже собирались фанатики, и откровенно хмурился на меня. Я задохнулась. Он знал, что я солгала, и в эту секунду пытался понять зачем. Умышленно не глядя на сцену, я постаралась улыбнуться ему, но выдавила лишь жалкую усмешку. Денни не улыбнулся в ответ. Он прищурился, и я заставила себя отвести глаза.

Бар был набит оголодавшими клиентами, и я мысленно благодарила их за избавление меня от необходимости приближаться к его месту. Грянула музыка, но я не взглянула на сцену. Мне худо-бедно удавалось не смотреть на Денни, но я ощущала на себе его обжигающий взор.

К концу вечера меня отпустило. В животе ныло, в голове царил кавардак, но Денни так и не подошел ко мне. Наконец мне пришлось отправиться к его столу, чтобы обслужить каких-то девиц, но он лишь заказал очередное пиво. Он ни о чем не спросил, однако его глаза сказали все: Денни испытывал сильнейшие подозрения.

Немного позже Келлан объявил, что группа приготовила еще одну песню, новую. Начали Эван и Мэтт, через несколько аккордов подключился Гриффин, и вот вступил Келлан. Его голос был низким и хриплым. Слова оказались грустными, и я какое-то время украдкой следила за ним, прежде чем повернулась к клиенту.

— Привет, чем могу...

Я не закончила. Слова, только что пропетые Келланом, вдруг укоренились в моем сознании, и я застыла, выбросив из головы все прочие мысли.

«Ты все для меня, но я ничто для тебя. Я предал тебя, обманул опять, но тебе нипочем, стоит только его обнять».

Моя челюсть отвисла, я таращилась в сцену. Это была та самая новая вещь, над которой он трудился... И она повествовала о нем и обо мне.

— Мисс? Я просил для нас...

Я оставила призыв без внимания, способная сосредоточиться лишь на голосе Келлана, который набрал силу.

«Незачем прощаться, чтобы не лгать, — довольно уехать и ни о чем не знать».

Но он таки прощался в песне, перед всем баром, на глазах у Денни. Келлан не смотрел на меня. Он взирал поверх толпы, не замечая никого в отдельности, сосредоточенный исключительно на тексте.

Я же стояла все там же, предельно шокированная, а клиент не оставлял попыток завладеть моим вниманием. Всего в нескольких метрах от меня был Денни, и он наверняка видел, как я глазела на Келлана с ужасом в глазах и недоверчиво распахнутым ртом. Эван не хотел этой песни — скорее всего, именно из-за Денни. О чем думал Келлан?

На второй строфе мне сделалось безразлично, видны ли кому-то мои слезы. Голос Келлана прожигал меня насквозь, и я не могла не отзываться.

«Мы знали, что делать, и знали, как быть, — потрясное время, его не забыть. Мне будет больно, тебе станет жаль, но все проходит — гони печаль. Ты не сломаешься, он поймет — но знай, что моя любовь не умрет».

Слова были прекрасны, они разрывали сердце. Он прощался, на сей раз всерьез. Когда он вторично пропел: «Я предал тебя, обманул опять», — по моим щекам заструились слезы.

И вот Келлан взглянул прямо на меня. Пристально смотря на меня, он повторил припев: «Незачем прощаться, чтобы не лгать, — довольно уехать и ни о чем не знать». Я увидела, как и он уронил слезу, ничуть о ней не заботясь. Голос его звучал по-прежнему твердо и ровно. Мне стало трудно дышать. Боль пронзила желудок. Сердце затрепетало, и капли слез превратились в ручьи.

— Мисс?..

Меня окружал невнятный гул, но слова Келлана пронзали все мое существо... И им не было конца. За очередным «прощальным» фрагментом незамедлительно последовало: «Ты будешь со мной в любой дали — неважно, за сколько миль», — и я вся зашлась, прикрыв рот ладонью и отчаянно пытаясь подавить рыдания.

Когда музыка и пение Келлана вознеслись на небывалую высоту, кто-то тронул меня за плечо.

— Не здесь, Кира, — прошептала мне в ухо Дженни.

Я не сумела оторваться от зрелища и даже не взглянула на нее. Келлан беззастенчиво вонзал в меня взор, слезы текли по моим щекам, и я понятия не имела, кому видно нас. Я не знала, следит ли за нами Денни, и могла различать только лицо Келлана, слышать — только его слова. Рыдания прорвались.

Дженни потянула меня за руку. Я упрямо сопротивлялась.

— Кира, не здесь. Денни смотрит... Не здесь.

Я перестала упираться и позволила увести себя в кухню, покуда Келлан выпевал последние строки: «...Но знай, что моя любовь не умрет». Он провожал меня взглядом, разрывая мне сердце, и голос его надломился лишь раз, когда мы с Дженни скрылись из вида. Я сразу расплакалась навзрыд, и Дженни обвила меня руками.

— Ну-ну, Кира. Все будет хорошо. Главное — верить.

Она повторяла это снова и снова, поглаживая меня по спине, а я немилосердно рыдала у нее на плече.

Он уходил...

Когда я выдохлась, Дженни привела мое лицо в порядок и принесла мне что-то в стакане... Это была не вода. Я села у барной стойки и выпила залпом. Келлан тоскливо наблюдал за мной с края сцены. Мне отчаянно хотелось метнуться к нему, повиснуть на его шее и целовать его, умоляя остаться. Но я была связана по рукам и ногам: Денни был здесь, и он смотрел на меня. Впервые в жизни я пожелала, чтобы он уехал.

По окончании концерта Денни приблизился к Келлану и о чем-то его серьезно спросил. Тот стрельнул в меня взглядом, и мое сердце пропустило удар. Затем Келлан непринужденно улыбнулся, покачал головой и хлопнул Денни по плечу. Денни с белым лицом следил, как он прячет гитару в футляр и выходит из бара; с порога Келлан рискнул посмотреть на меня в последний раз. Выходя, он потирал переносицу.

Денни сел на свое место и мрачно ждал окончания моей смены. Я собрала вещи, и он наконец подошел ко мне. Кровь застыла у меня в жилах, но Денни ничего не сказал. Он просто взял меня за руку, и мы молча вышли наружу.

Когда мы добрались до дома, Келлан уже был там. Свет у него не горел, как я заметила украдкой, пока шла мимо, но из-за двери доносилась тихая музыка, и мне стало ясно, что он не спал. Денни без слов разделся, время от времени посылая мне странные и печальные взгляды. Он ничего не сказал о моей лжи. Не стал выяснять, с чего меня повело на последней Келлановой песне. Но в глазах у него стояли вопросы, в которых сложилось все: моя недельная хандра, внезапное появление Келлана в баре минувшим вечером и прочувствованные взгляды, которыми мы с ним обменивались сегодня. Я обмирала от страха, чувствуя, что скоро все тайное станет явным.

По-прежнему молча я переоделась ко сну и негромко сказала, что иду в ванную. Денни юркнул под одеяло и проследил за моим уходом. Я оставила дверь открытой, чтобы снять возможные подозрения, но это не удержало меня от тоскливого взгляда на комнату Келлана. Он уезжал, и мне было не вынести этого. Я должна была найти способ его удержать.

В ванной я дала себе время поразмыслить, снова и снова смывая страхи холодной водой. Келлан уезжал. Денни был в высшей степени насторожен. Моя вселенная рушилась.

Сделав последний глубокий вдох, который меня ничуть не успокоил, я вернулась к Денни. Он все еще не спал и не сводил глаз с двери, дожидаясь моего возвращения. Я попыталась перехватить его взгляд, гадая, о чем он думал, что чувствовал, насколько был уязвлен. Почему не спрашивал меня ни о чем.

Денни простер ко мне руки, и я вползла к нему в объятия, благодарная за небольшую передышку от постоянного посягательства на мои эмоции. Однако не этого я хотела. Не по этим рукам томилась. У меня сжалось горло, и я была рада, что Денни молчал. Закрыв глаза, я ждала.

Секунды казались минутами, минуты — часами. Я напрягала слух, внимая дыханию Денни. Какое оно — медленное и ровное? Заснул? Но он шевелился, вздыхал, и я понимала, что сна нет ни в одном глазу. Я постаралась притвориться спящей, в надежде, что Денни расслабится и задремлет сам. На глаза наворачивались слезы досады, но я придержала их. Мне хотелось уйти из этой комнаты, но приходилось терпеть.

Чтобы убить время, я начала представлять, чем занимается у себя Келлан. Музыка смолкла. Спал ли он? Или лежал и смотрел в потолок, гадая, не сплю ли я в объятиях Денни? Жалел ли он о сказанном с утра? Ждал ли, что я проберусь к нему в постель? Или обдумывал свой отъезд?

В конце концов дыхание Денни замедлилось и выровнялось в несомненной дреме. Я открыла глаза и осторожно подняла голову, чтобы взглянуть на него. Красивое лицо Денни было спокойным и умиротворенным впервые с того момента, когда он поймал меня на лжи. Я тихо вздохнула и аккуратно сняла с себя его руку. Не просыпаясь, он, по своему обыкновению, повернулся на бок, и я тихо встала. В голове выстроился перечень отговорок на случай, если Денни засечет мой уход, но этого не случилось, и я бесшумно выскользнула за дверь.

Сердце неистово колотилось, когда я проникла к Келлану. У меня вдруг не на шутку разыгрались нервы...

Он сидел на краю постели ко мне спиной. Он оставался одет и что-то внимательно разглядывал. Пребывая в глубокой задумчивости, он не заметил, как я вошла.

— Келлан? — шепнула я.

Он вздрогнул и сжал кулак, скрывая предмет своего интереса. Повернувшись ко мне, он сунул что-то под матрац.

— Что ты здесь делаешь? Мы же договорились. Ты не должна приходить.

Лицо у Келлана было бледным, он был буквально раздавлен горем.

— Как ты мог?

— Что? — спросил он устало и смятенно одновременно.

— Спеть мне эту песню, у всех на глазах. Ты убил меня. — Мой голос надломился, и я тяжело опустилась на кровать.

Келлан отвернулся:

— Чему быть, Кира, того не миновать.

— Ты написал ее несколько дней назад, когда тебя не было?

Он несколько секунд молчал.

— Да. Я понимаю, чем это кончится, Кира. Я знаю, кого ты выберешь, кого ты всегда выбирала.

Не зная, что ответить, я вдруг выпалила:

— Спи со мной сегодня.

Мой голос клокотал от эмоций.

— Кира, нам нельзя... — Келлан тоскливо поглядел на меня.

— Нет... Я в буквальном смысле. Просто обними меня. Пожалуйста.

Он вздохнул и улегся навзничь, раскрыв свои объятия. Я сунулась ему под бок, закинула на него ногу, положила руку на его грудь, а голову — на плечо. Вдохнула его дурманящий запах и вознеслась на седьмое небо от тепла и уюта. Неимоверный восторг тесной близости с ним смешался с великой печалью скорого расставания.

Я шмыгнула носом, и Келлан прижал меня крепче. Он потерянно вздохнул подо мной, и я понимала, что он, подобно мне, готов расплакаться. От горя у меня вырвалось:

— Не оставляй меня.

Келлан прерывисто выдохнул и вцепился в меня, покрывая мою голову поцелуями.

— Кира... — прошептал он.

Я заглянула в его опрокинутое лицо и увидела готовые пролиться слезы. Мои уже потекли.

— Пожалуйста, останься... Останься со мной. Не уходи. Он прикрыл веки, выдавливая влагу.

— Так будет правильно, Кира.

— Малыш, но мы же наконец вместе, не делай этого. Услышав ласковое слово, он открыл глаза и любовно провел пальцем по моей щеке.

— То-то и оно. Мы не вместе...

— Не говори так. Вместе. Мне просто нужно время... и чтобы ты остался. Я не могу представить, что ты уедешь. Я крепко поцеловала его, заключив его лицо в ладони. Келлан уклонился.

— Кира, ты не бросишь его, а я не могу тебя делить. И чем это кончится? Если я останусь, он все узнает. Выход один... Я должен уйти. — Он проглотил комок, роняя слезы. — Как я хочу, чтобы все было иначе. Чтобы я встретил тебя первым. Был у тебя первым. Чтобы ты выбрала меня...

— Я выбрала! — выпалила я.

Мы оба застыли и уставились друг на друга. Из глаза Келлана выкатилась очередная слеза, пока он смотрел на меня с такой надеждой и болью, что я мгновенно пожалела о появлении в его комнате. Паника, охватившая меня при мысли о его уходе, заставила меня сморозить вещь, которая бы заставила его остаться... Ведь я хотела этого всерьез. Отчаянно хотела. Я мечтала ходить с ним к «Питу» рука об руку. Целовать когда вздумается. Заниматься любовью, не ведая страха. Засыпать в его объятиях каждую ночь...

О боже, я вдруг осознала, что мне хотелось быть... с ним.

— Я выбираю тебя, Келлан, — повторила я, изумленная своим решением, но счастливая тем, что наконец-то его приняла, а Келлан смотрел на меня так, будто я в любую секунду могла спалить его в огне. — Ты понимаешь? — шепнула я, начиная тревожиться из-за его непонятной реакции.

И вот он перевернулся и навалился на меня, покрывая мое лицо исступленными поцелуями. Мне было не продохнуть от его пыла. Я запустила пальцы в его гриву и притянула к себе. Он начал меня раздевать. Стянул топик и, прежде чем я успела задать вопрос, снова приник губами к моим. Он сорвал с себя футболку и опять впился в меня, не успела я вымолвить и слова. Ловко стащил с меня трусики и уже трудился над своими джинсами, когда мне удалось-таки его оттолкнуть.

Задыхаясь, я уставилась на него:

— А как же твои правила?

— Никогда не соблюдал правила, — улыбнулся Келлан и потянулся поцеловать меня. — И отказать тебе тоже не в состоянии, — договорил он тихо, целуя мою шею.

Он выскользнул из джинсов.

— Подожди. — Я вновь отпихнула его и оглянулась на дверь. — Мне показалось, ты не хотел этого здесь.

Рука Келлана скользнула мне под белье, и я задохнулась.

— Если я твой, а ты моя, то я буду брать тебя где хочу и когда хочу, — проурчал он мне в ухо, и я застонала от его натиска.

— Я люблю тебя, Келлан, — прошелестела я.

Наши лица сблизились.

— Я люблю тебя, Кира. Я подарю тебе счастье, — прошептал он серьезно.

Закусив губу, я начала стаскивать с него трусы.

— Да, так и будет.

ГЛАВА 23
ПОСЛЕДСТВИЯ

Я в сотый раз поерзала на постели. Рука Келлана лежала на моей груди, он крепко спал, подложив под щеку другую руку и повернувшись лицом ко мне. Его прекрасные черты очистились от тревог и сомнений. Я не могла сказать того же о себе. Сделав выбор, я под влиянием момента предпочла Келлана, но случившееся до сих пор казалось мне слегка сюрреалистичным. Устроившись поудобнее под боком у Келлана, я услышала, как он довольно вздохнул. Я попыталась представить, как это будет повторяться из ночи в ночь и мы выйдем из тени, как он хотел — *мы* хотели. Идея столь долго оставалась запретной, что мне не сразу удалось вообразить себе эту картину.

Я снова заерзала. Чтобы представить ее во всех красках, необходимо было устранить последнее затруднение, которое разрывало мне сердце. Денни. Сейчас мне придется встать и прокрасться в нашу комнату. Нельзя рисковать и уведомить его о случившемся таким непотребным способом. Не надо было сегодня заниматься любовью с Келланом. Беда была в том, что в его присутствии я отчасти теряла рассудок. Но Келлан был прав, идея скверная. Денни не должен был застукать нас в интимный момент. Я помнила его реакцию в моем сне. Мне было даже не приблизиться к тому, чтобы начать представлять ее в реальности. Особенно теперь, когда он знал, что я солгала, и полнился подозрениями.

Я должна ему рассказать. Взять наконец и выложить все. Но непонятно было как.

Вздохнув, я сняла с себя руку Келлана. Он что-то пробормотал во сне и снова потянулся ко мне. Я улыбнулась, убрала волосы с его лба и тихонько поцеловала. Затем собрала разбросанные вещи и быстро оделась, потом открыла дверь и, бросив последний взгляд на его мирно покоившееся прекрасное тело, полуприкрытое простыней, затворила ее и устремилась к себе.

Действуя как можно тише, я нырнула в свою постель. Денни не шелохнулся, когда я осторожно, на сей раз не взглянув на него, улеглась рядом, спиной к нему. Я сдержанно вдохнула и выдохнула. Мне казалось, что сейчас он повернется ко мне и потребует объяснить, где я была, но этого не случилось. Он спал так же крепко, как Келлан. В конце концов усталость победила, и я предалась дремоте, грезя о Келлане.

Сон оказался до того сладок, что вскоре я пробудилась, горя от нетерпения снова увидеться с ним. Денни все еще спал, но я была уверена, что Келлан — нет. Быстро забежав освежиться в ванную, я тихо спустилась. Келлан, как и следовало ожидать, стоял, прислонившись к стойке — позади него уже остывала кофеварка, — и улыбался мне, выглядя безупречно в моей любимой ярко-синей футболке, благодаря которой глаза его приобретали нечеловечески небесный оттенок.

— Доброе...

Ему не удалось закончить приветствие: мои губы заткнули ему рот, а руки зарылись в сказочные волосы. Он пылко вернул поцелуй и заключил мое лицо в ладони. Почти не отрываясь, я выговорила:

— Соскучилась по тебе...

— Я тоже соскучился, — пробормотал Келлан. — Ненавижу просыпаться, когда тебя нет рядом.

Можно было подумать, что мы не виделись несколько дней, а не считаные часы. Я блаженствовала, вдыхая его запах, ощущая Келлана на ощупь и на вкус, и таяла, окутанная его теплом. Ласковые руки гуляли по моим плечам, и мне было несказанно приятно чувствовать, как скользят между пальцами пряди его волос, как соприкасаются наши языки. Я не хотела, чтобы он останавливался. Но Келлан вдруг отстранил меня и сделал несколько шагов к столу.

— Кира, нам нужно поговорить о Денни...

И в этот момент Денни вошел в кухню.

— Что обо мне? — спросил он резко.

Нам с Келланом повезло: когда появился Денни, мы разошлись достаточно далеко, но мое сердце тревожно билось. Келлан был более собран и невозмутимо ответил:

— Я спрашивал у Киры, не хочешь ли ты вечером зависнуть с нашей компанией. В ЕМР[1] намечается тема...

Денни перебил его, тогда как я удивленно уставилась на Келлана, не понимая, делился ли он подлинными планами или брякнул первое, что пришло в голову.

— Нет, мы останемся дома.

От моего внимания не укрылся акцент на слове «мы» — как и от Келлана. Слегка побледнев, он произнес:

— Хорошо... Подруливайте, если передумаете. Мы будем там весь день. — В воздухе повисло странное напряжение, и Келлан в итоге нарушил молчание: — Пойду я, пожалуй... Захвачу парней.

Бросив на меня многозначительный взгляд за спиной у Денни, он оставил нас наедине, и в кухне вдруг сделалось слишком тихо.

Чуть позже до меня донесся звук закрываемой двери. Машина Келлана заурчала и отъехала. И вот пожалуйста: он исчез, и у меня екнуло в груди. Его последний взгляд означал, что он давал мне время «потолковать» с Денни, а я еще не была готова. Я даже не была уверена, что смогу. Как уничтожить того, кому еще есть до тебя дело? И я до сих пор любила его, несмотря ни на что. Любовь не лампочка, ее не погасишь поворотом выключателя.

Я провалялась на диване большую часть дня — спала или притворялась, что сплю, а Денни следил за мной из кресла. Телевизор вещал исключительно фоном, разгоняя невыносимую тишину. Я еще не была готова его уничтожить и сомневалась, что вообще когда-либо буду на это

---

[1] *EMP Museum* — один из музеев Сиэтла, посвященный музыке и научной фантастике.

способна. Как сказать человеку, с которым я была так долго, что все кончено?

Весь день я ощущала на себе взгляд его темных глаз... Денни думал. У него была светлая голова. Единственной причиной, по которой он до сих пор не сложил два и два, была его глубокая преданность мне. Он не хотел видеть мои недостатки и помыслить не мог о том, чтобы меня ранить. Признание моей измены заставило бы его сделать и то и другое.

Он уклонялся от слов, но я видела в его глазах сомнение и страх. Я знала, что в конечном счете он наберется смелости и задаст мне ужасный вопрос: не влюблена ли ты в другого?

С каждым взглядом, при всяком прикосновении, в любом разговоре, который он заводил со мной, я укреплялась в уверенности, что этот вопрос прозвучит с минуты на минуту. Что он осведомится, не собираюсь ли я бросить его. Не завязала ли я роман с Келланом. И всякий раз я напрягалась, полнясь предчувствием. Я не знала, что отвечу, когда он задаст вопрос.

Но Денни ни о чем не спросил...

В том числе о лжи, на которой поймал меня накануне. Не справился он и о подлинной причине затрещины, доставшейся Келлану. В те считаные разы, когда мы обменивались репликами этим чудовищно долгим днем, он будто целенаправленно избегал любого упоминания Келлана.

К исходу дня Денни помрачнел лицом и ушел в себя. Все наши разговоры обрывались, и я начала сторониться его угрюмых, укоризненных взглядов.

Келлан вернулся поздно, спустя несколько часов после того, как солнце покинуло наш промерзший домишко. Он вошел в кухню и увидел, как мы с Денни молча заканчиваем ужин. Келлан глянул на меня, очевидно прикидывая, состоялся ли у нас разговор. Я сумела лишь неуловимо покачать головой: нет. Он понял. Лицо Келлана исказилось, и я решила, что он сию секунду повернется и снова уйдет, однако он взял себя в руки, положил на стойку ключи и вынул из холодильника пиво. Но его потухшие глаза продолжали выслеживать меня, и я невольно смотрела на него, хотя Денни пристально за мной наблюдал. Мне отчаянно хотелось подойти к нему и все объяснить, но я не могла.

Денни обратился к Келлану, глядя мне прямо в глаза:

— Эй, старина. По-моему, нам всем полезно прогуляться. Как насчет «Хижины»? Потанцуем снова?

Он странно выделил слово «потанцуем». В груди у меня все оборвалось. Зачем он хочет вернуться туда? Я уставилась в тарелку и услышала, как Келлан неловко переступил с ноги на ногу.

— Ну да... Конечно, — произнес он тихо.

Сердце пришпорило, я опустила голову и сосредоточилась на еде и дыхании. Это было не к добру... Точно не к добру.

Келлан повернулся и ушел с пивом к себе. Мы с Денни доели в неловком молчании: он так и не сводил с меня взгляда. Покончив с ужином первой, я буркнула что-то о сборах и поплелась наверх готовиться к вечеру, который, по моему предчувствию, обещал быть таким же ужасным, как и наша прошлая вылазка в этот кабак.

Дверь Келлана была закрыта, когда я проходила мимо, и я испытала порыв вломиться и растолковать ему, почему я сорвала объяснение с Денни. Впрочем, у меня не вышло. Я все равно не была готова к разговору. Вздохнув, я направилась в ванную уложить волосы и подкраситься — что угодно, лишь бы избавиться от навязчивых мыслей.

❖ ❖ ❖

Наконец, уже в машине, Денни нарушил свое многочасовое молчание.

— Ты уже решила насчет зимних каникул? — поинтересовался он непривычно тускло, несмотря на акцент. Он взглянул на меня, влажно поблескивая глазами. Выражение его лица смягчилось впервые за весь день. — Мне правда очень хочется забрать тебя к себе домой на праздники. Что скажешь, Кира? — На моем имени его голос дрогнул.

Я отчетливо услышала, о чем он спрашивал на самом деле: ты выберешь меня? Мои глаза тоже были на мокром месте, и я сумела только кивнуть. Отвернувшись, я стала смотреть в окно на проносившийся мимо город. Именно это я ощущала внутри: как будто лечу куда-то и останавливаться поздно.

Мы опередили Келлана. Он явно оттягивал неизбежное. Вот бы и я могла... Денни увлек меня через весь бар к дверям, открывавшимся в сад. Я заметила табличку: «Зимний фестиваль — победи стужу». Очевидно, мы праздновали заморозки.

Несмотря на то что просто сидеть и пить пиво было весьма холодно, снаружи обосновалось много людей, и Денни подвел меня к тому же столику, за которым мы расположились в роковой день. Я не знала, нарочно он так поступил или нет. Мой взгляд метнулся к калитке и кофейной будке. Знал ли он о том вечере? Я постаралась унять дрожь. Денни заказал выпивку на троих, и мы молча потягивали пиво. Денни был погружен в свои мысли.

Мое дыхание невольно пресеклось, когда из бара вышел Келлан. Я не собиралась задыхаться. Я молилась, чтобы Денни этого не заметил. Просто Келлан был такой, что захватывало дух. Он плавно приблизился, выглядя до странности умиротворенным, и даже улыбнулся Денни, когда садился рядом со мной. Мое сердцебиение участилось отчасти от нервов, отчасти от его близкого соседства.

Бар был набит битком. Из динамиков, установленных по всему саду, гремела музыка, и несколько человек веселились на импровизированном танцполе, а холод усиливался. Я надеялась, что Денни говорил о танцах не всерьез. Мне вряд ли удалось бы притвориться — не с такой круговертью в сердце и печенках. Наблюдая за подвыпившей публикой, разогревавшейся движением, я начала дрожать и снова задумалась, зачем Денни усадил нас здесь, а не в теплом зале. Подавив желание потянуться под столом к Келлану, я положила озябшие руки на колени.

Не знаю, как долго мы сидели в молчании. Мы с Келланом рассматривали толпу, но старательно игнорировали друг друга. Денни пристально смотрел на меня, но вот сработал его телефон. Вздрогнув, я уставилась на Денни: тот неспешно откинул крышку, произнес несколько фраз, захлопнул его, вздохнул и повернулся ко мне:

— Извини. Я им нужен. — Взглянув на Келлана, он осведомился: — Довезешь ее до дома? Мне придется уйти.

Келлан просто кивнул, и Денни встал. Я была слишком шокирована поворотом событий, чтобы связно изъясняться. Денни склонился ко мне и негромко спросил:

— Подумаешь над моим вопросом?

Я что-то согласно промямлила, и он, заключив мое лицо в ладони, поцеловал меня так проникновенно, что я застонала и машинально обняла его за шею. Сердце пустилось вскачь, и к моменту, когда Денни отстранился, мне уже не хватало воздуха.

Келлан шумно поерзал на стуле, и я на секунду представила чудовищную картину, как Келлан набрасывается на Денни. Он кашлянул и вновь шевельнулся, когда Денни простился с нами обоими и пошел прочь. Я смотрела, как он уходил, а мое сердце продолжало бешено колотиться. В дверях он повернул ко мне свое красивое лицо, чтобы бросить на меня прощальный взгляд. Увидев, что мы провожаем его глазами, он чуть кивнул, скупо улыбнулся и вошел в бар, чтобы выйти через главную дверь.

Мертвея, я повернулась к Келлану. Закатит мне сцену? Рассвирепеет из-за того, что я не поговорила с Денни? Откуда ему было знать, как это трудно. Но встретившись с ним глазами, я обнаружила в них только любовь.

Он нашел под столом мою руку и заговорил, как будто мы весь вечер просидели на свидании, а мой парень не целовал меня упоенно перед уходом минуту назад.

— Я задумался... Наверное, ты пока не готова познакомить меня с родителями...

Келлан сделал многозначительную паузу.

— Я это полностью понимаю. — Он улыбнулся. — Может, останешься на зимние каникулы со мной? Или сгоняем в Уистлер? В Канаде очень красиво, и...

Он умолк и посмотрел на меня с любопытством.

— Ты на лыжах катаешься? — Келлан покачал головой, слава богу не ожидая ответа, так как я пока не находила слов. — Ладно, если нет, тогда мы просто не будем вылезать из комнаты.

Он коварно ухмыльнулся.

Я смотрела в синие глаза и слушала его речи, но ничего не видела и не воспринимала сказанного, понимая лишь то, что он хотел провести со мной зимние каникулы. Сам того не зная, он просил о том же, о чем только что спрашивал Денни. Келлан продолжил разглагольствовать о прелестях отдыха в Канаде, и я перестала слушать.

Мои мысли обратились к словам, произнесенным Денни в машине. Денни хотел познакомить меня с родителями из-за нашего окончательного переезда к нему. Только этому не бывать. К тому времени мы уже расстанемся — это произойдет очень скоро, и он отправится домой один. Я болезненно сглотнула, измученная наплывом воспоминаний о наших светлых временах.

Вот, например, наша первая встреча. Денни улыбался входившим в аудиторию студентам, и я обмерла, едва увидела его. Когда он обратился с улыбкой ко мне, я опустила глаза. Профессор поручил ему раздать какие-то бумаги, а я сидела с краю, и он вручил мне стопку для всего ряда.

— Привет! Ну как, нравится здесь? — спросил он негромко, и я, пораженная его волшебным акцентом, а если честно, и близостью его симпатичного лица, взяла и рассыпала всю пачку по полу.

— Ох, извините. — Я опустилась на колени, чтобы помочь ему все собрать, уже красная как свекла.

— Ничего страшного, — приветливо отозвался он, а когда мы покончили с делом, протянул руку: — Меня зовут Денни Харрис.

Я пожала ее и пролепетала:

— Кира... Аллен.

Он помог мне подняться и осторожно передал стопку листов.

— Рад познакомиться, Кира.

Денни произнес это со всей сердечностью, и даже сейчас я испытывала трепет первого раза, когда мое имя потонуло в его волшебном акценте. С того дня мне было не оторвать от него глаз. Я погрузилась в занятия этого курса сверх всякой меры, лишь бы меня заметили.

Затем я вспомнила наше первое свидание. В один прекрасный день мы встретились в институтском дворе и Денни пригласил меня. Я была предельно удивлена и, разумеется, страстно хотела этого, однако постаралась остаться невозмутимой и бросила лишь: «Конечно». Вечером он забрал меня, и мы отправились в чудесный ресторанчик с видом на реку. Денни предложил отведать чего-то очень вкусного, но дал мне выбрать самой. Он не позволил мне взглянуть на счет, и мы легко и беззаботно проговорили весь ужин. После он взял меня за руку, и мы гуляли по тротуарам, не будучи в силах расстаться. Когда вечер все-таки завершился, Денни проводил меня до двери и подарил мне самый нежный и сладкий поцелуй, какой я знала. Наверное, тогда-то я в него и влюбилась.

Мое сознание рывком переместилось в настоящее: Келлан задал вопрос, а я не сразу ответила. Со второй попытки я расслышала.

— Кира... Ты еще со мной?

Вспыхнув, я осознала, что не имела ни малейшего понятия, о чем он говорил. Келлан все еще нежно поглаживал пальцем мою кисть, однако смотрел на меня озабоченно.

— С тобой все в порядке? Может, хочешь домой?

Я кивнула, по-прежнему не способная говорить. Мы встали, и, заботливо придерживая меня за спину, он направился со мной к боковой калитке. Увидев парковку, я сразу поискала глазами машину Денни. Ее не было... Он в самом деле уехал. Я машинально глянула на роковую кофейную будку. Келлан заметил, куда я смотрю, сжал мою руку и с нежной улыбкой поглядел на меня сверху вниз, тогда как калитка затворилась за нами. Однако вид будки не развернул мои мысли к Келлану и нашему мучительно блаженному вечеру. Нет, мои мысли обратились ко времени более чистому и простому, когда я была с Денни.

Я вспомнила нашу первую ночь — мой первый опыт вообще. Мы встречались два месяца. Для парня чуть за двадцать это была вечность, но Денни никогда меня не подталкивал. Мы целовались и занимались еще кое-чем — столько, сколько я хотела, но стоило мне его оттолкнуть, и он с легкостью отступал. Он никогда не заставлял меня чувствовать себя виноватой, благодаря чему я лишь хотела его еще сильнее. Он знал, что для меня этот опыт будет первым, и подготовил нечто особенное: снял домик, где мы провели долгий зимний уик-энд. Наш первый раз напоминал киносказку: камин, мягкие одеяла и тихая музыка. Денни терпеливо выверял каждый шаг, дабы убедиться, что мне хорошо. Так оно и было. Он действовал настолько бережно и нежно, что я не почувствовала никакой боли. Потом он прижал меня к груди и впервые признался в любви, а я, конечно, расплакалась и сказала, что тоже его люблю... И за первым разом незамедлительно последовал второй.

В реальном же мире Келлан вел меня к своей машине. Он все еще негромко говорил — теперь уже о планах на лето.

— После школы я путешествовал автостопом по орегонскому побережью. Так и познакомился с Эваном. Дело точно стоит того, тебе понравится. Там такие пещеры...

Я унеслась мыслями прочь. Каждый шаг будоражил меня все новыми воспоминаниями о Денни.

Два шажка к машине — дни рождения. В последний мне исполнился двадцать один год, и Денни отвел меня в местный бар, а после заботливо придерживал волосы, когда меня выворачивало наизнанку. Былые празднования Рождества, родительский дом, я устроилась у него на коленях и смотрю, как мое семейство обменивается подарками. Дюжина красных роз на День святого Валентина... и мой день рождения... и нашу годовщину, все с неизменной и милой дурацкой улыбкой.

Еще один шаг — у меня пищевое отравление. Денни приносит воды и кладет мне на лоб холодное полотенце. А вот он испытывает на мне свою стряпню — в основном замечательную, но пару раз поразительно скверную. Следующее воспоминание: я свернулась калачиком на его постели и смотрю фильм. Другое: мы готовимся к занятиям... Нет, притворяемся — целуемся взасос.

Еще несколько шагов — воспоминания свежие: мы едем через всю страну в его развалюхе, питаемся в забегаловках, часами играем в алфавитную игру[1], подпеваем радио и особенно выделяем звонкое кантри, когда пересекаем Средний Запад, наскоро освежаемся в ледяной речушке, занимаемся любовью в машине на пустынной парковке магазина.

Новый шаг — мы гуляем по набережной, я засыпаю с ним на диване, мы танцуем в баре, он сентиментально называет меня «своим сердцем»...

И еще один — его мягкая щетина, теплые карие глаза, мои пальцы, зарывающиеся в его темные волосы, его нежные губы, головокружительный акцент, ласковые слова, дурацкая ухмылка, беззлобный юмор, милый характер, добрая душа...

Он был моим уютным пристанищем. Моим утешением. Почти все тяготы, с которыми я столкнулась за свою недолгую жизнь, мне удалось преодолеть благодаря ему, ибо он всегда находился поблизости с ласковыми словами и нежным сердцем. Будет ли так же с Келланом? Я вспомнила наши жаркие схватки и слова, которыми мы кололи друг друга. Мы с Денни редко обменивались гадостями... Но с Келланом...

К чему приведет наша связь? Рано или поздно между нами обязательно начнутся раздоры, которые наверняка будут сопровождаться скандалами. Я мысленно восстановила наши отношения во всем их развитии и сразу пред-

---

[1] Дорожная игра. Цель — собрать все буквы алфавита по первым буквам в названии населенных пунктов.

ставила американские горки: вверх и вниз, вверх и вниз, из крайности в крайность. На что будет похожа наша совместная жизнь? Окажется ли она постоянным метанием от одного к другому? Буду ли я в этом случае счастлива?

Я любила постоянство. Безопасность. Это была одна из причин того, что мы с Денни отлично ладили. Он был подобен прохладному водоему: всегда поддерживал, освежал и практически не менялся. Келлан же... Келлан был само пламя: страстный и взбалмошный, он прожигал до костей. Но пламя не вечно... Приходит время, и страсть увядает... Что тогда? У Келлана была масса возможностей. Не миновать того дня, когда его пыл угаснет и он вне зависимости от любви ко мне сойдется с какой-нибудь милашкой из тех, что так и липнут к нему. Как он сумеет сопротивляться им всю жизнь? Красивые девушки вешались на него постоянно. Во мне же не было ничего особенного, хоть он и твердил обратное. И он был талантлив — со временем мог стать крупной звездой. И чем это кончится? Количество женщин, вьющихся вокруг него, многократно возрастет. Как ему устоять? Я была уверена, что с Денни подобное невозможно, но с Келланом... Я знала, что он возненавидит себя за это, но такой исход казался вероятным.

Остановившись, я вырвала руку, и Келлан тоже затормозил. Я не могла на это пойти. Не могла бросить человека, который так долго составлял всю мою жизнь, что без него она становилась немыслимой. По крайней мере, пока. Мне нужно было дополнительное время. Мне следовало удостовериться, что между нами с Келланом существовало нечто жизнеспособное, прежде чем отказаться от перспективного будущего с хорошим человеком, которого я искренне любила.

Келлан шагнул вперед и повернулся ко мне. Он был прекрасен в лунном свете, невозмутимый и одновременно до боли грустный. Его взгляд едва не разбил мне сердце, и мне пришлось отвести глаза. Дело было не в том, что они вдруг блеснули влагой, а в их синеве зародилось нечто, легко способное превратиться в слезы. В них стояла спокойная покорность, и вот она надрывала мне душу.

С минуту он оценивал выражение моего лица, после чего тихо произнес:

— Я все-таки потерял тебя, да?

Я удивленно заглянула в его кроткое лицо. Он что же — знал лучше меня? И все это время понимал, что я поступлю с ним именно так?

— Келлан, я не могу этого сделать... Пока. Я не могу его бросить. Мне нужно еще время...

Его спокойствие нарушилось гневом, сверкнувшим в его глазах.

— Время? Кира... Так ничего не изменится. Сколько времени тебе нужно? — он покачал головой и кивнул в сторону нашего дома. — Теперь, когда он знает о твоей лжи, от проволочек ему станет только хуже.

Келлан имел в виду, что моя нерешительность ранит Денни, но по усилившемуся блеску его глаз я поняла, что он говорил и о себе.

Он запустил руки в волосы, взъерошил их и снова пригладил.

— Нет, Кира... Нет.

Он произнес это, явно сдерживая себя, и мне стало страшно.

— О чем ты? Нет, ты не можешь меня ненавидеть... Или можешь? — Мой голос сорвался, и я болезненно сглотнула.

При виде моего искаженного болью лица Келлан погладил меня по щеке и с надрывом ответил:

— Нет, больше времени не будет. Я не могу. Меня это убивает...

Я покачала головой, и слезы сорвались с моих ресниц.

— Тьфу ты, Кира... — Он крепко сжал мне другую щеку, пресекая возражения. — Выбирай сию секунду. Вообще не думай, просто возьми и выбери. Я или он? — Большими пальцами он смахнул мои слезы. — Я или он, Кира?

— Он, — выпалила, не думая, я.

Обрушилась такая тишина, что самый воздух, казалось, завибрировал. Келлан перестал дышать, его глаза потрясенно расширились. То же произошло и со мной. О боже... Зачем я это сказала? Этого ли я хотела? Мой поспешный выбор было слишком поздно переменить. Поздно взять слово назад. Я следила за крупной слезой, которая покатилась по щеке Келлана. Эта единственная слеза как будто подкрепила мой ответ. Удар был нанесен. Теперь я не могла отступить, даже если бы захотела.

— Ох, — наконец выдохнул он.

И начал отводить от меня руки, пятиться, я же вцепилась в него мертвой хваткой и попыталась притянуть ближе.

— Нет, Келлан... Подожди. Я не имела в виду...

Он сузил глаза:

— Нет, имела. Это был порыв. Первая твоя мысль... А первое, что приходит в голову, обычно оказывается правильным. — В его голосе обозначился лед, а затем он прикрыл глаза и его кадык дернулся. — Это то, что ты носишь в сердце. Он — вот что в твоем сердце...

Я схватила его за руки, удерживая их перед собой, и Келлан несколько раз вздохнул, пытаясь успокоиться. На его лице отражалась внутренняя борьба — он старался совладать с гневом, и в голове моей пронеслись жалкие мысли о том, как ликвидировать вред, который я только что бездумно причинила ему. Пустота. Ни малейшей идеи, как исправить дело.

Когда Келлан немного успокоился, он открыл глаза, и у меня внутри все оборвалось — настолько они были печальны.

— Я говорил тебе, что уеду, если таков будет твой выбор... И я это сделаю. Я не стану тебе помехой.

Взирая на меня взглядом грустным, но до боли полным любви, он тихо добавил:

— Я всегда знал, что сердцем ты не со мной. Я не должен был просить тебя выбирать... Тут нечего выбирать. Прошлой ночью я понадеялся, что... — Он вздохнул и уставился на тротуар. — Мне надо было уехать сто лет назад. Я просто оказался эгоистом.

Не веря ушам, я смотрела на него. Это он считал себя эгоистом? Минуточку, не он, а я буквально курсировала между двумя постелями, а эгоистом был он?

— По-моему, Келлан, я наделила это слово новым смыслом.

Взглянув на меня, он слабо улыбнулся и вновь посерьезнел.

— Ты была напугана, Кира. Я это понимаю. Ты испугалась дать себе волю, и я тоже. Но все будет хорошо. — Словно желая убедить себя, он повторил: — Все у нас будет хорошо.

Келлан произнес это так тихо, что из-за громкой музыки, долетавшей через ограду сада, я еле расслышала его слова.

Он заключил меня в крепкие объятия. Я обняла его за шею и запустила руку в сказочно густые волосы. Наслаждаясь каждым мгновением, вдохнула аромат его кожи, смешивавшийся с запахом кожаной куртки. Он стиснул меня так, что я едва дышала. Мне было все равно, он мог бы впечатать меня в свое тело, и я не стала бы противиться, отчаянно истосковавшись по его близости. Мысли продолжали кружить вокруг моего переменчивого выбора. Я не знала точно, чего хотела, но Келлан, возможно, был прав... Быть может, верным оказывается то, что первым приходит в голову.

Обуреваемый чувствами, он прошептал мне в ухо:

— Никогда не рассказывай Денни о нас. Он от тебя не уйдет. Можете оставаться у меня сколько угодно. Даже комнату мою можете сдать. Мне все равно.

Я отпрянула, чтобы взглянуть на него, слезы уже текли ручьем по моим щекам. Келлан, тоже смахнув слезу в лунном свете, ответил на мой незаданный вопрос:

— Теперь мне придется уйти, Кира, пока я в силах. — Он утер мне слезы. — Я могу позвонить Дженни — пусть заберет тебя отсюда. К нему. Она тебе поможет.

— А кто поможет тебе? — прошептала я, выискивая в серебристом свете его до боли красивое лицо.

Сейчас я поняла, насколько я была небезразлична ему. Мне стало ясно, как много я для него значила и с каким трудом он уходил от меня. Я постигла тяжесть происходившего во всей полноте, и мне казалось, что я умираю.

Сглотнув комок, Келлан проигнорировал мой вопрос:

— Вы с Денни можете отправляться в Австралию, там и поженитесь. У вас будет долгая счастливая жизнь, как и должно быть. — Его голос надломился на последних словах, а по щеке скатилась слеза. — Я обещаю не вмешиваться.

Но я не собиралась его отпускать.

— Но как же ты? Ты останешься один... — Мне нужно было знать, что он не пропадет.

— Кира... — печально улыбнулся Келлан. — Это тоже было предопределено.

Я смотрела в его влажные синие глаза. Затем положила руку ему на щеку и подавила всхлип. Ради моих отношений с Денни он был готов без боя отказаться от всего, о чем когда-либо мечтал в этом мире, — от подлинной, глубокой любви. Его доброе сердце разбило мое.

— Я же говорила, ты хороший человек, — прошептала я.

— Мне кажется, Денни с этим не согласится, — отозвался Келлан.

Я снова повисла у него на шее под навязчиво медленный ритм, доносившийся из-за ограды и отдававшийся во всем моем существе. Пробежавшись пальцами по его волосам, я проглотила очередной всхлип, когда Келлан уткнулся в меня лбом.

— Господи, как же я буду скучать... — Он скомкал конец фразы и звучно сглотнул.

Это было чересчур, и стало невыносимо тяжело. Я не могла вздохнуть. Нельзя его отпускать. Я слишком сильно его любила. Все неправильно, попросту неправильно. Нельзя позволить ему уйти...

— Пожалуйста, Келлан, не...

Он моментально прервал меня:

— Не надо, Кира. Не проси. Иначе никак. Нам нужно разорвать этот круг, а мы не в состоянии держать дистанцию... Значит, кто-то должен уйти. — Келлан тяжело выдохнул и заговорил быстро, закрыв глаза и на каждом слове толкая меня лбом. — Если все будет так, Денни не пострадает. Ежели я уйду, он, может быть, и не спросит о твоем вранье. Но если ты попросишь меня остаться, я останусь, и он в конце концов выяснит все, и мы его уничтожим. Я знаю, что ты не хочешь этого. И я тоже, малышка.

Он вроде бы искренне произносил слова, которых явно не хотел говорить.

Меня пронзила боль, и я не смогла подавить рыдания.

— Но это невыносимо...

— Я знаю, малышка... — нежно поцеловал он меня. — Я знаю. Пусть поболит, ничего не поделать. Мне нужно уйти, на этот раз навсегда. Если ты хочешь его, то с нашей историей придется покончить. Это единственный способ.

Келлан снова поцеловал меня и отстранился, чтобы взглянуть мне в лицо. Глаза у него были мокрые и страдальческие — наверное, как и мои. Он сунул руку в карман куртки и что-то достал. Выставив кулак, другой рукой он осторожно разжал мою ладонь. Потом очень медленно разомкнул свою и положил какой-то предмет мне в руку.

Сквозь туман я рассмотрела, что это было, — тончайшая серебряная цепочка. К ней крепилась серебряная гитарка, в центре которой сидел округлый бриллиант весом не меньше карата. Простой и великолепный — такое же совершенство, как и сам Келлан. Я сделала порывистый вдох, не в силах вымолвить ни слова. Рука затряслась.

— Ты не обязана это носить... Я пойму. Я просто хотел, чтобы у тебя осталось что-то на память. — Келлан склонил голову набок, смотря на мое заплаканное лицо. — Не хочу, чтобы ты меня забыла. Я тебя никогда не забуду.

Я посмотрела на него, от боли едва способная говорить.

— Забыть тебя? — Нелепая мысль — как будто он не впитался в самую ткань моей души. — Я никогда...

Не выпуская цепочки, я стиснула в ладонях его лицо.

— Я люблю тебя... Навсегда.

Он приник ко мне губами и крепко поцеловал. Музыка позади звучала в унисон с моим сердцебиением. Я вновь усомнилась, что сумею отпустить Келлана. Ощущение сильнейшей неправильности происходящего сохранялось. Как он может уйти после всего, через что мы прошли, и как мне это пережить? Ломка от вечной разлуки обязательно разорвет меня на куски. Я уже томилась по нему, хотя наши губы слились в поцелуе.

Мы берегли каждую секунду, покуда оставались вдвоем. Мне казалось, что страдание вот-вот подкосит мои ноги. Вырвался всхлип, и Келлан крепче прижал меня к груди. Так не должно быть. Я не смогу смотреть, как он уходит. Мне нужно было заговорить, подыскать какие-то волшебные слова, способные его остановить... Но я понятия не имела, как это сделать. Мне было ясно, что по завершении нашего поцелуя моя жизнь уже никогда не будет прежней. Я не хотела, чтобы он завершался...

Но ничто не вечно.

Позади хлопнула калитка, и этот звук навсегда изменил мои воспоминания о последнем светлом переживании наедине с Келланом.

Я в ужасе отпрянула и уставилась на него большими глазами. Он глядел на фигуру за моей спиной, но я не могла заставить себя обернуться. Однако это было не обязательно. На свете существовал лишь один человек, способный вызвать у Келлана сразу страх, сожаление и чувство вины. Я задрожала всем телом.

— Мне очень жаль, Кира, — прошептал Келлан, не сводя глаз с калитки.

Денни как раз вступил в наш маленький круг частного ада, и пути назад не было ни для него, ни для нас.

— Кира?.. Келлан?..

Мое имя прозвучало вопросом, Келлана — проклятием. Денни подступил ближе к месту, где мы с Келланом

поспешно расходились в стороны. На лице Денни угады-
валось смятение вкупе с яростью. Он видел эту излишне
проникновенную сцену.

— Денни...

Я попыталась что-то сочинить, но не сумела и вдруг поняла: Денни солгал. Его никуда не вызывали. Он все под-
строил, проверяя нас... Мы проиграли.

Денни проигнорировал меня, в упор глядя на Келлана:

— Какого черта тут происходит?

У меня в голове пронеслись оправдания, с которыми
мог выступить Келлан, но рот мой приоткрылся от удивления, когда тот просто сказал Денни правду:

— Я поцеловал ее. Попрощался... Я уезжаю.

Увидев гневный огонь в темных глазах Денни, я подавила отчаяние, вызванное этим заявлением.

— Значит, поцеловал? — Секунду мне казалось, что
этим он ограничится, но Денни выпалил: — Может, и трахнул?

И вновь я была шокирована выводом, который он сделал из простого признания Келлана. Он все же был в курсе или как минимум подозревал что-то. Я посмотрела на
Келлана, безмолвно умоляя его солгать.

Он не стал.

— Да, — прошептал он, слегка поморщившись от гру-
бости Денни.

Тот разинул рот, продолжая таращиться на Келлана.
Казалось, что оба они вообще забыли о моем присутствии.

— Когда? — резко прошептал Денни.

Келлан вздохнул:

— В первый раз — ночью, когда вы расстались.

Брови Денни взлетели вверх, а голос стал громче:

— В первый раз? И сколько же их было всего?

Я закрыла глаза, надеясь, что это просто кошмарный
сон.

— Только два... — совершенно спокойно ответил Келлан.

Мои глаза раскрылись. Зачем он теперь-то врет? Но
я поняла, наткнувшись на его многозначительный взгляд.

Наши последние дни, проведенные вместе, абсолютно не сочетались со смыслом хамского вопроса Денни. Это была не ложь, а полуправда. Келлан кое о чем умолчал, и у меня чуть потеплело на сердце, несмотря на ужас ситуации.

Келлан невозмутимо закончил мысль, вновь посмотрев на Денни:

— Но я хотел ее каждый день.

Очажок тепла в моей груди обратился в лед, а сердце болезненно сжалось. Я полностью перестала дышать. Что он делает? Зачем говорит это Денни? Я, наверное, сплю. Этого не может быть на самом деле. Этого и нет.

Все произошло так быстро, что у меня не было времени осмыслить случившееся. Кулак Денни врезался в челюсть Келлана, и тот отшатнулся, попятился. Медленно восстановив равновесие, Келлан выпрямился и вновь оказался лицом к лицу с Денни. Из разбитой губы сочилась кровь.

— Денни, я не буду с тобой драться. Мне очень жаль, но мы не хотели тебя ранить. Мы боролись... Мы держались изо всех сил, старались сопротивляться притяжению друг к другу. — Келлан кривился лицом, душою страдая сильнее, чем телом.

— Ты старался? Старался не трахать ее? — взвыл Денни и ударил опять.

Все во мне требовало закричать, чтобы он прекратил. Тело призывало оттащить Денни. Но я не могла пошевелиться и только тряслась от страха и ноющего холода, пробиравшего до костей. Шок приморозил меня к месту. Разинув рот, как идиотка, я стояла и молчала.

— Я отдал ради нее все! — Денни нанес новый удар.

Келлан не пытался ни защититься, ни дать сдачи. Напротив, после каждого удара он обращался лицом к Денни, нечаянно или нарочно предоставляя тому наилучший угол атаки. Кровь текла из ссадины на щеке, из губы и надбровья.

— Ты обещал, что пальцем ее не тронешь!

— Прости, Денни, — бормотал Келлан между ударами едва различимо для меня и, очевидно, совершенно не слышно для разъяренного Денни.

Мне хотелось, чтобы Денни орал на меня, проклинал меня, бил — хотя бы возложил на меня ту же ответственность за это безобразие, но все его бешенство сосредоточилось на Келлане. Я перестала существовать для него. Внутри я рыдала и вопила, чтобы это прекратилось, однако на деле стояла столбом.

В конце концов силы покинули Келлана, и он, задыхаясь, рухнул на колени. Синяя футболка была заляпана кровью.

— Я верил тебе! — взревел Денни и в особом ожесточении опрокинул Келлана навзничь ударом колена в подбородок.

Этого мне было не вынести. Реальность происходящего перестала укладываться в сознании. Я видела сон, иначе быть не могло. Всего лишь кошмар, худший в жизни. Скоро я проснусь. Но я все равно стояла молча, будто захваченная зыбучим песком.

Денни принялся пинать Келлана своими тяжелыми ботинками, матерясь при каждом ударе. Один злобный пинок пришелся по его руке, сопроводившись тошнотворным хрустом, который был слышен даже мне в моем ступоре. Келлан закричал от боли, но Денни не унялся.

— Ты назывался моим братом!

Меня замутило. Тело безудержно тряслось. Слезы струились по щекам. Мир пошатнулся. Не сошла ли я с ума? Может быть, я поэтому не могла ни шелохнуться, ни позвать на помощь? Мне отчаянно хотелось оттащить Денни, ударить его, если придется, но я лишь в ужасе слушала и стояла не шевелясь.

Еще один быстрый удар в бок, и снова хруст — сломалось ребро или два. Келлан издал очередной агонизирующий крик, плюнул кровью, но не предпринял ничего, чтобы защитить свое тело, не сказал ничего, чтобы защитить свои чувства, и лишь без конца повторял:

— Я не буду драться с тобой... Я ничего тебе не сделаю... Прости меня, Денни...

Если мой рассудок еще покидал меня, то Денни уже его лишился. Он стал совсем другим человеком, ожесточенно выбивая жизнь из слабевшего тела Келлана. Денни очутился за гранью злобы и ярости. Он беспощадно орал на Келлана, изрыгая мерзости, которых я никогда от него не слышала. Казалось, он напрочь забыл, что я была рядом — застывшая в ужасе и шоке.

— Грош цена твоим словам! Ты сам ничего не стоишь!

Келлан морщился и отворачивался от его брани, и у меня возникло жуткое впечатление: он слышал эти слова не впервые. Ему уже говорили, что он ничего не стоит.

— Денни, прости.

Денни плевать хотел на его извинения и продолжал наносить удары.

— Она не одна из твоих шлюх!

Задохнувшись от рвения, Денни помедлил. Келлан слабо приподнялся на локте — весь истерзанный, в ссадинах и кровоподтеках. Кровь текла из его рта и хлестала из рассеченных щеки и лба. Он попытался перехватить свирепый взгляд Денни, и я увидела, как исказилось от боли его лицо.

То, что произнес Келлан дальше, наполнило меня несказанным теплом и повергло в бездонную пучину страха.

— Прости, что причинил тебе боль, Денни, но я люблю ее.

Он задыхался, произнося это. Его глаза обратились ко мне, исполнившись удовлетворения. Похоже, поступив так, он наконец умиротворился. Он откровенно объявил о своих чувствах ко мне своему лучшему другу, своему брату.

Сердечно улыбнувшись мне, Келлан добавил к своему заявлению еще кое-что, и это дополнение сорвало Денни с катушек.

— И она тоже любит меня.

Денни предстал мне как в замедленной съемке, в нем что-то щелкнуло. Дико уставившись на Келлана, он перераспределил вес и отвел ногу для удара, который, как я отчетливо видела, должен был стать сокрушительным для головы его жертвы. Келлан неотрывно смотрел на меня и не шевелился — разве что прерывисто дышал от боли. Следя за мной, он не обращал внимания на приготовления Денни. Его нечеловечески синие глаза впитывали меня — вбирали в себя так, как будто он запоминал каждую мелочь. Этому действию предстояло стать последним в его жизни.

Не отдавая себе в том ни малейшего отчета, я заорала:
— Нет!

Обретя наконец способность двигаться, я метнулась на землю прикрыть Келлана. Убийственный удар, предназначавшийся ему, пришелся на мой висок. Мне почудилось, что Келлан произнес мое имя, и мир провалился во тьму.

ГЛАВА 24

ВИНА И РАСКАЯНИЕ

Сначала явились звуки: настойчивое пиканье под ухом не прекращалось, в голове эхом отдавались приглушенные мужские голоса, как будто говорили в трубу. Я постаралась сосредоточиться на них и приблизить, чтобы понять, о чем речь. До меня долетали обрывки, не несущие смысла.

«...сейчас... уйти... ей... больно... жаль... ее... убить... ясно же...»

По комнате разлетелся негромкий смешок, который показался мне знакомым, однако в тот момент я не могла ничего узнать ни умом, ни телом. Голова казалась легкой и невесомой, как воздушный шарик, привязанный к шее. Я шевельнула ею, и острая боль прикрикнула на меня, запрещая повторять эту попытку, поэтому я оставалась неподвижной, пока не вернулась легкость. Тупая боль в голове обозначила облегчение, с которым восприняло это решение тело.

Покуда я удивлялась, с чего это моя голова так разболелась, воспоминания начали затоплять мозг. Ужасные картины, которые хотелось вытеснить, которым было бы лучше вылететь из моей головы, когда та наполнилась болью. Мучительное прощание с Келланом. Лицо Денни, когда он обнаружил нас. Избиение Келлана, когда Денни вымещал на нем все свои горести и пытался убить. Его нога, отведенная для смертельного удара по кротко склоненной голове Келлана...

— Нет!

Воспоминание о драке заставило меня предпринять все ту же глупую попытку остановить побоище. С криком

«Нет!» я села в постели и мгновенно опрокинулась на подушку, осторожно сжимая голову и хватая ртом воздух от боли, обжегшей мое тело.

Сквозь дымку проступило встревоженное лицо Денни. Он провел пальцами по моим скулам и обернулся к кому-то с какими-то словами. Послышался невнятный ответ, и до меня донеслись удаляющиеся шаги, а боль в голове уменьшилась до пульсирующей ломоты. Денни снова повернулся ко мне и продолжил поглаживать по щекам, стирая слезинки, достигавшие его пальцев.

— Ш-ш-ш, Кира. Ты цела. Все хорошо... Расслабься.

Я осознала, что мертвой хваткой вцепилась в его футболку, и велела себе успокоиться. Взгляд не хотел фокусироваться, и я несколько раз усиленно моргнула, чтобы видеть четче.

— Денни? — Мой голос царапнул железом, горло пересохло и болело от жажды. — Где я? Что случилось?

Денни выдохнул и осторожно прислонился ко мне лбом.

— Случилось? Я думал, что потерял тебя, убил. Я не могу поверить...

Его акцент звучал напряженно, как бывало всегда в минуты расстройства или на пике чувств. Тяжело выдохнув и проглотив комок, Денни сдержанно поцеловал меня в лоб. Затем отступил, и глаза у него были влажными.

— Ты в больнице, Кира. Ты уже пару дней то отключаешься, то приходишь в себя. Какое-то время все висело на волоске. Нам крупно повезло: ушиб есть, но кровоизлияние совсем небольшое. Ты поправишься.

Я осторожно дотронулась до виска. Пальцы Денни задели мои, когда мы оба коснулись чувствительной зоны над правым ухом.

— Им чуть не пришлось делать операцию, чтобы понизить внутричерепное давление, но в итоге все обошлось лекарствами, — пробормотал он, поглаживая мою кисть большим пальцем.

Меня замутило при мысли, что я едва не лишилась кусочка черепа. Слава богу, до этого не дошло. Я закрыла глаза и уронила руку, не отпуская Денни.

— Отлично... Она в сознании. И наверняка страдает от боли.

Вошла бодрая пухлая медсестра с широченной улыбкой. Я скривилась от ее звучного, энергичного голоса и попробовала улыбнуться в ответ, но получилось не очень.

— Меня зовут Сюзи, сегодня ты моя подопечная.

Она властно отогнала от койки Денни, хотя я и попыталась его удержать, и добавила в капельницу какой-то прозрачной жидкости. Только теперь я заметила иглу в моей руке, и желудок снова свело. Сюзи проверила мой пульс и вроде бы осталась довольна.

— Хочешь чего-нибудь, заинька?

— Воды, — прохрипела я.

Она потрепала меня по ноге.

— Конечно. Сейчас принесу.

Она пошла к выходу, и мой взгляд, теперь уже лучше сфокусированный, следил за ее кошачьей поступью. Денни сел на постель с другой стороны и взял меня за руку, свободную от капельницы, но я почти не обратила на это внимания. Я вообще не замечала больше почти ничего — и вовсе не под действием обезболивающих препаратов. Нет, они только устранили ноющую боль в голове. Сердце?.. Оно вдруг ухнуло, и прикроватное пиканье синхронно ускорилось.

Когда я наблюдала за уходом медсестры, глаза скользнули по человеку, который ходил ее разыскивать. Человеку, который так и стоял у двери, прислонившись к стене и держась на расстоянии от меня и Денни. Человек был с загипсованной от запястья до локтя рукой, с пестрым лицом сплошь в пятнах цветом от желтого до черного — и все-таки абсолютно безупречным.

Он улыбнулся, когда наши взгляды встретились, и я невольно стиснула руку Денни. Тот заметил мое восторженное внимание и посмотрел на Келлана, подпиравшего стену. Я не понимала, что они делают в моей палате вдвоем и почему не порываются поубивать друг дружку. Они переглянулись, и Келлан кивнул Денни, послал мне прощальную улыбку и вышел.

Мне хотелось крикнуть ему, чтобы он остался, поговорил со мной, рассказал мне о своих мыслях и чувствах, но Денни кашлянул, и я смятенно посмотрела на него. Он тепло улыбнулся, и я смутилась еще сильнее.

— Ты не злишься? — вот все, что я сумела произнести.

Денни на миг опустил глаза, и мне стало видно, как стиснулись его челюсти, — сквозь щетину, которая отросла чуть больше и беспорядочнее обычного, как будто он не отходил от меня слишком долго и не смотрелся в зеркало. Затем Денни взглянул на меня, и я увидела, как в его глазах сменилось множество эмоций, пока он не расслабился и не остановился на одной.

— Да... Я злюсь. Но я чуть не убил тебя, а это позволяет взглянуть на вещи иначе. — Он грустно улыбнулся краешком рта, затем приуныл. — Не знаю, что бы я натворил, если бы ты не вмешалась. — Он провел рукой по лицу. — Не знаю, как пережил бы это. Мне бы пришел конец...

Я потянулась к нему рукой, к которой крепилась трубка капельницы, и та налилась тяжестью, распространив ее по всему телу. Денни глянул на меня, вздохнул и улыбнулся, когда я провела пальцем по его щетине.

— Лучше бы ты мне сказала, Кира... С самого начала.

Я отняла руку, вдруг ставшую слишком горячей. Сердце бешено застучало, и я взмолилась, чтобы оно успокоилось, поскольку монитор и пиканье послушно отреагировали и зачастили. Денни отследил мою реакцию и вздохнул.

— Было бы тяжко... Но куда лучше, чем теперь, когда я выяснил сам.

Он уронил голову и пригладил волосы, костяшки его пальцев еще были сбиты после драки.

— Конечно... Я должен был поговорить с тобой, когда заподозрил. И уж никак не подставлять. Я просто надеялся... Я очень хотел ошибиться.

Денни поднял глаза, вдруг показавшиеся измученными, как будто он не спал несколько суток.

— Я и подумать не мог, Кира, что ты способна сделать мне больно. — Он склонил голову набок, а я закусила губу, чтобы не расплакаться. — Только не ты...

Он говорил так тихо, что мне пришлось придвинуться ближе.

— Я понимал, что Келлан может сунуться к тебе. Уезжая, я даже взял с него слово не трогать тебя. Но я никогда не думал, что ты и вправду... — Он отвернулся. — Как ты могла так поступить со мной?

Денни воззрился на меня, и я открыла рот в намерении попытаться что-то сказать, но не успела вымолвить ничего осмысленного — вернувшаяся медсестра бодро вручила мне пластиковый стаканчик с соломинкой, с конца которой свисала капля. Я не могла отвести глаз от этой капли и немедленно присосалась. Сестра убежала, едва я успела пробормотать какую-то невнятную благодарность.

Денни терпеливо ждал, пока я не выпила половину. В конце концов я выпустила соломинку и уставилась на стаканчик, не в состоянии больше выдерживать его скорбный взгляд.

— Что мы теперь будем делать? — спросила я тихо, с ужасом ожидая ответа, и трясущейся рукой поставила стакан на прикроватный столик.

Денни нагнулся и бережно поцеловал меня в здоровый висок.

— Ничего, Кира, — шепнул он мне в ухо и отстранился.

Слезы мигом застлали мои глаза, стоило посмотреть на его печальное, но спокойное лицо.

— Но я уходила от него. Я люблю тебя.

Денни склонил голову и провел пальцем по моей щеке.

— Я знаю... И я тебя люблю. Но, по-моему, мы любим друг друга по-разному. И... Мне кажется, что рядом с тобой я погибну. Посмотри, что я чуть не сделал с тобой и с Келланом. Посмотри, что я *сделал* тебе и Келлану. — Он уставился на подушки. — Я никогда не прощу себе этого... Но все могло обернуться намного хуже — и обернулось бы, будь мы вместе.

Слезы теперь струились по моим щекам. У Денни тоже, когда он повернулся ко мне лицом.

— Будь мы вместе? Разве мы не вместе?

Он с трудом сглотнул и кое-как вытер мне глаза.

— Нет, Кира... не вместе. Если вдуматься — как следует вдуматься, — то с некоторых пор уже нет. — Я замотала головой, но Денни продолжил изрекать свои ужасные истины. — Нет... Отрицать это бессмысленно. Все же очевидно, Кира. Где-то на полпути мы начали расходиться. Я не знаю, только ли в Келлане дело, или это произошло бы в любом случае. Может быть, он просто ускорил неизбежное.

Я снова замотала головой, но не могла отрицать того, что он говорил. В голове моей звучало одно: «Он прав», — но я не могла сказать ему этого. У меня не было сил подтвердить завершение наших отношений.

Денни слегка улыбнулся при виде моей жалкой попытки поспорить с ним.

— Мне кажется, что если бы ты осталась со мной, то поступила бы так из чувства долга или, может быть, ради удобства. Со мной, наверное, спокойно, и тебе это нужно. — Он снова погладил меня по щеке. — Я знаю, как ты боишься неизвестности. Я для тебя что-то вроде страхового полиса.

Я продолжала лить слезы, испытывая желание сразу не согласиться и согласиться с ним, но не имела понятия, какой ответ будет верным. Который из двух был хуже? Денни, похоже, понимал мое смятение.

— Теперь тебе ясно, что со мной так нельзя? Я не хочу быть страховкой. Мне незачем оставаться лишь потому, что идея расставания кажется... слишком страшной.

Он положил руку мне на сердце.

— Я хочу быть для человека всем. Мне нужны огонь и страсть, нужна любовь — конечно, взаимная. Я хочу быть сердцем той, кого люблю. — Он убрал руку и уставился на нее. Подавив всхлип, готовый вырваться от острого чувства потери, я уставилась туда же. — Даже если это разобьет мое собственное, — прошептал Денни с усилившимся акцентом.

Я напряженно выдавила, готовая взорваться:

— Денни, о чем ты говоришь?

Он шмыгнул носом и уронил пару слез, которыми уже полнились его глаза.

— Я согласился на работу в Австралии. Через пару недель я уеду домой, как только уверюсь, что с тобой все в порядке. Я поеду один, Кира.

Тут я уже не сдержалась и разревелась. Я дала выход решительно всем эмоциям, накопившимся в связи с Денни и нашими омрачившимися отношениями, и знала... знала, что он прав. Ему лучше уехать. С кем-нибудь он рано или поздно обретет счастье, ведь со мной он никогда не был счастлив по-настоящему. Только не при том обороте, который приняла наша связь. Не после моей измены. Не с учетом того, что я выслушивала его прощальные речи и в то же время гадала, куда ушел Келлан.

Денни осторожно завел под меня руки и крепко прижал к себе. Он плакал у меня на плече, а я — у него. Он поклялся, что все еще любит меня и не исчезнет с горизонта. Что я никогда не лишусь его дружбы, ведь у нас было слишком богатое прошлое, но он не мог быть рядом со мной. Только не при моей любви к другому. Мне хотелось заверить его, что ничего подобного нет. Сказать, что я люблю его одного и хочу быть только с ним. Но это была ложь, а я перестала лгать себе и другим.

Не знаю, как долго он меня удерживал. Казалось, прошло несколько дней. Когда Денни отодвинулся, я попыталась вцепиться в него, но анальгетики сделали свое дело: я стала слишком слабой и сонной. В этом была известная символичность, от которой меня передернуло. Денни поцеловал меня в голову, пока мои пальцы бессильно съезжали по его коже.

— Завтра проведаю, хорошо?

Я кивнула, и он, поцеловав меня в последний раз, повернулся и вышел.

Мне было видно, как он задержался в дверях и заговорил с кем-то вне поля моего зрения, посмотрел на меня, затем снова на собеседника. Бросив несколько слов, он протянул руку, как будто извиняясь за что-то. Я сдвинула брови, ничего не понимая и прикидывая, не тронулась ли малость от лекарств. Денни улыбнулся мне в последний раз и двинулся прочь от того, с кем говорил.

Он исчез, и внутри у меня все сжалось при виде его ухода. Я понимала, что это лишь первое из многих мучительных расставаний, которые нам предстояли, и самым болезненным будет последнее, когда я снова увижу, как улетит его самолет — уже навсегда. Закрыв глаза, я мысленно поблагодарила его, что он не наломал дров и не закрыл для себя это будущее. В конце концов, Денни сможет утешиться хотя бы отличным местом. И я знала, что рано или поздно он также найдет прекрасную женщину. Черт, эта мысль была невыносимой. Но он был прав, я держалась за него из неверных соображений.

Легкое прикосновение к щеке оторвало меня от тягостных дум. Решив, что вернулся Денни, я задохнулась под взглядом глубоких синих глаз Келлана. Его лицо превратилось в месиво: губа рассечена, но уже затягивалась розовым, через щеку тянулся порез, окруженный отвратительным иссиня-желтым кровоподтеком и стянутый парой хирургических швов. Над правым глазом заживала под пластырем другая ссадина, левый же почти целиком заплыл черным. Все, что находилось между этим кошмаром, загипсованной рукой и парой-тройкой, в чем я не сомневалась, скрепленных ребер, выглядело так, словно его дважды пропустили через машинку для отжима.

Но мое сердце все равно пропустило удар. В буквальным смысле: я не увидела его на докучливом мониторе. Улыбка Келлана была теплой и мягкой, он присел на место, которое только что освободил Денни. Тогда до меня дошло, что все это время он стоял за дверью и Денни разговаривал именно с ним. Слышал ли он нас? Знал ли, что мы порвали друг с другом?

— Ты в порядке? — спросил он тихо и хрипло с неподдельной тревогой.

— Наверно, да, — пробормотала я. — Лекарства подействовали, и я будто вешу тонну, но думаю, что выкарабкаюсь.

Келлан улыбнулся чуть шире и покачал головой:

— Я о другом. Поверь, я расспросил здесь всех сестричек и знаю о твоем состоянии... Так что, ты в порядке?

Он стрельнул глазами в сторону двери, и мне стало ясно, что он и правда знал о Денни. Подслушивал или нет, но тем не менее знал.

Я подняла на него взгляд, и по моей щеке скатилась слеза.

— Спроси еще раз через пару дней.

Келлан кивнул, нагнулся и нежно поцеловал меня в губы. Дурацкий монитор слегка всполошился, а Келлан глянул на него и тихо прыснул:

— Пожалуй, не надо мне было этого делать.

Когда он отодвинулся, я провела пальцем по синяку под его глазом.

— А сам ты в порядке?

Он отвел мою руку.

— Со мной все будет отлично, Кира. Тебе сейчас незачем об этом беспокоиться. Я страшно рад, что ты... не... — Сглотнув комок, он не сумел продолжить.

Келлан держал меня за руку обеими своими, и я погладила кожу на его запястье, где начинался гипс.

— Вы с Денни сидели здесь на пару?

— Конечно. Мы оба за тебя переживали, Кира.

— Нет, я не об этом, — помотала я головой. — Когда я проснулась, вы сидели и спокойно разговаривали. Как вы не поубивали друг дружку?

Он криво улыбнулся и посмотрел в сторону:

— Одного раза достаточно. — Он перевел взгляд на меня. — Ты двое суток была в отключке. У нас с Денни состоялось несколько разговоров. — Келлан принялся покусывать губу и прекратил, когда ему стало больно. — Первые были не слишком мирными. — Он потянулся и убрал с моего лица волосы. — Но в итоге беспокойство за тебя остудило нас, и мы заговорили о том, что делать, а не о том, что уже сделано.

Я собралась сказать свое слово, но Келлан опередил меня:

— Он сказал, что получил место в Австралии, а когда я спросил, возьмет ли он с собой тебя, ответил, что нет.

Он погладил меня по щеке, стирая слезы.

— Ты знал, что он решил сегодня расстаться со мной?

Келлан кивнул, и глаза его были глубоко печальны.

— Я знал, что он сделает это в самом скором времени. Когда ты проснулась и он посмотрел на меня, мне стало ясно, что он решил покончить с этим как можно быстрее. — Келлан отвернулся и очень тихо произнес: — Разом сорвать пластырь...

Он надолго погрузился в созерцание пола. Я потянулась к нему, и он заговорил, так и не поднимая глаз:

— Какие теперь у тебя планы, Кира?

Вздрогнув, я уронила руку. Больная голова вдруг показалась пустяком, так как сердце разболелось хуже любой раны.

— Мои планы? Я не... Я не знаю. Учеба... Работа...

Ты. Я хотела сказать это, но понимала, как ужасно оно прозвучит.

Но он, похоже, все равно услышал, и в синих глубинах его глаз появился холод. Лед, который я видела всякий раз, когда ранила его.

— А я? На чем остановились, тем и продолжим? Пока ты снова не бросишь меня ради него?

Я закрыла глаза и пожелала вновь лишиться сознания. Тело, как обычно, не послушалось.

— Келлан...

— Кира, я не могу больше так.

Голос у него надломился, и я подняла веки. Теперь, когда он смотрел на меня, в его глазах стояли слезы.

— Тем вечером я собирался оставить тебя в покое. Я сказал, что отпускаю тебя, если ты этого хочешь, а когда ты сказала... — Он прикрыл глаза и вздохнул. — После этого я даже не нашел в себе сил соврать Денни, едва он нас застукал.

Келлан уставился на свои руки, продолжая поглаживать мою кожу большим пальцем.

— Я понимал, что он набросится на меня, как только услышит правду... Но я не мог дать сдачи. Я нанес ему страшную рану и не мог искалечить еще и физически.

Желание обнять его жгло меня сильнее, чем головная боль.

— То, что мы ему сделали... — Келлан покачал головой, продолжая глядеть расфокусированным взором при воспоминании о том вечере. — Он был лучшим, кого я знал, роднее родных, а мы превратили его в моего... — Келлан на миг прикрыл глаза, и лицо его исказилось болью.

— Наверное, какая-то часть меня хотела, чтобы он меня избил... — Голос Келлана был тих и красноречиво выдавал его мысли в тот вечер, скорбь и вину. Затем он взглянул на меня. — Все потому, что ты постоянно, всегда выбирала его. Ты никогда не хотела меня всерьез, но ты — все, что у меня когда-либо...

Он сглотнул и отвернулся.

— И вот... Теперь он бросает тебя, выбор больше не твой, а я получаю тебя? — Келлан глянул на меня, вновь разъяренный. — Я буду твоим утешительным призом?

Разинув рот, я уставилась на него. Утешительным призом? Вряд ли. Он никогда не был на вторых ролях, я просто боялась. Господи, я всего-навсего боялась.

Я попыталась высказать ему все-все. Что поступала так из страха. Что отталкивала его так часто, лишь ужасаясь накалу нашей любви, страшась перспективы ему довериться, обмирая при мысли о том, чтобы лишиться уютной жизни с Денни. Но не сумела. Отяжелевшие губы не выговаривали слова. Я не знала, как сказать ему, что я ошибалась... Что нам нельзя было прощаться на той парковке.

Келлан кивнул моему молчанию.

— Так я и думал. — Он вздохнул и снова понурился. — Кира... Я хочу...

Он поднял голову и посмотрел на меня — недавний гнев сменился печалью.

— Я решил остаться в Сиэтле. — Келлан прикрыл глаза и покачал головой. — Ты не поверишь, какой нагоняй устроил мне Эван за то, что я чуть не бросил группу.

Он задержался взглядом на ушибленном месте возле моего уха.

— Во всей этой кутерьме я даже не подумал о них. Они обиделись, когда узнали, что я собирался сбежать из города. — Келлан грустно встряхнул волосами и вздохнул, пока я силилась произнести что-нибудь дельное.

В конце концов он снова тихо вздохнул и прошептал:

— Прости.

Склонившись, Келлан припал к моим губам. Выдохнув, стал целовать мою щеку и возле уха. Монитор выдал мою реакцию на его близость и запах. Келлан со вздохом поцеловал нежную ямку под ухом, чуть отстранился и прижался ко мне головой.

— Мне очень жаль, Кира. Я люблю тебя, но не могу так. Ты должна съехать.

Прежде чем я сумела на это ответить, разрыдаться и сказать, что я хочу остаться и все наладить, он встал и не оглядываясь вышел из палаты.

Мое сердце разбилось во второй раз за день, и я плакала так исступленно, что убаюкала себя и снова заснула.

❖ ❖ ❖

Когда же я пробудилась, за окном уже было темно и моя маленькая палата освещалась мирным зеленоватым светом. На картине, украшавшей стену, был изображен косяк диких гусей, очевидно летевших на юг, а на прикроватной доске значилось имя моей ночной сиделки: Синди. Я потянулась, испытав как приятную легкость в отдохнувших мышцах, так и тупую боль в голове. Осушив стакан уже тепловатой воды со столика, я попробовала встать. Сначала мускулы отказались повиноваться. Все они затекли и мгновенно заныли от долгого пребывания в одной позе, но я в конце концов победила и, не обращая внимания на протесты мозга, поднялась, отстегнулась от пикающего устройства, следившего за моим сердечным ритмом, и направилась в туалет, волоча за собой стойку с капельницей.

На месте я пожалела, что встала. Видок у меня был отталкивающий. Волнистые волосы свалялись и растрепались, а правая половина лица от брови до скулы была жуткого иссиня-черного цвета. Глаза налились кровью, как будто я плакала днями напролет, и в целом лицо выражало глубокое отчаяние и опустошенность.

Я сделала это. Успешно оттолкнула двух замечательных мужчин. Мое стремление никого не обидеть в итоге ранило обоих. Я вынудила Денни к действиям, которые были настолько не в его характере, что не укладывались у меня в голове. Выражение его лица, когда он снова и снова пинал Келлана... Я ничего не знала об этой его черте, глубоко похороненной и готовой однажды взорваться. Наверное, у каждого из нас имеются свои пусковые кнопки, которые, если нажать хорошенько, могут сорвать с катушек даже самого спокойного человека.

А Келлан, всегда такой горячий... Если бы я не выбила почву у него из-под ног, он совершенно иначе отнесся бы к демаршу Денни. Возможно, дал бы сдачи. Не исключено, что с исходом даже худшим. Но все замкнулось на мне и моих многочисленных неудачных решениях и колебаниях.

Я постаралась выйти из туалета так быстро, как это было возможно для без пяти минут инвалида, и проковыляла к постели. Свернувшись калачиком, я задумалась о дальнейшем. Ничего не придумывалось. От боли и усталости веки медленно смежились, и я уснула.

Ночью я ненадолго проснулась, когда медсестра — Синди, наверное, хоть я и не уверена, так как была слишком сонной, чтобы спросить ее, — проверила мои показатели и вновь подключила меня к надоедливому пикающему аппарату. Я толком так и не очнулась до утра, когда вернулась энергичная Сюзи.

— Вот она, моя заинька. О, да мы и не спим! Прекрасно!

Проверив меня тут и там, она вручила мне обезболивающие таблетки — сегодня мне стало лучше. Однако я почти не замечала эту веселую тетушку, так как сосредоточилась на чудесном видении позади нее.

— Эй, сестренка, — прошептала Анна, присев в изножье моей кровати.

Ее длинные волосы вновь отливали привычным почти черным цветом, и она собрала их в потрясающе высокий хвост. На ней был ярко-синий свитер в обтяжку, подчеркивавший ее чудесные формы. Редкий случай — я не стала сокрушаться из-за своей затрапезности в сравнении с ней. Мне было важно только то, что рядом оказался родной человек.

Покуда медсестра делала свое дело, глаза мои наполнились слезами. Мне показалось, что та пробормотала что-то вроде: «Обед через час, и ты должна сегодня поесть», — но вот Сюзи вышла. Я поняла, что время близилось к обеду, а затем снова сосредоточилась на Анне, которая не сводила с меня прекрасных, однако печальных зеленых глаз.

Едва я собралась спросить, что она тут делает, Анна заговорила сама:

— Ну что, досталось тебе от этих мальчишек?

Я поморщилась: значит, ей было известно все. Анна покачала головой, со вздохом встала и обняла меня.

— Серьезно, Кира... О чем ты думала? Сунулась в драку!

Подавив всхлип, я пролепетала:

— Вообще не думала... Судя по всему.

Секунду подержав меня в объятиях, Анна взобралась на постель и прилегла с той стороны, где не было капельницы. Стиснув мою руку, она положила голову мне на плечо.

— Ну что же, я для того и здесь, чтобы теперь думать за тебя.

Мне было тепло; я улыбнулась и расслабилась.

— Сестренка, я люблю тебя и страшно рада, что ты приехала... Но что ты здесь делаешь?

Я надеялась, что это не прозвучало по-хамски. Ее приезд меня и в самом деле потряс.

Анна отодвинулась, чтобы лучше видеть меня.

— Это все Денни. Он позвонил после инцидента. — Она прищурилась. — Тебе повезло, что трубку взяла я, а не мама или папа. Иначе сейчас твоя побитая задница летела бы домой.

Я снова поморщилась. Нет, родителям лучше вообще ничего не знать.

— А на работу тебе не нужно?

Анна вскинула брови:

— Хочешь избавиться от меня?

Я уже мотала головой, вцепившись ей в руку, чтобы она не ушла, и Анна рассмеялась:

— Нет... Я в активном поиске. Если честно, мама, скорее всего, только рада тому, что я слезла с ее дивана. А где же искать работу, как не на Западе, бок о бок с моей самоубийственной сестренкой?

Она сияла, покуда сказанное оседало в моей заторможенной голове.

— Погоди... Ты остаешься в Сиэтле?

Анна пожала плечами и снова улеглась рядом.

— Сперва я хотела лишь убедиться, что ты, задница такая, цела, но потом услышала, что тебе негде жить, и решила — поищу-ка работу, а поселимся вместе. По крайней мере, пока не доучишься. — Она посмотрела на меня с озорным выражением, поразительно привлекательным. — Думаешь, в «Хутерс»[1] есть вакансии? Спорим, тамошние ребята круто отстегивают на чай.

Я закатила глаза — вот же ветреная, затем прищурилась на нее:

— Откуда ты узнала, что мне негде жить? Келлан сказал мне только вчера...

Она побледнела и стала похожа на олениху, выхваченную светом фар, — сказочно привлекательную олениху.

— Вот дерьмо. Я не должна была об этом говорить. Черт, теперь он взбесится. — Анна снова пожала плечами. — Да и ладно.

Она откинулась на подушку, а я присмотрелась к ней внимательнее, не понимая, о чем идет речь.

— Я столкнулась с Келланом внизу. Он рассказал мне, что происходит. Сообщил, что попросил тебя съехать. — Анна снова выгнула брови. — Он, между прочим, хреново выглядит. Красавчик, но все равно хреново. Неужели это Денни так его обработал?

Я бездумно кивнула, хоть на самом деле мне было не до того.

— Келлан все еще здесь, в больнице?

Я вроде бы решила, что он списал меня со счетов и поехал домой коротать время с пузырем «Джека» и, может быть, какой-нибудь девицей... или двумя.

Анна вздохнула, заправила мне за ухо прядь волос и задержалась пальцами на синячище, занимавшем значительную часть лица.

— Кира, он безумно влюблен в тебя. Он из больницы не уйдет. Бродит по вестибюлю, пьет кофе и ловит новости о твоем состоянии. — Она убрала руку и подложила ее под щеку. — Я пришла, а сестры уже о нем поговаривают. Он, ясное дело, успел очаровать нескольких, и они докладывают ему о тебе, как только он появляется. — Анна за-

---

[1] «Хутерс» (hooters — англ. груб. сиськи) — американская сеть баров, фирменным знаком которой являются вызывающе привлекательные официантки.

катила глаза. — В этом сестринском курятнике уже разбиваются сердца.

Я покраснела и уставилась в потолок, пытаясь представить, где сейчас Келлан, и ощутить его тепло даже на расстоянии, однако почувствовала лишь тупую боль в голове и бо́льшую — в сердце.

— А сюда он больше не придет?

Анна тяжко вздохнула, и я взглянула на нее сквозь слезы.

— Нет, — прошептала она. — Он сказал, что для него это чересчур. Ему нужно переждать.

Ее брови сошлись в преувеличенно трогательном смятении.

— Заявил, что ему нужна минута. — Анна непонимающе повела плечами.

Я закрыла глаза и поняла: наша кодовая фраза... Ему понадобилась передышка от меня. Насколько сильно я уязвила его теперь? Достаточно, чтобы он в конце концов стал меня избегать. Невзирая на пронзительное одиночество из-за того, что я оттолкнула обоих, меня грела мысль о его чувствах, которых хватало для верного пребывания поблизости.

Голос сестры заставил меня поднять веки. На сей раз Анна говорила совершенно серьезно.

— Но все же, Кира, о чем ты думала, когда закрутила с двумя? — Серьезность на миг исчезла, и ее губы дернулись в кривой улыбке. — Разве Джон и Тай ничему тебя не научили?

Я улыбнулась, вспомнив ее недолговечный любовный треугольник, а после подумала о своем и нахмурилась.

— Анна, у меня этого и в мыслях не было. Я просто... — Тяжело вздохнув, я закончила: — Меня накрыло.

Она притянула меня к себе и поцеловала в голову.

— Какая же ты дура, Кира. — Я отпрянула в нескрываемом раздражении, и Анна весело ухмыльнулась. — Не надо стрелять в гонца с дурными вестями. Ты сама знаешь, какую кашу заварила. — Подчеркивая сказанное, она прикоснулась к моему черепу.

Меня затопило покорство, и я снова закрыла глаза.

— Знаю... Дура и есть.

Слезы потекли, и Анна стиснула меня в объятиях.

— Ну-ну, все равно ты моя маленькая сестренка, и я тебя люблю. — Я плакала у нее на плече, а она вздыхала. — Говорила же я тебе: занимайся книжками, а не людьми. Люди не твое ремесло.

«Сказала Королева Разбитых Сердец», — подумала я не вполне справедливо.

Анна, как будто подслушав мои мысли, отстранилась:

— Я не ролевая модель, конечно, но хоть ничего не обещаю парням. А ты наобещала им обоим, разве нет?

Кивнув, я закрылась руками, сраженная чувством вины и горем. Анна погладила меня по спине:

— Все хорошо... Все утрясется. Ты просто еще молодая. Молодая и неопытная, а Келлан чертовски горяч.

Я чуть напряглась и посмотрела на нее, мотая головой. Она разжевала:

— Я знаю... Все было серьезнее. Я заметила его слабое место — меланхолию, боль, которую он прячет, надрывность музыки. Думаю, он довольно глубок. И чувствителен, перед таким черта с два устоишь.

Вздохнув, я приникла к ней, счастливая тем, что она хотя бы поняла: дело было вовсе не в его внешности. Гладя меня по спине, Анна снова шепнула, что все устроится. Мы долго молчали, пока она не отстранилась со вздохом и не покачала головой на подушке.

— Как же ты, небось, меня ненавидела, когда я приехала. За шашни с Келланом.

Я открыла рот и не сразу нашлась, что сказать, так как вспомнила этот жуткий визит и мои худшие подозрения.

— Нет, — наконец прошептала я. — Не тебя. Я ненавидела его.

Анна явно забавлялась, и я продолжила объяснять:

— Он вынудил меня поверить, что вы переспали.

Ее глаза расширились, затем слегка ожесточились.

— Он — что? — Но тут тон Анны смягчился, как и ее лицо. — Постой... Так вот почему ты так долго со мной не разговаривала? Господи, я-то решила, ты оскорбилась из-за того, что я схватила Денни за булки в аэропорту.

Я хихикнула и порадовалась тому, что еще могла над чем-то смеяться.

— Нет, это как раз было весело. — Я со вздохом выдержала пристальный взгляд ее изумрудных глаз. — Не злись на Келлана. Он был обижен, зол и хотел меня помучить. Ты просто оказалась под рукой. Я только потом, много позднее, узнала, что спала-то ты с Гриффином. — Я отстранилась и прищурилась на нее. — С Гриффином... *ты серьезно*?!

Анна закусила губу и чуть пискнула.

— Черт, дай же мне наконец рассказать тебе эту историю! Ты ведь понимаешь, что я умирала?

Я зарделась, сменив три оттенка красного, по мере того как она выкладывала мне все, решительно все, чем они занимались той ночью. К концу меня немного замутило, но я выдавила слабую улыбку. Анна вздохнула и сунулась мне под бок. Спустя секунду она проговорила:

— Ты же знаешь, я бы пальцем не тронула Келлана, если бы ты рассказала, что происходит?

Я обняла ее:

— Знаю... Теперь ты понимаешь, почему я не могла ничего сказать?

— Нет... — помотала головой Анна. — Ну, может быть. — Она чмокнула меня в макушку. — Я люблю тебя, Кира.

Мы лежали в обнимку, пока не принесли обед. Тут Анна вскочила и начала распространяться о поисках работы и жилья — чего-нибудь стильного с видом на залив. Я со вздохом принялась за свой «Джелло»[1]. Кто-кто, а моя

---

[1] «*Джелло*» — товарный знак полуфабрикатов желе и муссов, выпускаемых в порошке, а также готовых желе.

сестра подыщет и то и другое еще до захода солнца. Она поцеловала меня в затылок и обещала вернуться с хорошими новостями. Но я была готова ждать ее в любое время.

После обеда я поспала еще и проснулась, когда мной занялась медсестра, а затем заснула опять. Не знаю, чем была вызвана эта сонливость — травмой, действием препаратов или тем тягостным обстоятельством, что я пока не хотела быть хозяйкой собственной жизни.

Но жизнь не оставляла меня в покое. Вечером вернулся Денни. Он коротко улыбнулся, как только увидел, что я выгляжу чуть лучше — во всяком случае, пребываю в большем сознании.

— Эй.

Он нагнулся, будто хотел поцеловать меня в губы, но вроде вспомнил, почему не стоит этого делать, и чмокнул в лоб. Привычки... С ними бывает трудно расстаться.

На сей раз Денни присел не рядом со мной, а на стул возле кровати. У меня создалось впечатление, что он выстраивал дистанцию, готовясь к окончательному разрыву, о неизбежности которого знали мы оба. Его взгляд приковался к моему синяку, пока мы беседовали о второстепенных вещах: он подал заявление об уходе с ненавистной работы, его родители были потрясены его возвращением домой, да еще и без меня, он оставлял мне машину, так как не мог позволить себе отправить ее морем.

Последнее ошеломило меня, и он глянул на мое лицо, готовое залиться слезами.

— Я знаю, Кира, что ты о ней позаботишься.

Его акцент был сердечен и мягок, и мне на секунду, лишь на секунду захотелось, чтобы он оказался ближе.

Я же стремилась поговорить о вещах важных: о травме, вине, которую он, как я знала, испытывал при каждом взгляде на меня, моей вине, оживавшей при каждом взгляде на него, нашей любви, еще сохранявшейся, пусть даже несколько в ином роде, моем романе...

Но я отказалась от этого. Я была слишком измотанной, чересчур слабой и просто не могла завести очередной тя-

гостный разговор, будучи подключенной к этому чертову пикающему монитору, который медленно сводил меня
с ума. Вместо этого мы коснулись лишь пустяков. Я рассказала, что Анна бросила все, явилась ко мне и сейчас,
очевидно, искала работу и жилье. Денни, похоже, был согласен со мной в том, что рано или поздно она что-нибудь найдет.

Его брови взлетели, когда я сообщила, что буду жить
с ней, и мне было видно, что он хочет спросить о Келлане.
Что бы они ни обсуждали, Келлан явно не сообщил ему,
что попросил меня на выход, — а может, и сам еще не знал
этого в тот момент. Не сказал, что тоже уходит от меня.
Денни так и не спросил. Наверное, слишком боялся моего
ответа. Или опасался поддаться искушению остаться, скажи я ему, что между нами с Келланом ничего больше нет.
Опять же — возможно, ему уже было все равно, вот он и не
интересовался.

Денни сидел со мной, пока ближе к вечеру не вернулась
Анна. Она сдержанно обняла его, и это поначалу меня
смутило. Обычно Анна бывала более раскованной в своих
симпатиях. Но, когда она взглянула мне в лицо, я поняла.
Он причинил мне вред, и его акции мгновенно упали на
несколько пунктов. Придется с ней поговорить, так как
технически Денни не собирался меня калечить и уж точно не был виноват в моих дурацких поступках. Как она
и сказала, дурой была я сама.

Повернувшись ко мне, Анна буквально засветилась,
как только заговорила о нашем новом жилье и ее новой
работе в «Хутерс». Я вздыхала и слушала, как она обрабо-
тала старикана-домохозяина, который только и знал, что
пялился на ее буфера: Анна посулила ему тарелку горячих
крылышек бесплатно при каждом посещении ресторана.
Это решило дело. Моя сестра умела добиваться своего от
мужчин.

Денни тихо попрощался с нами и перед уходом поцеловал меня в лоб, не сводя глаз с моего синяка. Когда он
уже был в дверях и я испытала знакомый укол в сердце, до

меня донесся голос сестры: «Подожди». Они вышли вместе. Не знаю, о чем у них шел разговор, но их не было добрых двадцать минут. Когда Анна вернулась и я спросила ее, она лишь улыбнулась. Заинтригованная, но утомленная, я оставила все как есть. Может быть, они уладили разногласия и теперь она будет относиться к нему помягче. Он и вправду не был виноват в моих травмах.

Сестра просидела со мной еще несколько часов, пока не заерзала, и я сказала ей, что беды не случится, если она уйдет налаживать связи. Анна лукаво ухмыльнулась и обещала вернуться завтра днем. Я ни секунды не сомневалась, что в ее планах стояла встреча с Гриффином, и радовалась, что он каким-то странным образом привлек ее, но все равно решительно не понимала этого. А мне теперь жить с чудовищно проработанной картиной их свидания в уме.

И точно: на следующий день Анна пришла и рассказала мне все об их нескончаемой ночи. Если меня и могло что-то восхитить в Гриффине, так это его выносливость. Чуть позже проведать меня пришли другие друзья. Мэтт и Эван поочередно обняли меня, испытывая некоторую неловкость, однако всем видом выказывая поддержку. Эван выглядел особенно виноватым, как будто считал, что должен был присутствовать на поле боя, или поговорить предварительно с Денни, или бог знает что еще. Когда он собрался уходить, я клятвенно заверила его в том, что он ни в чем не сплоховал. Он сделал то, о чем просили мы с Келланом, а потому ни за что не в ответе. Эван кивнул, и его счастливая медвежья физиономия озарилась улыбкой, когда он сгреб меня в охапку и шепнул, что отчаянно рад моему благополучию.

Дженни и Кейт забежали вместе перед рабочей сменой, и Дженни не удержалась от слез при виде моего изувеченного лица. Она стиснула меня в объятиях и твердила без устали, как рада, что со мной все в порядке, и на работе все рады тому же, и все с нетерпением ждут моего возвращения.

Я высвободилась и увидела, как по щеке Дженни сбежала слеза.

— Дженни... Я не могу вернуться к «Питу».

Ее голубые глаза расширились.

— Но... Почему, Кира?

Теперь уже я была готова расплакаться.

— Я не могу находиться рядом... с ним.

В палате воцарилась мертвая тишина, едва все поняли, о ком идет речь. Кейт с Дженни переглянулись, а я гадала, не бродит ли Келлан внизу и не столкнулись ли они с ним, как получилось с Анной. По взгляду Кейт и хмурому лицу Дженни я поняла, что так оно и было.

У Дженни не нашлось аргументов против, и это лишь укрепило мое подозрение.

— Куда же ты пойдешь?

Я покачала головой, уже в слезах:

— Не знаю. Может, подскажешь — не нужна ли кому средненькая официантка?

Она печально улыбнулась и обняла меня:

— Ты лучше чем средненькая. Я поспрашиваю. Без тебя все будет не так, Кира... Не так — и баста.

Чувствуя себя недостойной ее похвалы, я смогла только кивнуть и тоже обнять ее. Она отстранилась, вытерла слезы и произнесла:

— Что ж, дружбе все равно не конец — ну и что, что мы не работаем вместе?

Я кивнула и утерла глаза:

— Иначе и быть не может.

Гриффин меня удивил — он тоже явился вскоре после ухода Дженни и Кейт. Конечно, он больше рассчитывал подцепить у меня Анну. Он обнял меня и словил кайф, но я оценила если не исполнение, то порыв. Сестрица отвесила ему шлепка и выбранила за готовый стояк. Гриффин изобразил святую невинность и притянул ее для умопомрачительного французского поцелуя. Дурачась друг с дружкой, они попрощались со мной и отправились, как

выразился Гриффин, «покрестить новую хату». Я молилась, чтобы они держались подальше от комнаты, пред-
назначавшейся для меня.

Когда они ушли, врач устроил мне беглый осмотр и,
удовлетворенный моим состоянием, велел сестрам отключить эту дьявольскую машину и убрать капельницу. Поедая пресный обед, я пожелала себе восстановиться в том
виде, в котором будто бы уже пребывала, по заверениям
доктора. После еды, когда Сюзи в очередной раз проверила меня и ушла, тишина палаты навалилась на меня всей
тяжестью.

Помещение было полностью освещено, однако темень
зимнего вечера, казалось, просачивалась в широкое окно,
и эта чернота как будто похищала у меня тепло и свет.
Мне чудилось, что я часами таращилась в эти вороватые
окна, мрак за которыми сгущался и усиливался. Меня
пробрал озноб, и я плотнее укуталась в одеяло. Было очень
зябко и одиноко. Я изнемогала от угрызений совести, —
они одолели меня как бы со всех сторон и сконцентриро-
вались в уязвимой точке внутри головы. В тот миг, когда
я задумалась, как с этим быть, от двери с мягким акцентом
донеслось:

— Привет. Как дела?

Я отвела взгляд от окна и смахнула слезу, о которой
не подозревала. Денни стоял на пороге, прислонившись
к косяку. Руки его были скрещены на груди, стопа — упер-
та в стену, как будто он уже некоторое время наблюдал за
мной. Он улыбнулся слабым подобием своей дурацкой
ухмылочки, которая обычно согревала мне душу. А нынче... нынче она вызвала лишь новые слезы.

Денни немедленно рванулся ко мне, но замер на полпути, весь в раздрае. Он оглянулся на дверь, и я различила сквозь туман неясную фигуру, попятившуюся прочь.
Силуэт был нечеток, но я знала, кто это. Келлан вернулся
и заставлял себя держаться на расстоянии. Мы пришли
к нашей старой политике взаимной неприкасаемости. Но
стало хуже, теперь она распространилась и на зрение.

У меня вырвался всхлип, и Денни, похоже, укрепился в первоначальном намерении. Он дошел-таки до моей постели, сел рядом и взял меня за руку. Простое прикосновение — куда более дружеское, чем я привыкла получать от него в минуту расстройства, но это было все, что он мог себе позволить. Я стиснула его кисть, пропитываясь уютом сколько могла.

— Кира, не плачь... Все хорошо.

Я шмыгнула носом и постаралась успокоиться, содрогаясь при мысли, что этот золотой человек утешал меня, хотя страдал-то он сам. Это представлялось несправедливым. Ему полагалось завопить и взбеситься, назвать меня шлюхой и вылететь вон без оглядки. Но... Денни был не таков. Он держался сердечно и заботливо, едва не теряя лицо. А по тому, как он неотрывно смотрел на мои ушибы, я понимала, что его постоянное присутствие в значительной мере объяснялось неимоверным раскаянием.

Я сглатывала слезы, и мы молча рассматривали друг друга. Тепло его руки успокаивало меня, и в какой-то момент я сумела взглянуть на него и не расплакаться. Стоило моим глазам высохнуть, как Денни снова улыбнулся.

— Видел твое новое жилище, — сообщил он спокойно. — Думаю, тебе понравится. У твоей сестры хороший вкус.

Я склонила голову набок:

— Ты видел? — Он кивнул, и я крепче сжала его руку. — О чем вы вчера говорили с Анной?

Денни потупился и покачал головой.

— Она немного зла, — он поднял глаза, — из-за того, что я тебя изувечил.

С секунду он глядел затравленно, потом потянулся к моему синяку.

— Обматерила меня будь здоров. — Денни вскинул брови. — Язык у нее бывает еще тот.

Я улыбнулась — он тоже, искренне.

— Ну а когда отвела душу, попросила меня помочь перевезти твои вещи. Мне и свои нужно было забрать, так что... — Денни пожал плечами. — Я согласился помочь. За вечер мы с этим управились, и Анна раздобыла кое-какую мебель у Гриффина, Кейт, Дженни — короче, у всех, у кого что-то было. — Он чуть не с испугом заправил мне за ухо выбившиеся волосы. — Все готово к переезду.

Я попыталась усмотреть в этом нечто доброе, изобразив улыбку, однако испытала лишь боль, вынужденная покинуть дом, который неизменно радовал меня, пока дела не пошли вкривь и вкось. Денни, похоже, понял мое уныние и бережно провел ладонью по моей щеке, после чего убрал руку и положил к себе на колено.

— Ну а ты? Где ты живешь, пока... еще здесь? — спросила я, чуть дрогнув в конце.

— У Сэма. Он сама любезность. Я уже несколько дней продавливаю его диван. — Денни взъерошил волосы и криво усмехнулся. — Я не мог остаться с Келланом, моей выдержки бы не хватило.

— Почему вы?.. — Я оставила вопрос незаконченным, не желая разгневать Денни упоминанием о своем романе. Быть может, его злость никуда не делась и лишь скрывалась чуть ниже поверхности.

Впрочем, Денни не позволил ей проявиться.

— Почему мы — что? Не убиваем друг друга? Не орем, не бесимся, не продолжаем тему? Почему мы ведем себя цивилизованно?

Я пожала плечами и скривилась. Какое-то время он смотрел на меня, и я не была уверена, но мне почудилась злоба в его глазах. Когда Денни заговорил опять, тон его был сдержан, однако акцент — силен.

— Я мог убить тебя... И мне даже думать не хочется об этом кошмаре. Но даже при том, что я совершил, дела должны были обернуться для меня намного хуже, чем вышло на деле. И Келлан — одна из причин того, что случилось иначе.

Совершенно запутавшись, я склонила голову набок.

— Не понимаю...

Он вздохнул, и его лицо смягчилось.

— Знаешь, я никогда особенно не задумывался о совместной с ним жизни. О том, насколько им были очарованы женщины. Еще в школе ему было достаточно посмотреть на девчонку, и та... — Денни издал очередной вздох, а к моему лицу прилил жар. — Я думать не думал, каким он может быть искушением для тебя. Мне казалось, что это совершенно не важно, потому что у нас все было так...

Он закрыл глаза, а на мои немедленно навернулись слезы. В эту секунду я до печенок ненавидела себя за то, что сделала с ним. Я потянулась к его щеке, но не дотронулась до нее и уронила руку на колени. Денни поднял веки и спокойно выдержал мой взгляд.

— Как только я это понял... Мне стало ясно, что я никогда не смогу с ним тягаться.

Я моргнула и сдвинула брови. Тягаться с Келланом? Ему было незачем это делать. Я всегда хотела его. Хорошо — может быть, какой-то частью и нет? Денни заметил мое замешательство.

— Когда я начал складывать два и два — взгляды, которые я видел, прикосновения, на которые не обращал внимания, вашу внезапную отчужденность, твою опустошенность, когда его не было рядом, — то понял, что теряю тебя, если уже не потерял. Я знал, что у меня не было ни единого шанса выстоять против него. — Денни закатил глаза и покачал головой, затем уставился на мои простыни. — Возможно, против главного сердцееда на тихоокеанском северо-западе.

— Денни... Я...

Он перебил меня:

— Я был вне себя от злобы на него. — Он посмотрел на меня, потом на свои руки, так и не выпуская при этом моей. — Как если бы знал, что тебе не устоять, а потому все ложилось только на его плечи — и он проиграл.

Я потупила взор в тот момент, когда он поднял свой, и наши взгляды встретились на полпути.

— Наверное, именно поэтому я попросил его в аэропорту держаться от тебя подальше. Я не думал, что ты дашь слабину, нет... Я верил тебе, но лишь при условии, что он сохранит дистанцию. — Денни повел плечами. — Он добивается любой девчонки, на которую положит глаз, и я понимал, что он добьется и тебя, если всерьез постарается, и в этом я ему не соперник.

— Денни, все было не так.

Я хотела привести аргумент посолиднее, но больше сказать было нечего. Признаться Денни в том, что едва ли не все, что произошло между мной и Келланом, случилось по моей инициативе, я была не в силах. Ведь Келлан не заслужил его ярости, так как я первая пошла на контакт, а он уже был влюблен. Какими бы добрыми ни были мои намерения, когда Денни уехал, в какой-то момент именно я дала слабину до того, как дала... по-настоящему.

Еще хуже было то, что и я влюбилась. Теперь я даже не знала точно, когда меня угораздило. Может быть, при первом неловком знакомстве в коридоре, может быть, когда я впервые плакала в его объятиях, или когда он сказал, что я красивая, или когда меня тронула — и до сих пор трогает — та пронзительная песня. Наверняка я знала одно: это случилось. Я втюрилась по уши, и эта боль добавилась к нынешней, когда я читала неприкрытое страдание в глазах Денни.

— Когда я нашел вас на парковке... своими глазами увидел вашу страсть... я чуть не рехнулся от ненависти к нему. Он ограбил меня. Я хотел прикончить его за то, что он обращался с тобой как с какой-нибудь своей полоумной фанаткой. — Денни помотал головой, не давая мне возразить. — Мне и в голову не пришло, что он влюблен. О том, что и ты влюблена, я тоже не догадывался. Я и подумать не мог обвинить тебя в чем-то. Ты была на пьедестале...

Я кивнула, не поднимая глаз, которые наполнились готовыми хлынуть слезами. Этого пьедестала я не заслуживала, а по взгляду Денни, который я уловила при этих словах, я заключила, что он, возможно, теперь был согласен со мной. Чувствуя себя очень глупо, я тихо подтвердила его право смотреть на меня иначе.

— Мы были влюблены друг в друга... И оба не хотели ранить тебя.

Денни вздохнул и понурил голову.

— Я знаю. Думаю, сейчас мне это понятно. — Он машинально рисовал пальцем узоры на моей кисти и заговорил снова после паузы: — Эта драка была похожа... — Он поднял на меня глаза. — Мне мерещилось, будто я вышел из себя и смотрю какое-то жуткое кино, которое не могу выключить. Я даже не помню всего, что сказал и сделал, — я словно на миг вышел из тела.

Я кивнула и отвернулась, ненавидя себя за вещи, на которые толкнула его. Акцент Денни усилился, и я опять обратилась к нему лицом.

— Я чувствовал только ненависть. Видел только красное. — Рассказывая все это, он пытался перехватить мой взгляд, но отвлекался на синяк, о котором никак не мог забыть. — Я не отвечал за свое тело. Мне просто хотелось бить и крушить. — Денни снова вздохнул и посмотрел в потолок. — Может быть, я сошел с ума.

Закрыв глаза, он покачал головой.

— Я мог потерять все, абсолютно все. — Он поднял веки, и я нахмурилась, не вполне понимая его скорбные речи. — Только благодаря Келлану я до сих пор не в наручниках.

У меня приоткрылся рот, а брови сошлись так близко, что заболела голова. Темные глаза Денни вонзились в меня.

— Кира, я отметелил его до полусмерти. Я чуть не вышиб тебе мозги. Я мог убить или серьезно покалечить вас обоих. За это полагается тюрьма. Но не мне. Я скоро уеду из страны, и это стало возможно лишь потому... что Келлан прикрыл меня.

— Не понимаю, — замотала я головой.

Денни улыбнулся и смягчился.

— Это ясно. — Его пальцы, зажатые в моей кисти, принялись поглаживать мою кожу, и я расслабилась, видя, что гнев улегся. — Когда ты отключилась и мы убедились, что ты жива и дышишь, он заставил меня уйти.

— Уйти?

Денни кивнул и страдальчески улыбнулся.

— Я не хотел. Собирался помочь тебе. Мне хотелось сделать хоть что-нибудь, что угодно. Он выкрикнул мне... кое-какие неприятные вещи и пообещал вырубить меня, если я не уберусь. — Взгляд Денни обратился к темным окнам, и глаза у него тоже как бы потемнели, будто он поглощал мрак. — Ты была такая бледная, такая крошечная, еле дышала. Он держал тебя мертвой хваткой, а мне хотелось самому...

Он выдохнул и закрыл глаза.

— Он убедил меня, что я должен уйти и позвать на помощь, а когда прибудет «скорая», он скажет, что на вас напали хулиганы. Что это они его избили, а потом и тебя, когда ты бросилась помогать. — Денни со вздохом заглянул в мои расширенные глаза. — Он даже отдал мне свой бумажник, чтобы выглядело правдоподобнее.

Покачав головой, Денни снова уставился на окна.

— Все купились. Потом я появился в больнице, и никто даже не спросил меня ни о чем.

Он повернулся ко мне, преисполненный глубокой вины и скорби.

— Похоже, мне все сошло с рук... Избиение тебя и его... благодаря ему. — Денни опустил взгляд, и на мое одеяло капнула слеза. Я машинально вытерла ему щеку, и он посмотрел мне в лицо. — Это меня вроде как убивает.

— Нет... — произнесла я. — Не казни себя. Он был прав. Ты достаточно поплатился за наши ошибки. Ты не должен лишиться всего, если это мы подтолкнули тебя к... к... — Я больше не могла сдерживать слезы — как и потребность обнять Денни. Я обвила его руками, и он на секунду окаменел, но в итоге обмяк и тоже обхватил меня. — Мне очень жаль, Денни.

Он прерывисто выдохнул и погладил меня по спине.

— Я знаю, Кира. — Он крепко прижал меня к себе, и я ощутила дрожь его тела. — Мне тоже очень жаль. Очень.

Мы просидели так большую часть ночи — на самом деле почти всю ночь. Временами, в промежутках между взаимными извинениями, мы засыпали в обнимку, а к утру я уверилась, что, пусть нашего прошлого не вернуть, между нами навсегда сохранится некая связь. И на душе у меня стало очень хорошо.

ГЛАВА 25
ПРОЩАНИЕ

На следующее утро мне объявили о выписке. Анна пришла в восторг и буквально расцеловала врача. Поскольку на ней была рабочая форма «Хутерс» — тесные оранжевые шорты и плотный белый топик с логотипом, — доктор немедленно покраснел как рак и поспешил ретироваться. Сестра прыснула и помогла мне одеться и расчесать волосы, спутавшиеся от лежания.

Мы ждали команды на выход, и я смотрела на дверь. Не знаю, кого я рассчитывала увидеть — Денни или Келлана. Последнего я больше не замечала, а когда спросила о нем у Анны, та лишь слегка нахмурилась и ответила, что тот «неподалеку». Келлан просил ее помалкивать о его бдениях, и я задалась вопросом, не выяснил ли он, что она проболталась.

Я ранила его достаточно, чтобы он избегал даже видеть меня, но не настолько, чтобы оставить меня в полном одиночестве. Понятия не имею, что это значило. Он заявил, что любит меня, и я, безусловно, тоже любила его. Даже теперь, после моей ошибки на парковке, ужасного открытия Денни и драки, из-за которой я до сих пор просыпалась с криком, я любила его и тосковала по нему. Но мне была понятна его потребность сторониться и в конце концов отпустить меня.

Пока мы ждали, пришла Дженни. Она присела на постель рядом. Время шло, и она то и дело поглаживала меня по руке или поправляла мне волосы, обнажая желтевший синяк. Она рассказывала всякие байки о баре и дурацких выходках клиентов. Затем начала говорить о том, как Эван и Мэтт скооперировались против Гриффина, но быстро умолкла, едва упомянула их имена. Не знаю почему — либо решила, что я не хочу слышать о людях столь близких к Келлану, либо Келлан тоже фигурировал в этой истории. Я не смогла заставить себя спросить.

Анна приняла эстафету, едва промелькнуло имя Гриффина, и к концу ее монолога даже милая, ко всему терпимая Дженни сидела вся красная. Анна как раз потешалась над этим, когда в дверь вошел Денни.

Он приветственно помахал, и меня поразил его неформальный наряд... в будний день. Когда я спросила, не нужно ли ему на работу, Денни пожал плечами и объяснил, что взял выходной, чтобы помочь мне устроиться. При виде выражения на моем лице он вскинул брови и сухо заметил:

— Что они мне сделают — выгонят?

Улыбнувшись, я поблагодарила его, и мы все дружески болтали, пока меня не выписали.

Через два часа я любовалась видом на Лейк-Юнион, открывавшимся из окон квартиры с двумя спальнями, которую моя сестрица умудрилась найти и снять за один день. При том, конечно, что апартаменты были крошечные. В кухню поместились плита, холодильник и посудомоечная машина. Лист «Формайки»[1] поверх нее образовывал стойку. Спальни располагались в разных концах короткого коридора. Я не удержалась от улыбки при виде сестринского шкафа для одежды, который был вдвое больше моего. В моей комнате имелись циновка и зеркальный комод, а у Анны — матрац, положенный на низкую раму, и прикроватный столик. Ванная годилась только для душа и уже ломилась от косметики сестры. Гостиная была объединена со столовой, а есть нам предстояло за шатким раскладным столом. Оставшееся пространство занимали допотопный оранжевый диван и кресло, которое я по личному опыту считала самым удобным на свете. Сердце сжа-

---

[1] «Формайка» — фирменное название прочного жаростойкого пластика одноименной компании, который часто используется для покрытия кухонной мебели.

лось, когда я провела рукой по его спинке. Это была вещь Келлана... Единственный сравнительно приличный предмет мебели, каким он владел.

Денни с любопытством следил за мной. Я ощупала свое лицо, несколько раз сглотнула и села на уродливый рыжий диван. Денни наскоро состряпал мне небольшой ланч из готовых продуктов, Анна ушла на работу, а Дженни уселась рядом и включила крохотный телевизор, приютившийся в углу. Показывали какую-то мыльную оперу. Я краем глаза смотрела вместе с ней, поедала приготовленный Денни сэндвич и поглядывала на уютное кресло, которое пустовало.

Всю следующую неделю я восстанавливала силы, обживалась в новом доме, привыкала к причудам сестры и налаживала преобразившийся быт. Днем приходила Дженни, иногда — вместе с Кейт. На пару они пытались выкурить меня из квартиры и уговаривали вернуться к «Питу». В обоих случаях я мотала головой и нежилась под одеялами на страшенном диване, который нравился мне все больше и больше.

Сестра же отвращала меня от работы известиями о том, что в ее кабаке подыскивают еще одну девушку, а сестрам вообще светят фантастические чаевые. Я вспыхивала при одной мысли об этих тугих шортах. Тогда она возвращалась с неприличным количеством налички, а иногда — с лапами Гриффина, плотно прилипшими к ее до нелепого тесной форме. В такие вечера мне хотелось, чтобы квартира была чуть побольше или хотя бы обогатилась звукоизоляцией.

Денни заезжал ежедневно по дороге с работы. Сначала я восхищалась его чуткостью после всего, что я ему сделала. Но я заметила эмоции, которые он не хотел мне показывать: напряженность во взгляде, когда он смотрел на кресло Келлана, печаль, с которой он поглядывал на мое тело, и чувство вины, всячески подавляемое при виде моего синяка.

Голос тоже сводил на нет непринужденность его действий. Он становился жестче, стоило заговорить о нашем прошлом. Я старалась не ворошить былое. Если речь заходила о том самом вечере, Денни буквально давился, сбивался и начинал разговор заново, а я делала все, чтобы упоминать об этом еще реже. И он вообще отказывался говорить о Келлане, ограничиваясь признанием, что видел его лишь изредка, но, если это случалось, их отношения бывали «задушевными». По сути, его голос теплел, а акцент усиливался от полноты чувств лишь в тех случаях, когда он расписывал свой отъезд домой, новую работу и встречу с родными.

Меня же эта перспектива, обозначавшаяся яснее с каждым днем, одновременно восхищала и пугала. От визита к визиту она приближалась и заполняла собой все. Я шла на поправку, а Денни все больше возбуждался своим скорым отъездом. К концу недели мы уже мало беседовали о нас, и он упоенно распространялся о своей новой работе. Меня ничуть не удивило, когда он перенес отлет на несколько дней раньше. Не удивило, но страшно задело.

И вот я уже везла Денни, полного желания проститься насовсем и покончить со всей историей, в аэропорт в его «хонде». Держа его за руку, я прошла с ним через толпу путешественников. Странно, но он не противился, хотя всегда старался свести к минимуму наш телесный контакт. Наверное, он смаковал последние минуты.

Когда мы дошли до нужного терминала, я застыла и в полном потрясении разинула рот. Там сидел Келлан, сосредоточенно изучавший свой гипс, уже сплошь исписанный и изрисованный. Он поднял на нас глаза, и мое сердце забилось. Вид у него был получше, чем в больнице, — остались лишь синюшная ссадина под глазом и пара розовых царапин, которые, быть может, и не вредили его совершенству, а только подчеркивали его. Как бы там ни было, он потрясал.

Денни медленно направился к нему, и Келлан встал. Денни машинально буквально на миг сжал мою руку, а затем выпустил ее. Я старалась подстроиться под его неспешную поступь, не спуская взгляда с Келлана.

Однако его синие глаза были прикованы к Денни. Казалось, он умышленно избегал смотреть на меня. Я не знала, ради Денни или ради себя.

Келлан в знак дружбы протянул Денни руку, изучая его лицо, и тот уставился на нее. С коротким вздохом, который показался мне оглушительным и перекрыл гул помещения, Денни ответил крепким пожатием. Келлан чуть улыбнулся и коротко кивнул:

— Денни... Старик, я... — Он сбился, слова подвели его, а взгляд упал на все еще сцепленные руки.

Денни отпустил его:

— Да... Я знаю, Келлан. Это не означает, что между нами все хорошо, но я знаю.

Он говорил напряженно, с сильным акцентом, и слезы затуманили мой взор при виде двух некогда закадычных друзей, подыскивавших правильные формулировки.

— Если тебе когда-нибудь что-то понадобится... я... я рядом.

Глаза Келлана увлажнились, но взгляд не сходил с Денни.

Тот кивнул и стиснул зубы. На его лице отразилась целая гамма чувств, но спустя мгновение он вздохнул и отвернулся.

— Ты сделал достаточно, Келлан.

Мое сердце сжалось от этой двусмысленной фразы. Единой фразой Денни суммировал все, что между ними существовало, — доброе и злое. Это и грело, и надрывало мне душу.

По щеке покатилась слеза, но я слишком пристально смотрела на Келлана, чтобы разбираться с ней. Я была уверена, что он вот-вот сломается. Расплачется и начнет молить Денни о прощении — на коленях, если придется, однако губы его тронуло подобие улыбки, и он с усилием сглотнул, подавляя навернувшиеся слезы. Похоже, Келлан предпочел добрую составляющую услышанного, а остальное предал забвению.

Он любовно потрепал Денни по плечу:

— Пока, приятель... Береги себя.

Келлан произнес это тепло и без фальшивого акцента. Он был одним из немногих известных мне людей, кто никогда не пытался копировать Денни, и в случае Келлана это выглядело как знак уважения[1].

Денни как будто понял это и тоже потрепал Келлана по плечу — возможно, не вложив в свой жест соразмерного почтения.

— Ты тоже... приятель.

Затем Келлан быстро обнялся с ним и пошел прочь. Желание догнать его, вцепиться в футболку, заставить посмотреть на меня, заговорить со мной было столь жгучим, но я не могла разбираться с Келланом, одновременно прощаясь с Денни. Только не после всего, через что он прошел из-за нас.

А потому я стиснула кулаки, дабы взять себя в руки, и молча смотрела, как Келлан уходит. Когда толпа поглотила его, он оглянулся. Наши глаза наконец встретились после столь долгого перерыва, что краткость взгляда отозвалась во мне настоящей болью. Я увидела, как приоткрылся его рот, исказилось лицо, и поняла, что он испытывал те же мучения. Он хотел меня... Он все еще хотел меня, но я нанесла ему слишком тяжелый удар.

Келлан тронул переносицу и отвернулся. Толпа моментально поглотила его. Я закрыла глаза, а когда посмотрела вновь, Денни взирал на меня с таким выражением, будто в конце концов что-то понял. Не знаю, что он сумел различить за один мучительный взгляд, но Денни явно заметил нечто. Встряхнув головой, он с неожиданным сочувствием приобнял меня за плечи и привлек к себе, едва ли не утешая.

Я положила голову ему на плечо, и мы дружно обернулись к окнам, за которыми сверкал его самолет.

— Я буду скучать, Денни, — прошептала я, как только сумела заговорить.

---

[1] Келлан обращается к Денни со словом «mate» — «приятель», которое имеет большее хождение именно в австралийской неформальной лексике.

Он прижал меня крепче:

— Я тоже буду скучать по тебе, Кира. Даже при всем, что случилось, мне все равно не хватает тебя. — Помедлив, он шепнул: — Как по-твоему...

Я вскинула голову, чтобы взглянуть на него, а он одновременно повернул ко мне свою.

— Как по-твоему, если бы я не получил место в Тусоне, вы бы с Келланом никогда?.. — Уставившись в пол, Денни сдвинул брови. — Я швырнул тебя к нему в объятия?

Я помотала головой и снова склонилась к нему на плечо.

— Не знаю, Денни, но мне кажется, что, так или иначе, у нас с Келланом...

Подняв на него взгляд, я замолчала. Я не смогла закончить фразу — только не в лицо, не под страдальческим взором темно-карих глаз.

— Я всегда буду любить тебя, — хрипло произнес Денни.

Кивнув, я проглотила комок.

— И я буду любить тебя... всегда.

Он мягко улыбнулся, завел прядь волос мне за ухо и начал поглаживать пальцами по щеке. Ценой жесточайшего внутреннего сопротивления он наконец склонился и запечатлел поцелуй на моих губах. Тот длился дольше, чем обычный дружеский, но короче, чем романтический. Нечто среднее — как и мы сами.

Отстранившись, Денни поцеловал мое натерпевшееся лицо, и я снова утвердилась головой на его плече. Мы ждали: я стискивала его свободную руку, а он прижимал меня другой. Ждали, когда объявят посадку. Ждали, когда физически разорвется наша глубинная, но нарушенная связь.

И вот это произошло. Денни с протяжным вздохом отстранился от меня. Подняв свою сумку с места, куда он бросил ее, перед тем как пожать руку Келлану, он на прощание поцеловал меня в лоб. Я вцепилась в его руку и держала ее до роковой секунды. Когда контакт прервался, я почувствовала, как нечто покинуло меня. Нечто теплое и надежное, некогда означавшее для меня все. Денни не отрывал взгляда от моих глаз, полных слез, пока не скрылся за поворотом, и я поняла, что эти теплые карие глаза и очаровательная дурацкая улыбка отныне потеряны для меня навсегда.

Тело отказало мне, и меня повело. Ноги налились свинцом, поджилки дрогнули, в голове образовался темный туман. Я рухнула на колени с силой, от которой наверняка содрогнулись привинченные сиденья передо мной, и теплые руки подхватили меня в тот самый миг, когда больная голова приготовилась врезаться в спинку одного из них.

Первым я опознала запах — изысканный аромат кожи, земли и человека по имени Келлан Кайл. Я не знала, откуда он взялся, и пока не воспринимала его затуманенным зрением, однако чувствовала и узнавала его по рукам, державшим меня.

Он осторожно уложил мою голову себе на колени, пристроившись рядом на полу. Одной рукой он гладил меня по спине, другой — ощупывал мое лицо, дабы убедиться, что со мной все в порядке.

— Кира?

Голос все еще доносился издалека, хотя я понимала, что он сидит вплотную ко мне.

Картинка начала проясняться, и в фокусе оказались его выцветшие джинсы. Я с трудом подняла голову и попыталась уразуметь происходящее. Взгляд Келлана смягчился, пальцы любовно прошлись по моему лицу. Похоже, я грохнулась в обморок, а он следил за мной — он всегда следил за мной — и спас от новой боли. Затем я вспомнила о нашей отчужденности и моей неимоверной скорби при виде того, как уходил Денни. Резко сев, я бросилась в объятия к Келлану, раздвинув ему колени, повиснув на шее и мечтая, чтобы это длилось вечно. Он напрягся и содрогнулся, как будто я сделала ему больно, но в итоге свел руки у меня на спине и крепко прижал к себе, осторожно покачиваясь вместе со мной на полу и бормоча, что все будет в порядке.

Рев самолетных двигателей вернул наше внимание к тому, что болезненно волновало нас в первую очередь, и, обернувшись к окну, мы увидели огромный лайнер, выруливавший к взлетной полосе. Мы наблюдали за ним молча. По моему лицу струились слезы, а с губ срывались тихие всхлипы. Келлан продолжал гладить меня по спине и прислонился ко мне головой, время от времени касаясь губами волос. Я вцепилась в него, и, когда самолет скрылся из поля зрения, уронила голову на плечо Келлану и безудержно разрыдалась.

Он позволял мне держаться за себя, пока моя боль если не унялась, то хотя бы ослабела. Когда я начала икать и пытаться отдышаться, он бережно, но твердо убрал меня со своих колен. Я попробовала упереться, совсем уже возмутительно цепляясь за его одежду, но Келлан настойчиво избавился от меня и встал.

На лице его была написана решимость. Мне пришлось опустить глаза и уставиться в пол. Я ненадолго вообразила, будто мы воссоединились в скорби, но, вероятно, ошиблась. Выражение лица Келлана было отнюдь не восторженным от перспективы моего возвращения. Казалось, он собирался попрощаться вторично. Мне не хотелось этого слышать.

Я пялилась на свои колени, когда его рука осторожно коснулась моей макушки, и я неуверенно взглянула в поразительно безупречное израненное лицо Келлана. На его губах играла мягкая улыбка, а глаза чуть потеплели, хоть и остались печальными.

— Машину вести сможешь? — спросил он негромко.

Горе едва не захлестнуло меня вновь при мысли, что мне придется ехать домой одной и сидеть в пустой квартире. Я хотела ответить ему, что нет, он нужен мне, что я должна остаться с ним и нам необходимо отыскать тропинку, которая соединит нас вновь и уведет от моей ошибки. Но я не смогла. Кивнув утвердительно, я приготовилась к тому, чего боялась всегда, — одиночеству.

Келлан кивнул и протянул мне руку. Я крепко схватила ее, напитываясь его теплом, и он помог мне подняться.

Моя ладонь легла ему на грудь, ощутив повязку, и Келлан поморщился от боли. Я не тронула ребра, рука покоилась на грудных мышцах, и его страдание было непонятно. Возможно, травмы оказались серьезнее, чем я думала. А может быть, ему просто не понравилось мое прикосновение.

Келлан отвел мою руку, но удержал пальцы. Мы стояли лицом друг к другу — близко и в то же время неизмеримо далеко.

Я выбрала его, а потом бросила. Простит ли он это когда-нибудь?

— Прости меня, Келлан, я ошиблась.

Объяснять я не стала. Не смогла, так как горло мое сомкнулось и говорить дальше было невозможно.

Взгляд Келлана затуманился, он кивнул. Понял ли он, что я имела в виду? Что считала ошибкой свой уход от него, а не любовь к нему? Объяснить это я не могла, а он и не спросил меня. Я машинально вскинула подбородок, когда он склонился ко мне. Наши губы встретились на полпути, нежные и страстные, разомкнутые перед полным погружением в чувство единения. В десятки мелких, голодных, недостаточно долгих поцелуев, которые пришпорили мое сердце.

Наконец Келлан заставил себя остановиться. Он отпрянул, пока дело не зашло слишком далеко и мы не отдались на волю сексуального напряжения, всегда существовавшего между нами. Отпустив мои руки, Келлан неохотно отступил от меня:

— И ты меня прости, Кира. Еще увидимся.

С этими словами он повернулся и ушел, оставив меня в горестном смятении задохнувшейся, одинокой. Его прощание эхом звучало в ушах. Я была на сто процентов уверена, что он сказал это не всерьез, и не сомневалась, что видела Келлана Кайла в последний раз.

Каким-то чудом я добралась до дома, ибо перед глазами все плыло, но я ухитрилась ни в кого не врезаться по пути. Но нет, все слезы я приберегла для подушки в форме сердца, которую где-то выклянчила для меня сестра. Я промочила ее насквозь, после чего заснула как убитая.

❖ ❖ ❖

На следующий день, когда я проснулась, мир показался немного светлее. Возможно, из-за того, что туман в голове рассеялся, а синяки меняли окраску, и это свидетельствовало о каких-то выздоровительных процессах, идущих где-то в моем организме. А может быть, это было вызвано завершением болезненного разрыва с Денни, по поводу которого мне больше не придется тревожиться. С делом — с нами — покончено, и мне было хорошо, пусть даже эти слова ранили мое сердце.

Душ и одевание принесли еще большее облегчение, и я, глядя в зеркало на свой ушибленный череп, задалась вопросом о дальнейшем. Мне, безусловно, нужна работа. И я должна наверстать упущенное в учебе. Покуда я поправлялась, зимние каникулы уже начались, но несколько телефонных звонков от моего доктора, меня самой и — что удивительно — от Денни предоставили мне отсрочку, и я могла отработать занятия, которые пропустила. И если поднажать, то я не сомневалась, что управлюсь до начала семестра.

Стиснув зубы, я решила, что так и поступлю. Пусть я лишилась работы, парня, любовника — у меня, если я хорошенько постараюсь, могла остаться моя драгоценная стипендия. А коль скоро это удастся, тогда возможно — только возможно, — что мое сердце исцелится так же медленно и верно, как и голова.

Денни позвонил через два дня прямо перед нашим с сестрой отлетом домой на Рождество. У родителей уже были приготовлены билеты для нас с Денни, и тот, что предназначался ему, переписали на Анну. Они были глубоко расстроены, когда я сказала им, что у нас с Денни ничего не вышло. Еще они два часа мариновали меня, допытываясь, когда я вернусь в Университет Огайо.

Денни рассказал мне о своей новой работе и скорой встрече с семьей. Он был искренне счастлив, и я заразилась его хорошим настроением. Конечно, голос Денни все-таки дрогнул, когда он пожелал мне веселого Рожде-

ства, за чем немедленно последовало «Я люблю тебя». Похоже, это вырвалось у него бездумно, и между нами воцарилось молчание, пока я соображала, чем ответить. В итоге я заявила, что тоже люблю его. Так оно и было. Между
нами навсегда сохранится толика любви.

На следующий день мы с сестрой запаслись смелостью
перед свиданием с родителями. Анна искусно закрасила
мне чуть желтевший синяк и поклялась не рассказывать
о случившемся маме и папе — иначе те ни за что не позволят мне вернуться в Сиэтл.

Перед выходом из спальни я в сотый раз перерыла комод в поисках цепочки, подаренной Келланом. Я хотела
носить ее ежедневно — иметь при себе его малую часть,
раз уж давно не видела его самого, но я так и не могла найти ее с того самого вечера, когда он вручил мне подарок.
Какая-то часть меня боялась, что цепочка потерялась или
была украдена в неразберихе. Другая — того, что Келлан
вздумал ее забрать. Этот сценарий был едва ли не худшим,
как если бы он забрал свое сердце.

Найти цепочку никак не удавалось, и мне предстояло
покинуть город без символического воплощения Келлана, — это глубоко меня ранило.

Вернувшись к своей семье, я почувствовала себя странно. Атмосфера была сердечной и гостеприимной, меня
затопили детские воспоминания, но это место больше не
представлялось мне домом. Казалось, что я приехала к за-
кадычным друзьям или к тетушке. Уютно, знакомо, но мне
не хотелось здесь оставаться и окунаться в эти чувства.
Я хотела домой, к себе домой.

Мы задержались на пару дней после праздников, а затем вместе с сестрой, испытывавшей зуд еще больший,
слезно простились с родителями в аэропорту. Мама совсем
раскисла, провожая сразу двух дочерей, и я на миг усты-
дилась того, что мое сердце пребывало так далеко отсюда.
Я убеждала себя, что безнадежно влюбилась в новый город... Но крошечная часть моего мозга, которую я усиленно игнорировала, знала, что это не так. Место — это всего

лишь место, и вовсе не город заставлял мое сердце бешено биться, а дыхание учащаться. Не город привел меня к отрешенности и рыданиям в ночной тишине.

После остервенелого наверстывания упущенного в университете и тоскливого наблюдения за тем, как сестра собирается на специальный концерт «Чудил» по случаю Нового года, из-за чего все во мне переворачивалось, я сосредоточилась на второй по важности вещи — работе. В итоге Новый год начался для меня с получения должности официантки в популярной закусочной на Пайонир-сквер, где работала Рейчел, соседка Дженни по квартире. Местечко славилось, насколько я понимаю, ночными завтраками и привлекало массу студентов. В первый вечер мне пришлось жарко, но Рейчел легко и живо ввела меня в курс дела.

Она была любопытной метиской: наполовину азиатка, наполовину латиноамериканка кофейного цвета с кожей оттенка латте и волосами цвета мокко. Милая, как Дженни, но тихая, как я. Она не спросила о моей травме и, хотя не могла не знать о нашем жутком любовном треугольнике (как-никак она была соседкой Дженни), ни разу не заговорила о моих романтических похождениях. Ее молчание успокаивало.

Я без большого труда погрузилась в новую работу. Управляющие были замечательными, повара — развеселыми, чаевые — приличными, прочие официантки — доброжелательными, а завсегдатаи — терпеливыми. В скором времени мне стало довольно уютно в моем новом доме.

Конечно, я безумно скучала по «Питу». Мне не хватало аромата бара. На кухне я скучала по Скотту, хотя и общалась с ним не особенно тесно. Мне недоставало болтовни и шуточек с Дженни и Кейт. Я тосковала по танцам под музыкальный автомат и скучала даже по озабоченной Рите с ее бесконечными историями, от которых меня бросало в краску. Но больше всего, конечно, мне не хватало зрелищ.

Я часто — даже чаще, чем мне хотелось, — видела Гриффина, когда тот являлся «поразвлечь» мою сестру. Мне стало известно даже о его необычном пирсинге — раньше я не представляла себе парня, который по доброй воле попросил бы проткнуть себе это место иглой. После этой маленькой обнаженки однажды вечером в коридоре мне захотелось выцарапать себе глаза.

Иногда с Гриффином заходил Мэтт, и мы с ним спокойно болтали. Я спрашивала, как идут дела в группе, и он начинал разглагольствовать об инструментах, аппаратуре, песнях, мелодиях и выступлениях, с которыми и впрямь все обстояло очень неплохо, а также о местах, где ему удалось устроить концерты, и так далее. Это было не совсем то, о чем я хотела узнать, но я кивала и вежливо слушала, следя за блеском его светлых глаз, покуда он говорил о любви всей своей жизни. После беседы с ним я была рада, что Келлан не покинул Сиэтл. Мэтт был бы убит, если бы их скромный коллектив развалился. Он искренне верил, что когда-нибудь они выбьются в звезды. Я с болью в сердце вспомнила их выступления и согласилась. С Келланом в качестве лидера они могли свернуть горы.

Мэтт и моя сестра иногда заговаривали о Келлане, но умолкали, стоило мне войти в комнату. Один такой разговор оставил во мне тягостный осадок. Быстро отперев входную дверь, я услышала, как они беседуют на кухне. Мэтт вполголоса договаривал:

— ...у самого сердца. Разве не романтично?

— Что романтично? — осведомилась я рассеянно, входя в комнату и думая, что речь шла, конечно же, о Гриффине, хотя и не представляла, чтобы какие-то его действия могли сойти за романтику.

Я взяла стакан, начала набирать воду и только тут обратила внимание на неловкую тишину, вдруг воцарившуюся в помещении.

Помедлив, я заметила, что сестра уставилась в пол и кусает губу. Мэтт смотрел в гостиную, как будто отчаянно хотел очутиться там. Тогда я смекнула, что говорили они не о Гриффине. Они обсуждали Келлана.

— Что романтично? — автоматически повторила я, хотя внутри меня все сжалось. Он двигался дальше?

Анна и Мэтт быстро переглянулись и хором ответили: «Ничего». Поставив стакан, я вышла из комнаты. Какой бы он ни сделал романтический жест, я точно не желала об этом знать. Я не хотела думать, с кем он теперь «встречался». Какую бы романтику ни преподнес он своей девице — той, что не была мною, — я не желала слышать об этом ни звука.

Удивительное дело: в университете я столкнулась с Эваном. Помимо работы я появлялась только там и занималась каждую свободную минуту — если честно, с целью отвлечься от гложущей боли в сердце. На Эвана я чуть не налетела, когда выходила из величественного кирпичного здания, погрузившись в мучительные мысли, которые мне не следовало обдумывать. Его дружелюбные карие глаза расширились, и он просиял при виде меня, облапил меня, и я хихикала, пока он меня не отпустил.

Эван был явно большим любителем поглазеть на публику, разгуливавшую по кампусу. Ему нравилось болтаться по университету, и пару лет назад он даже раз пять притаскивал с собой Келлана, чтобы прошерстить новеньких. Чуть ухмыляясь, Эван признался, что по уши влюбился в одну такую девчонку. Я поразилась, узнав причину, по которой Келлан так много знал о кампусе. Он, разумеется, якшался со здешними девушками, но основные познания приобрел исключительно из-за Эвана, который вытаскивал его на те же экскурсии, что и я.

От этой мысли глаза у меня оказались на мокром месте, и радостное лицо Эвана озаботилось.

— Кира, с тобой все в порядке?

Я попыталась кивнуть, но слезы от этого подступили еще ближе. Эван вздохнул и снова обнял меня.

— Он скучает по тебе, — шепнул он.

Вздрогнув, я отпрянула. Эван пожал плечами:

— Он ведет себя так, словно и нет... Но я-то вижу. Это уже не Келлан. Он мрачен, много пишет, бросается на людей, постоянно пьет и... — Эван помедлил и склонил голову набок. — Ну ладно, может быть, это все еще Келлан.

Он ухмыльнулся, когда я сподобилась издать слабый смешок.

— Но он всерьез по тебе скучает. Видела бы ты, что он...

Эван снова умолк и закусил губу, потом продолжил:

— В любом случае ты просто знай, что у него никого нет.

Я уронила слезу, гадая, правда ли это, или же Эван просто хотел меня приободрить. Он заботливо вытер мне щеку.

— Прости. Мне, наверное, вообще не стоило об этом говорить.

Помотав головой, я проглотила комок.

— Да нет, все в порядке. И в самом деле — никто мне о нем не рассказывает, как будто я из фарфора и, того и гляди, разобьюсь. Услышать было приятно. Я тоже скучаю по нему.

Эван необычно посерьезнел:

— Он рассказал мне, как сильно любил тебя. Как много ты значила для него.

Очередная слеза грозила вот-вот сорваться, и я потерла веко, чтобы этого не случилось. Я шмыгнула носом, и Эван зарделся.

— Тем вечером... когда я, типа... ввалился без приглашения. На самом деле я ничего не видел, — быстро добавил он.

К моим щекам тоже прилила краска, и Эван какое-то время рассматривал тротуар.

— Однажды он рассказал мне о своем детстве... О том, как над ним издевались родители.

Я потрясенно разинула рот. У меня сложилось впечатление, что Келлан не делился этим ни с кем. Эван, похоже, сообразил, в чем дело, и угрюмо улыбнулся:

— Понятно, тебе он выложил. А мне... Он был в стельку пьян. Не думаю, что он вообще помнит, о чем говорил. Это было сразу после их смерти... Когда он увидел дом. — Эван вскинул бровь. — Ты же знаешь, что это не дом его детства?

Я нахмурилась и помотала головой. Этого я не знала. Эван кивнул и шмыгнул носом.

— Ну да, мы играли по барам в Лос-Анджелесе, объединившись с Мэттом и Гриффином. Получалось довольно неплохо, мы сделали себе имя. Потом... Надо же, я до сих пор помню день, когда позвонила его тетка и сообщила, что они оба погибли. Келлан бросил все и помчался туда. Мы, ясное дело, поехали с ним.

Эван посмотрел себе под ноги и покачал головой.

— Не думаю, что он понял, почему мы так поступили, зачем отправились следом. До него вряд ли дошло, что мы верили в него и любили как родного. По-моему, он до сих пор этого не понимает. Наверное, потому и решил, что может смыться из города и не сказать нам. — Эван повторил свой жест. — Он заявил, что мы запросто обойдемся без него — возьмем кого-нибудь на замену, и все.

Я поморщилась при мысли, что Келлан собирался их кинуть из-за меня. Странно, что он считал, будто его легко заменить. Это слово с ним совершенно не сочеталось.

После недолгого молчания Эван вновь посмотрел на меня, изгибая брови:

— Конечно, его представление о семье несколько искажено.

Я кивнула, подумав, насколько искаженным было представление Келлана и о любви, имевшееся у него почти всю жизнь. Эван кашлянул и продолжил:

— Так или иначе, они оставили ему все, даже дом. Он был искренне удивлен, но еще больше изумился, когда увидел его... И понял, что они переехали.

Эван шарил взглядом по кампусу, печалясь за друга.

— Они не потрудились сказать ему, что продали дом, в котором он вырос. Что переехали на другой конец города. А затем... Он обнаружил, что они вышвырнули все его вещи. То есть вообще все. В этом доме не было ни следа его присутствия, даже ни одной его фотографии. Наверное, поэтому он тоже вышвырнул их пожитки.

Я задохнулась: вот почему дом Келлана был так беден и гол, когда мы туда въехали. Дело было не в том, что он не заботился о его обустройстве — а он не заботился. Оно заключалось в том, что он унаследовал совершенно чужой дом, а потому из ярости, или из мести, или из их сочетания выбросил все, что напоминало ему о родителях, до последнего предмета. Он вычеркнул их из своей жизни. На самом деле он вычеркнул из нее всякую жизнь, и так оставалось, пока не появилась я и не сразила его. Моя душа изнемогала от сочувствия к нему, его непрекращавшаяся боль отзывалась во мне тяжелыми сердечными ударами.

Эван в очередной раз шмыгнул носом. По моей щеке скатилась новая слеза. Я была слишком потрясена его откровениями, чтобы утереться.

— Они были отпетыми сволочами, но их смерть все равно стала для него ударом. Он пришел в полный раздрай и рассказал мне, как они с ним обращались. Некоторые его истории... — Эван прикрыл глаза и покачал головой, слегка содрогнувшись.

Я тоже закрыла глаза, припоминая мои разговоры с Келланом о его детстве. Он никогда не расписывал в деталях, что делал с ним отец. По лицу Эвана я поняла, что он узнал нечто действительно страшное и был всерьез потрясен. Я была рада не знать подробностей и в то же время сгорала от любопытства.

Когда Эван вновь посмотрел на меня, его глаза полнились состраданием к другу.

— Не скажешь, что он вырос в любви. Наверное, поэтому он трахался направо и налево. Я знаю, это прозвучит странно, но... Он всегда держался с женщинами немного необычно. — Эван сдвинул брови: сам того не зная, он правильно оценил своего товарища. — Он не муфлон вроде Гриффина. Он сходился с ними чуть ли не с надрывом. Как будто отчаянно хотел полюбить и просто не знал как.

Эван повел плечами и рассмеялся.

— Дико звучит, я понимаю. Я не психолог. Но мне все же кажется, что он разглядел в тебе что-то, вот и рискнул. Думаю, ты понимаешь, что ты значила для него. — Он положил руку мне на плечо. — Точнее, *значишь*.

Стараясь не расплакаться, я прикрыла рот рукой. Я была уверена, что Эван не все знал о детстве Келлана, но понимал намного больше, чем, очевидно, считал тот. Эван грустно улыбнулся моей реакции:

— Я не пытаюсь сделать тебе больно. Наверное, я просто хотел, чтобы ты знала: он все еще думает о тебе.

Мы простились, и он ушел. По моим щекам вовсю струились слезы. Я не могла сказать Эвану, что, пусть я и знала, что в какой-то момент и вправду что-то значила для Келлана и тот, может быть, действительно обо мне думал, из-за промаха Мэтта мне было известно и то, что Келлан ладился к другим. Мне нравилось думать, что он принуждал себя к этому, но у Келлана было полное право освободиться от меня. Я нанесла ему ужасную рану. Но Эван не должен был знать. Об этой части жизни Келлана я не хотела говорить ни с кем.

И пусть я скучала по моим «Чудилам», меня отчасти радовало, что мы встречаемся редко. Это было слишком болезненно. И разумеется, тот, кого я действительно хотела видеть, скрылся в тени... И я не тревожила его, хотя меня это в известном смысле убивало.

ГЛАВА 26

ЛЮБОВЬ И ОДИНОЧЕСТВО

Наступил март, и воздух еще был тронут зимним морозом, но уже повеяло возрождением. Университетские вишни стояли в полном наряде, и во дворе воцарилось буйство розового, всякий раз облегчавшее тяжелую ношу, лежавшую у меня на сердце.

Зима выдалась непростой. Одиночество не могло меня радовать, а его в последнее время хватало с избытком. Сестра моя порхала там и тут, быстро влившись в компанию красивых девиц из «Хутерс». Я слышала, что они должны были попасть в фирменный календарь на следующий год.

Дженни время от времени пыталась меня вытащить, но мы работали в разные смены, и нам было очень трудно подыскать вечер, когда у обеих был бы выходной, а я не готовилась бы к семинарам. Нам удавалось сбегать в кино или выпить кофе перед ее сменой, однако реже, чем мне того хотелось.

Я была занята в университете и занята на работе, много времени уходило даже на общение с Денни. Мы жили в разных часовых поясах, и выражение «телефонные кошки-мышки»[1] наполнилось для нас новым смыслом. Но сердце мое не могло быть достаточно занятым, чтобы не тосковать по Келлану. Это было попросту невозможно.

Может, я и устроила себе трехмесячное восстановление после нашего самочинного расставания, однако зависимость, лежавшая в основе всего, никуда не исчезла и пуль-

---

[1] *«Телефонные кошки-мышки»* — безуспешные попытки двух абонентов телефонной сети связаться друг с другом одновременно.

сировала в моих жилах. Сердцебиение выстукивало его имя, и я изо дня в день кляла себя за глупую ошибку. Как я могла быть настолько тупой и трусливой, чтобы оттолкнуть такого замечательного человека?

Однажды вечером Анна нечаянно наступила мне на больную мозоль. Она была в ванной, собираясь в клуб с какими-то друзьями. Склонившись, Анна сушила свои шелковые волосы, и фен придавал ее уже безупречным локонам дополнительный объем. Когда я вошла, она уже взбивала и пушила свои пряди. На ней был топик с голой спиной, для которого на улице было слишком холодно, однако мое внимание привлекло другое: цепочка, сверкнувшая на шее.

Я замерла на пороге. Мой рот приоткрылся, а к глазам подступили слезы.

— Где ты это взяла? — Слова давались мне с величайшим трудом.

На миг смешавшись, Анна уставилась на меня, а после сообразила, что мой взгляд прикован к ее цепочке.

— А, это? — Она пожала плечами, и та дрогнула на ее кремовой коже. — Была упакована с моими вещами. Понятия не имею, откуда она взялась. Но миленькая, правда?

Я не могла вымолвить ни слова, неверящими глазами взирая на серебряную гитарку, которой Келлан любовно простился со мной. Крупный бриллиант поблескивал, отражая электрический свет, и его сияние усиливалось сквозь слезы, пока не разлилось радугой.

Сестра, похоже, заметила, что я на грани срыва.

— О боже... Так она твоя, Кира?

Я моргнула, и зрение стало четче — слезы вытекли. Анна торопливо завела руки за шею, чтобы расстегнуть замок.

— Я не знала. Извини.

Она буквально швырнула мне цепочку, едва избавилась от нее.

— Да ничего, — пролепетала я. — Я просто думала, что потеряла ее.

Или что ее забрал Келлан.

Анна кивнула и крепко обняла меня, а затем застегнула на мне цепочку, так как я не хотела к ней прикасаться. Покончив с этим делом, она прошептала:

— Это Келлан тебе подарил?

Анна отступила, и я кивнула, роняя слезы.

— В тот вечер, когда он уходил и нас застукали.

Я провела пальцами по серебряной безделушке, которая показалась одновременно жгучей и прохладной.

— Кира, почему ты не хочешь с ним видеться? Он постоянно в «Пите» и все еще...

Замотав головой, я не дала ей закончить:

— Я сделаю ему только хуже. Он сам захотел этого пространства, чтобы дышать. — Взглянув на Анну, я прерывисто выдохнула. — Я стараюсь хотя бы раз сделать так, чтобы вышло лучше для него. К тому же я уверена, что у него уже кто-то есть.

Анна печально улыбнулась, поправляя мне волосы.

— Ну ты и дура, Кира, — заметила она тепло и тихо.

— Знаю, — отозвалась я с горестной улыбкой.

Она покачала головой и словно подавила подступившие чувства.

— Ладно, тогда почему ты никуда не ходишь с нами, девчонками? — Анна резво подвигала бедрами. — Пошли танцевать.

Я вздохнула, припомнив последний раз, когда я была с Анной на танцах.

— Нет, это вряд ли. Я останусь здесь и буду лежать на диване.

Она изогнула губы и подалась к зеркалу, намереваясь накраситься.

— Классно... Что-то новенькое, — пробормотала она саркастически.

Я закатила глаза и пошла прочь.

— Развлекайся... И надень куртку.

— Обязательно, мамочка, — шаловливо крикнула Анна мне вслед: я уже шагала по коридору к гостиной.

Шел дождь, и я смотрела, как косые потоки хлестали в окно и стекали подобно слезам. Дождь всегда напоминал мне о Келлане, стоящем под струями, пропитывающемся водой насквозь. Злом и обиженном, старающемся держаться подальше, чтобы не наброситься на меня. Безумно влюбленном даже после того, как я променяла его на другого. Я и представить не могла, что он переживал.

Как я могла его видеть после всего, что сделала с ним? Но сердце ныло. Я устала от одиночества. Изнемогла от попыток заниматься чем угодно, только бы он не прокрадывался мне в голову, — но он все равно туда пролезал. И больше всего я устала оттого, что в памяти сохранился лишь его расплывчатый образ. Больше, чем чего бы то ни было, я хотела узреть его перед собой — четко, ясно и без изъянов.

Не подумав, я села в его кресло. Я никогда этого не делала. Мне было слишком тяжко сидеть на вещи, принадлежавшей Келлану. Утонув в подушках, я откинула голову. Представила, что упокоилась у него на груди, и чуть улыбнулась. Дотронулась до пропавшей без вести, но объявившейся цепочки и смежила веки. Так мне было лучше видно его. Я почти ощущала его запах.

Зарывшись лицом в обивку, я вздрогнула, осознав, что запах и вправду есть. Сграбастав подушку, я поднесла ее ближе. Она издавала не головокружительный аромат его кожи, но слабый запах, которым пропитался весь его дом. Он показался мне роднее, чем все запахи детства, окружившие меня в гостях у родителей.

Келлан был моим домом... И я отчаянно по нему тосковала.

Анна вышла из ванной в тот самый момент, когда я нюхала кресло. Чувствуя себя глупо, я уронила руки на колени и снова уставилась в окно.

— Кира, с тобой все хорошо? — негромко спросила она.

— Все будет в порядке, Анна.

Она закусила безупречно накрашенную губу, как будто хотела что-то сказать. Затем встряхнула головой и спросила:

— Раз уж ты остаешься, то можно мне взять машину?

— Можно... Поезжай.

Такое случалось часто, когда машина была не нужна мне: я пользовалась ею лишь для поездок в университет и на работу.

Анна со вздохом приблизилась и поцеловала меня в макушку.

— Не кисни весь вечер.

— Обязательно, мамочка, — тепло улыбнулась я.

Анна чарующе рассмеялась и сгребла с кухонной стойки ключи. Наскоро пожелав мне спокойной ночи, она ушла. Куртку так и не взяла. Качая головой ей вслед, я погладила обивку кресла и задумалась, что делать дальше.

Позвонить Денни? Разница между Сиэтлом и Брисбеном составляла семнадцать часов — у него был самый разгар субботнего дня. Наверное, он ответит, но мне не хотелось с ним разговаривать. У меня не было никаких засковок на эту тему, мы часто беседовали и добрались до стадии «бывших, оставшихся друзьями». Нет, я колебалась из-за того, что в прошлом месяце он сообщил о каком-то наметившемся свидании. Сначала мне стало больно, потом я удивилась тому, что он поделился со мной столь личным делом, но в итоге предпочла порадоваться. У него должна быть девушка. Он должен быть счастлив. Он был слишком хорош для иного.

В последующих звонках Денни лаконично отчитывался о своей подруге и на прошлой неделе все еще был с ней, дела у них шли неплохо. Я понимала, что это здорово, и какая-то часть меня переживала за него, но нынче вечером мне было особенно одиноко, и я не хотела, чтобы его счастливый голос напоминал мне о моей собственной печали. Да и незачем ему трепаться по выходным с бывшей, коль скоро он с кем-то встречается. Наверно, в эту секунду он с ней и был — бултыхался в океане или нежился на пляже. На миг я прикинула: может быть, они целуются прямо сейчас? Потом задумалась, спят ли они вместе. Под ложечкой заныло, и я приказала себе не думать об этом. Какая разница, пусть даже и так — мы предоставили друг другу полную свободу. Это, конечно, не делало картину приятнее.

В итоге я свернулась калачиком в кресле Келлана, укрылась одеялом и стала смотреть грустный фильм: герой умирал, и все скорбели, но пытались наполнить его жертву смыслом. Я распустила нюни еще задолго до самой сцены его гибели.

Когда неожиданно распахнулась дверь, мои глаза были красны и полны слез, а из носа капало, как из крана. Я встревоженно обернулась и озадаченно нахмурилась при виде сестры.

— Анна... Что-то случилось?

Она устремилась ко мне и молча выдернула меня из кресла.

— Анна! Что ты...

Слова застряли в горле, когда она втолкнула меня в ванную — умыла, чуть подвела губы помадой и расчесала волосы. Все это время я сыпала вопросами и норовила ее придержать. Однако справиться с Анной было не так-то легко: она привела меня в порядок и поволокла к выходу прежде, чем я хоть сколько-то разобралась в происходившем.

Когда она распахнула дверь, я смекнула, что меня похищают. Пролепетав «нет», я вцепилась в косяк. Анна вздохнула, а я раздраженно оглянулась на нее. Она подалась ко мне и крайне настойчиво проговорила:

— Ты должна кое-что увидеть.

Это настолько сбило меня с толку, что я уронила руки. Анна воспользовалась моментом и выставила меня за порог. Она поволокла меня к «хонде» Денни, пока я дулась и протестовала. Мне не хотелось идти с ней на танцы. Я предпочитала вернуться в пещеру неизбывной скорби и досмотреть грустный фильм. По крайней мере, по сравнению с ним моя жизнь выглядела безоблачной.

Анна усадила меня в машину и строго-настрого запретила выходить. Я вздохнула и откинулась на знакомом сиденье, отчасти желая, чтобы автомобиль хранил память о Денни, отчасти же радуясь, что все его следы истерлись.

Теперь здесь в беспорядке поселились помада, пустые коробки из-под обуви и запасной комплект униформы «Хутерс».

Я скрестила руки на груди и насупилась, сестра села за руль, и мы тронулись с места. Она не свернула ни на одну трассу, ведшую к Пайонир-сквер, где находилось большинство клубов, и я начала задаваться вопросом, куда же мы едем. Когда мы вырулили на до боли знакомую дорогу, я запаниковала. Теперь я поняла, куда меня повезли в этот пятничный вечер.

— Анна, нет... Пожалуйста. Я не хочу туда. Я не могу его ни видеть, ни слышать.

Вцепившись ей в руку, я попыталась вывернуть руль, но она без труда стряхнула меня.

— Успокойся, Кира. Не забывай: теперь за тебя думаю я, и тебе надо кое на что взглянуть. На то, что я уже давно должна была тебе показать. Такое, что даже я надеюсь когда-нибудь... — Ее голос пресекся, и она чуть ли не с тоской уставилась на дорогу.

Взгляд у Анны был до того странный, что я позабыла о протестах. Они стали заново распирать грудь, когда мы въехали на парковку «Пита». Анна выключила двигатель, и я уставилась на знакомый «шевелл». Сердце тяжело стучало.

— Я боюсь, — прошептала я в тишине салона.

— Кира, я же с тобой, — сжала мне руку Анна.

Взглянув на ее прекрасное лицо, исполненное любви, я улыбнулась, кивнула и резко распахнула дверцу. Анна почти мгновенно вновь очутилась с моей стороны и вскоре, крепко держа меня за руку, вошла со мной в гостеприимные двойные двери.

Я не знала, чего ожидать. Какая-то часть меня вообразила, будто за время моего отсутствия здесь все изменилось: стены, допустим, стали черными, а живое освещение — тусклым и серым. Но я была поражена, едва зашла внутрь и увидела, что все осталось прежним, даже люди.

Рита, заметив меня, приготовила двойную порцию какого-то напитка, непристойно подмигнула мне и осклабилась в дьявольской ухмылке. Она, конечно же, знала о нашем романе, а коль скоро я вступила в ее клуб «У меня был секс с Келланом Кайлом», теперь мы были повязаны. Кейт, встряхнув от радости безупречным конским хвостом своей прически, помахала мне от стойки, где ждала заказ. А Дженни чуть ли не мигом оказалась передо мной, стиснула меня в объятиях и принялась щебетать, как здорово, что я выбралась из дома, и так далее и тому подобное.

Заметив мою реакцию, Дженни крикнула мне в ухо, перекрывая музыку:

— Все будет нормально, Кира... Поверь.

Я удивленно распахнула глаза, но тут сестра потянула меня прочь, и Дженни, явно угадав ее намерения, взяла меня за другую руку. Они увлекли меня в плотную толпу, набиравшуюся в «Пите» по выходным, и принялись втискиваться в центр, когда заиграла группа. Я инстинктивно рванулась назад.

Они же настойчиво влекли меня вперед, до упора. Мы проталкивались сквозь людскую кашу, и я смотрела себе под ноги, пока не готовая увидеть его. Прошло столько времени... А его голос я не слышала еще дольше, и теперь он растекался по мне — от ушей к позвоночнику и до самых пальцев ног.

Мое дыхание прервалось, когда зазвучала следующая песня, а мы все протискивались вперед. Она была медленной, навязчивой и полной чувств. В голосе сквозила боль, от которой все во мне разрывалось. Я украдкой взглянула на людей — они проникновенно подпевали. Им был известен текст — значит, песня не новая. Так и не глядя на сцену, я открылась этому тембру каждой клеточкой своего существа. Мне вдруг стало ясно, что Келлан поет о том вечере на парковке. Он пел, что не может без меня и стыдится этого. Пел о том, как попытался уйти и это его сломало. Пел о слезах, о нашем прощальном поцелуе... Затем речь пошла о его нынешних чувствах.

В эту секунду я посмотрела на него.

Его глаза были закрыты. Он еще не заметил моего приближения. Я не видела его несколько месяцев. Он был слишком совершенен, чтобы впитать его за раз — только частями, иначе я могла ослепнуть. Только джинсы — те самые идеально вытертые джинсы, выглядевшие чуть более поношенными против обычного. Только любимая футболка — без надписей и наворотов, простая, черная, безукоризненно облегавшая торс. Только прекрасные загорелые руки: левая полностью зажила и гипс давно сняли. Сильные пальцы, сжимавшие микрофон. Неимоверно сексуальная, всклокоченная шевелюра — волосы были чуть длиннее, чем помнилось мне, но выглядели все тем же разоренным гнездом, напоминавшим о многих любовных шалостях, заполнивших мою память и отозвавшихся в теле. Подбородок кинозвезды, впервые чуть поросший щетиной, как будто Келлан отказался следить за собой, — но та лишь подчеркивала мощный угол челюсти и делала Келлана еще более неотразимым, как бы безумно это ни звучало. Пухлые губы, на которых не было ни следа сексуальной ухмылки, обычно сопровождавшей его пение. Только точеные скулы. Только длинные ресницы прикрытых век, за которыми таилась колдовская синева.

Я вбирала в себя его облик по частям — он был слишком прекрасен для восприятия целиком. Справившись с этим, я отметила, что его красота осталась прежней. Лицо полностью зажило, и на нем не было никаких признаков физической травмы. Но вид его как единого целого подействовал на меня неожиданным образом. Я задышала прерывисто, и сердце болезненно сжалось. Дженни же с Анной неумолимо тянули меня вперед.

Его глаза оставались закрытыми, а тело чуть покачивалось в такт музыке, однако лицо было почти безжизненным. Слова соответствовали: он пел о том, что каждый день давался ему с усилием, а невозможность видеть меня причиняла физическую боль. Он заявлял, что мое лицо было светом, а без него он погружался во тьму. На этом месте у меня потекли слезы.

Дженни с Анной успешно поставили меня прямо перед ним. Каким-то бешеным фанаткам это не понравилось, но с моей сестрой шутки были плохи, и после нескольких красочных слов, брошенных ею, они отстали. Я едва это заметила, так как безотрывно смотрела вверх, зачарованная его божественным совершенством.

По-прежнему не открывая глаз, он пел о том, что остается со мной, даже если я не вижу его и не слышу. Он признавался в боязни никогда не прикоснуться ко мне и не испытать уже пережитого. За финальным куплетом последовал длинный проигрыш, и Келлан, кусая губу и не поднимая век, запрокинул голову и сразу склонил ее. Девицы вокруг завизжали, но мне было ясно, что он не пытался никого соблазнить. Ему было больно. Думал ли он обо мне, о наших днях вместе — проплывали ли эти картины перед ним так же, как они возникали передо мной?

Мне хотелось дотянуться до него, но он был слишком далеко, а Дженни и Анна все держали меня, наверное боясь, что я удеру. Но я не могла сдвинуться с места. Только не теперь, когда он заполнил мои уши, глаза и сердце. Я была в состоянии лишь восторженно смотреть на него.

Ребят я даже не замечала и не имела понятия, видно ли им меня. Я позабыла и о толпе, а в следующую минуту уже едва ли могла различить сестру и Дженни, сверливших меня взглядами. В конечном счете я перестала чувствовать даже их руки, и, если бы те разжались, я вряд ли обратила бы на это внимание.

Когда проигрыш завершился, Келлан наконец открыл свои нечеловечески прекрасные глаза. Вышло так, что лицо его было обращено вниз, и первым, что он увидел, стала я. Даже со своего места я ощутила шок, содрогнувший все его тело. Темно-синие глаза расширились и мгновенно остекленели. Рот приоткрылся, и весь он застыл. Он выглядел совершенно потерянным, как будто пробудился в иной вселенной. Взор его обратился ко мне, и по моим щекам потекли слезы.

Следующие строки он исполнял сдвинув брови, как будто не сомневаясь, что грезит. Инструменты в этой части не звучали, и голос Келлана ясно звенел в помещении и в моей душе. Он повторил слова о том, что я была ему светом, и на его лице отразилось благоговение. Голос уплыл по волнам вступившей музыки, но это выражение не исчезло.

Я не знала, чем отозваться, кроме как слезами, и смахнула их, едва осознала, что руки и вправду были свободны. Теперь я понимала, на что призывала меня взглянуть Анна. Это была самая прекрасная, самая душераздирающая песня, которую я когда-либо слышала, гораздо напряженнее и чувственнее всего, что он пел раньше. Все мое тело горело стремлением утешить его. Но мы по-прежнему лишь созерцали друг друга: он — со сцены, а я — с танцпола напротив него.

Фанатки завелись с недюжинной силой, ребята же ждали, когда Келлан даст знак начинать следующую композицию. Он этого не сделал. Наше безмолвное переглядывание продолжалось, и в баре воцарилась неестественная тишина. Я увидела, как Мэтт подался к Келлану, тронул его за руку и что-то шепнул. Тот не отреагировал и продолжал таращиться на меня, приоткрыв рот. Наверняка фанатки тоже глазели на меня и гадали, кто я такая, что так приковала его внимание, но мне в кои-то веки не было до этого дела. Важен был только он.

В итоге из колонок раздался голос Эвана:

— Эй, внимание. У нас перерыв. А пока... Гриффин всем проставляется!

Бар взорвался улюлюканьем, когда позади Келлана что-то метнулось к Эвану, восседавшему за барабанами. Вокруг меня грянул хохот, который я едва слышала.

Толпа чуть рассеялась, едва тройка «Чудил» спрыгнула со сцены и растворилась среди публики. Но Келлан не шелохнулся. Он пристально изучал меня, выгнув бровь. Мои нервы вконец расстроились. Почему он не соскочит и не обнимет меня? Из песни следовало, что он страдал... но из действий?

Я шагнула к нему, решившись быть ближе, даже если придется запрыгнуть на сцену. Он глянул в сторону поверх редевшей толпы, и на лице его сменилась гамма чувств. Это напоминало чтение книги: недоумение, радость, гнев, горе, блаженство и снова недоумение. Быстро глянув вниз, Келлан втянул в себя воздух и осторожно спустился ко мне. Мое тело гудело, стесненное запретом дотронуться до него. Он подступил ближе, и на какой-то миг наши руки соприкоснулись. Меня пронзило током, а он сделал резкий вдох.

Измученный, Келлан убрал костяшкой пальца слезу с моего лица. Я опустила веки, негромко всхлипнув от его прикосновения. Мне было наплевать на свой вид, вероятно ужасный: с усталыми и налитыми кровью глазами после бессонных ночей, с растрепанными, вопреки стараниям сестры, волосами и все еще в «траурном» облачении — неказистых домашних брюках и драной футболке с длинными рукавами. Все это не имело значения: он прикасался ко мне, и это оказывало свое обычное действие. Положив ладонь мне на щеку, Келлан приблизился еще, и теперь наши тела соприкасались. Я дотронулась до его груди и облегченно выдохнула, ощутив, что его сердце колотилось не меньше моего. Он испытывал то же самое.

Тут кое-кто из фанаток счел, что у них есть полное право встрять в нашу интимную сцену. Я открыла глаза, когда какие-то девицы затеяли толкаться. Келлан придержал меня, а затем вывел из столпотворения. Большинство девах смирилось с поражением и оставило его в покое. Однако одна блондинка, напившаяся крепче других, восприняла это как приглашение. Она агрессивно подошла к нему и стиснула его лицо, явно желая поцеловать. Во мне разжегся гнев, но Келлан, не успела я отреагировать, отпрянул и убрал от себя ее руки. Затем он с силой оттолкнул эту оголодавшую особу.

Я ошарашенно уставилась на него, а он — на меня, сверху вниз. Раньше я никогда не видела, чтобы он кого-то толкал, тем более так грубо. Девица не оценила этого. Краем глаза я заметила, что в пьяном угаре она рассвирепела вконец и занесла руку для действия, знакомого мне слишком хорошо. Я автоматически перехватила ее запястье перед самым ударом. Келлан вздрогнул и оглянулся на нее, как будто до него наконец дошло, что ему чуть не врезали снова.

Блондинка разинула рот и уставилась на меня с комическим изумлением. Я подумала, что сейчас она полезет в драку, но та вдруг густо зарделась и выдернула руку. Глубоко устыдившись того, что едва не натворила, она кротко побрела прочь и затерялась в толпе.

До меня донесся смешок Келлана, и я, оглянувшись, натолкнулась на слабую улыбку и теплый взгляд. Это выражение исчезло из моей жизни настолько давно, что я ощутила нешуточную боль. Моя ответная улыбка заставила его глаза потеплеть еще больше. Он кивнул в сторону, куда скрылась девица, и шутливо осведомился:

— Лупить меня можно только тебе?

— Да, черт возьми, — отозвалась я и отчаянно покраснела, выругавшись.

Келлан снова рассмеялся и умиленно покачал головой. Я посерьезнела и тихо спросила:

— Может, пойдем куда-нибудь, где будет поменьше обожательниц?

Он тоже посуровел и потянулся за моей рукой. Ловко лавируя меж оставшихся фанаток, он вывел меня в коридор. Я превратилась в сплошной комок нервов, заподозрив, что Келлан направлялся в подсобку. С ней было связано слишком много воспоминаний. Это место представлялось чересчур укромным и тихим, а мы избыточно разогрелись. Там могло произойти лишнее, нам же предстояло очень многое обсудить.

Возможно, Келлан уловил мое нежелание, возможно, понял, что нам нужно поговорить, а то и вовсе не собирался вести меня туда — какой бы ни была причина, он остановился задолго до двери, и я, смятенно и облегченно, прислонилась к стене.

Он высился передо мной, уронив руки и шаря по мне взглядом с головы до пят. Мне стало жарко под его пристальным взором. В итоге его глаза остановились на моей цепочке — его цепочке, — и он потянулся к ней дрожащими пальцами. Один из них коснулся моей кожи, потрогав холодный металл, и я смежила веки.

— Надо же, ты ее носишь. Не ожидал, — пробормотал он.

Я вздохнула, наткнувшись на неотрывный взгляд его темно-синих глаз. Как же это было давно...

— Конечно, Келлан.

Накрыв его руку своей, я поразилась заряду, который пробежал по моему телу даже при этом малом контакте.

— Конечно, — повторила я.

Я попыталась сплести наши пальцы, но Келлан отнял руку и посмотрел в коридор. Вдали бродили люди, входившие и выходившие из туалетов, но все было сравнительно тихо и мирно. Чуть встряхнув головой, он снова посмотрел на меня:

— Кира, зачем ты здесь?

Его вопрос разбил мне сердце. Он вправду не хотел меня видеть? Смешавшись, я выпалила:

— Сестра привела.

Он кивнул, как будто это все объясняло, и сделал движение, словно собрался уйти. Я схватила его за руку и потянула к себе.

— Ты... Это из-за тебя.

Произнося это, я немного запаниковала, а Келлан прищурился:

— Из-за меня? Ты же выбрала его, Кира. Мосты сожжены — ты выбрала его.

Я замотала головой и снова притянула его ближе, вынудив сделать шаг.

— Нет... Я этого не сделала. В итоге — нет.

Он сдвинул брови:

— Кира, я все слышал. Я был там и слышал тебя отчетливо...

Я перебила его:

— Нет... Я просто испугалась. — Притиснув его вплотную, я положила руку ему на грудь. — Мне было страшно,

Келлан. Ты... ты так... — Я замолчала, не зная, как объяснить все это, и стала нащупывать подходящие слова.

Он навис надо мной, и наши бедра вдруг соприкоснулись.

— Я — что? — прошептал он.

Его близость обожгла меня, и я перестала подбирать выражения, сказав все то, что само просилось наружу.

— У меня никогда не было такой страсти, как с тобой. Я ни разу не испытывала такого жара. — Я гладила его по груди, затем потянулась к лицу, а он зорко следил за мной и мелко дышал, чуть разомкнув губы. — Ты был прав, я боялась тебя отпустить... Но и уйти от него к тебе мне тоже было страшно. С ним казалось уютно и спокойно, а с тобой... Я испугалась, что пламя выгорит... И ты бросишь меня ради кого-то получше... А я останусь ни с чем. Брошу Денни во имя безумной романтики, которая закончится, не успею я оглянуться, и останусь одна. Искра — и все.

Келлан пригнул голову, прижавшись ко мне теснее — теперь мы соприкасались и грудью.

— Вот что, выходит, было у нас? Искра? Ты решила, что, если она угаснет, я запросто тебя брошу?

Слово «если» он произнес так, будто сама эта идея представлялась ему дикой.

Келлан уткнулся в меня лбом и поставил ногу между моими. Мое дыхание участилось, а затем чуть не замерло насовсем при его словах.

— Ты единственная, кого я любил... за всю жизнь. Ты думала, что я это вычеркну? Ты всерьез считаешь, что для меня в этом мире кто-то может сравниться с тобой?

— Теперь я это знаю, но тогда была в панике. Я испугалась...

Мой подбородок запрокидывался, пока наши губы не встретились.

Он отодвинулся и сделал шаг назад. Я вцепилась в его руку, чтобы удержать. Он глянул вниз, потом на меня, и в его глазах развернулась борьба между желанием и нежеланием.

— А меня, Кира, это как будто не пугает? — Келлан покачал головой. — Ты думаешь, что любить тебя было так легко или порой приятно?

Я потупилась и звучно сглотнула комок. Да, я догадывалась, что я не подарок. Его последующая речь подтвердила это.

— Ты столько раз погружала меня в ад, что сейчас я прикидываю, не спятил ли я, раз вообще говорю с тобой.

По моей щеке покатилась слеза, и я шевельнулась, чтобы уйти. Он сгреб меня за плечи и прижал к стене. Я подняла на него взгляд и уронила еще одну слезу. Келлан ласково смахнул ее большим пальцем, заключил мое лицо в ладони и заставил смотреть на себя.

— Я знаю, что у нас все было ярко. И понимаю, это пугает. Поверь, я чувствую то же. Но это настоящее, Кира. — Его рука метнулась от своей груди к моей, затем вернулась на место. — Это настоящее, глубокое, и оно не может просто... взять и выгореть. Я покончил с бессмысленными связями. Ты — все, что я хочу. Я никогда бы не ушел от тебя.

Вскинув руки, я попыталась взять его так же и притянуть к себе, но Келлан успел отшатнуться. Его глаза, наполненные почти нестерпимой печалью, теперь оказались на расстоянии полуметра.

— Но все-таки я не могу быть с тобой. Как я могу поверить... — взгляд Келлана уперся в пол, а голос понизился настолько, что был еле слышен сквозь гул, стоявший в коридоре, — в то, что это ты не бросишь меня в один прекрасный день? Сколько бы я ни тосковал по тебе, эта мысль удерживает меня в стороне.

Я шагнула к нему и потянулась за его руками.

— Келлан, мне очень...

Он поднял на меня глаза и перебил:

— Ты бросила меня ради него, Кира, пусть даже это был рефлекс, потому что была в ужасе при мысли о нашей совместной жизни. — При этих словах Келлан горестно сдвинул брови. — Ты все равно собиралась уйти от меня к нему. Откуда мне знать, что это не повторится?

— Нет... Я никогда не уйду от тебя. Я больше не буду тебя чураться. Не стану отрицать того, что у нас было. Не буду бояться.

Я говорила на удивление ровно и слегка подивилась тому, что успокоились и мои нервы. Мои слова были искренни — возможно, в большей мере, чем когда бы то ни было.

Келлан печально помотал головой:

— Со мной дело иначе, Кира. Мне все еще нужна та минута...

Я положила руку ему на живот, и Келлан покосился на нее.

— Ты еще любишь меня? — пролепетала я.

Мое дыхание замерло в ожидании ответа. По выражению его лица и содержанию песни я заключала и надеялась, что да, но мне нужно было это услышать.

Он вздохнул, посмотрел на меня и медленно кивнул:

— Ты не поверишь, насколько сильно.

Я подступила ближе и провела рукой вверх по его груди. Он закрыл глаза. Пальцы пробежались над сердцем, и Келлан придержал их там.

— Я не бросил тебя... Ты сохранилась здесь.

Мне показалось, что это метафора, пока я не вспомнила слова Мэтта, произнесенные в разговоре с Анной. Тот же сказал: «У самого его сердца»... Тогда я вообразила, будто Келлан совершил нечто романтичное для другой женщины, но что, если...

Я взялась за ворот его футболки и потянула вниз. Келлан тихо вздохнул, но уронил руку и не препятствовал мне. Я точно не знала, чего ищу, но затем разглядела черные отметины на некогда чистой коже. Недоумевая, я продолжила тянуть ткань — и потрясенно разинула рот. Когда-то Келлан сказал мне, что не может придумать ничего такого, что бы он хотел иметь на коже начертанным навеки, — и вот передо мной стояло мое собственное имя, красивыми буквами выведенное прямо над его сердцем. Он сохранил меня в буквальном смысле. Мое собственное сердце разлетелось на куски, когда я провела пальцем по крупным витым буквам.

— Келлан... — Мой голос пресекся, и мне пришлось сглотнуть.

Он отвел мою руку, и татуировка скрылась. Сплетя наши пальцы, он вновь поднес их к груди и уткнулся в меня лбом.

— Так что... Да, я по-прежнему люблю тебя. И никогда не прекращал. Но... Кира...

— У тебя был кто-то еще? — прошептала я, не зная точно, хочу ли услышать ответ.

Келлан частично откинулся и посмотрел на меня так, будто я сморозила нечто немыслимое.

— Нет... Я не хотел... — Он помотал головой и шепнул: — А у тебя?

Закусив губу, я тоже помотала головой:

— Нет. Я хотела... только тебя. Келлан, мы должны быть вместе. Мы нужны друг другу.

Мы шагнули навстречу одновременно и соприкоснулись каждым сантиметром наших тел, с головы до пят. Я обняла его за талию, и его свободная рука легла мне на бедро. Не думая ни о чем, мы почти слились. Мой взгляд притягивался к его губам, но я заставила себя смотреть в глаза. Он тоже взирал на мой рот, и я быстро отвернулась и приказала себе не глядеть, когда Келлан облизнул нижнюю губу и медленно приобнажил зубы, закусывая ее.

— Кира, — заговорил он снова, и наши головы склонились друг к дружке. — Мне казалось, что я смогу расстаться с тобой. Я решил, что расстояние поможет делу и все станет проще, но ничего подобного.

Он покачал головой, меня же начинало уносить на волнах его колдовского запаха.

— Жизнь порознь убивает меня. Я пропадаю без тебя.

— Я тоже, — пробормотала я.

Келлан прерывисто выдохнул. Наши рты разделяли считаные сантиметры. Наши пальцы расплелись у него на груди, и я коснулась его плеча. Он медленно вновь дотронулся до цепочки и прошептал:

— Я думал о тебе каждый день.

Я сделала резкий вдох, как только самые кончики его пальцев прошлись по моей груди и лифчику.

— Ты снился мне каждую ночь.

Он провел подушечками пальцев по моим ребрам, а я запустила руку в его шевелюру, обняв Келлана за шею. Пока он говорил, мы все сближались, почти бессознательно притягиваясь друг к другу.

— Но... Я не знаю, как впустить тебя обратно.

Его рука перебралась с моего бедра на спину, и моя согласно сделала то же самое. В глазах Келлана, горевших надо мной, отражались нервозность, тревога, даже страх. Он испытывал вещи прямо противоположные тем, что ощущала я. Его губы придвинулись ближе, пока я не почувствовала слетавшее с них тепло. Мое сердце взмыло птицей, и я закрыла глаза, когда он прошептал:

— Но я не знаю и как не впустить тебя.

И в этот момент его толкнули в спину. Долю секунды мне казалось, что я расслышала хриплый смешок сестры, но не сумела сосредоточиться достаточно надолго, чтобы увериться в этом. Разумному мышлению внезапно пришел конец. Кто бы это ни был, он устранил разделявшую нас дистанцию, и губы Келлана впечатались в мои. Мы застыли на добрый десяток секунд, после чего перестали отрицать желанное обоим и задвигались в унисон — легкие, неспешные, мягкие поцелуи ожгли мне губы и участили дыхание. Я не противилась и полностью отдалась Келлану — я и так ему принадлежала...

— О боже, — прошептал он, не отнимая губ. — Я истосковался...

Он прижался плотнее, и я застонала.

— Я не могу... — Его рука вернулась мне на грудь и замерла на шее. — Я не...

Наши губы разошлись, и он чуть коснулся своим языком моего.

— Я хочу... — Келлан издал глубокий стон, и я обнаружила, что отзываюсь тем же. — О боже... Кира.

Он поднял руки к моему лицу, бережно смахнул уже безудержно струившиеся слезы и стиснул его в ладонях.

Чуть отпрянув, он заглянул мне в глаза. Тяжело дыша, я выдержала его взгляд. Там тлел огонь, от которого я вся обмякла.

— Ты губишь меня, — прорычал Келлан, опять впиваясь в меня.

Казалось, кто-то повернул выключатель — и мы зажглись. Келлан притиснул меня к стене и навалился всем весом. Мои руки зарылись в его волосы, он гладил меня по груди и ниже, до бедер. Я ни секунды не сомневалась, что мы пересекли черту, за которой заканчивалось общественно приличное поведение, однако в объятиях Келлана, со вкусом его языка и ощущением его тела, мне было не до смущения даже при том, что в коридоре еще болтались люди — а вполне возможно, и моя сестра.

Я купалась в его тепле и страсти, наслаждалась грубой щетиной, царапавшей мою чувствительную кожу, и столь соблазнительными, воодушевляющими стенаниями, которые он время от времени издавал. Притянув его плотнее, я возмечтала очутиться наедине в той самой подсобке. Когда его руки сомкнулись позади меня, лаская ямку на пояснице, для чего та, по его мнению, и предназначалась, я вдруг осознала, что именно этого я и старалась избежать, когда он снова привел меня сюда. Не то чтобы я не хотела физического контакта — еще как хотела, каждой клеточкой, — но это просто не было тем, в чем мы нуждались сию секунду.

Телесный контакт никогда не был для нас проблемой. Он притормаживал настоящие отношения, которые довели меня до такой паники, что я совершила глупую ошибку. Твердо, но ласково я толкнула его в плечи. Он отстранился, глаза его горели. В них возникло недоумение, которое почти мгновенно сменилось обидой, как только до него что-то дошло. Я была уверена — то было нечто другое, отличное от моих соображений, а потому быстро произнесла:

— Я хочу тебя и выбираю тебя. На этот раз все будет иначе, абсолютно все. Давай сделаем это вместе.

Келлан расслабился, глянул мне в глаза, потом на губы, затем снова в глаза.

— Но что у нас получается? Вечно туда-сюда, туда-сюда. Ты хочешь меня, ты хочешь его. Любишь меня, дальше любишь его. Я тебе мил, я тебе ненавистен, ты хочешь меня, не хочешь меня, любишь меня, бросаешь. Мы уже натворили дел...

Я положила ладонь ему на щеку, и он посмотрел мне в лицо. Теперь я видела все: смятение, давний гнев, неприятие, боль и подо всем этим — глубокую неуверенность. Его постоянно раздирали противоречия. Он сомневался в себе. Не верил в свою доброту... И все из-за меня, из-за наших ущербных отношений. Я устала от неразберихи, которую вносила в его жизнь. Устала его «губить». Я хотела ему добра. Хотела дарить ему радость. Мечтала о нашем совместном будущем. Но, что бы он ни говорил, с такими темпами мы обязательно выгорим.

— Келлан, я наивна и беспомощна. А ты переменчивый художник.

Губы Келлана чуть дрогнули, и я с задушевной улыбкой продолжила:

— Наша история — ворох больных эмоций, ревности и осложнений, мы оба измучены и раним себя и других. Мы оба наделали ошибок... массу ошибок. — Я отстранилась от него и улыбнулась шире. — Может, немного сбавим обороты? Давай будем просто... встречаться... и поглядим, что получится?

Он долго смотрел на меня пустым взглядом, а затем черты его исказились в коварной улыбке. Я так давно не видела этого, что была поражена в самое сердце. Зардевшись, я разогрелась в пять раз жарче, так как вспомнила, что именно понимал Келлан под «встречами».

Я смущенно потупилась:

— Я имела в виду, просто встречаться, Келлан. В старомодном смысле.

Он хохотнул, и я подняла на него взгляд. Его улыбка смягчилась до мирной и спокойной, и он нежно произнес:

— Ты и вправду сущее чудо. Ты даже не представляешь, как мне этого не хватало.

Улыбнувшись, я погладила его грубую щетину.

— Итак... Ты приглашаешь меня на свидание?

Я чуть добавила кокетства, и Келлан вскинул брови, а затем озорно просиял:

— С радостью... — Его взгляд посерьезнел. — Мы попробуем... И постараемся покончить с обидами. Все пойдет легко и просто. Мы будем действовать медленно.

Мне удалось лишь кивнуть в ответ.

❖ ❖ ❖

Наши возобновленные отношения начали развиваться темпами столь черепашьими, что я и помыслить не могла о таком, когда речь шла о Келлане. Я осталась жить с сестрой в нашей квартире. Анна восторженно твердила на каждом углу, что буквально «швырнула» нас друг другу в объятия. Келлан жил в своем доме один, так и не обзаведясь новым соседом. Наше первое официальное свидание состоялось в ближайший воскресный вечер, когда мы оба оказались свободны. Мы отправились ужинать. Встретив меня у моей двери, Келлан взял меня за руку, а в конце свидания, проводив до дома, поцеловал в щеку. Вечер оказался до того целомудренным, что я была чуть ли не в шоке. Но чувства кипели, пусть даже наш телесный контакт и свелся к минимуму. Мы оба были горазды на взгляды и глуповатые улыбки.

Потом он снова пригласил меня на танцы. С нами отправилась целая компания: моя сестрица, получавшая колоссальное удовольствие от подзатыльников, которыми то и дело награждала Келлана за ложь об их совместной ночи, — и я ни разу не возразила ей, наклеивая на лицо улыбку, Дженни со своей соседкой Рейчел и, конечно, рок-группа в полном составе.

Я улыбнулась, увидев, как залился краской застенчивый Мэтт, когда его светлые глаза оценили экзотическую красоту тихой Рейчел. Большую часть вечера они просидели в укромном уголке вместе. Мы же все сошлись на многолюдном танцполе и отплясывали в основном скопом. Келлан не позволял себе ничего нескромного, помимо медляка, во время которого держал меня за талию так, что пальцы лежали строго на моей пояснице и не спускались ниже. Улыбнувшись его сдержанности, я осторожно положила голову ему на плечо, решив проявить ту же скромность.

Лениво и удовлетворенно я наблюдала за Анной и Гриффином, излишне щедрыми на похабные речи, затем быстро переключила внимание на Эвана и Дженни, у которых тоже наступил интимный момент. Я толкнула Келлана в плечо, и он с улыбкой опустил на меня взгляд. Дернув головой, я указала в сторону, где те танцевали щекой к щеке: Дженни мечтательно взирала на Эвана, а тот забавлялся длинной прядью ее золотых волос. Келлан вновь посмотрел на меня и пожал плечами, а на его прекрасном лице сверкнула улыбка. После этого я уже не могла следить за Дженни: его колдовские глаза поймали меня в капкан.

Он не целовал меня до третьего свидания, когда мы отправились на романтическую комедию, и Келлан бушевал, не желая ее смотреть. Но это был стандартный ритуал ухаживания, и я заставила его пойти. В конце фильма я заметила в его глазах слезы. Затем он проводил меня до двери и вежливо осведомился: можно ли? Я улыбнулась его попытке выглядеть скромным джентльменом и ответила согласием. Он было собрался ограничиться быстрым клевком, но я обхватила его за шею и притянула к себе для поцелуя, после которого мы оба задохнулись. Да, в общении с Келланом самообладание никогда не было моей сильной стороной, а он, как справедливо заметила моя сестра, жег горячее всех... В общем, вы понимаете.

Иногда он встречал меня после занятий, и мы говорили о моих новых курсах. К несчастью, теперь мне приходилось учиться вместе с Кэнди, и если на первых порах это оскорбляло и бесило, то теперь, когда мы с Келланом строили нормальные отношения, я обнаружила, что ни на йоту не переживаю на ее счет. Ладно — мне; может быть, и нравилось наблюдать тень ревности на ее лице, когда я целовала Келлана на пороге, но это было все, что я испытывала к ней. Келлан же ее полностью игнорировал.

С наступлением теплых дней мы часто устраивали ланч в парке. Келлан не был великим кулинаром, как, признаться, и я, но он делал сэндвичи, и мы ели их под здоровенным деревом, привалившись к его стволу и сплетя ноги, — довольные, расслабленные и чувствующие себя так, будто иначе и не бывало.

В конце концов я уволилась с новой работы и вернулась к старому графику в «Пите». Меня заменяла Эмили из дневной смены, которая была более чем рада взять свои прежние часы. Она якобы не выносила пьяных придурков, которые набивались в бар на выходных, но у меня сложилось впечатление, что ей досаждал только *один* такой идиот. Тот самый, что продолжал перепихиваться с моей сестрой, хотя оба они были не слишком моногамны. Сестра нет-нет да привечала других гостей, тогда как Гриффин без умолку распространялся о своих отталкивающих победах, а я всячески старалась не слушать эти байки. Что бы между ними ни происходило, это было как минимум по взаимной договоренности.

В баре уже давно перестали судачить о дурном любовном треугольнике, хотя в первые дни я ощущала на себе отчетливо вопросительные взгляды. Большинство, похоже, поверило, что наши с Келланом травмы были нанесены шпаной и грабителями, но кое-кто посматривал на меня оценивающе, и я задумывалась, не вычислили эти люди правду.

Однако сам роман замять не удалось. Не нужно было быть семи пядей во лбу, чтобы сложить воедино отъезд Денни из страны, мой уход из бара и раздраженное, угрюмое поведение Келлана после моего исчезновения, большинство завсегдатаев сделало правильные выводы. Те же, кто так и не сообразил, что происходит, уразумели всё после вечера, когда я появилась в «Пите» и мы с Келланом улаживали дела в коридоре. А если и этого было мало —

лично мне кажется, что не дошло пока только до Гриффина, — то поцелуи, которыми награждал меня Келлан всякий раз, когда фланировал по бару, становились откровенным палевом.

Когда переглядывания и перешептывания прекратились, возвращение в «Пит» оказало на меня целительное воздействие, особенно благодаря выступлениям группы. Келлан исполнял свою прочувствованную песню, неизменно обращаясь прямо ко мне, и это всегда доводило меня до слез. Если слова могли бы ласкать, то он любил меня всякий раз, когда пел ее. Кое-кто из девиц в первом ряду танцпола сходил от нее с ума, очевидно воображая себя предметом его страсти. Бывало, что некоторые теряли голову и чересчур активно липли к нему после концерта, а я улыбалась, когда он вежливо осаживал их и не давал атаковать свое тело губами. Я испытывала уколы ревности, но его сердце принадлежало мне, и я не сомневалась в этом. Да и как я могла после того, как он сделал себе татуировку?

О, эта татуировка... Я часто ее рассматривала. Едва наши отношения продвинулись до стадии, на которой Келлан стал обнажаться, я долго не давала ему надеть футболку и водила по буквам пальцем, когда мы целовались на его диване. Я вызвалась начертать на себе его имя, но он заладил, что цепочки, которую я никогда не снимала, вполне достаточно, а моя «девственная» кожа безупречна в ее первозданной чистоте. При этих словах я отчаянно покраснела, но не могла оторваться от надписи, которую он обрел, пока мы были врозь. Зная его биографию, я думала, что он отыщет утешение в ораве готовых на все девиц, но этого не случилось. Келлан нашел его во мне, в моем имени на своей коже. Я не могла остаться равнодушной к болезненной красоте его поступка.

Он поведал, что наколол это имя вечером накануне отлета Денни. Он решился на это в тот день, когда Денни с Анной вывезли из его дома все мои пожитки, потому что хотел, чтобы я была поблизости, так как всегда нуждался в этом. Я и не представляла, каким красивым могло быть мое имя, однако мало что в мире было столь же прекрасно, сколь эти чернильные завитки на груди Келлана. Ну, разве что его улыбка... или волосы... или полные обожания глаза... или его сердце...

Однажды вечером Келлан признался, что продолжает поддерживать связь с Денни. Это меня потрясло. Я думала, что они простились в аэропорту раз и навсегда. Келлан же сообщил мне, что после отлета Денни он ежедневно звонил его родителям. В итоге эта настойчивость принесла плоды, и Денни позвали к телефону. Им было особо нечего сказать друг другу, но только поначалу, и Келлан не оставлял попыток. Их отношения не слишком продвинулись, пока Келлан не заявил, что мы не были парой.

Денни ни разу не спросил меня о Келлане напрямик, а я помалкивала, не желая касаться столь болезненной темы при обоюдных стараниях остаться друзьями. Он полагал, что мы сошлись мгновенно, как только его не стало, и был потрясен, когда Келлан растолковал ему, что этого не произошло. И самым невероятным было то, что он назвал Келлана идиотом, раз тот отпустил меня. Я разинула рот, когда Келлан поделился со мной этим обстоятельством.

В разговоре, состоявшемся через несколько дней, Денни все подтвердил. Он сказал, что если мы с Келланом не будем вместе, то все случившееся окажется напрасной тратой времени и сил. Я рассмеялась и ответила, что он слишком добр. Денни со смехом согласился. Он был счастлив. Он делал крупные успехи на работе и уже стоял в очереди на повышение. Его личная жизнь тоже налаживалась, и Эбби быстро превращалась из случайной подружки в нечто большее. Меня это чуть уязвило — на несколько секунд, — после чего я искренне порадовалась за него. Он заслужил.

Моя же личная жизнь тоже развивалась замечательно. Келлан и впрямь проявил себя непревзойденным кавалером: похоже, он был в восторге от болезненно медленного углубления нашей связи. По сути, его целью стало доводить меня до грани экстаза и преспокойно заявлять, что нам лучше притормозить. Этот мальчик всегда любил дразниться. Но взгляд его чаще хранил беззаботность, а улыбка была непринужденной.

Нельзя сказать, что все у нас протекало безоблачно и гладко. Иногда возникали размолвки. Обычно они начинались с той или иной девицы, с которой некогда переспал Келлан. Одна даже постучалась в дверь, будучи одета в длинный плащ, который не стала застегивать, — и я покраснела как свекла при виде ее скудного бельишка. Эта мегера заявилась, когда я заглянула к Келлану перед работой. Он быстро выставил ее, но я ничего не могла поделать: микроскопическая часть меня задалась вопросом, как поступил бы Келлан, окажись он один, и было ли явление полуголых женщин к нему на порог обычным делом. Я не сомневалась в его любви, но была всего-навсего человеком — заурядным созданием, которое выглядело крайне блекло при своем парне-Адонисе, а эта особа была исключительно красива и пышна.

И это лишь один эпизод. Были и другие. Его девицы плелись за ним в бар, а то и ко мне в университет, пытаясь восстановить их «отношения». Келлан неизменно заворачивал их и клялся мне, что они ничего для него не значили, — он даже не помнил их имен, от чего мне лучше не становилось. В глубине моей души жила неуверенность, и я страдала. В наших «беседах» вскрывались и сомнения Келлана насчет моего искреннего желания быть с ним и окончательного разрыва с Денни. Келлан все еще чувствовал себя вторым номером. Я снова и снова твердила ему обратное.

Мы всячески убеждали друг друга в обоюдной верности, однако память о том, что твоя пара бросила любимого человека, сама по себе способствует неуверенности, пусть даже этот человек был брошен ради тебя. И нам обоим приходилось учитывать наше прошлое и близость с кемто еще на фоне любви друг к другу. Наш слух впитал происходившее, а я однажды имела удовольствие и лицезреть Келлана в момент любовных утех, и нам не всегда удавалось справиться с этими воспоминаниями.

Был случай, когда Келлан даже разорался на меня за то, что я спала с Денни после долгого страстного дня наедине с ним самим. Он чувствовал себя преданным и признавался в неимоверном страдании по этому поводу, — в этом и крылась основная причина, по которой он решил уехать в тот судьбоносный вечер. В нем накопилось много негодования из-за моей близости с Денни, особенно когда я переспала с тем сразу после него в день, который виделся идеальным. Он буквально вопил о своей боли. Но чуть ли не сразу раскаялся в своих криках и схватился за голову. Поупиравшись, Келлан в конечном счете позволил себя обнять, и я без устали нашептывала извинения, покуда он ронял слезы.

Мы нанесли друг другу глубочайшие раны, но задались целью не поддаваться ни горю, ни гневу. Мы все проговаривали, пусть даже это означало двухчасовое переливание из пустого в порожнее, как вышло однажды на парковке «Пита», после того как я слезно и совершенно непредумышленно высказалась о его групповушке, на что он ответил байкой, мол, видел, как я сбегаю из клуба с Денни, и знал, ради чего и с кем в голове. Но мы и это проработали и продолжали разборы полетов.

На все эти перипетии ушло какое-то время, но в итоге мы установили равновесие между дружбой, любовью и страстью. Келлан обнимал меня всякий раз, как заходил в «Пит», и самозабвенно целовал после каждого выступления, смущая и восхищая меня. Он был поблизости, но не мешал мне дышать и создавал мне личное пространство, не отдаляясь.

Дженни неоднократно повторяла, что мы чудесная пара и что она никогда не видела, чтобы Келлан вел себя с кем-то так же, как со мной. Я верила, благо она знала, о чем говорила, ведь она была знакома с ним давно и вдоволь насмотрелась на его выходки. Она не уставала удивляться его внезапно открывшейся способности быть однолюбом. Еще она вовсю закрутила с Эваном, и я слегка удивилась, когда по полной программе застукала их в подсобке. Эван покраснел так же густо, как было с ним, когда он застукал меня. Но Дженни рассмеялась точь-в-точь как Келлан. Смутившись, но улыбаясь во весь рот при виде их воркотни, я быстро закрыла дверь и побежала рассказать все Келлану. Тот покачал головой и со смехом сообщил, что Мэтт продолжал потихоньку окучивать Рейчел. Похоже было, что «Чудилы» переходили к оседлой жизни.

Однажды, когда Келлан упоенно поцеловал меня, Анна, следившая за нами, сидя за столом группы, заявила, что завидует нашей близости, и метнула в Гриффина, витавшего в облаках, многозначительный взгляд, который тот полностью проигнорировал. Мне оставалось лишь гадать, удастся ли моей сестрице приручить этого конкретного «чудилу», — возможно, они дрессировали друг друга. Когда же на следующий вечер Гриффин прищучил за мягкое место какую-то девицу, а сестра привела домой — клянусь! — модель Кельвина Кляйна, я решила, что, может быть, и нет.

Мне было все равно. У меня был мужчина, а у него была я. На все про все ушло еще три месяца, но в итоге он получил меня целиком. По совпадению наша первая законная близость пришлась на годовщину того дня, когда я впервые увидела выступление Келлана в баре «У Пита». Мы взяли свое, наслаждаясь каждым мигом и каждым ощущением.

Раздевая меня и раздеваясь сам, он негромко пел свою песню низким, хриплым, исполненным чувства голосом. Все это время я старалась не расплакаться. Когда настал черед долгого проигрыша, а его священнодействия над моим телом набрали обороты, оставшаяся часть песни была мгновенно забыта, и очень скоро выяснилось, что полугодовые разлука и сдержанность нисколько не остудили наш пыл. Если на то пошло, ожидание даже обогатило его и наполнило бо́льшим смыслом. Он воплотил в себе решительно все.

Наше воссоединение было неистовым и чувственным, как многое между нами. Мы занимались любовью, и Келлан нашептывал мне признания — как я красива, как он соскучился, как нуждался во мне, насколько был опустошен, как сильно меня любил. Я же лишилась дара речи и не могла ответить, что испытываю то же самое. Его голос околдовал меня. Затем Келлан произнес нечто душераздирающее.

— Не уходи... Я не хочу быть один. — В глазах у него действительно стояли слезы. — Я больше не хочу оставаться один.

При всей насыщенности моих чувств я уловила волны одиночества, исходившие от него.

Наши тела продолжали двигаться. Не останавливаясь, я заключила его лицо в ладони.

— Я не уйду. Никогда...

Обезумев, я поцеловала его, стремясь успокоить, и он перевернулся вместе со мною на бок — мы оставались лицом к лицу, не прерывая любовного ритма.

Глаза Келлана повлажнели настолько, что слезы готовы были хлынуть ручьем, и он прикрыл их. Его рука снялась с моего бедра и легла на бок, прижимая меня теснее, как будто ему не хватало близости.

— Не хочу быть без тебя, — прошептал он.

— Но я же здесь, Келлан. — Взяв его за руку, я приложила ее к моему колотившемуся сердцу. — Я с тобой... Я рядом.

Мои глаза тоже стали влажными, и я, переполненная чувствами, сомкнула веки.

Я снова поцеловала его, и он оставил руку лежать на моем сердце, как будто боялся, что, если отнимет ее, я вдруг перестану быть реальной. Свою я положила прямо на его татуировку, и мы ловили биение жизни друг в друге. Открыв глаза, я принялась всматриваться в его лицо. Вкупе с трепетом моего сердца это чуть успокоило Келлана, но век он не поднял.

Изучая его, наблюдая за страстью и удовольствием, сквозь которые на его лице временами проступала боль, я затерялась в этом мгновении. Устойчивый ритм ускорился вместе с дыханием, и я мягко поцеловала Келлана, когда сама задышала чаще под его тихие стоны. Я видела, что он близок к финалу, но была до того загипнотизирована зрелищем, что почти позабыла о потрясающих метаморфозах, происходивших в моем существе. У меня не получалось сосредоточиться ни на чем, кроме лица Келлана и боли в его голосе.

Лишь очутившись на самой грани, он распахнул глаза, убрал ладонь с сердца и положил ее мне на щеку.

— Пожалуйста, — прошептал он настойчиво. — Кира, я уже на пределе. — Втянув сквозь зубы воздух, он негромко застонал. — Я не хочу... в одиночку.

Его глаза продолжали блестеть, как будто в любую секунду из них могла выкатиться тяжелая слеза, и мои моментально вновь увлажнились в ответ.

— Я здесь, Келлан. Ты не один... Ты больше не одинок.

С того, что я делала с ним, мое внимание переключилось на то, что он делал со мной. Этого хватило, чтобы я взорвалась. Вцепившись в Келлана что было мочи, я полностью раскрылась, не утаив ничего и явив ему всю глубину моего единения с ним. Он отпустил тормоза и кончил вместе со мной. Затем, когда мы рухнули без сил, наши взгляды сошлись, и мы синхронно перестали дышать, прекратили издавать звуки, безмолвно переживая нечто неимоверно глубокое вместе.

Нас охватило пламя, и наши губы слились — сперва исступленно, в глубоких и упоенных поцелуях, а после перешли к легчайшим ласкательным прикосновениям, как только огонь сменился тлеющими углями, готовыми в нужный момент разгореться.

Келлан сменил позу, но мы остались лицом к лицу. Он обвил меня руками и крепко прижал к себе. С очередным ласковым поцелуем он прошептал: «Спасибо». Я вспыхнула, но крепко вцепилась в него. Он уткнулся в изгиб моей шеи, покрутил головой и тихо проговорил:

— Прости.

Я отстранилась, и он нехотя поднял голову, чтобы взглянуть на меня. Вид у него был довольный, хотя и несколько пристыженный.

— Я не хотел... Веду себя как девчонка.

Встряхнув головой, он глянул вниз, и у меня вырвался смешок при воспоминании, что нечто подобное я ему уже предъявляла.

— Можно заверить тебя в обратном?

В ответ на это Келлан мягко улыбнулся, а затем слегка нахмурился:

— Просто много воды утекло, и я одно время считал, что мы никогда... — Он повел плечами, так как слова давались ему нелегко. — По-моему, я чуточку перекипел, вот и прошу прощения.

Он вскинул на меня взор, и на лице его изобразилась милейшая гримаса.

— Я не хотел забываться. Это просто... позор.

— Тебе совершенно нечего стыдиться.

Губы Келлана тронула слабая коварная улыбка, и я покраснела из-за его толкования моих слов. Издав смешок, я взъерошила ему волосы и приникла к нему в долгом поцелуе. Отстранившись, погладила его по щеке и сказала, вложив в свои слова все умение утешать:

— Ты не должен даже думать об этом и тем более извиняться за признания в подлинных чувствах или страхах.

Мы передвинулись так, чтобы я легла на спину, а он очутился сверху, и наши ноги сплелись. Я взяла в руки его лицо. Келлан довольно сиял.

— Ничего от меня не скрывай. Я хочу знать... Хочу понимать, что ты чувствуешь, даже если тебе кажется, будто в этом нет нужды, даже когда тебе трудно сказать.

Он отвел глаза, и я бережно разворачивала его, пока наши взгляды снова не встретились.

— Я люблю тебя. Я не собираюсь никуда уходить.

Он кивнул и обмяк на мне, подсунув под меня свои руки и уткнувшись лбом в мою шею. Я вздохнула и запустила пальцы в его волосы, время от времени целуя его в макушку, а он отзывался вздохами и стискивал меня крепче. И вот ночь, когда мы впервые спали вместе в прямом и переносном смыслах, завершилась тем, что я держала в объятиях и баюкала *его*. И в этом я усмотрела некую глубинную эмоциональную связь. Мои пальцы шерстили его гриву, и Келлан медленно проваливался в сон, не ослабляя хватки, а я поняла, что он никогда ее не ослабит. Наша любовь, в равной мере незапланированная и нежданная и тем подтверждавшая мои о ней представления, бесповоротно обожгла нас обоих до самой сути. Она не умрет. Она не сменится новой. Наверное, она не будет легкой... Но все же она будет всегда. И сон, сморивший меня, принес с собой истинное умиротворение.

ОГЛАВЛЕНИЕ

Глава 1. Встречи 7
Глава 2. «Чудилы» 23
Глава 3. Новая работа 43
Глава 4. Перемены 62
Глава 5. Одна 78
Глава 6. Слияния и расставания 109
Глава 7. Ошибки 134
Глава 8. Свинья 150
Глава 9. Кофейная будка 181
Глава 10. Дальше — больше 200
Глава 11. Правила 228
Глава 12. Все невинно 245
Глава 13. Плохая идея 263
Глава 14. Перелом 295
Глава 15. Клубные посиделки 316
Глава 16. Дождь 338
Глава 17. Все путем 358
Глава 18. Потаскун 383
Глава 19. Ты мой 404
Глава 20. Признания 425
Глава 21. Я люблю тебя 460
Глава 22. Выбор 477
Глава 23. Последствия 499
Глава 24. Вина и раскаяние 522
Глава 25. Прощание 553
Глава 26. Любовь и одиночество 572

Стивенс С. К.

С 80   Легкомысленные : роман / С. К. Стивенс ; пер. с англ. А. Смирнова. — СПб. : Азбука, Азбука-Аттикус, 2014. — 608 с. — (Сто оттенков любви).

ISBN 978-5-389-05888-0

Можно ли беспечно относиться к любви?

Кира и Дэнни — прекрасная пара, любящая, нежная и бесконечно преданная друг другу. Но обстоятельства разлучают их, и неожиданно Кира остается одна. Поиски душевного тепла и покоя приводят ее к Келлану Кайлу, местной знаменитости и рок-звезде. Но когда жизнь бросает Кире новые вызовы, ее любовь к Дэнни подвергается суровому испытанию.

Сумеют ли Кира и Дэнни сохранить свои чувства? Ведь любить легко, а доверять трудно...

Впервые на русском языке!

УДК 821.111(73)
ББК 84(7Сое)-44

Литературно-художественное издание

С. К. СТИВЕНС

ЛЕГКОМЫСЛЕННЫЕ

Ответственный редактор Ольга Рейнгеверц
Редактор Евгения Фоменко
Художественный редактор Сергей Шикин
Технический редактор Татьяна Тихомирова
Компьютерная верстка Елены Долгиной
Корректоры Елена Терскова, Маргарита Ахметова

Подписано в печать 14.11.2013.
Формат издания 84 × 108 ^{1}/$_{32}$. Печать офсетная.
Тираж 7000 экз. Усл. печ. л. 31,92. Заказ № 7905.

Знак информационной продукции
(Федеральный закон № 436-ФЗ от 29.12.2010 г.):

16+

ООО «Издательская Группа „Азбука-Аттикус“» —
обладатель товарного знака АЗБУКА®
119991, г. Москва, 5-й Донской проезд, д. 15, стр. 4

Филиал ООО «Издательская Группа „Азбука-Аттикус“»
в Санкт-Петербурге
191123, г. Санкт-Петербург, наб. Робеспьера, д. 12, лит. А

ЧП «Издательство „Махаон-Украина“»
04073, г. Киев, Московский пр., д. 6 (2-й этаж)

Отпечатано в ООО «Тульская типография»
300600, г. Тула, пр. Ленина, 109

HAOL1327401R

ПО ВОПРОСАМ ПРИОБРЕТЕНИЯ
КНИГ ОБРАЩАЙТЕСЬ

В Москве:
ООО «Издательская Группа
„Азбука-Аттикус“»
Тел.: (495) 933-76-00,
факс: (495) 933-76-19
E-mail: sales@atticus-group.ru
info@azbooka-m.ru

В Санкт-Петербурге:
Филиал ООО «Издательская Группа
„Азбука-Аттикус“» в г. Санкт-Петербурге
Тел.: (812) 327-04-55
факс: (812) 327-01-60
E-mail: trade@azbooka.spb.ru
atticus@azbooka.spb.ru

В Киеве:
ЧП «Издательство „Махаон-Украина“»
тел./факс: (044) 490-99-01
E-mail: sale@machaon.kiev.ua

Информация о новинках и планах,
а также условия сотрудничества
на сайтах

www.azbooka.ru
www.atticus-group.ru